BURKE'S MACHETE,
en Español

EL MACHETE DE BURKE,

Bob Burke acción y aventuras Thriller #7

por

William F. Brown

Derechos de autor 2023

Burke's Machete

en Español

Bob Burke Action Thriller #7

WILLIAM F. BROWN

PRIMERA PARTE

Sierra Madre Occidental

Estado de Sinaloa, oeste de México

2016

CAPÍTULO UNO

0300 tiempo del ejército

Ace y yo nos arrodillamos en las rocas junto al sendero, recuperando el aliento y partiendo otra cantimplora de agua. Hice que el resto del pelotón hiciera lo mismo.

"¿Crees que nos toparemos con algún malo que venga por aquí?", preguntó.

"No, sólo un idiota vendría a por ellos saliendo del desierto y subiendo por estas montañas. Por eso es un buen plan", respondí mientras volvía a comprobar mi GPS y los vídeos de los drones por satélite. "Con suerte, estaremos dentro y acabaremos con los guardias antes de que sepan que estamos en el barrio".

"No hay 'esperanza' al respecto, Fantasma. Creo que derribaremos esa hacienda en tres minutos. ¿Pero cómo es que siempre nos eligen a nosotros para estas operaciones? ¿Los SEAL están de vacaciones o algo así?". murmuró Ace. "No es que me esté quejando, entiendes. Sólo pregunto".

Todo lo que pude ofrecer fue un encogimiento de hombros poco comprensivo y preguntar: "¿Ves agua por aquí?".

"No, pero no enviaron a Delta por eso, y tú lo sabes."

"No, nos enviaron porque somos los mejores. Porque *podemos* derribarlo en tres minutos. ¿Nadie te lo ha dicho nunca?"

Oí su risa cínica en la oscuridad delante de mí. "Sólo tú y el Coronel Jeffers. ¿Te ha vuelto a decir esa vieja frase?"

"¿Te refieres a que somos 'la punta de la lanza' y 'lo mejor de lo mejor'?". Gruñó. "Sí, y lo compraste de nuevo, ¿no?"

"Por supuesto que no... esta vez, fue Stansky quien lo dijo".

Eso puso fin a la discusión. Me miró de nuevo. "Oh", murmuró. Juego, set, partido. El nombre del General de División Stansky puso fin al debate.

Activé mi micrófono en la barbilla y dije al resto de la patrulla: "Muy bien, en marcha", y quité el seguro de mi Barrett del calibre 50 mientras me ponía en pie.

Tenía el punto de marcha Ace. Éramos el elemento "cuartel general" de dos hombres de una pequeña pero muy selecta patrulla de combate de doce "Operadores" de la Fuerza Delta del Ejército de los EE.UU. fuertemente armados, a pie, de noche y moviéndose rápidamente a través de la Cordillera Occidental de la Sierra Madres en México. No se trataba de una operación de entrenamiento, ni mucho menos. Nuestras armas estaban cargadas, nuestra munición era real, y estábamos en una "formación de cuña", sacada directamente del Manual de los Rangers, SH 21-76.

Subimos y bajamos por las empinadas laderas y atravesamos valles rocosos con los que una cabra montesa tendría problemas. Por eso no esperaba toparme aquí con ninguno de los tiradores de Ortega. Eran demasiado vagos para venir aquí con sus mocasines de Gucci y sus Nike de Michael Jordan. Si lo hacían, descubrirían que no estábamos bromeando. Un tiro de mi Barrett o de Ace y quedarían enterrados.

Levanté la vista y vi una fina luna creciente que cabalgaba baja en el cielo occidental delante de nosotros. Proporcionaba la luz suficiente para indicar el camino que seguíamos a través de la arena suelta y la grava de la ladera. La luna se pondría pronto, pero el aire era cristalino a estas alturas del desierto y había un millón de estrellas en lo alto. Eso era todo lo que necesitábamos para encontrar el camino: la luna, las estrellas, el GPS y la señal de un dron Predator.

Mis hombres y yo habíamos llevado a cabo operaciones tácticas como ésta en otros desiertos y montañas cientos de veces. Las habíamos practicado mil veces más desde la Escuela de Rangers. En mi caso, desde West Point, por no hablar de las correrías por los bosques de Fort Bragg cuando era niño y jugaba a los vaqueros y el Vietcong o algo así.

Los Occidentales eran más o menos un desierto alto con largas y escarpadas líneas de cresta paralelas a la costa. Mis equipos Delta habían librado docenas de batallas, grandes y pequeñas, diurnas y nocturnas, en países como este y peores, pero esas fueron en Irak, Siria o Afganistán, no en México, donde no deberíamos estar. Aquí tampoco deberían dispararnos ni disparar a la gente, pero la noche aún era joven.

En otros cien metros, llegaríamos a la primera cresta. Bajaríamos por el otro lado, atravesaríamos otro valle estéril y subiríamos otra empinada cuesta hasta la siguiente cresta, donde se encontraba la gran hacienda de José Ortega, el jefe del cártel de Sinaloa. En tres horas, cuando saliera el sol, el Op debería haber terminado y nosotros nos habríamos ido. Si no, estaríamos en serios problemas.

Como un láser, Ace centró su atención en el sinuoso sendero que tenía por delante, en busca de una base segura y de sensores, artefactos explosivos improvisados o cables trampa. No esperábamos encontrar nada de eso tan lejos del objetivo. Tal vez fuera arrogancia o ignorancia por nuestra parte, pero nos negábamos a creer que un cártel de la droga mexicano pudiera tener las habilidades y el equipo de alta tecnología que nuestros enemigos nos mostraban cada día en Oriente Medio. Pero los buenos hábitos son difíciles de perder, y nunca se es demasiado precavido en una operación cuando hay vidas en juego.

Aún nos quedaba un largo camino por recorrer y una dura caminata antes de llegar a la hacienda de José Ortega. Podríamos habernos dejado caer en su recinto con "cuerdas rápidas" desde los helicópteros Black Hawk en los que descendimos, una habilidad que todos habíamos perfeccionado años antes, pero no había vuelta atrás una vez que empezabas a descender por la cuerda. Había sido decisión mía. Así que, a pesar del lento y angustioso progreso que hicimos subiendo y bajando las colinas, el plan original de entrar a pie y derribar la hacienda con sigilo seguía siendo nuestra opción más segura.

Las laderas orientales de los Occidentales, desde donde atacábamos, estaban tan desoladas y estériles como la cara oculta de la luna. Los últimos drones y fotos aéreas confirmaban lo que nos habían dicho en Fort Bragg. José Ortega y sus cerebros creían que los únicos que se atreverían a atacar su "inexpugnable" complejo en la cima de la montaña serían un batallón o dos de la "élite" **Fuerza Especial de Reacción** o FER del ejército mexicano, sus Rangers. Y entrarían por el lado oeste, no por el este, por donde veníamos nosotros. Y necesitarían aviones a reacción, helicópteros de ataque y un largo convoy de vehículos blindados de transporte de tropas que se abrieran camino por esa estrecha carretera desde Culiacán para tener siquiera una oportunidad.

Pero el presidente mexicano nunca lo permitiría. Estaba en el bolsillo de los cárteles, o al menos aterrorizado por ellos. Todo el mundo aquí abajo lo sabía. Así que, ¿un escuadrón de infantería ligera altamente entrenada que se acerca a pie a través de las escarpadas montañas del este portando nada más que rifles? "¡Ridículo!" *¡Ridículo!* ¡No! ¡No! Ni siquiera la cacareada Delta Force americana intentaría algo así.

Me quedé a no más de diez metros detrás de Ace. Mientras él vigilaba el rastro, yo mantenía una vigilancia más amplia en nuestros flancos, monitorizando las secuencias de vídeo de los drones que llegaban a mi teléfono móvil y manteniendo el control del equipo. Popcorn Tillman y Taco Bell nos apoyaban a Ace y a mí y vigilaban a nuestros "Seis". Mis otros dos equipos de cuatro hombres se movían aproximadamente en diagonal respecto a nosotros, por encima y por debajo. Las fotos aéreas y los informes que había estado recibiendo en mi teléfono satelital mostraban que no deberíamos encontrar ninguna resistencia hasta que llegáramos a la pared trasera de la hacienda en la gran colina en el centro de la siguiente cresta. Sin embargo, con la tierra suelta y la grava, cada paso adelante significaba medio paso hacia atrás, y correr el riesgo de perder completamente el equilibrio y deslizarnos hasta el fondo de la pendiente.

"¿Pero México?" había preguntado Ace. "¿Por qué demonios México? Esta no es exactamente nuestra zona normal de operaciones, ¿sabes, Fantasma?".

Mirando alrededor de aquel duro paisaje, no podría estar más de acuerdo. "¿Quizá preferirías volver a Irak o Afganistán, o al desierto sirio, al Badiya?".

pregunté.

"Sí, son 'malos', de acuerdo, pero al menos puedo hablar algo de árabe, incluso un poco de pastún y kurdo, pero mi español nunca salió del instituto".

Miré a mi alrededor. "Yo tampoco, pero no veo a ningún Haji con túnicas negras y AKs colgando del cuello o esas grandes espadas cimitarras suyas persiguiéndonos por aquí".

"Ninguno de esos malditos barbas negras tupidas tampoco, pero tienen el mismo mal aliento. Así que, dime, ¿cómo se supone que vamos a distinguir a los buenos de los malos aquí cuando cada sombrero se parece mucho al anterior?".

"Eso debería ser bastante fácil. Espera a que empiecen a dispararte".

"Entendido". Ace se rió entre dientes mientras seguía subiendo y yo me quedaba cerca detrás de él. La verdad era que había muchas diferencias y no se trataba sólo de la ropa o la higiene personal. Estábamos en el noroeste de México, en plena Sierra Madre. No eran superaltas, más bien una versión achaparrada y reseca de nuestros rechonchos Apalaches, nada sobre lo que Aaron Copeland compusiera una suite, a menos que se tratara de *Billy el Niño*. Estas empinadas y escarpadas laderas y estos sofocantes valles apenas podían albergar cabras y burros salvajes. Cactus saguaro, sí, y pinos achaparrados y pequeños robles, y todos esos malditos escorpiones y serpientes de cascabel, también, pero eso era todo.

Subimos y bajamos las colinas de la árida zona oriental de los Occidentales. La vertiente occidental, frente al Golfo de California, Baja California y el Pacífico, era una zona turística completamente distinta. Allí llovía y había humedad, mientras que en las laderas orientales reinaba el sol seco y abrasador y el calor del desierto. Pero, tanto al este como al oeste, la Sierra Madre Occidental era una pequeña montaña comparada con la cordillera del Hindu Kush, en el norte de Afganistán. Aquellas eran montañas serias, la pesadilla de un soldado de infantería, que se elevaban hasta los 6.000 y 7.000 metros, mientras que estos enanos rechonchos eran la mitad o incluso la tercera parte.

Pero a pesar de las dificultades y los peligros, nuestro trabajo consistía en atravesar este terreno duro e implacable y llegar a donde teníamos que llegar para capturar o matar a los malos si era necesario. ¿Por qué? Porque eso era lo que éramos y lo que hacíamos.

CAPÍTULO DOS

Siempre que salíamos al campo en una operación, Ace adoptaba el aspecto de un mecánico de coches paleto. Llevaba una grasienta gorra de los Washington Redskins, de la vieja escuela con el indio, una camisa de franela desteñida, vaqueros viejos y botas de trabajo de paisano desgastadas. Llevaba el pelo largo hasta los hombros y bien trenzado en una coleta que le colgaba por detrás de la gorra. Y llevaba un bigote de Fu Manchú sin recortar que le caía por debajo de la comisura de los labios como dos orugas. Nada de eso importaba. Se suponía que los Deltas debían parecer civiles desordenados y desaliñados para pasar desapercibidos y parecer cualquier cosa menos el ejército estadounidense.

Su mochila era un viejo modelo excedente del ejército de hace varias guerras, con grandes bolsillos laterales. La mía era un modelo comercial de Dick's Sporting Goods en Fayetteville. No importaba. En una operación corta como ésta, llevábamos objetos similares en el interior: un par de gafas de visión nocturna AN/PSQ-20 mejoradas, cargadores adicionales para las Barretts, al menos seis cantimploras de agua, granadas de fragmentación y aturdidoras, barras de rastreo y esposas flexibles. Dos miembros de mi equipo tenían formación médica y también llevaban botiquines de primeros auxilios, aún más agua y grandes vendas compresivas. En una operación en el desierto, nunca se tiene suficiente agua, grandes vendas o médicos.

Por aquel entonces, en mi cinturón llevaba una pistola Beretta de 9 milímetros, cuatro cargadores de repuesto, un supresor de ruido atornillado y un afilado cuchillo TAC de nueve pulgadas. Me defiendo bien con la pistola y soy un experto con el cuchillo y en media docena de disciplinas de lucha cuerpo a cuerpo.

Pero mi arma preferida siempre ha sido el gran rifle semiautomático Barrett de calibre 50. "Juguetes grandes para niños pequeños", me reprendía siempre mi abuelo. "¡Esa cosa te dejará con el culo al aire si no tienes cuidado, Bobby! Dame un viejo M-1 o un M-14, cualquier día". Tenía razón, pero en manos de francotiradores expertos, como Ace y yo, es un arma precisa y de largo alcance. Añádele un supresor de ruido y un visor Leupold y sigue siendo mi arma preferida para esas ocasiones especiales "en las que quieres enviar lo mejor".

Hace más de cien años, alguien inventó la munición M33 para la Barrett, y es muy potente. Incluso a muy larga distancia, puede matar fácilmente a un hombre, volarle un brazo o una pierna, inutilizar un vehículo ligeramente blindado y aterrorizar a un pequeño ejército. Esas cosas eran útiles, pero también lo era "el aspecto". La desarrollé para acompañarlas. Cuando clavo los ojos en alguien, sobre todo cuando estoy muy cabreado, dicen que es como mirar fijamente los cañones de una escopeta recortada o las puertas abiertas de un alto horno. También eran útiles, como descubrí hace mucho tiempo, y a menudo eliminaban la necesidad de hacer cualquier otra cosa.

Ace era una figura imponente de 1,90 metros y 90 kilos. Había sido una estrella del fútbol americano en el instituto de Eastern Washington, tenía manos grandes y un agarre similar al de un tornillo de banco. Tenía tatuajes en ambos brazos. El de la izquierda rezaba: "He estado allí, he hecho eso", y el de la derecha: "Mátalos a todos y deja que Dios lo resuelva". Los tatuajes hablaban por sí solos y resumían su filosofía de vida. Probablemente también la mía.

Llevaba casi el mismo equipo que yo, incluyendo otro Barrett colgado a la espalda y la carabina M4-A1 estándar del ejército en el pecho para un acceso más rápido, y diez cargadores para cada uno en su mochila. La Barrett era nuestra elección para disparos precisos de una sola vez, pero la M-4 era mejor para el "control de multitudes" en un enfrentamiento serio. Aun así, si decidía cargar con dos rifles, no me inspiraba ninguna simpatía. Era casi el doble que yo, y el segundo rifle fue idea suya. Toda esa energía acumulada, supongo. Así que lo dejé caminar para quemarla. A cada uno lo suyo.

En Delta, ignorábamos el rango y los nombres sobre el terreno. Lo único que usábamos eran nuestros "indicativos" de radio o apodos. Lo que importaba era la confianza mutua, la profesionalidad y la habilidad. Así que él era "As", supongo que de alguna olvidada partida de póquer en la base. Nunca le pregunté, pero el nombre encajaba. Por la misma razón, a mí me llamaban "El Fantasma" desde la escuela de Rangers, por mi habilidad para aparecer de la nada y desaparecer aparentemente en cualquier momento y lugar. Con 1,70 y 68 kilos, un pelo por encima de los mínimos de West Point, no era tan difícil. Pero con los años, los nombres se nos quedaron grabados y se convirtieron en algo tan natural para nosotros como sus tatuajes.

Sólo habían pasado dieciocho horas desde que el general de división Arnold Stansky nos convocó en su despacho del último piso del cuartel general del Mando Conjunto de Operaciones Especiales (JSOC), en Fort Bragg, para una sesión de planificación al amanecer. Éramos cinco alrededor de la pequeña mesa de conferencias del general: Stansky, el coronel Bill Jeffers, jefe de operaciones y hombre de confianza de Stansky, Pat O'Connor, su sargento mayor, yo y Ace, mi sargento primero y suboficial principal.

Había servido a las órdenes de Bill Jeffers muchas veces durante mi carrera en Operaciones Especiales, y él era otro buen amigo. El general había sido mi mentor no oficial o "tío" desde mis primeros días en la Academia. Me tomó bajo su protección porque conoció a mi padre "en los viejos tiempos" y, dependiendo de quién contara la historia, puede que mi abuelo, uno de los suboficiales más duros que vistió el uniforme, le pateara el culo o puede que no. Era algo de lo que ninguno de los dos hablaba y mucho menos admitía.

Stansky y Jeffers formaban un equipo bien avenido. Al general le gustaba hablar, y Bill nunca lo hacía. El general era de mi tamaño, mientras que Jeffers medía 1,80 m, era fornido y musculoso. Pat O'Connor medía 1,90 m, ni que fuera tan alto. Construido como un barril de cerveza en las piernas con 230 libras de músculo duro como una roca, se alzaba sobre Stansky de la misma manera que Ace Randall se alzaba sobre mí.

En las raras ocasiones en las que los cuatro coincidíamos en un mismo acto formal que nos obligaba a llevar el uniforme verde de gala, era difícil distinguir quién tenía la mayor colección de medallas e insignias de destreza en el pecho. Ninguno de nosotros llevaba la cuenta y a ninguno le importaba, pero a otros sí. Al igual que el rango, las medallas tienen que ver con la historia y no importan en Operaciones Especiales.

Aquella mañana, el general de división Stansky entró con su característica taza grande de porcelana blanca llena de café negro muy caliente. La mayoría de los oficiales superiores del edificio llevaban tazas adornadas con logotipos de West Point o de otras escuelas. Stansky no. Se había alistado a los dieciocho años para ir a Vietnam, ascendiendo rápidamente a sargento y sargento primero durante un período de dieciocho meses en el 75th Ranger Regiment.

Se especializaron en guerra irregular a nivel de pelotón y compañía, reconocimiento de largo alcance y tácticas de contraguerrilla. Se asignó una de estas compañías a cada una de las divisiones de infantería del país. Stansky estuvo dieciocho meses con la compañía H, asignada a la 1st División de Caballería Aérea. Después de eso, se convirtió en oficial "por las malas", como él decía, a través de la OCS. Aunque a menudo decía que una semana sobre el terreno con la Compañía H era más dura que las veintitrés semanas que pasó en la OCS.

Aquella sencilla taza de porcelana blanca era su forma de asegurarse de que todo el mundo lo supiera. Y le gustaba el café tan fuerte y caliente que nadie en su sano juicio se lo tomaría.

Stansky dejó caer una fina carpeta sobre la mesa que tenía delante, tomó asiento y nosotros le seguimos. Nadie llevaba papel ni bolígrafo a las reuniones de Stansky, ni siquiera él, y nadie tomaba notas. Se suponía que debíamos recordar. Así que, cuando entraba con una carpeta, sabíamos que lo que contenía debía ser importante: probablemente un mapa o una fotografía.

"Fantasma, hoy tengo una misión especial para ti", empezó con una sonrisa fina y confiada. "Es 'sólo para ojos' alto secreto, e importante".

No me sorprendió. No me había llamado ni por las vistas, ni por el café, ni para que le diera mi opinión sobre el nuevo color de su alfombra. "Sí, señor", le dije. "Eso era lo que esperaba".

"Bien. ¿Hace cuánto que has vuelto de Bagram? ¿Tres meses? ¿Y ese fue tu segundo despliegue en Afganistán, más el de Irak?".

"Mi tercero, más Irak", le corregí.

"Es hora de daros a ti y a tus hombres algo diferente. Tiene una 'mecha corta' y es muy delicado. Necesito un oficial avispado que pueda manejarlo, alguien que no deje migas de pan para que lo siga algún ansioso castor, ya me entiendes."

"Sí, señor. Podemos dispararle, matarlo, comérnoslo o hacerlo explotar. Dígame qué le gustaría".

Stansky sonrió y se lo pensó un segundo antes de volverse hacia Ace y decirle: "Randall, eso suena como algo que te tatuarías en el culo".

"Sí, señor, el día aún es joven", respondió Ace.

"Así es, sargento primero. Pero si el Fantasma se va a comer esto, será mejor que traiga una botella grande de salsa Tabasco", sonrió y abrió la carpeta que tenía delante. Pasó el dedo por el centro de la hoja superior del interior. Incluso boca abajo y al otro lado de la mesa, juraría que parecía un expediente académico de West Point, lo que me hizo preguntarme en qué me estaba metiendo el viejo esta vez.

"Ah, aquí estamos, español", dijo mientras me miraba con una fina sonrisa invernal. ¿"B" y "C", Burke? ¿De verdad? No es exactamente lo que esperaba de un cadete entre los diez mejores de su clase".

"No señor. No creí que el español fuera tan útil donde enviaban a mi clase, así que puse mi energía en otra parte."

"Ya veo. Me dirigió una mirada divertida antes de inclinarse hacia delante, muy serio. "¿Crees que puedes recordar lo suficiente como para decir 'Muere, hijo de puta' en español?"

"Bueno, deme un diccionario de bolsillo y probablemente pueda arreglármelas, señor".

"Entonces su 'C de caballero' tendrá que servir", dijo mientras levantaba la vista y fijaba sus ojos en los míos, cambiando a su voz de mando. "Esta noche, a las 19.00 horas, despegará del aeródromo militar de Pope con un escuadrón de Deltas de su elección y volará a Fort Huachuca, Arizona. Cuatro tripulaciones de helicópteros de nuestro 160º Regimiento de Aviación de Operaciones Especiales les acompañarán hasta allí y tomarán prestados dos Black Hawks sin matrícula y dos helicópteros de combate Apache del batallón de aviación local. Los utilizarán para introducirse en un valle montañoso a cuarenta millas al este de Culiacán, México, a cinco millas al este de su objetivo. Los helicópteros permanecerán en la zona de aterrizaje mientras ustedes asaltan y capturan un complejo de haciendas en la cima de una colina, donde los helicópteros regresarán para recogerlos, y estarán preparados para proporcionar apoyo de fuego si fuera necesario."

Entonces se revolvió en su silla, cogió una gran fotografía aérea de su escritorio y la dejó sobre la mesa, entre nosotros.

Me incliné hacia delante para inspeccionar el mapa con los demás y comenté: "Parece un país duro. Y un largo camino hacia el interior de México".

"Podría decirse que sí, comandante", Stansky soltó una risita divertida y cogió una hoja de papel de carta grueso y repujado. Llevaba el membrete del Secretario de Defensa, lo que vi mientras él se ponía las gafas de leer. El Secretario de Defensa, pensé, mientras volvía a mirar el papel y continuaba.

"Después de desmontar en la zona de aterrizaje, usted y su destacamento se dirigirán a pie hacia el noroeste, penetrarán en esta hacienda y la asegurarán antes del amanecer", dijo, señalando con el dedo índice un gran complejo de edificios amurallados situado en lo alto de una cresta irregular en el centro de la fotografía. "Vuestra misión es capturar vivo a José 'Big Blade' Ortega, el 'Jefe' o líder del cártel de la droga de Sinaloa, superando cualquier oposición que podáis encontrar. Los helicópteros llegarán entonces desde la zona de aterrizaje, te recogerán y te transportarán a ti y a tu prisionero de vuelta a Arizona, donde los alguaciles estadounidenses lo pondrán bajo custodia para que sea juzgado en un tribunal estadounidense por cargos criminales demasiado numerosos para mencionarlos, desde fabricación y distribución ilícitas de drogas en Estados Unidos hasta asesinato."

¿Eso es todo? Pensé. El jefe del cártel de la droga. En lo profundo de México.

CAPÍTULO TRES

¿**"Big Blade"**? ¿**Es algún tipo** de doble sentido?" pregunté, no segura de querer saberlo.

"No, piensa en un machete afilado. Es ese tipo de hoja grande", me informó Bill Jeffers. "A Ortega le encanta presumir de sí mismo, pero esta vez no miente. Cuando ascendía en las filas del cártel, su afición era acuchillar y descuartizar a los enemigos de su padre con un machete oxidado para entretener al viejo."

"Tiene mucho sentido del humor, ¿verdad?". Stansky rió entre dientes. "Pero todo lo que necesitas saber es que Washington quiere llevar a ese bastardo de José Ortega a juicio aquí en los EE.UU., para dejar claro a los otros cárteles y al actual gobierno mexicano que si ellos no limpian su desastre y detienen a esos tipos, nosotros lo haremos. Para hacer eso, Washington quiere al bastardo. Así que pueden abollar o matar a tantos de sus pistoleros como quieran, pero no a él. Lo quieren en Phoenix, de pie en un tribunal federal frente a un juez, vivo".

"Sí, señor", murmuré mientras inspeccionaba la foto, dándome cuenta de que esta Op iba a ser una putada.

Bill Jeffers continuó: "Está en las estribaciones de la sierra costera al este de Culiacán , que no sólo es la capital del Estado de Sinaloa, sino la capital del imperio del cártel de Ortega, que se ha expandido por todo el noroeste de México y a lo largo de la costa del Pacífico.

"Si miras de cerca", dijo Stansky, "verás que la hacienda cubre unos ocho acres, rodeada por un muro de adobe de doce pies de altura con diez edificios en su interior, grandes y pequeños". La extensa casa principal y la antigua misión española datan de la época colonial, cuando probablemente necesitaban los muros como defensa contra los ataques de los indios yaqui y comanche", explicó Stansky. "Sabemos que Ortega ha reforzado su seguridad recientemente, pero no sabemos exactamente qué ha hecho. Creemos que es sobre todo de boquilla. Lleva meses alardeando de su 'inexpugnable castillo en el cielo', así que ¿quién sabe? Pueden parecer matones, pero tienen millones de dólares para jugar".

"Y nunca vale la pena subestimar a los ricos o la suerte ciega", ofrecí.

"Buenos puntos. Tiene tres o cuatro antenas parabólicas en el tejado de la hacienda, grandes y pequeñas, así que sabemos que se mantiene en contacto con el mundo exterior", dijo Jeffers.

"Probablemente también descargan mucho porno", añadió Ace.

"Sin duda", se rió Jeffers. "La NSA ha estado interviniendo sus comunicaciones y probablemente esté de acuerdo contigo, pero hay mucho más que porno que entra y sale de ese lugar". Se inclinó hacia delante y dio unos golpecitos con el dedo en dos grandes objetos cubiertos situados en la pared frontal, junto a las dos torres de vigilancia, que daban al oeste, hacia Culiacán. "¿Sabes qué son?", preguntó.

"Ni idea", admití.

"Sólo las hemos visto destapadas una vez, cuando hicieron algunas pruebas de tiro y limpieza", dijo O'Connor.

"José se hizo con dos ametralladoras antiaéreas M-45 de cuatro cañones y calibre 50", sonríe Stansky. "Son de la vieja escuela de la Segunda Guerra Mundial, pero tienen una gran potencia de fuego. Se ven en museos militares y en los jardines de los puestos de la Legión Americana. El Ejército los montaba en semiorugas blindadas y la Armada en barcos. En el avance a través de Alemania, Patton o alguien los apodó "Meat Choppers" o "Kraut Mowers". Incluso vi uno en un 'camión duro' que usábamos para la defensa de convoyes en las carreteras de Vietnam. Nuestra suposición es que Ortega los compró, o más probablemente los robó, de la base de la Marina mexicana en Manzanillo o del astillero de Acapulco."

Bill Jeffers me miró seriamente y me dijo: "Fantasma, ¿sabes cuánto daño puede hacer una sola .50 de una Barrett? Pues imagínate cuatro de ellas disparando al mismo tiempo con munición de cartucho".

"Ni siquiera tienen que ser muy buenos tiradores. Puede destrozar cualquier cosa que se acerque por esa carretera y se acerque a su puerta principal", dijo O'Connor.

"Y derribar cualquier helicóptero con tropas a bordo que sea lo suficientemente tonto como para ponerse a tiro", coincidió Jeffers. "Puede que no sean tan precisas como las modernas ametralladoras pesadas guiadas por radar o los cohetes, pero pueden dar guerra. Aun así, no me cabe duda de que compró esos M-45 estrictamente para aparentar, para intimidar a sus competidores y mantenerlos alejados de su puerta principal."

"Sospecho que está creando un 'aura de invencibilidad'".

"Exactamente. Es lo que quiere que piensen los otros cárteles y el ejército mexicano", añadió el general Stansky. "Intentaron atacar ese complejo una vez, cuando el padre de José dirigía las cosas. Les dieron una buena tunda. Ahora, el Ejército no se acercará a menos de treinta kilómetros del lugar sin una cobertura aérea seria, que su presidente no les dará. Me han dicho que, de vez en cuando, pueden hacer un poco de reconocimiento, pero eso es todo".

"Hemos hecho montones de fotos y escaneos por satélite del lugar", dijo Bill. "Sabemos que tienen una docena de vehículos de todo tipo y probablemente veinticinco pistoleros del cártel, quizá algunos más. No es inexpugnable, al contrario de lo que alardea Ortega, pero tomarlo sin una gran lucha podría ser muy complicado. Por eso te encargo el trabajo, Fantasma. Esta operación requiere 'sigilo y astucia'".

"Y tú eres el hijo de puta más sigiloso y astuto que se nos ha ocurrido", rugió riendo Stansky.

"Es un verdadero honor que hayan pensado en mí, señores", miré a ambos y puse los ojos en blanco. "Pero es un lugar grande y parece estar bien defendido. ¿Creen que un escuadrón es suficiente?"

"Diablos, te daré un batallón completo del 82nd, si eso es lo que quieres", me miró Stansky y dijo. "Pero el 'brain trust' aquí en el JSOC, incluyéndome a mí, piensa que un escuadrón de Deltas contigo al mando puede tomar ese lugar desde la retaguardia mucho más fácilmente y con menos riesgo y menos derramamiento de sangre... y el Secretario de Defensa está de acuerdo", Stansky se inclinó hacia delante y me dijo. "Mi única pregunta es si usted piensa lo mismo".

Seguí mirando la foto aérea unos segundos más antes de decir: "No quiero parecer arrogante, pero creo que tienes razón. La carretera está fuera. Y un gran asalto aéreo a ese complejo significa demasiados Black Hawks, demasiado ruido, un tiroteo casi seguro y bajas. No, tiene que hacerse a pie desde la retaguardia, de noche, usando "sigilo y astucia". Yo preferiría llamarlo Ranger 101 - entonces podemos entrar, saltar, y silenciosamente derribarlo ".

"¡Bien!" Stansky sonrió. "Y cuanto más crea el enemigo que es inexpugnable, mejor para nosotros. La arrogancia se traduce invariablemente en exceso de confianza y descuido".

"Y una buena paliza", dijo Ace.

Finalmente, tuve que preguntar: "De acuerdo, pero ¿por qué es tan importante agarrar a José Ortega?".

"Su padre era Esteban 'La Cucaracha' Ortega..." Bill comenzó.

"Bonito detalle", dijo Ace mientras sacudía la cabeza.

"Efectivamente", dijo Bill. "Probablemente fue por mala suerte, pero hace siete años, el ejército mexicano capturó al viejo y lo 'extraditó' a Estados Unidos. Todos los cárteles hicieron un berrinche y empezaron a disparar y a volar cosas por los aires, probablemente temiendo que su propio ejército fuera a por ellos a continuación. Exigieron la liberación de la Cucaracha, pero el presidente mexicano de entonces no cedió. En lugar de eso, la Cucaracha acabó siendo condenada a cadena perpetua en Leavenworth por todo tipo de delitos, desde chantaje hasta drogas, contrabando y asesinato. Murió allí en circunstancias sospechosas hace años en la cárcel y nunca salió. Se rumorea que Big Blade se deshizo de él cuando tomó el mando. No quería intromisiones ni interferencias de su viejo".

"Los hijos son como ruedas de repuesto baratas ahí abajo", añadió Stansky. "El Cucaracha tenía un montón de ellos de múltiples esposas y novias. Eligió a José y a cuatro de sus hermanos menores -Esteban, Osvaldo, Jesús y Joaquín- para que se hicieran cargo si le pasaba algo... y le pasó".

"Entonces, ¿Big Blade fue el 'elegido de la camada'?"

"Eso me han dicho", dijo Bill. "Los otros tenían grandes pendientes de diamantes, 'narices de cocaína', bimbos en cada brazo, Lamborghinis, pistolas calibre 45 bañadas en oro, caimanes de mascota, leones, de todo. Cuando los otros capos de la droga se dieron cuenta de que La Cucaracha no iba a volver de Leavenworth, decidieron deshacerse de los hermanos Ortega y repartirse el territorio de Sinaloa entre ellos. Por desgracia, los hermanos estaban más locos y eran más feroces de lo que nadie esperaba. Al final, fue José quien intervino e ideó una solución que enorgullecería al Padrino. Llegó a un acuerdo con los otros cárteles, mató a sus cuatro hermanos y tomó el mando. Dos meses después, su padre murió en la cárcel, y José se convirtió en el narcotraficante más poderoso de México".

"Dicen que parece y actúa como un tipo refinado, bien educado, 'por debajo del radar', con una familia perfecta de postal navideña, pero es un pequeño bastardo asesino", dijo Stansky. "Sin embargo, hay que reconocer que, mientras sus hermanos andaban sueltos, José fue a la escuela y se licenció en ingeniería industrial por la UNAM, la mejor escuela de ingeniería de México, y luego obtuvo un máster en administración de empresas por la UCLA... y una preciosa esposa trofeo de Hollywood".

"Y apuesto a que también tiene un Golden Retriever, fuma en pipa y ve la televisión educativa", ofreció O'Conner. "Pero aún tiene ese machete colgado en la pared de su habitación".

"Lo más importante que hizo José fue transformar por completo el cártel de Sinaloa. En lugar de los chanchullos habituales del secuestro, el tráfico de personas y la distribución de drogas ilegales fabricadas en China, José puso a trabajar su título de ingeniero. Construyó sus propias fábricas de fentanilo y expulsó a los chinos del negocio. El cártel de Sinaloa fabrica ahora el suyo propio, se hizo con el mercado estadounidense y lo distribuye por todo el mundo. El fentanilo es su gallina de los huevos de oro".

"El fentanilo se ha convertido en una epidemia. 100.000 muertes el año pasado sólo en Estados Unidos", añadió O'Conner. "Y sin duda es un riesgo para la seguridad nacional".

"De la que nadie en DC habla. Así que no me hagas hablar de esos bastardos". Stansky dio un golpecito con el dedo en la foto aérea. "Pero si podemos atrapar a Ortega y destruir su 'castillo inexpugnable' en la colina, tendremos al resto de los cárteles huyendo. Por eso quiero atraparlo y volar ese complejo en pedazos antes de que salgan de allí. ¡Convierte todo el lugar en gravilla! Es un símbolo importante y lo único que entenderán esos cárteles. Pero ten cuidado. Probablemente hay una fábrica de Fentanyl o dos escondidas dentro de los edificios más pequeños, o tal vez debajo de ellos. Y también tiene una enorme reserva de productos químicos y gas natural y propano ahí arriba. No querrás estar cerca cuando explote".

"¿Supongo que podemos esperar resistencia?" Pregunté.

"Fantasma", se inclinó hacia delante y clavó sus ojos en los míos. "Podría haber elegido a una docena de tenientes coroneles de la 82 para que dirigieran esta operación por mí, pero en cuanto estudiaran los problemas, todos volverían corriendo a mí con una excusa tras otra por la que algo no funcionaría, dando largas hasta que pasara la oportunidad. ¿Saben por qué? Porque el fracaso en una gran operación como ésta podría dañar sus preciadas carreras e impedirles conseguir ese coronel ave completo prendido en sus cuellos. A ti, en cambio, no podría importarte menos, ¿verdad?".

Sonreí. "No señor, creo que me conoce mejor que eso".

"Por eso tú tendrás estrellas sobre tus hombros mucho antes que cualquiera de ellos", sonrió. "Créeme, cuando Ortega sea golpeado por un equipo de Deltas bien dirigidos, sus vaqueros se romperán como un puñado de nueces asadas en la Quinta Avenida".

Sonreí. Stansky tenía razón en lo del cártel y las nueces, pero se equivocaba en lo de que alguna vez llevaría estrellas. Acabé retirándome como comandante unos años más tarde, mucho antes de que salieran las estrellas. Pero cuando volví a mirar las fotos de aquella hacienda, finalmente le pregunté: "¿Por qué no acabar con Ortega y todo el maldito complejo con un Global Hawk y un par de misiles Hellfire? Un pequeño 'relámpago del desierto' en mitad de la noche sería más fácil, ¿no? Y nadie se daría cuenta".

"No hay duda, pero Washington quiere a Ortega vivo, vestido con un mono naranja y haciendo un 'perp walk' en un tribunal de Estados Unidos con grilletes. Película a las 6:00", respondió rápidamente Stansky. "Además, tiene mujer e hijos, una suegra, algunos sirvientes y otros civiles viviendo dentro de ese recinto".

"Las mujeres y los niños muertos dan muy mala imagen en la CNN", añadió Bill Jeffers. "Tenemos que derribar ese complejo sin que nadie salga herido, salvo los malos", dijo mientras me pasaba varias fotografías de Ortega, su mujer y su familia. Le eché un vistazo a ella, a sus grandes ojos oscuros y a su largo pelo castaño oscuro, y exclamé: "¡Vaya! ¡Podría ser la doble de Catherine Zeta-Jones! Es guapísima".

"No estás muy lejos. Estudiaba teatro en la UCLA cuando se conocieron. Incluso tuvo algunos pequeños papeles como actriz en varios programas de televisión y un papel en una o dos películas. Pero luego conoció a José y todo ese dinero de la droga. ¿No hacen una bonita pareja?"

"Excepto por ese machete que cuelga de la pared de su habitación", volvió a recordarme O'Connor.

"Muy cierto", convino Stansky. "En su negocio, estás en la cima o estás muerto. Así que no lo subestimes; es tan despiadado como el que más".

Volví a mirar la foto aérea. "¿Y el gobierno mexicano está de acuerdo con esto?". pregunté.

"¡Diablos, no, Fantasma!" resopló Stansky. "Al menos no su nuevo presidente. Hace varios años, cuando los hermanos Ortega luchaban contra los otros cárteles, antes de que José tomara el poder, el ejército mexicano capturó a un par de ellos, probablemente por un chivatazo de uno de sus amigos o por una suerte ciega y estúpida. Iban a enviarlos a Estados Unidos, donde su padre estaba en la cárcel, pero él seguía dirigiendo todo. Cucaracha tomó represalias asesinando a diecisiete policías en Culiacán. El ejército quería ir a la guerra y acabar con él de una vez por todas, pero el presidente mexicano les ordenó que dieran marcha atrás y dejaran marchar a los chicos. Después de eso, todo el mundo asume que está en la nómina de Ortega. Si no lo estaba entonces, lo está ahora, pero el presidente y el ejército no han vuelto a hablar".

"Y yo que pensaba que teníamos problemas", dije.

"Si tu Op se te va de las manos y el Ejército mexicano o la policía intervienen", dijo Stansky, "el Secretario de Estado no estará contento. Tampoco lo estará el Departamento de Justicia. Pero el Secretario de Defensa y el Presidente sí. Les importa un bledo lo que piensen los otros dos".

"¿Nuestro presidente?" Le miré y de repente me di cuenta. Un general de división del ejército estadounidense tiene mucho poder, especialmente un viejo bastardo como Arnold Stansky, pero ningún "dos estrellas" tiene suficiente influencia para ordenar una incursión transfronteriza en otro país. Tal vez el JSOC podría, pero sólo si actuara bajo las órdenes del Estado Mayor Conjunto y del propio presidente. "¿*Este* presidente? ¿Qué le ha picado en el culo?" murmuré.

"¿Qué ha sido eso, Burke?", preguntó el general.

"Oh, nada señor, sólo pensaba en voz alta".

Finalmente, Stansky sonrió: "Bien, ésta es la historia dentro de la historia. El sobrino favorito del presidente está con respiración asistida en un hospital de Denver por una sobredosis de fentanilo. El presidente montó en cólera y puso al FBI a investigar el caso. Rastrearon las drogas hasta el cártel de Sinaloa, Culiacán y José Ortega, lo que fue la gota que colmó el vaso para el presidente.

Lo siguiente que supe fue que me encontraba en una reunión del Estado Mayor Conjunto con el Consejo de Seguridad Nacional y el Secretario de Defensa, recibiendo órdenes en un inglés muy sencillo. Así que, al diablo con los mexicanos; nuestras órdenes son hacer nuestra propia 'extradición privada', se podría decir, y traer a ese bastardo de vuelta aquí para ser juzgado".

"Y, a pesar de lo que pueda decir una pila de libros de derecho, nuestro Comandante en Jefe dice que no hay razón para que involucremos al gobierno mexicano. Y cuando el presidente se enoja... bueno, bienvenido a Washington DC,

Mayor".

CAPÍTULO CUARTO

"¿Que se jodan los mexicanos?" pregunté.

"Palabras del Presidente, no mías. Es lo que le dijo a su equipo de Seguridad Nacional -Defensa, Estado y Justicia- justo antes de volver esos ojos inyectados en sangre hacia mí y decirme: 'Stansky, ¡hazlo! Lo que sea necesario. ¿Me oyes? Eso fue lo que dijo. Ahora te lo digo yo".

Lo tomé como una orden directa, y por la expresión de la cara del general, él también.

"Es un 'black bag grab', Ghost", dijo Bill Jeffers. Vayan vestidos de civil y con máscaras. Murmuren algo de español, todo lo que puedan. Nada de inglés. Los mexicanos sabrán quién eres, pero nos dará un poco de "negación plausible". Es todo lo que necesitamos.

"Parecerá una banda de enmascarados de otro cártel de la droga mexicano o colombiano que secuestró al señor Ortega y se lo llevó de su escondite en la montaña", dijo Stansky. "Fin de la historia. Después de que nuestra gente le saque hasta la última pizca de inteligencia en una oscura y húmeda celda de una prisión de Egipto, Polonia o tal vez Filipinas, lo arrojarán a la acera frente a la oficina del FBI en Phoenix."

"Ya hay una acusación pendiente del Gran Jurado Federal y una orden de arresto contra Ortega, así que a nadie le va a quitar el sueño cómo llegó allí", explicó Bill. "Sid Barnhart, el agente especial del FBI al mando allí, saldrá a fumar y encontrará a Big Blade tirado en la puerta de su casa a plena luz del día. Entonces detendrá a ese cabrón grasiento".

"Averiguarán quién lo agarró cuando aparezca en un tribunal estadounidense".

"No importa. Será como un recién nacido abandonado en la entrada de un orfanato", dijo Bill Jeffers. "¡Miren lo que encontramos! Pero quizá piensen que fueron las Fuerzas Especiales mexicanas quienes lo secuestraron y nos lo entregaron. En cualquier caso, tendremos esa hoja de parra de negación que necesitamos".

"Una vez que tengas el complejo asegurado y a tu prisionero bajo custodia", continuó Bill, "los Halcones Negros te dejarán media docena de cajas de C-4".

"¿Media docena de casos?" pregunté. "Cielos, eso es suficiente para..."

"¡Vuela todo el lugar en pedazos en la cima de esa colina!" dijo Stansky con un tono agudo en su voz. "No quiero que quede nada más que un montón de rocas, como monumento. Y con Big Blade encerrado en el Federal Super Max de Colorado, enviará un mensaje alto y claro de que no vamos a aguantar más mierda del 'sur de la frontera'. Por eso elegí al Fantasma para esta misión", dijo Stansky. "¿Cuál es la frase de esa vieja película de Jimmy Stewart? '¡Vamos a disparar a sus mulas y a quemar sus carromatos! ¿Está claro?"

"Recibido, señor. Claro como el cristal".

"¡Bien! He tenido a los ingenieros del puesto trabajando desde el mediodía de ayer para construir una maqueta de contrachapado del complejo de la hacienda de Ortega en la zona de salto de Salerno para ti. Es la zona más segura del puesto. El Coronel Jeffers y el Sargento Mayor O'Connor interferirán por usted. Cuando tengan su equipo listo, los llevaremos en helicóptero después del almuerzo para hacer prácticas de tiro esta tarde. Pero vuelvan aquí a las 17:00 para informarme de su orden de operaciones y para repasar los últimos detalles", dijo mientras me pasaba una memoria USB. "Contiene las fotos aéreas y la información, incluidos los nuevos datos de los drones y los satélites. Cárgalo en tu portátil y estúdialo cuando quieras en tu vuelo hacia el oeste. Te quiero en el aire dentro de doce horas y a Ortega detenido antes de mañana a esta hora".

En mi mente militar, como suele decirse, no había duda de que me despedían, así que empujé mi silla hacia atrás, saludé y me dirigí elegantemente hacia la puerta.

Una vez que Ace y yo estuvimos fuera del edificio, ya nos habíamos repartido el trabajo antes de llegar a su camioneta y estábamos hablando por el móvil antes de que saliera del aparcamiento. Mientras él conducía, yo descargué la memoria USB que Stansky me había dado en mi portátil y me puse manos a la obra, estudiando detenidamente los mapas y las fotografías aéreas. Mientras tanto, Ace telefoneó al Destacamento para determinar cuántos de nuestros Operadores Delta estaban disponibles con tan poca antelación.

En mi portátil, un viejo amigo de la CIA de los oscuros días de uno u otro despliegue en Irak había descargado un software especial que habían robado a la NSA y que correlaciona y genera modelos geométricos en 3-D a partir de cualquier serie de mapas y fotografías, independientemente de su escala. En unos minutos, recreó la hacienda, sus dependencias y muros exteriores en 3D, mostrando las elevaciones y dimensiones detalladas. Luego, me permitió superponer las imágenes infrarrojas y vi dónde estaban las personas, los animales y los vehículos en relación con los puestos de guardia del perímetro.

Muy interesante. Si añadía la fotografía time-lapse, obtenía más información sobre los patrones de movimiento y las posibles rutas de patrulla de sus guardias de seguridad. Con un clic, pude girar la perspectiva del edificio del nivel aéreo al nivel del suelo y obtener una vista oblicua. ¡Increíble! No me extraña que la NSA no quisiera compartirlo.

En un abrir y cerrar de ojos, tenía en la cabeza un borrador factible de un plan, con aproximaciones, puntos de entrada, puestos de guardia y rutas de patrulla, que nuestro equipo podía seguir. La planificación operativa en el ejército moderno era más fácil de esa manera, pero seguía siendo lo mismo sobre el terreno.

Mientras tanto, Ace localizó a dos docenas de Deltas con las aptitudes que necesitábamos y empezó a tachar a los que estaban en otras misiones en Afganistán, Irak, de permiso, en escuelas o en el hospital, atendiendo una dolencia u otra. Eso nos dejó con una lista corta de quince hombres, una docena de los cuales Ace contactó y consiguió que entraran por la puerta principal listos para el servicio en una hora, incluidos nosotros dos. No está mal, pensé. Entonces se nos unió Pat O'Connor. Con su influencia como sargento mayor al mando, se saltó todas las normas de seguridad y consiguió que nos dieran órdenes a toda velocidad. En el ejército, no se puede hacer mucho o ir muy lejos sin órdenes escritas de la compañía.

Nuestro equipo estaba formado por militares en la mitad de su carrera, todos Deltas con entre cinco y diez años de servicio, profesionales, con múltiples aptitudes y en plena forma física. Todos habíamos estado al menos tres veces en Haji-land o en el desierto, los apodos comunes de Afganistán e Irak. No es que los viajes de combate fueran un requisito, pero no se podía alcanzar el nivel de confianza mutua y experiencia que compartían los veteranos de otra forma.

Como en la mayoría de las cosas de la vida, los mejores siempre entran por la puerta primero. El Sargento Primero E-6 Rudy "Koz" Kozlowski era nuestro mejor especialista en armamento, con doble cualificación como médico y tres despliegues en su haber: uno en Irak y dos en Afganistán. Festus "Chester" Blackledge era un Sargento Primero E-6 al que yo también respetaba mucho. Le seguía de cerca Joe "The Batman" Hennessy, otro sargento de primera, que destacaba en comunicaciones, explosivos y puntería, lo cual no quiere decir que todos los miembros del destacamento no tuvieran buena puntería. Henry "Lonzo" Hardisty, Freddie "Bulldog" Peterson y Henry "Popcorn" Tillman fueron los siguientes en entrar por la puerta. Los tres eran sargentos E-5, y Popcorn acababa de ser destinado a Delta.

"Taco Bell" Ramírez era un radiomano y médico que llegó con Ernie "Kraut" Krauthammer, otro especialista en armas pesadas. El "arma pesada" que Kraut y Koz solían llevar era una M-249 Squad Automatic Weapon, una ametralladora ligera nueva y muy precisa. Randy "Gramps" Benson fue el último en llegar. Gramps era otra cosa, capitán y mi XO, u oficial ejecutivo, pero eso es lo único bueno que puedo decir de él. Pero en cuanto se enteró de la operación, no pude apartarlo del equipo. Siempre me imaginé que quería salir en mis operaciones para ver cómo me mataban de primera mano, para que no hubiera dudas cuando él tomara el mando.

Por muy importante que fuera el trabajo administrativo que le asigné en Bragg, el abuelo siempre parecía "disgustado" por que le molestaran. Sin embargo, cuando estábamos sobre el terreno, especialmente bajo fuego, Randy podía ser un oficial muy competente. Desgraciadamente, aunque se puede aguantar esa mierda de un cabo o sargento E-5 que puede tener habilidades de liderazgo y motivación "intermitentes", era el beso de la muerte para la carrera de un oficial, especialmente en Operaciones Especiales.

Cuando el Ejército me dio a mí el mando de la unidad en vez de a él, su carrera y su actitud se fueron al garete. Los dos éramos capitanes, pero él era dos años mayor que yo, llevaba más tiempo en el grado y yo era el nuevo. Según el sistema de puntuación del Ejército, con el tiempo que llevaba en el grado, me superaba en rango, sin lugar a dudas. Pero yo ya estaba "en la lista" para un ascenso rápido a mayor. Yo era un "golpeador de anillos" de West Point, como se decía, y tenía el doble de condecoraciones que él, la mayoría de las cuales eran muy superiores a las suyas. De eso tampoco había duda. Por si fuera poco, yo tenía todas esas conexiones personales y familiares intangibles a través de mi padre y mi abuelo, ambos veteranos de la División Aerotransportada 82nd altamente condecorados. Randy no tenía nada de eso, no es que a mí me importara, y tampoco es que a ninguna de esas otras personas le importara, pero él no podía afrontarlo. No es que fuera incompetente o un mal oficial, simplemente no era bueno. En Delta, eso no valía. Qué pena, qué triste, y no era culpa mía, pero enfurruñarse nunca era la solución a ningún problema.

Durante la próxima crisis presupuestaria del Gobierno, habría una reducción de personal, tan segura como que Dios hizo manzanas verdes, como suele decirse, o podridas. Se llamaba RIF o Reducción de Fuerzas. Así es como se llama en el mundo empresarial a la reducción de personal, y Randy formaría parte de la siguiente. Ocurría después de cada guerra y las calles de DC, los fuertes Bragg y Benning, Riley, Knox, Ord y todos los demás estaban llenas de tipos con trajes de negocios nuevos y currículos en la mano que se dirigían a la siguiente feria de empleo o sesión de asesoramiento. Mi sólido número dos era el sargento de primera clase Harold Phineas "Ace" Randall, el mejor en el negocio, y no necesitaba un capitán marginalmente capaz. Así eran las cosas.

CAPÍTULO CINCO

A última hora de la mañana, ya había reunido al equipo para una reunión rápida. Esta misión era a la vez complicada y urgente, así que dedicamos nuestro limitado tiempo a informarles sobre el objetivo, los últimos informes de inteligencia y las fotografías aéreas. Después de un almuerzo rápido para "carburar", a las 13.00 nos dirigimos en convoy a la zona de lanzamiento de Salerno, que estaba completamente acordonada de las carreteras cercanas por la seguridad del puesto, para realizar una serie de recorridos y dos prácticas con fuego real a toda velocidad.

A las 16.45, Ace y yo nos apiñamos en un rincón del despacho exterior del general Stansky vestidos de paisano y nos reunimos con el CSM O'Conner y mi portátil para repasar la orden de operaciones. Es la Biblia y el Santo Grial para un oficial militar porque expone la situación, la misión, cómo vas a llevarla a cabo y qué necesitas para hacerlo en un formato estandarizado de cinco párrafos, utilizando terminología común que todos los demás entenderán en una o dos páginas como máximo.

A las 17.00 volvimos a sentarnos en la mesa de conferencias del general, con copias de mi Orden de Operaciones de dos páginas recién salidas de la impresora de la oficina exterior de Stansky. El anciano llevaba puestas sus gafas de lectura, que solía esconder en un cajón del escritorio cuando había visitas, señal inequívoca de que yo tenía algo que él realmente quería leer. Normalmente se sentaba, nos miraba y escuchaba atentamente nuestras presentaciones, pero nunca las leía. Esta vez, me arrebató una copia del informe y empezó a leerlo tan rápido que las gafas se le resbalaron por la nariz. Estaba nervioso. Era un hombre rudo y poderoso, con dos estrellas en el cuello, pero con la Casa Blanca y el Sec Def mirando por encima del hombro, esta vez estaba un poco fuera de su alcance. Y yo también.

Stansky no tardó en acribillarme a preguntas, siempre con una nueva antes de que yo hubiera terminado de explicar la anterior. Pat O'Connor y Bill Jeffers también aportaron su granito de arena, pero pensé que tenía respuestas decentes para todo lo que debía tener. Como una endodoncia, fue doloroso, pero terminó pronto. A las 17.15, Stansky había terminado y yo tenía su aprobación. Tras una inclinación de cabeza en mi dirección, seguida de una rápida ronda de apretones de manos, Ace y yo salimos por la puerta y nos dirigimos por Reilly Road al aeródromo Pope Army Airfield, donde nuestro equipo y nuestro carruaje C-130 nos esperaban para llevarnos al sur de Arizona.

Después de que la 82ª División Aerotransportada de Fort Bragg se convirtiera en la fuerza de respuesta rápida de Estados Unidos y en el actor dominante de las operaciones especiales en todo el mundo, necesitaron muchos aviones y pronto se convirtieron en la principal actividad que entraba y salía de la base aérea Pope. En mil novecientos ochenta, el fiasco de la Operación Garra de Hierro de rescate de rehenes en el desierto iraní lo cambió todo. Se impuso la lógica, se creó el Mando Conjunto de Operaciones Especiales, JSOC, y las operaciones especiales, independientemente del servicio o rama, se fusionaron bajo su mando. Pronto, las Fuerzas Aéreas devolvieron las llaves de la base Pope al Ejército, y Pope Field renació por arte de magia como parte de Fort Bragg.

Los aviones asignados a Pope siguen siendo plateados, azules o blancos y llevan los distintivos del Ejército del Aire como siempre, y sus tripulaciones aéreas siguen vistiendo de azul y siguen formando parte del 43rd Airlift Group del Ejército del Aire. Se encargan exclusivamente de transportar a las tropas aerotransportadas y de Operaciones Especiales del Ejército. Los helicópteros de Operaciones Especiales del Ejército y sus tripulaciones siguen vistiendo de caqui y se convirtieron en los "Night Stalkers" del Regimiento de Aviación de Operaciones Especiales 160th .

A las 19.00, embarcamos en un C-130 y volamos desde Pope directamente a la base Davis-Monthan de la Fuerza Aérea, cerca de Fort Huachuca (Arizona), tras un repostaje en pleno vuelo. El 160º SOAR de Pope era el mejor del sector y disponía de sus propios helicópteros de operaciones especiales, bien mantenidos y sigilosos, a los que considerábamos nuestros Uber personales. Lamentablemente, Fort Huachuca estaba demasiado lejos para enviar esas máquinas, por lo que el JSOC envió tripulaciones aéreas y personal de mantenimiento del 160º con nosotros y tomó prestados dos helicópteros Black Hawk y dos helicópteros de combate Apache del batallón de aviación de Fort Huachuca.

Es curioso, pero cuando sacas órdenes del JSOC refrendadas por el Secretario de Defensa, los lugareños se echan encima para cooperar. Antes de que llegáramos, habían repintado los cuatro aviones que utilizaríamos con patrones de camuflaje negro a juego con las Fuerzas Especiales del Ejército mexicano y los cárteles de la droga.

En Fort Huachuca se encuentra el Mando de Comunicaciones Estratégicas del Ejército de los Estados Unidos, y Fort Huachuca se convirtió en un importante puesto del Cuerpo de Señales. Esa fue la "rama oficial" a la que me asignó el Ejército cuando me gradué en West Point, aunque me delegaron a la Infantería, donde permanecí operativamente desde entonces. Incluso hoy puedo "desmontar" un fusil Barrett del calibre 50 en la oscuridad y con guantes, pero no puedo descifrar mi iPhone. Aun así, Fort Huachuca era uno de los pocos puestos del

Ejército en los que podía pasearme con esas bonitas banderitas de señales rojas y blancas cruzadas en el cuello y encajar perfectamente... eso si llevaba uniforme, cosa que rara vez hacía en Operaciones Especiales, y no hice en ese viaje.

¿Pero el Cuerpo de Señales? Mi padre y mi abuelo eran de Infantería y teñidos de azul claro hasta los huesos. En mi graduación en West Point, cuando tuve que llevar el collar de latón del Cuerpo de Señales, mi padre se acercó y se quedó mirándolo. "¿Qué dicen esas banderas?", preguntó. Mi abuelo era aún peor. Se rió y le dijo: "Dicen '¡Me rindo! ¿Qué otra cosa iban a decir?'". Para ellos, la broma nunca pasaba de moda. Ni tampoco llamarme "el chico del teléfono".

Fort Huachuca se construyó al sur de Tucson y a quince millas al norte de la frontera con México. Desgraciadamente, la distancia hasta nuestro objetivo en las montañas al este de Culiacán, México, superaba el alcance de un Black Hawk o un Apache, por lo que nos reuniríamos con dos aviones cisterna KC-130 a dos tercios del camino y en el viaje de vuelta, si fuera necesario.

Le pregunté al general Stansky si había algún riesgo de que la Fuerza Aérea Mexicana nos detectara al atravesar su espacio aéreo. "¡Fantasma!", se rió, "¡Les vendimos el maldito radar! El NORAD de la Base Peterson de la Fuerza Aérea en Colorado Springs podría hacer que pareciera que el Circo de los Hermanos Ringling está volando con elefantes rosas sobre Ciudad de México si quisiera. Pero para ser francos, el ejército mexicano estaría encantado de que acabáramos con uno de sus cárteles por ellos, porque no se les permite hacerlo. Pero no se preocupen, tendremos un escuadrón de F-35 en la Base Aérea Luke proporcionando cobertura aérea una vez que crucen la frontera, y un Global Hawk merodeando a 50.000 pies para mantener a todos honestos, por si acaso."

Además, no era la primera vez que el ejército estadounidense invadía México. Hubo la Guerra de México en 1846. En las décadas de 1870 y 1880, los Soldados Búfalo del 10° de Caballería cabalgaron por todo el noroeste de México a la caza de Gerónimo. Después, el general John J. "Black Jack" Pershing intentó lo mismo en 1915, persiguiendo a Pancho Villa. Por desgracia, Black Jack no era tan ágil como Pancho y la operación no salió tan bien. Puede que José Ortega aún no se diera cuenta, pero pronto sería el tercero de una larga lista de "bandidos" mexicanos perseguidos por el ejército estadounidense... o eso esperábamos todos.

Teníamos seis Deltas y nuestro equipo, más las tripulaciones aéreas de cuatro hombres metidas dentro de cada uno de los dos Black Hawks. No eran tan sigilosos y armados como los que volamos en Pope, pero llevaban un conjunto estándar de vainas de cohetes aéreos de 2,75 pulgadas, cañones de 20 milímetros y cañones Gatling, que deberían ser más que suficientes. Los dos helicópteros Apache llevaban aún más potencia de fuego. Me habría encantado utilizarlos para reducir a escombros el complejo de Ortega, pero teníamos órdenes estrictas de Stansky de evitar víctimas civiles.

Cuando el sol se puso hacia las 2000, despegamos y volamos bajo y rápido a través de la frontera mexicana, en dirección sureste a lo largo de la Sierra Occidental. Cerca del suelo, vi lo desolado que estaba el desierto de Sonora, como partes de Nuevo México, Nevada, Arizona y el oeste de Texas, la provincia de Anbar en Irak o Deir Ez-Zor en el este de Siria. Las montañas de la costa del Pacífico a lo largo de toda la costa oeste -los Olímpicos, Californianos, Colombianos, Transversales, Peninsulares, Sierra Nevadas, Cascadas o, en nuestro caso, la Sierra Madre Occidental- formaban una barrera que impedía que la lluvia llegara tierra adentro. Eso produjo las exuberantes y verdes llanuras costeras y el Valle Central, pero al otro lado de esas cordilleras se extendía un paisaje yermo que abarcaba desde Canadá hasta el sur de México.

El general Stansky utilizó la fuerza del JSOC para desplegar un avión no tripulado MQ-9 Reaper de 17 millones de dólares con toda su gama de sensores y cámaras sobre Culiacán, la hacienda y nuestra zona de aterrizaje. Sus controladores tenían la "ardua tarea" de sentarse en su sala de guerra con aire acondicionado en la base aérea de Creech, cerca de Las Vegas, bebiendo café y comiendo donuts, pero en realidad podían estar caminando junto a nosotros por el desierto. Sus equipos captaban cualquier movimiento cercano, firmas electrónicas o tráfico de radio, y yo lo tenía en mi teléfono en cuestión de segundos. Stansky también consiguió que la NSA reasignara un satélite espía, tarea nada fácil, que proporcionó óptica multibanda adicional, electrónica y monitorización del tráfico radiotelefónico en la zona. Y en la categoría de "Oh, por cierto, es bueno tenerlo", el Reaper llevaba dos misiles Hellfire y cuatro "bombas inteligentes" guiadas de 500 libras, que podían zanjar casi cualquier discusión, por si acaso.

Llevábamos nuestras habituales radios de escuadrón AN/PRC-154 "Rifleman" enganchadas a nuestros chalecos y correas conectadas a auriculares y micrófonos de barbilla. Mi receptor de audio y vídeo de largo alcance me permitía interactuar con el JSOC, los helicópteros, los F-35, el Global Hawk y las transmisiones por satélite para obtener vídeo y gráficos infrarrojos en tiempo real. Me mostraba dónde estaba todo el mundo y qué estaban cenando los Ortegas, si tenía la más mínima curiosidad, que no la tenía. Pero las operaciones militares tenían la desagradable costumbre de irse al garete sin motivo aparente, y era bueno contar con toda esa electrónica y óptica adicional para respaldarnos, porque Arizona estaba muy lejos en nuestros retrovisores y yo no tenía ninguna intención de salir de este agujero infernal.

CAPÍTULO SEIS

Mientras nos dirigíamos al aeródromo de Pope y a nuestro C-130, el general Stansky me entregó el último informe de inteligencia. "Dicen que Ortega tiene entre dos y tres docenas de pistoleros en el lugar", dijo. "Los hace trabajar en rotaciones de ocho o diez horas, con tres en el muro perimetral, normalmente en la parte delantera, el mismo número de pistoleros dentro del recinto y más dentro de la hacienda. Y quizá más por la noche... eso es lo que dice Intel".

"Ya sabe lo que pienso de sus informes, señor", le dije. "Si están tan seguros de lo que hay ahí arriba, ¿por qué no los envía? Les guardaré un asiento en el avión. Ellos pueden agarrar un ruck y tomar un turno caminando punto para nosotros ".

Stansky se rió. "No me tientes, Fantasma. También dicen que Ortega aloja a sus pistoleros a sueldo en una antigua 'litera', que reformaron y convirtieron en dormitorio. Por cierto, la hacienda es otra cosa: un gran edificio colonial español de una sola planta, de adobe y con tejado de tejas. Su esposa "trofeo" de Los Ángeles la remodeló por dentro. Trajo criadas, cocineras, un entrenador personal para ella, incluso un chef francés de Marsella, y le consiguió a José un mayordomo inglés de verdad, para "limpiar" su estilo, según hemos oído. No está mal para el hijo de 'Cucaracha' Ortega. La hacienda es simétrica. El servicio doméstico vive en el ala norte de 'Casa Ortega' y la familia en el ala sur".

"¿Como un Downton Abbey mexicano?" bromeé.

"¿Downton Abbey? ¿En serio?" Stansky me dedicó una sonrisa irónica. "Eres un hombre de muchas partes, Burke".

"Cuando no hay fútbol, al menos".

"Dímelo a mí. Mi mujer tiene la custodia del mando de nuestra tele. De todos modos, Ortega, su esposa estrella de cine, sus tres hijos y su suegra viven allí, en esa ala sur. Ortega dejó que su esposa remodelara el lugar. Se gastó una fortuna - su fortuna-, pero fue el precio que pagó para sacarla de Los Ángeles y llevarla con él a esa parte de México olvidada de la mano de Dios. El dormitorio principal tiene un patio trasero con piscina, palmeras y buganvillas, fuentes y un muro perimetral de dos metros de altura con alambre de espino y cristales rotos".

"Un toque dulce y amistoso".

"Eso es. Desde las antenas, ese patio trasero es muy privado, como sacado de Las mil y una noches. Intel dice que el patio es donde le gusta tomar el sol en conjunto ... todo el tiempo. ¡Muy bonito! Tal vez ahí es donde usted debe golpear el lugar. Ese patio trasero lleva directo a los dormitorios".

Dos aviones cisterna KC-130 de la Fuerza Aérea repostaron nuestros cuatro helicópteros en pleno vuelo a dos tercios del trayecto, según lo previsto, a las 23.00 horas, lo que nos dio combustible de sobra para llegar a la zona de aterrizaje y regresar. Era una X en el mapa, en un valle seco y poco arbolado entre dos cordilleras, a siete kilómetros al sudeste del complejo montañoso de Ortega. No parece mucho ni parece muy lejos en un mapa o visto desde un helicóptero. Son sólo seis kilómetros y medio, pero las empinadas laderas de Sierra Madres no están sobre el papel, y los cartógrafos no son los que suben y bajan por ellas. Habría sido más fácil si hubiéramos podido aterrizar más cerca, pero los motores y las palas de los rotores de un Black Hawk o un Apache son ruidosos, especialmente volando sobre terreno rocoso en una noche calurosa, cuando el sonido puede viajar kilómetros. Siete kilómetros era lo más cerca que nos atrevíamos a llegar sin alertar a los hombres de Ortega de nuestra presencia.

En cuanto los helicópteros aterrizaron, ayudamos a las tripulaciones a cubrirlos con redes de camuflaje para que pudieran agazaparse y esperar, con suerte hasta justo antes del amanecer, cuando tuviéramos el complejo asegurado pacíficamente. Nos preparamos rápidamente y partimos. Con un manto de estrellas sobre nosotros y el GPS, no necesitábamos nuestras gafas de visión nocturna para encontrar el camino.

Salimos de la zona de aterrizaje en tres columnas, separadas unos cien metros. Ace encontró el rastro y yo caminé detrás de él, escaneando más allá a izquierda y derecha y controlando mis transmisiones por satélite y dron. Koz lideró el "ala descendente" a mi derecha, con Chester, Kraut y Batman en columna detrás de él. El abuelo Benson lideraba el "ala de subida" a la izquierda, que subiría primero por las laderas, con Vinnie, Bulldog y Lonzo detrás de él. Taco Bell y Popcorn iban detrás de mi grupo como reserva. Ambos eran francotiradores impresionantes y también tenían certificados de conocimientos médicos avanzados. Cubrirían a nuestros Seis, ayudando cuando fuera necesario y atendiendo a los heridos. Yo me quedé en el centro, detrás de Ace.

El camino a través de la primera línea de cresta nos llevó por una hondonada baja y ancha entre dos colinas. Era un sendero arenoso apenas perceptible, muy probablemente utilizado siglos antes por los aztecas. Aún nos quedaba un largo camino por recorrer antes de llegar a la hacienda de Ortega. Yo llevaba mi rifle largo Barrett colgado del pecho, mientras que Ace llevaba su Barrett a la espalda y la carabina M-4 sujeta al pecho.

Nuestros Barretts eran de última generación en comparación con los modelos anteriores, y eran mantenidos por nuestros propios armeros y "puestos a cero" individualmente. Le costaron al Tío Sam unos 9.000 dólares cada una. Los visores Leupold Mark 5 añadieron otros 2.500 dólares, los supresores de ruido QDL otros 3.500 y los cartuchos Lapua 5 dólares cada uno. Eso es lo que cuesta poner lo mejor en manos de los mejores y acabar con lo peor de lo peor.

Había dirigido equipos en docenas de inserciones tácticas y operaciones de combate físicamente más exigentes que ésta. La diferencia era que esta vez estábamos a ochocientas millas al sur de la frontera estadounidense, en lo más profundo de los Estados Unidos Mexicanos, nuestro "amistoso" vecino del sur. La perspectiva de tener que volver andando si metíamos la pata era un gran inconveniente.

El complejo de Ortega estaba situado en la primera cadena montañosa sobre la ciudad de Culiacán. En una mañana despejada, Big Blade podía levantarse de la cama y mirar hacia el Golfo de California y ver los puntos turísticos estadounidenses de Cabo San Lucas y Cabo San José. Como un barón medieval, todo lo que veía a izquierda y derecha a lo largo de la costa era de su propiedad. Era el Estado Soberano de Ortega. Me preguntaba por qué no había embajadas o consulados de China, Colombia, Bolivia, Brasil, República Dominicana, Tailandia o Laos en Culiacán. Al fin y al cabo, Ortega era uno de sus principales socios comerciales. Y dada la enorme contribución de su cártel al Producto Nacional Bruto y al comercio exterior de México, era aún más sorprendente que el gobierno mexicano no abriera su propia embajada allí. Algo de gratitud.

Desde las bandas de bandidos de los años treinta, los cárteles han tenido territorios e identidades bien establecidos. El primero fue el cártel del Golfo, en Matamoros, al otro lado del río Grande, frente a Brownsville (Texas). Pronto surgieron los cárteles de Los Zetas, Juárez, Guadalajara, Tijuana, Sonora, La Familia, Durango, Sinaloa y Beltrán como bandas regionales, además de los cárteles de Cali y Medellín en Colombia. Hoy son conglomerados multimillonarios. Sólo el cártel de Sinaloa de Ortega tiene más hombres, armas, barcos, aviones y helicópteros que la policía estatal o nacional. Paga mejor a sus hombres y tampoco están obligados a pagar impuestos ni a seguir ninguna regla. No tienen ninguna y matan a cualquiera que se pase de la raya o intente detenerles.

El fentanilo del cártel de Sinaloa estaba matando al doble de estadounidenses que los accidentes automovilísticos, pero el 90% de los reporteros de la televisión y la prensa estadounidenses y el Congreso de Estados Unidos no tienen ni idea de que este maremoto de drogas está ocurriendo. Después de todo, los electores muertos no se quejan, supongo.

Pero yo era realista. He visto a muchos tipos malos, mala información y malas decisiones de mando, de cerca y en persona, como se suele decir. Y aprendí hace mucho tiempo que cuando matas a un haji en Afganistán, a un chií en Irak o a un fanático del ISIS en Siria, aparecen otros tres para ocupar su lugar. En realidad, deberíamos haber sido sus mejores amigos, porque les abrimos oportunidades de progreso y de trabajo, pero no habíamos conseguido mucho más que eso.

¿Cínicos? Desde luego. Venía de una experiencia personal.

Lamentablemente, México no fue más que "otro ladrillo en la pared", como dijo Pink Floyd, en mi muro personal de frustración que pronto me obligó a abandonar.

Avanzamos hacia el oeste por el segundo valle a través de la escasa cubierta arbórea, deteniéndonos para escrutar la última línea de cresta que teníamos por delante por si Ortega había apostado un vigía o una patrulla allí arriba, pero no vi nada a través del visor Leupold de mi rifle ni en las imágenes del dron. Pero ya estábamos cerca. Podía sentir cómo la tensión iba creciendo lentamente durante los dos días anteriores. Pero una vez que te topas con el primer malo y se producen los primeros disparos, toda esa niebla nerviosa desaparece y todo vuelve a su sitio. El entrenamiento y los instintos de combate se imponen y todo el mundo está bien.

Había un cauce seco que serpenteaba sin rumbo por el centro del valle. Era difícil saber cuándo fue la última vez que tuvo agua. Ahora, todo lo que llevaba era arena polvorienta y rocas sueltas. Había un rodal medio muerto de pinos mixtos y robles retorcidos a cada lado del cauce e hice que mi equipo se repartiera entre los árboles de ambos lados mientras continuábamos hacia el noroeste, hacia la pendiente final, a unos dos kilómetros de distancia.

Dimos la vuelta al siguiente recodo del arroyo cuando Ace, Popcorn y yo fuimos repentinamente alcanzados por los haces brillantes y cegadores de dos pequeños reflectores.

"¡Detente ahí mismo! ¡Pon tus rifles en el suelo en tus manos en el aire"! *¡Alto ahí mismo! ¡Poned vuestros rifles en el suelo y vuestras manos en el aire!"*, nos gritó un joven nervioso desde detrás de aquellas luces brillantes.

Nos detuvimos, pero eso fue todo lo que hicimos. "¡Ni hablar, tío! ¿Quién coño eres?" le grité, sabiendo perfectamente que aquí fuera, de noche, o era del cártel o del ejército mexicano, y que tener un enfrentamiento importante con su ejército o con la policía estatal era mi peor temor. Llevábamos una mezcla de ropa de paisano, haciéndonos pasar por cazadores, pero nuestros rifles del ejército estadounidense con visores y supresores estaban colgados del pecho, como de costumbre. Lo último que quería era matar a un soldado mexicano, pero teníamos que atravesarlos. Con o sin ametralladoras montadas en el jeep, no íbamos a dejar que nos hicieran prisioneros.

"¿Qué quieres decir con que no lo harás? Tienes que hacerlo", respondió, "¿Qué quieres decir con que no lo harás? *Tienes que hacerlo"*.

"¿Cómo sé que no sois bandidos intentando robarnos nuestras cosas?". volví a gritarle mientras Ace y yo empezábamos a caminar hacia él.

"¡No soy un bandido! Soy el Teniente Gonzáles del Ejército de la República Mexicana y exijo que lo haga. ¡Detente ahí mismo!" Gritó de vuelta. "Deténgase donde está, usted y sus tres amigos. Soy el Teniente Gonzáles del Ejército de la República Mexicana y exijo que lo hagan ¡ahora mismo!".

¿Yo y mis tres amigos? Con suerte, eso significaba Ace, Popcorn y Taco Bell, y no había visto las otras dos alas de nuestra patrulla. "Oye tío, somos cazadores de caza mayor de Los Ángeles."

"No te creo, Americano, no con todo ese equipo que lleváis, tú y el otro. Tenemos ametralladoras montadas en nuestros jeeps, así que mejor deténganse o les dispararemos".

"Vamos, tío, hemos venido aquí a buscar borregos cimarrones, Teniente, no a buscar problemas". Dije mientras levantaba la mano para bloquear el brillante foco y seguía caminando despacio hasta el parachoques delantero de su Jeep excedente del ejército estadounidense.

"Americano, ¿cómo se llama una historia así? Nosotros lo llamamos mierda de vaca", dijo el teniente, y oí el inconfundible Chink-Ka-Chink-Chink metálico del mecanismo de apertura de una ametralladora Browning calibre .50 de la vieja escuela, montada en un poste, en la parte trasera del jeep detrás del Teniente. "No hay borregos cimarrones en estas colinas, ni ciervos, ni caribúes, ni tampoco dinosaurios, aquí no hay más que burros salvajes, cabras montesas y liebres. Tal vez estés cazando conejos con esas armas grandes, ¿eh?"

"Bueno, eso no es lo que nos dijo nuestro agente de viajes".

"Americano, no te lo voy a pedir otra vez. El sargento Rodríguez te está apuntando con su ametralladora y es un hombre muy nervioso. Acaba de decirme que su suegra se mudó con él y su esposa, y seguro que quiere dispararle a alguien."

Tal vez lo estaba, pero justo entonces oí un ruido sordo seguido de una ráfaga corta pero muy fuerte procedente de la gran ametralladora del calibre 50 situada detrás del Teniente. Pasó muy por encima de nuestras cabezas y fue seguida por el sonido de un pequeño alboroto, refriegas y golpes en la oscuridad más allá del resplandor del foco, que aún nos cegaba. No pude ver lo que ocurría, salvo que el Teniente ladró una orden a alguien en voz alta y enfadado, seguida de un grito del abuelo Benson aún más fuerte. El reflector se apagó de repente, dejándonos a oscuras, lo cual era bueno, pero mi visión nocturna había desaparecido por completo para entonces, así que no importaba.

"Abuelo, Ghost aquí. Siéntate Rep. ¿Todo bajo control?" Le llamé por la radio del escuadrón mientras Ace y yo nos acercábamos a los dos jeeps con los rifles preparados.

"Copacético", oí su sencilla respuesta, y me relajé un poco. Cuando llegamos al primer Jeep, un Teniente de aspecto enfadado estaba sentado en el asiento del copiloto con las manos en la parte superior de la cabeza. Vinnie estaba a su lado con el supresor de su pistola Glock de 9 milímetros en la oreja del teniente.

Bulldog estaba junto al conductor con el cañón de su carabina M-4 clavado en las costillas del hombre. Un tercer soldado mexicano, presumiblemente el mencionado ametrallador, el sargento González, yacía inconsciente con la parte superior del cuerpo en el asiento delantero y la inferior en el habitáculo trasero, donde Lonzo estaba de pie junto a su ametralladora, con el cañón apuntando al cielo. Había un segundo Jeep a dos metros a la derecha del joven teniente, con otro sargento en el asiento del copiloto, un soldado raso al volante, las manos en lo alto de la cabeza como los demás, y Kraut y Batman cubriéndoles.

"Te sugiero que nos liberes inmediatamente, Americano. ¡Nunca te saldrás con la tuya!"

"Ya lo hemos hecho, Teniente", le dije al joven oficial. "Ahora, siéntate ahí tranquilamente y no dejes que tu boca te meta en problemas".

Me volví hacia mis hombres y les dije: "Sacadlos de los jeeps y **esposadlos** a los parachoques delanteros. Descarguen sus armas y tírenlas atrás. Popcorn, quédate aquí y vigílalos. Volveremos y te recogeremos cuando terminemos con la hacienda. No debería llevarnos más de una hora".

Cuando tuvieron a los cinco soldados mexicanos atados y esposados a los parachoques, me acerqué al Teniente enfadado y me arrodillé a su lado. "Ahora, antes de que vuelvas a insultarme en español, voy a dejarte aquí con uno de mis compañeros de caza mientras los demás salimos a cazar ese carnero cimarrón que estamos rastreando. Volveremos dentro de una hora, con suerte, con el carnero a cuestas, probablemente en el helicóptero que hemos alquilado."

"Dejad de mentirme. No sois cazadores, no con esos rifles; y no hay cabras montesas ni carneros ahí fuera".

"Te daré el rabo y la oreja, pero éste es el trato, Teniente. Si tú y tus chicos os portáis bien cuando volvamos, os soltaremos y os daremos vuestras armas, descargadas, por supuesto. Luego, pueden seguir su camino, y nosotros el nuestro. No le diremos nada a nadie sobre esto, y estoy seguro de que usted tampoco quiere ser avergonzado diciéndole a sus superiores que un grupo de cazadores de California lo capturó. ¿Tenemos un trato?"

El teniente mexicano me fulminó con la mirada, pero finalmente asintió.

"¡Bien!" Dije mientras me levantaba y me alejaba.

CAPÍTULO SIETE

Dentro del patio

Emprendimos de nuevo la aproximación final a la hacienda. Hice que mis columnas subieran en diagonal por la ladera hasta la cima, luego pivotaran y se pusieran en línea cuando nos acercábamos a la esquina sureste de la muralla. A continuación, las dos alas rodearon cada lado hasta sus posiciones de asalto asignadas. Ace y yo utilizábamos nuestras Barretts para derribar a los centinelas de las torres delanteras y a cualquier otro que viéramos. A continuación, los equipos de asalto escalarían las murallas o entrarían por una pequeña puerta que descubrimos en las fotografías de alta resolución de los drones, si conseguíamos abrirla.

Por las fotos aéreas que vimos, Ortega había apilado todas sus defensas en la pared oeste del complejo, mirando hacia esa carretera serpenteante que subía desde Culiacán. Ahí fue donde el ejército y los otros cárteles lo habían atacado antes, así que en su pequeño cerebro de guisante, tenía sentido para él. Construyó torres en esas dos esquinas, puso guardias en ellas y un guardia sobre la puerta principal, y luego puso esas dos ametralladoras Quad calibre .50 allí arriba, también. Pero no tenía guardias en ningún otro sitio ni patrullando. Hombres como él y Saddam Hussein siempre se convencen de que basta con fanfarronear y fanfarronear para que el enemigo haga lo que él quiere que haga.

Gracias a Dios por los aficionados, pensé. Estábamos en posición de atacar y no nos habíamos topado con ningún malo. Todavía no, pero eso cambiaría pronto.

Al examinar de cerca las nuevas fotos en mi portátil en el vuelo de regreso, vi que el resto del recinto estaba lleno de dos viejos graneros y varios cobertizos para el equipo, varias parcelas de jardín grandes, algunos gallineros e incluso un corral en el lado más alejado de la casa. Los graneros y las dependencias eran de madera y metal, pero ninguno parecía seguir utilizándose para la agricultura. Según el informe, los graneros albergan ahora la impresionante flota de limusinas, coches deportivos, todoterrenos, todoterrenos de tres ruedas e incluso un Humvee blindado con una ametralladora en la parte superior.

La muralla occidental que daba a Culiacán tenía esas torres de vigilancia en cada esquina y una gran puerta de madera en el centro. No había puente levadizo ni foso que yo pudiera ver alrededor de su fortaleza medieval, pero aquella puerta era alta y ancha. Parecía estar hecha de robustos maderos de roble reforzados, y me recordó a la de *King Kong* -la película original con Fay Wray-, hecha para mantener a los nativos a un lado y a Kong al otro. Todo lo que el lugar necesitaba eran antorchas y tambores.

Eran las 05.00 cuando subimos sigilosamente la última pendiente, cruzamos la cresta y llegamos a las esquinas traseras del muro perimetral del complejo, acurrucándonos contra él en las sombras de su base. En la cálida noche del desierto sólo se oían los insectos, el susurro del viento entre las hojas secas de los árboles y la débil trompeta de los mariachis, que provenía de algún lugar del interior del recinto.

Ace y yo nos separamos, fuimos a esquinas opuestas del muro trasero y avanzamos sigilosamente por los muros laterales hasta los puntos donde las fotos aéreas sugerían que obtendríamos las mejores vistas de las torres de vigilancia del frente. Él tomó el lado noreste y yo el sureste. Pedro "Taco Bell" Ramírez nos acompañó como refuerzo y retaguardia. Una vez que encontré un lugar con una vista despejada de mi torre, coloqué mi mochila en el suelo y puse mi Barrett encima.

La visibilidad era perfecta, y los guardias estaban a contraluz sobre el tenue resplandor del cielo nocturno. Me tiré al suelo y me coloqué en posición de tiro detrás de mi mochila, levanté las tapas protectoras de la mira Leupold y me centré en mi objetivo. Sabía que Ace estaba al otro lado, haciendo lo mismo.

Escaneando de izquierda a derecha a través de la mira telescópica, vi la silueta del guardia, además de alguien con un rifle al hombro, recorriendo el muro por encima de la puerta principal más a la derecha. Recordando los informes de Stansky y las fotos aéreas, sabía que podía haber más guardias armados patrullando el recinto con fusiles de asalto, pero tendrían que esperar hasta que entráramos.

En el avión, mi portátil tenía un software de análisis fotográfico muy sofisticado que me permitía ver el edificio en oblicuo y luego girar a su alrededor. Así fue como localizamos los lugares de cada lado donde se pusieron perezosos y utilizamos las paredes exteriores de los edificios para el muro del recinto. La antigua iglesia de la misión española era así. Había llegado primero, pero en lugar de construir el muro exterior del recinto a su alrededor, ataron las esquinas del nuevo muro a la iglesia y lo utilizaron en lugar de construir un segundo muro más alejado.

Hicieron lo mismo con un granero y otro edificio de la granja. Así, podíamos entrar en el recinto pasando por encima del muro hasta el tejado de un edificio. Ahí fue donde envié al abuelo y a sus muchachos. Tenían una sección de doce pies de largo de cuerda anudada unida a un gancho de agarre recubierto de goma. Después de derribar a los guardias de las torres, podían saltar el muro y llegar al tejado de la iglesia en cuestión de segundos.

Había un punto similar en el otro lado, donde el muro perimetral se unía a un viejo cobertizo. Iba a enviar allí al equipo de Koz, pero las imágenes aéreas también revelaron una pequeña puerta "de hombre" de madera empotrada en la pared trasera. Parecía abrirse a un granero, y pensé que podríamos intentar entrar allí también.

Sospecho que antiguamente probablemente utilizaban esa puerta para dejar salir al ganado a pastar en la ladera. Por las fotos, aquella pequeña puerta parecía sólida, como una versión en miniatura de la verja de King Kong de la fachada del recinto. Pero yo tenía mis sospechas. Supuse que era la construcción original de cuando se levantó el muro y que la gente de dentro se había olvidado más o menos de ella. En el peor de los casos, la habrían apuntalado por dentro con un travesaño de madera o quizá con un candado. Pero daba al este, al sol abrasador de la mañana. Entre las termitas, la contracción y la podredumbre seca, con lo vieja que era, me imaginé que Koz probablemente podría atravesarla con el dedo.

Esa puerta se convirtió en su objetivo. Él y sus hombres llevaban dos palancas, además de la cuerda y el garfio. Después de comprobar si había cables o alarmas, probaban con las barras del lado de las bisagras de la puerta. Ese solía ser el punto débil. Si el marco no saltaba, usaban el garfio y saltaban la pared como el otro equipo.

"Pónganse las máscaras", susurré por la radio del pelotón, y me tapé la cara con el pasamontaña de punto. Hacían calor y picaban, pero no los llevaríamos puestos mucho tiempo y no quería correr riesgos. Además, a Linda siempre le había parecido bonito el "look Bandito", como ella decía. Una segunda y rápida comprobación por radio me dijo que todo el mundo estaba en su sitio y preparado. Sabía que Ace estaba haciendo lo mismo que yo cuando me incliné hacia delante, puse el ojo derecho detrás de la mira y fijé el punto de mira en mi objetivo, que era el guardia de la torre izquierda.

Mi telémetro indicaba que el blanco estaba a novecientos setenta y dos pies de distancia, casi exactamente trescientos metros, disparando ligeramente cuesta arriba con un viento cruzado constante de ocho kilómetros por hora. El disparo de Ace desde el otro lado sería casi el mismo. ¿Para dos expertos tiradores como nosotros? Sería vergonzosamente fácil. Ambos guardias estaban inmóviles, así que fuimos a por la cabeza. Eso puso fin a la conversación. Si la distancia hubiera sido mayor, un disparo "al centro de la masa corporal" habría sido tan fácil y casi tan mortal como lo que estábamos disparando. Cómodamente preparado y en una sólida posición de tiro, encendí el micrófono de la barbilla y empecé nuestra secuencia de tiro estándar para dos hombres.

"Preparados a la izquierda", dije en voz baja y con calma.

"Preparados a la derecha", respondió Ace mientras imitábamos las órdenes que se oyen en todos los campos de tiro del ejército del mundo, suponiendo que los militares aún tengan tiempo de enseñar a los reclutas esas pequeñas cosas aburridas como puntería, uso de radios y lanzamiento de granadas, entre las clases obligatorias de DEI, conservación de la energía, ser amable con los extraños y no ofender la delicada sensibilidad de nadie.

"Listos en la línea de fuego", concluí. "Comiencen a disparar".

Apretamos los gatillos al mismo tiempo. Aunque no existe un verdadero "silenciador", sobre todo para una gran bestia como una Barret del calibre 50, el supresor de ruido QDL, de cinco libras y trece pulgadas de largo, se acerca bastante. El QDL redujo algo el ruido del disparo, ya que estábamos al otro lado de los gruesos muros de mampostería y los centinelas estaban al otro lado de los edificios de la hacienda. Te dejan un ruido resultante, pero que sería muy difícil de precisar o identificar para el hombre de Ortega.

Todo verdadero "tirador" sabe cuándo ha matado. A través de su visor, puede ver cómo la bala impacta en el blanco. Puede ver la reacción súbita del cuerpo por el impacto un instante después, y ver cómo se desploma el blanco. Lo sabes cuando sucede. Casi puedes sentirlo. Pero no había emoción en el acto porque es su trabajo. Por eso el lenguaje utilizado era siempre inanimado e impersonal. Todo son negocios.

Dos balas del calibre 50, dos disparos amortiguados, y los dos guardias de las torres se desplomaron como dos sacos de patatas inertes. El mío cayó directamente al suelo de la caseta de vigilancia. El de Ace hizo un movimiento brusco y se desplomó sobre la parte delantera de la torre, aterrizando probablemente en la dura tierra del otro lado de la pared frontal, pero no oímos nada donde estábamos.

Inmediatamente giré mi cañón diez centímetros a la derecha y me lancé contra el guardia que estaba en el muro sobre la puerta principal. Ace hizo lo mismo, ya que nuestros dos primarios habían caído. El tercer guardia debió de oír o ver algo de los dos primeros disparos, quizá cuando su compañero aterrizó en el suelo con un golpe seco. Reaccionó de repente, levantó el rifle y miró hacia el oeste, hacia Culiacán, suponiendo que era de allí de donde procedían los disparos. Ese fue el momento en que lo eliminé.

Sin saber exactamente qué haría a continuación ni cómo se movería, le apunté al centro del pecho y estaba preparado para hacer un segundo disparo, pero resultó innecesario. El mío fue un tiro mortal. Estaba bastante seguro de que el de Ace también lo era. El rifle del guardia chocó contra la parte superior de la pared, lo que hizo un ruido que realmente no quería, y el guardia se desplomó a su lado.

Para entonces, el abuelo había lanzado su garfio por encima de la pared y asegurado la cuerda. Vinnie estaba arriba, arrodillado y con su M-4 preparada. Bulldog, Lonzo y Gramps le seguían de cerca, y el equipo se dirigió de inmediato al dormitorio que albergaba a los pistoleros de Ortega, preparados para abatir a cualquier otro objetivo que apareciera. La velocidad lo era todo. ¿Qué había dicho

Ace? ¿Tres minutos como máximo? Con suerte, el equipo del abuelo podría embolsárselos a todos mientras seguían profundamente dormidos en sus camas.

Con los guardias de las torres derribados, Ace y yo saltamos de nuestras posiciones, corrimos hacia atrás y nos reunimos con Koz en la puerta de madera de la pared trasera. Él y sus hombres ya la habían abierto, habían entrado y se habían dispersado. Ace y yo les seguimos y vi que había acertado. Era un granero viejo y maloliente. Ya no había vacas, sólo herramientas de jardinería y sacos de abono. Siguiendo a Koz, atravesamos a toda prisa el granero y salimos por delante, al laberinto de edificios utilitarios y cobertizos del patio central.

Chester, Kraut y Batman se dirigieron a la casa principal con Koz pisándoles los talones. Ace y yo les seguimos, porque éramos los que más lejos teníamos que llegar, y nos pusimos en la retaguardia, con Taco Bell detrás. Al igual que en el barracón, el trabajo de Koz consistía en eliminar a cualquier guardia del palacio y apoderarse de la hacienda y sus ocupantes antes de que se formara resistencia. La clave era la velocidad.

A mi izquierda, vi al abuelo y a sus hombres moviéndose rápidamente entre los edificios. Volví a comprobar la señal del dron aéreo y vi una patrulla de dos hombres del cártel caminando a lo largo del muro sur, en dirección directa hacia ellos. Por lo visto, el Abuelo había oído algo, había visto algo o había intervenido la señal de mi dron. Antes de que pudiera avisarle, oí una ráfaga corta y amortiguada de disparos de 5,56 milímetros de una carabina M-4 estadounidense con supresor de sonido. Eso neutralizó la amenaza. Como Ace, yo y los demás, Gramps era un tirador de primera y no fallaba.

Más allá de él, a la izquierda, vi el objetivo del abuelo: un edificio bajo de adobe con un gran tejado en voladizo y un profundo porche que parecía un barracón del oeste. Décadas atrás, probablemente albergaba a trabajadores agrícolas y peones de rancho. Pero en las fotos vi un gran condensador de aire acondicionado en la parte trasera, lo que indicaba que Ortega había remodelado el edificio para mantener contentos a sus pistoleros en medio de la nada. Probablemente añadió agua caliente y fontanería, ya que aquí no había granjeros ni vaqueros, sólo asesinos del cártel.

El equipo de Koz llegó a la pared trasera de la hacienda, fuera del jardín privado de Consuela Ortega, con Ace y yo pisándoles los talones. Cambié la alimentación de mi dron a infrarrojos para ver qué podía ver en el interior. Mientras tanto, Ace se puso sus gafas de visión nocturna NVG y también exploró la zona. Nada. Dentro de la hacienda, vi un grupo de tal vez una docena de imágenes verdes nebulosas en la otra ala del edificio, donde estaban el personal y los empleados. Había un grupo más pequeño en la sección delante de nosotros, donde vivía la familia.

Pero también vi otras imágenes en la pantalla.

"Koz, Fantasma", advertí en mi micrófono de barbilla. "Tengo guardias en la puerta principal y una patrulla itinerante de dos hombres bajando por la pared del fondo, en dirección a nosotros. Ace y yo nos encargaremos de ellos. Envía a dos hombres al frente, derriba a los de la puerta principal y asegura el vestíbulo".

"Entendido.

"Iremos por la pared trasera cuando termines. ¿Me copias?" Pregunté.

"Recibido", respondió.

Me arrodillé, mirando hacia la esquina izquierda, donde pronto aparecerían los guardias, y levanté mi Barrett. Apoyé el codo izquierdo en la rodilla y el otro codo quedó pegado al cuerpo, una de mis posiciones preferidas para disparar. Ace permaneció de pie, con la espalda recta y el peso hacia delante, sosteniendo su Barrett en posición de disparo "sin la mano" como si no pesara nada, algo que sólo alguien de su tamaño y fuerza podía conseguir con un rifle tan pesado como aquel.

"Izquierda", dije.

"Correcto", respondió, que era nuestra simple taquigrafía para un disparo rápido.

La esquina de la pared estaba a unos treinta metros y ninguno de los dos necesitábamos un telémetro o una mira telescópica, pero los buenos hábitos de tiro son los buenos hábitos de tiro. Apoyé la mejilla en la culata y coloqué el ojo derecho detrás de la abertura del Leupold. Diez segundos más tarde, aparecieron los dos guardias, portando lo que parecían fusiles semiautomáticos franceses FN-FAL 7.62 colgados despreocupadamente al hombro, y cinturones de pistola pasados de moda con fundas colgando muy abajo a los lados, al estilo de las películas de vaqueros, probablemente con revólveres Colt o Remington para lucir.

Hablaban acaloradamente, quizá discutiendo por un partido de fútbol o por una novia, pero sin prestar atención a nada ni a nadie a su alrededor. Cuando el primero nos vio a lo largo del muro, fue a por su pistola, impidiendo la visión del otro guardia. Fue lo último que hizo. Disparamos al mismo tiempo y dos proyectiles pesados del calibre 50 le alcanzaron casi de lleno en el pecho, atravesándole y derribando también a su compañero. Se desplomaron, el primero encima del segundo, muerto.

"¿No odias el despilfarro del gobierno?" Ace negó con la cabeza. "Podría haberlos matado a los dos con una ronda y tener un dos por uno."

"Taco, revísalos y asegura sus armas", le dije a Rodríguez, que estaba detrás de mí. Rápidamente se acercó corriendo y comprobó si tenían pulso en el cuello, nos dio dos "pulgares abajo", luego recogió sus rifles y pistolas y los arrojó por la oscura ladera.

Me volví hacia Koz y le dije: "Vale, vamos", pero él ya tenía la cuerda desplegada, balanceó el garfio y lo lanzó por encima del muro del jardín. Se enganchó en el otro lado al primer intento, como esperaba. Ya había enviado a Chester y a Kraut a la puerta principal de la casa para eliminar cualquier problema, dejándonos a él, a Batman, a Taco Bell, a Ace y a mí en la pared trasera.

¿Cinco Deltas? Más que suficiente para terminar este trabajo.

CAPÍTULO OCHO

El dormitorio principal

Bajamos por el interior del muro hasta el jardín trasero de la hacienda en absoluto silencio, y nos extendimos entre los arbustos, encerrados, escuchando en silencio. Estaba muy oscuro a la "sombra de la luna" del jardín. Así son las sombras profundas en una noche como ésta, así que esperamos. Pasaron diez segundos, treinta, dos minutos. Nos entrenaron para ver y oír cosas en la noche que la mayoría de la gente no puede ver ni oír. Pero yo no oía nada, salvo el suave chapoteo de la decorativa fuente italiana cercana.

"Fantasma, Chester", oí en mi auricular. "Sorprendimos a los dos guardias en la entrada, los amordazamos y los atamos. Dentro de la casa, encontramos a tres más jugando al pinacle en una habitación lateral del vestíbulo y los derribamos también. Estaban viendo John Wick 3. Parecía una copia china pirateada. Tenían el volumen tan alto que podríamos haber pasado un tanque por delante de la puerta y no lo habrían oído. De todas formas, tenemos a cinco bandidos aquí fuera todos atados y en fila esperándote".

"Bien. Esperad ahí. Después de que derribemos el ala de los dormitorios y tengamos a Ortega bajo custodia, enviaré a Taco y a Palomitas, y vosotros podéis limpiar el ala de los criados."

"Entendido", respondió Chester.

Me tomé un momento para echar un vistazo al jardín trasero y me di cuenta de que Stansky tenía razón en una cosa. Aquello era una auténtica jungla, más parecida a Panamá durante la Escuela de la Jungla de hacía tantos años. Pero tenía que admitir que parecía y olía como un paraíso tropical, con palmeras y fragantes arbustos como buganvillas, hibiscos y aves del paraíso. Incluso había una zona de juegos para los niños. ¿Idea de José Ortega? Lo dudaba. Parecía más bien algo que instalaría una esposa, quizá alguien a quien no le gustara la "nueva realidad" de su vida en el país de los cárteles. Pero las verdes selvas de Panamá, donde creció Consuela Ortega, y el deslumbrante desierto del sur de California, donde emigró, no se parecían en nada a los áridos montículos de roca y las áridas montañas del oeste de México.

La fachada trasera del dormitorio principal, que daba al jardín, tenía una hilera de puertas francesas decorativas con hojas blancas y pequeñas ventanas de cristal. No impedirían la entrada a nadie que quisiera entrar, pero la seguridad de la casa y el jardín procedía de los altos muros y los guardias armados que rodeaban el recinto. Y el suave gorgoteo de la fuente bastaba para amortiguar cualquier ruido que hiciéramos.

"Moveos", ordené, listo para comenzar nuestro asalto e irrumpir. Pero justo cuando avanzábamos, una de las puertas dobles que teníamos delante se abrió y un hombre salió al patio. Tras incontables horas de entrenamiento y práctica, todos sabían que debían quedarse quietos donde estaban y no hacer ningún movimiento ni ruido. El hombre parecía bajo, rechoncho y de mediana edad, con una barriga cervecera en desarrollo, y estaba desnudo como una cabra. Se detuvo a unos metros del patio, se estiró, se pasó la mano por el pelo negro y áspero, se rascó el estómago y eructó. Qué bien, pensé. Era José Ortega, en carne y hueso, por así decirlo.

Tenía en la mano una caja de cigarrillos fuertes de la marca mexicana Delicados y un mechero de plata, se colocó un cigarrillo entre los labios y lo encendió, inhalando profundamente. Cerca de la puerta había una enorme maceta de cerámica con una colorida buganvilla. Ortega se acercó, colocó la caja de cigarrillos y el mechero en el borde de la maceta y se quedó fumando, mirando las estrellas. Se fumó el cigarrillo hasta la mitad hasta que una voz irritada le llamó desde el interior del dormitorio. Yo también la oí. Giró la cabeza y dijo algo igualmente desagradable por encima del hombro en dirección a la puerta del dormitorio, luego clavó rápidamente el cigarrillo en la tierra del interior de la jardinera y murmuró algo para sí.

Era la oportunidad que había estado esperando. Crucé silenciosamente el patio, me coloqué detrás de Ortega y le apunté con el cañón de mi Glock 9 a la nuca. Tras muchos años de observación personal, nada podía captar la atención de un hombre y concentrar su mente más rápido que el cañón de un arma presionado contra su cabeza o su nuca. Era realmente estimulante.

"¡Silencio, Señor Ortega!" Le susurré al oído. "¡No muevas un músculo!" Silencio *y no muevas un músculo*.

Durante un largo momento, hizo exactamente lo que le dije: no decir ni hacer nada mientras mi equipo se deslizaba en el dormitorio a nuestro alrededor. Finalmente, se encogió de hombros y dijo: "Si insistes, Gringo", y levantó los brazos hasta los hombros mientras miraba su cuerpo desnudo. "Como puedes ver, estoy desarmado... bueno, quizá no del todo", se rió entre dientes. "¿Pero te preguntas cómo sé que eres americano, eh?".

"No, la verdad es que no".

"Es muy sencillo, así que de todos modos te lo diré. Si fueras mexicano -del Ejército, de la Policía Federal, o uno de mis rivales, digamos de Tijuana, Jalisco, o de Los Zetas, o simplemente un sicario errante- ya estaría muerto. Sólo un estadounidense sería tan estúpido como para atraparme vivo".

Fue entonces cuando todos oímos una cisterna y la puerta del baño se abrió, llenando el dormitorio de luz.

"Es mi mujer", dijo Ortega. "Le sugiero que no la sobresalte, por favor. Es una mujer muy sensible y no acepta bien las sorpresas".

Le agarré por el hombro y le empujé a través de las puertas francesas abiertas. Frente a mí, en el centro del dormitorio, a contraluz de la luz del cuarto de baño, había una morena compacta pero guapísima, tan desnuda como José, que sólo llevaba en el pelo una de esas peinetas españolas altas y decorativas, una peineta negra enjoyada. Estaba en una perfecta postura de "FBI Crouch", con los pies separados a la altura de los hombros y el peso sobre las puntas de los pies, y aunque él no estuviera armado, ella sí lo estaba. En sus manos tenía un enorme revólver Colt calibre 44 cromado, "Harry el Sucio", que movía con confianza de un lado a otro de la sala, apuntando a uno de nosotros tras otro.

"Dígale que baje el arma, señor Ortega", le dije. Dígale que baje el arma.

"Díselo tú mismo. Habla mejor inglés que tú, y mucho mejor español... y probablemente también tenga mejor puntería".

"Los comediantes siempre mueren", le dije. *Los cómicos siempre son los primeros en morir.*

"La verdad es que últimamente no está muy contenta conmigo", se encogió de hombros Ortega. "Dice que mi 'rendimiento' ya no está a la altura de sus exaltados estándares, así que puede que te llame la atención".

"¡Hazlo! Hay seis rifles automáticos apuntando hacia ella ahora mismo... y hacia ti".

"Muy bien, muy bien, Consuela, mi adorada mariposita", la llamó, su voz goteaba sarcasmo. "Haznos un favor a todos y baja ese cañón".

Pude ver en sus ojos ardientes que no estaba contenta ni con él, ni conmigo, ni con nadie, pero finalmente bajó el martillo del revólver y se levantó de su cuclillas.

Ace se adelantó, cubriéndola con su M-4, y le quitó con cuidado el Colt de las manos. ¿Guapísima? Consuela podría confundirse fácilmente con Catherine Zeta-Jones. Por otra parte, las únicas fotos que había visto de la actriz eran las portadas de las revistas en las colas de las cajas de los supermercados, y CZ-J iba completamente vestida en ellas. Consuela, sin duda, no lo estaba, y no le daba el menor reparo.

Ace levantó la gran pistola con su mano igualmente grande. "¡Esta cosa debe pesar cuatro libras!", dijo. "Es un arma grande para una dama tan pequeña".

"Tal vez prefiera las cosas grandes", dijo ella, con una mirada lo bastante ardiente como para derretir la pintura de las paredes, mientras se levantaba e intentaba darle una patada en la entrepierna, que falló por poco cuando él se apartó en el último segundo.

Ace retrocedió y miró a Ortega. "¿Te refieres a él?", rió entre dientes.

"¡Dame mi pistola y te lo demostraré!", le contestó ella, mirándole fijamente.

"¿Sensible? ¿Así es como la has llamado?" le pregunté.

Ortega se rió. "Te dije que a mi mariposita no le gustan las sorpresas, Gringo".

Lo empujé hacia Ace, que colocó unas esposas flexibles en las muñecas de Ortega. Pero, ¿qué hacer con Consuela? Una mujer enfadada y poco dispuesta a cooperar sólo nos complicaría las cosas, sobre todo si era guapa y estaba desnuda, pero a ella no parecía molestarle lo más mínimo su estado de desnudez. De hecho, hizo alarde de ella, con las manos en las caderas, desafiándonos a mí y a los demás a mirar. Supongo que si yo tuviera un cuerpo así, también lo haría. Pero mientras la observaba, dirigió sus ojos furiosos hacia José y su expresión se transformó en puro desprecio. "¡Eres un inútil!", dijo.

"Lo siento, mi amor", se encogió de hombros con impotencia. "Me cogieron por sorpresa. ¿Qué podía hacer?"

"¡Podrías haber sido un hombre y dejar que te mataran!", se mofó.

Suficientes distracciones, decidí. Su albornoz de seda dorada estaba a los pies de su enorme cama. Lo cogí y estaba a punto de tirárselo para que se lo pusiera, cuando noté una mirada demasiado ansiosa en sus ojos y me di cuenta de que el albornoz le pesaba un poco. Palpé los bolsillos y encontré una Beretta del calibre 32 en el bolsillo lateral.

"Realmente eres un saco de sorpresas, ¿verdad?". Negué con la cabeza.

"¡Oh, no tienes ni idea!" José se rió de mí. Me metí su Beretta en el bolsillo y le lancé la bata, luego envié a Chester, Kraut y The Batman a registrar los dormitorios cercanos.

"¡Deja en paz a mis hijos!", me gruñó de repente. "Tócalos y te mataré, estúpido americano", me dijo con el fuego ardiendo de repente en sus ojos.

¿Su "pequeña mariposa"? ¿Así la llamaba Ortega, me preguntaba? Pero sospecho que se arrepintió de esa verdad hace mucho tiempo.

"No tenemos intención de hacer daño a nadie, Señora, y menos a usted o a sus hijos", le dije en inglés, y abandoné la pretensión. "Siempre que se comporten".

Fue entonces cuando Batman volvió a entrar en el dormitorio, llevando a tres niños pequeños y somnolientos delante de él. Parecían tener entre tres y siete años. Kraut, el miembro más grande de mi equipo entró justo detrás de ellos, llevando a una anciana gorda colgada del hombro. Iba vestida de negro de pies a cabeza y le gritaba en español, mientras golpeaba la espalda de Kraut.

"¡Silencio, mamá!" le espetó Consuela, y la anciana se calló de inmediato.

José negó con la cabeza. "Dicen en mi cultura que si quieres saber cómo será una mujer, mira a su madre. Así que no tengo a nadie a quien culpar sino a mí mismo". Se rió de sí mismo. "Podrías hacernos un favor a todos y dispararle a ELLA si estás buscando a alguien a quien disparar, Gringo. Incluso te pagaré".

" José!", gritó su mujer y se abalanzó sobre él en español, demasiado caliente y rápido para que yo lo entendiera. Los niños corrieron a su lado y ella los abrazó, cambiando su expresión de ira agresiva por la agresiva protección de una madre oso.

Ortega echó la cabeza hacia atrás y se echó a reír. "Está bien, está bien, no le disparen a la vaca vieja; mi esposa parece haber desarrollado un repentino apego sentimental hacia ella. No sé por qué. Pero pongámonos serios un momento, tú y yo, ¿eh, Gringo?".

"Ya estoy tan grave como un ataque al corazón, Señor."

"¿Y cómo te llamas? No es de buena educación seguir llamándote 'Gringo'. "

"¿Yo? Wally Pip", le contesté, dándole el nombre del primera base de los Yankees de Nueva York que un día no tuvo ganas de jugar, fue sustituido por Lou Gehrig y nunca recuperó su puesto.

"Y él", Ortega señaló a Ace.

"Elmer Fudd", respondió mi corpulento sargento primero.

"¡Ah! Dos comediantes por el precio de uno. Un ajuste perfecto para esta misión de tontos que su gobierno le ha enviado. Seguro que ahora te das cuenta. Entonces, ¿quién eres realmente? ¿LA DEA? ¿FBI? ¿CIA?"

"No, la ADL, los Perreros de Los Ángeles", le respondió Ace con cara seria.

"¿Yo? Estoy con los Boy Scouts", dije. "Estoy trabajando en mi insignia al mérito 'Poner a El Jefe en Prisión'."

"Qué comediantes", se rió Ortega y volvió a sacudir la cabeza. "Pero no, el gobierno mexicano nunca os dejará salir del país. No pueden permitírselo, amigos míos".

"Tienen que atraparnos primero", dije.

"Los cárteles -todos ellos- harán estragos y destrozarán el país hasta que me devolváis, como hicieron con mis hermanos. ¿Por qué? Porque sé demasiado, y para ser franco, somos dueños del gobierno".

"Tal vez, pero las apuestas en Las Vegas dicen que a los otros cárteles no les importará. Planean entrar, repartirse tu territorio y nunca te echarán de menos". Le sonreí agradablemente.

"Pero aunque así fuera, ¿para qué molestarse? ¿Por qué malgastar la energía y quizá vuestras vidas? ¿Cuántos hombres tienes contigo, eh? ¿Una docena? ¿Dos docenas? ¿Tal vez tres? Dudo que haya más que eso. ¿Qué le parecería un millón de dólares por hombre? En dólares, oro o diamantes, aquí mismo, esta noche. Entonces usted y sus hombres pueden simplemente desaparecer en la noche".

"No lo creo, señor Ortega". Negué con la cabeza.

"Muy bien, ya que no estoy en una posición fuerte de negociación en este momento, ¿qué tal si 'vamos al grano', como les gusta decir a ustedes los americanos? ¿Qué tal si ofrezco... tres millones por hombre, más cinco millones extra para ti, eh?"

"La respuesta sigue siendo no. Lo echaríamos a perder".

"¿Tan competente como pareces ser?", se burló el mexicano desnudo.

"Necesito hombres como tú. Te contrataría ahora mismo, pero probablemente no pueda pagarte, Gringo. Pero preguntemos a tus hombres antes de que me rechaces, ¿eh? Parecen más listos que tú. Puede que no estén de acuerdo".

Miré a los demás y me encogí de hombros. "¿Alguien quiere tres millones?"

"No, ¿qué demonios haríamos con él?" Contestó Batman, uno de los tipos más jóvenes. "Nos lo gastaríamos todo en la mesa de dados de algún casino indio del norte".

"O en vino, mujeres y canciones. Pero creo que yo también paso", aceptó Kraut.

"¿Tres millones? No está nada mal", añadió Batman, "pero ¿dónde está el honor en eso? ¿Dónde está la integridad?"

"Tío, estás perdiendo el tiempo", dijo Taco Bell. "Ese cerdo del cártel mexicano no sabe nada de honor o integridad".

Ortega le maldijo en español, se levantó de un salto, me empujó a un lado y salió corriendo hacia la puerta del patio. No me esperaba ese movimiento, ni que un traficante gordo pudiera ser tan rápido. Por desgracia para él, Ace tiene unos brazos inusualmente largos. Cuando Ortega pasó corriendo a su lado, el brazo de Ace salió disparado y "puenteó" al mexicano en la garganta. La parte superior de su cuerpo se detuvo como si hubiera chocado contra un muro, pero su fornida parte inferior no. Siguió avanzando, dio una voltereta hacia atrás y cayó de espaldas sobre el suelo de baldosas.

"Ace, levántalo. Salgamos de aquí", dije.

Ace lo miró y gimió: "¿Ortega? Me tomas el pelo, ¿verdad?".

"Conoces las reglas. Los embolsas, los llevas y los despellejas".

Ace refunfuñó, pero arrojó su carabina M-4 a Taco Bell, entregó su Barrett a Kraut, se echó a Ortega al hombro y salió por la puerta.

CAPÍTULO NUEVE

Vestíbulo y fuente

"**¿Por qué no disparas a** ese gordo cabrón inútil?". Consuela Ortega me fulminó con la mirada mientras Ace se llevaba a José al hombro. "Le estaría bien empleado a ese gordo idiota; pero hagas lo que hagas, no lo envíes de vuelta aquí, o lo haré yo por ti".

Todo dulzura y luz, pensé. Debería haberme dado cuenta entonces y ahorrarme más dolores de cabeza después. Pero intento evitar disparar a las mujeres siempre que puedo.

Miré el reloj y vi que se nos acababa el tiempo. "Abuelo, Chester", les llamé por la radio del escuadrón. "Siéntense Rep. ¿Sigue todo copacetic?" Oí dos "Recibido" y les dije que llevaran a sus prisioneros a la parte delantera de la casa, junto a la verja, porque iba a llamar a los Black Hawks. "Ah, y busca un móvil y hazles fotos, sólo las caras. Las colgaremos en internet para que sus jefes sepan que están todos en nuestra base de datos.

"Y abuelo", añadí, "haz que un par de tus chicos traigan algunos coches hasta aquí. Tres de las limusinas si puedes. Seguro que las llaves están dentro, en los encendidos o en los asientos".

"¿Vamos a montar a casa?" Preguntó Popcorn.

"Sí, pero no en una limusina", respondí y luego me volví hacia Consuela Ortega. "No queremos haceros daño ni a ti ni a los niños. Si os portáis bien y no nos causáis ningún problema, os dejaré coger uno de los coches y bajar hasta Culiacán. Pero si intentan algo más lindo, pueden irse caminando. ¿Entendido?"

Me dirigió otra mirada sombría. Era fácil ver el odio intenso en sus ojos y las ruedas girando detrás de ellos. Finalmente, asintió y dijo: "De acuerdo, americano. Pero ¿puedo llevarme mi joyero? En su mayoría son baratijas de fantasía y pasta, pero es todo lo que me queda para los niños. No quiero que los animales de José me roben todas mis cosas cuando te vayas -dijo y señaló una gran caja decorativa de caoba que estaba encima de la más pequeña de las dos grandes cómodas que había en la pared del fondo. Tenía hileras de pequeños cajones y un pequeño espejo.

Ella no se daba cuenta, pero aquí arriba nadie se apoderaría de nada. Cuando nos fuéramos, todo este lugar quedaría reducido a escombros en cuestión de segundos: su tocador, sus armarios llenos de ropa, su joyero y todo lo demás. Así que cedí y le dije: "De acuerdo".

Se dio la vuelta y caminó en esa dirección hasta que la detuve. "No, no, llévate a tus hijos. Haré que uno de mis hombres lleve esa caja por ti", dije, no confiando en ella hasta donde podía lanzarla y le hice un gesto a The Batman para que la cogiera.

Sus ojos se entrecerraron sospechosamente. "¿Así que tu hombre puede robar mis cosas?"

"No, estoy segura de que tus joyas te quedarán mejor a ti que a él. Pero no tengo tiempo de revisarlas buscando más de tus sorpresitas. Y, francamente, no me fío de ti". Hice un gesto a Batman y le advertí: "Ten cuidado. Seguro que tiene una trampa. Usted no haría algo así, ¿verdad, señora Ortega?".

"No seas condescendiente conmigo. Se arrepentirá, se lo aseguro", le espetó.

La miré a esos poderosos ojos negros suyos y le dije: "Coge a tus hijos y a tu madre y salid al patio delantero, por favor", añadí con una reverencia y una floritura. "Mis órdenes son no hacerle daño a usted ni a nadie de su familia".

"Qué galante por tu parte", dijo,

"Pero crúzame y dejaré que mis chicos les den todas tus cosas a sus novias".

Se mordió la lengua y no dijo nada, luego hizo un movimiento de barrido con su larga bata de seda y condujo a sus hijos hacia la puerta del dormitorio. "Y dile a este... matón tuyo que se quede justo detrás de mí con mi joyero".

"Sí, señora", me sonrió Batman.

"Ten cuidado", le advertí al pasar. "Es tan mortal como una serpiente de cascabel".

"Entendido, pero no es fácil", dijo mientras seguía aquel camisón de seda y aquella peineta negra decorativa que salía por la puerta.

Taco Bell Ramírez se dirigió hacia la puerta que tenía detrás, pero de repente se desvió a la izquierda. Había un enorme televisor de alta definición colgado en la pared lateral. Encima, montado horizontalmente en la pared, había un viejo y maltrecho machete. Taco lo bajó y me lo acercó. La hoja medía unos treinta centímetros y el mango tenía gruesas capas de cinta aislante negra. Las caras planas de la hoja presentaban muescas, arañazos profundos y manchas de óxido, pero el filo había sido afilado con precisión y brillaba en la penumbra. Pasé el pulgar por la hoja y vi que estaba afiladísima. Me pareció un arma muy fea.

"¿No crees que...?" empezó a preguntarme Taco.

"Sí, lo tengo. Átalo a la parte de atrás de mi mochila", le dije. "No quiero perderlo".

Ace encabezó nuestra pequeña procesión por el pasillo hasta el vestíbulo con José Ortega colgado del hombro, aún inconsciente, con el trasero al descubierto rebotando arriba y abajo en la tenue luz como una brillante luna llena.

"¡Bien!" Consuela cacareó. "Ahora, sus hombres verán cómo es José REALMENTE".

Se colocó en fila detrás de Ace con su fina bata de seda abierta por los hombros y aquella peineta negra de peineta española erguida en la nuca, tan desnuda como José. Estaba seguro de que lo había hecho para que sus hombres pudieran ver también su aspecto REAL. Luego llegó Batman con su gran joyero, seguido de sus hijos y su madre. Taco Bell, Lonzo y yo les seguimos con los rifles preparados.

Salimos del dormitorio y caminamos por el largo pasillo embaldosado hasta el vestíbulo central de la hacienda, donde Koz y sus hombres habían acorralado al aterrorizado personal doméstico de la casa: las criadas, los cocineros y conserjes, su entrenador, su chef francés y su mayordomo inglés. Estaban de pie a un lado de la habitación, y los guardias que habían acorralado estaban al otro lado, de rodillas y con las manos en la coronilla, siendo cacheados.

Ninguno de ellos parecía ser una amenaza, así que le hice un gesto a Koz para que los sacara a todos al patio a través de las enormes puertas de roble de la casa. Eran otra cosa y parecían lo bastante pesadas como para contener un ataque indio. Por las cicatrices y muescas que vi en la superficie exterior, puede que lo hicieran en su día.

Delante de la casa había un hermoso patio, que podría haber rivalizado con el jardín trasero. Tenía un camino circular pavimentado y una fuente alta, redonda y de varios niveles en el centro, como las que se encuentran en las plazas de los pueblos mexicanos o italianos. Antaño, el agua caía en cascada desde la parte superior, salpicando sucesivas repisas circulares, hasta la gran pila inferior, que contenía peces, flores y pequeñas monedas en el fondo. Ahora ya no. Mientras que el jardín trasero era exuberante, el patio delantero estaba en mal estado. La fuente estaba seca; la pila tenía centímetros de polvo y pequeñas piedras en el fondo; y el camino de entrada circular estaba muy bacheado. Tras rodear la fuente, regresó a la puerta principal de *King Kong*.

El abuelo Benson había traído a sus prisioneros de los barracones y los tenía tumbados en la tierra junto a la calzada, boca abajo, con las manos atadas a la espalda con esposas flexibles. Conté veinte antes de añadir la captura de Koz, aunque ninguno de ellos parecía ahora muy intimidante. Me recordaban a la desgreñada banda a caballo que intentaba robar el oro de Humphrey Bogart en *El tesoro de Sierra Madre*. Sólo les faltaban unos poblados bigotes, grandes sombreros y bandoleras llenas de cartuchos cruzándoles el pecho.

"Menudo botín", le dije al abuelo mientras sacudía la cabeza con tristeza.

"Sí, los bandidos ya no son lo que eran, ¿verdad?"

"Tampoco sus líderes".

"¿Quieres decir 'Insignias'? No tenemos apestosas insignias'. Dales guitarras y un par de trompetas, y ni siquiera harían un buen grupo de mariachis".

"Justo en el clavo", me reí entre dientes. Era una de las pocas veces que recordaba haberme reído con Randy Benson y no de él. "¿Cuántos derribaste?" Pregunté.

"Los seis rovers y los tres que tienes en la pared están KIA", respondió.

"Sí, eso es más o menos lo que se me ocurrió".

Fue entonces cuando los dos helicópteros Apache pasaron por encima, llenando el patio de una nube de polvo asfixiante. Luego volvieron a rodear la colina para comprobar lo que estábamos haciendo. Detrás de ellos llegaron los dos Black Hawks. Los vimos aterrizar uno detrás de otro en el otro extremo del patio, levantando otra tormenta de polvo y gravilla.

"Randy", me volví hacia Benson, llamándole por su nombre para variar, en lugar de utilizar su indicativo o su rango. Lo hice sin pensarlo mucho, pero ser amable podría ayudar a salvar el enorme abismo que había en nuestra relación, al menos durante un tiempo. La esperanza es eterna, o eso he oído. "Llévate a Vinnie, Bulldog y Lonzo, y saca el C-4 del Black Hawk. Tenemos que poner esas cargas, pronto." Eran nuestros cuatro expertos en explosivos, y tanto el abuelo como Vinnie eran instructores. "Os dejaré a vosotros dónde poner el C-4, pero mis órdenes son convertir este lugar en un montón de grava. ¿Entendido?"

"Recibido. Un montón de grava, ¡Suh!", hizo un perfecto saludo del ejército británico y sonrió, luego hizo un gesto a los otros tres para que le siguieran.

"Y despega en cinco", añadí.

"Recibido, despegue en cinco", repitió también, y echó a correr hacia los dos helicópteros.

Sus chicos habían aparcado tres de las elegantes limusinas Mercedes negras de seis litros de la Clase S de Ortega delante de la casa, con las puertas del conductor abiertas y los motores en marcha. Me volví hacia Consuela Ortega y le dije: "El primer coche es tuyo. Mete a tus hijos y a tu madre dentro. Sospecho que te gustaría estar a medio camino de Culiacán antes de que suelte a los pistoleros de tu marido".

Los miró, arrodillados en la acera frente a ella, con desprecio fulminante. "¿Esa escoria?", dijo. "No tengo miedo de esos debiluchos, como tampoco te tengo miedo a ti. Pero ellos me temen a mí, Gringo, y tú también deberías".

A juzgar por sus expresiones, estaba en lo cierto. Metió a sus hijos y a su madre en el asiento trasero del Mercedes y abrió la puerta delantera del pasajero, con su albornoz de seda suelto una vez más al viento, desafiándome a mí y a todos los demás hombres. "¿No te olvidas de algo, americano?". Hizo una pausa, dando golpecitos con el pie en el suelo, como si yo fuera uno de sus hijos que se portan mal. "Mi joyero... POR FAVOR".

Le hice un gesto a Batman. Se interpuso entre ella y la puerta con tanta delicadeza como pudo, sonriendo de oreja a oreja mientras colocaba su caja de caoba en el asiento del copiloto. Luego se paseó hasta el lado del conductor, sin apartar los ojos de mí con aquella expresión de arrogante superioridad.

"Ejem, Señora Ortega," el mayordomo inglés de José agitó la mano sobre su cabeza y la llamó. "¿Y nosotros? Seguramente, debe llevarnos con usted - Pierre, Jennifer, y yo - nos necesitará, querida", señaló hacia la cocinera francesa, y su entrenador personal, suplicante. "Madame, no puede dejarnos aquí. Debo insistir. Bajo los términos de mi..."

"¿Insiste? Oh, pobre, pobre Edward, me temo que tu contrato expiró hace diez minutos, así que te sugiero que actualices tu currículum". Los miró un momento y luego se volvió hacia mí. "Gringo, sé bueno", se volvió hacia mí, sonrió y trató de ser encantadora, para variar. "Supongo que no tendrás inconveniente en que me lleve a Pierre y a Jennifer en el coche. Él es mi chef ejecutivo y ella mi entrenadora personal. Estaría absolutamente perdido sin ellos".

"¿Absolutamente?" Me lo pregunté por un segundo, tratando de averiguar cuál era su ángulo, pero no pude verlo, no entonces, de todos modos. Finalmente, asentí con la cabeza. No es que confiara en ella, pero pensé que sacar a dos más de aquí, y mucho menos a ella, era bueno.

CAPÍTULO DIEZ

En el patio

Su chef francés Pierre y su entrenadora personal Jennifer no esperaron. Saltaron al asiento trasero del Mercedes con la familia. Consuela giró hacia el mayordomo inglés de José y casi sonó a disculpa... casi.

"Edward, oh, esto es très embarazoso", le dijo Consuela. "¿Pero de qué me serviría un criado como tú? Te sugiero que le preguntes a este simpático americano si podrías acompañar a mi marido a donde quiera que le lleven".

Luego se volvió y me miró. "Oh, pensándolo bien, Edward, probablemente lo estén enviando a una de esas horribles prisiones americanas llenas de personajes muy desagradables... Sabes, sin embargo, cuanto más lo pienso, José podría necesitar a un hombre como tú allí. Por supuesto, tendrías que lidiar con todos esos hombres rudos y juguetones con grandes músculos y tatuajes de colores, así que puede que no te guste mucho... Por otra parte, quizás a ti sí..." le sonrió tan agradablemente. "Así que, DESPEDIDA, Edward, y adiós".

José recobró lentamente el sentido y se puso en pie a mi lado, intentando despejarse. Mientras se tambaleaba de un lado a otro, vio que Consuela abría la puerta del conductor del coche.

"¡Consuela!", la llamó. "¿A dónde vas, mi amor?"

"¡Al infierno, José! Me voy al infierno, como todos", le miró y se rió. "Mi único consuelo es que tú llegarás allí mucho antes que yo. Así que, au revoir... ¡mi amor!".

"Pero Consuela... yo".

Con su típico estilo, le dirigió otra mirada cínica y llena de odio y le abrió de par en par la bata de seda mientras subía al asiento del conductor del Mercedes y cerraba la puerta tras de sí. El motor ya estaba en marcha, así que metió la marcha y pisó a fondo el acelerador. El coche hizo girar las ruedas sobre la grava suelta y levantó otra nube de polvo mientras se alejaba a toda velocidad hacia la puerta principal.

Vi a Vinnie ahí abajo, sin duda preparando la verja con los últimos explosivos, así que rápidamente le llamé por la radio de la brigada: "Abre la verja delantera para ese coche y quítate de en medio. No creo que esa loca tenga intención de parar".

Vinnie levantó rápidamente la barra y se esforzó por empujar la pesada puerta para abrirla, y tenía razón. Pasó volando, esquivando el marco de la puerta por centímetros y a él por aún menos, sin ni siquiera aminorar la marcha. Miré a

Ortega mientras ella desaparecía por la puerta principal y bajaba por la carretera. El lenguaje corporal lo es todo para un hombre orgulloso de su posición, y vi cómo se le caían los hombros y bajaba la cabeza, consternado, con la cara empapada de sudor.

Ace se volvió hacia mí y se rió: "Tienes que amar esas granadas de mano vivas, Fantasma. Como decía mi abuela: 'Nunca tires una cuesta arriba; siempre vuelven rodando cuesta abajo'". "

Asentí con la cabeza y me volví hacia Koz. "Dile al resto del personal de la casa que suba a los otros dos coches y siga a la señora Ortega hacia las brillantes luces de la ciudad de Culiacán. Que el mayordomo inglés también vaya con ellos. Es la única carretera que hay, todo es cuesta abajo, y las luces de la ciudad son los únicos signos de civilización, así que no pueden perderse".

Eso nos dejó con José Ortega y sus bandidos, que estaban arrodillados en el polvo frente a "El Jefe". Si esperaban ver una mente criminal maestra y un líder, parecían decepcionados. Todo lo que vieron fue a un desventurado y obeso cascarón de hombre desnudo frente a ellos. Desvió la mirada y su lenguaje corporal lo decía todo. Ya no les inspiraba miedo ni respeto. Ahora le veían como a un perro apaleado.

Me volví hacia el abuelo. "Diles a todos que se quiten los zapatos y que corran por la puerta de vuelta al pueblo".

Intimidar a los indefensos siempre había sido una de esas desagradables tareas que Randy parecía disfrutar y en las que a menudo destacaba. Dio un paso adelante y les gritó en un español amenazador y gutural. "Quítate los zapatos. Todos ustedes. ¡Ahora!" Quítate los zapatos. Todos ustedes. Todos. ¡Ahora!

Refunfuñaron e intercambiaron miradas confusas, fingiendo no entender lo que quería que hicieran. Eso cambió rápidamente cuando disparó una ráfaga de su fusil M-4 contra la tierra que tenían delante. No hizo falta más. Tenían las manos atadas a la espalda, así que no tuvieron más remedio que clavar los talones en la tierra para arrancarse los zapatos o rasparse uno contra otro. Como fuera, se empujaron unos a otros y se revolcaron en la tierra hasta que consiguieron quitarse los zapatos y ponerse en pie.

"¡Ahora sal de aquí! ¡Ve, ve!" ¡Ahora sal de aquí! ¡Ve, ve! les gritó el abuelo y volvió a disparar su rifle, esta vez por encima de sus cabezas. Como una patada en el culo, eso les hizo moverse. Salieron corriendo por la puerta principal, tropezando y cayendo cuando la grava aplastada se clavó en sus pies descalzos, pero no se detuvieron.

El abuelo se rió de ellos. "¿Cómo es ese viejo chiste?", preguntó. "Dos tipos son perseguidos por un oso. Uno de ellos pasa corriendo por delante del otro y dice: 'No necesito ser más rápido que el oso. Sólo necesito ser más rápido que tú'". "

"Has acertado", me reí mientras veíamos a la chusma dar tumbos por el camino de entrada y perderse de vista carretera abajo. Sería más gracioso si no conociéramos su historia y toda la crueldad que habían impuesto a los demás a lo largo de los años. Pero es difícil ser un malote o parecerlo cuando estás bailando arriba y abajo sobre rocas afiladas, descalzo, desarmado, con unas perspectivas que disminuyen rápidamente.

Una vez que todos salieron por la puerta, me volví hacia él y le pregunté: "¿Tienes las cargas puestas?".

"Entendido. Esos detonadores se controlan con el móvil. Pero debo decirte, Fantasma, enviaron cuatro cajas de C-4. ¡Suficiente para volar este lugar a la luna!"

"Eso es lo que quiere Stansky, así que úsalo todo", le dije.

"Están colocando lo último en las dependencias y en el muro".

Activé mi micrófono de barbilla y dije: "Aquí Fantasma. Todos retrocedan hacia los Halcones Negros. Líderes de grupo, cuenten cabezas. Despegue en dos. Nos vamos de aquí".

Me volví hacia Ace y señalé a Ortega. Ace no esperó. Antes de que Ortega pudiera discutir o resistirse, las poderosas manos y brazos de Ace volvieron a echárselo al hombro. Con poco esfuerzo aparente, llevó al gordo mexicano a través del patio y lo arrojó dentro del Black Hawk, boca abajo en el suelo. Con una de las botas de trabajo de la talla quince de Ace cómodamente apoyada en la espalda, El Jefe no iba a ir a ninguna parte.

Me quedé fuera y conté cabezas, al igual que los líderes de mi grupo, mientras cada hombre corría y se amontonaba dentro. Con tres pulgares hacia arriba y todos contados, hice una señal al piloto líder para que despegara y salté dentro yo mismo. Los dos Apaches estaban rodeando el complejo a mil pies, y los Black Hawks se elevaron entre el polvo para unirse a ellos. Miré el reloj. Sólo habían pasado trece minutos desde que tocamos el muro exterior, y habíamos suprimido a la oposición, asegurado el complejo y capturado vivo a José Ortega, sin sufrir bajas. No había sido una mala noche de trabajo.

Cuando alcanzamos los quinientos pies y ya no estábamos directamente sobre el complejo, pulsé el micrófono y dije: "Abuelo, Ghost. Tienes el honor, hazla estallar". Había estado esperando mi llamada y detonó el C-4 con una orden de su teléfono móvil. Decir que fue una explosión impresionante es decir poco. Todo el complejo pareció saltar por los aires cuando decenas de destellos de color naranja brillante y un estruendo profundo envolvieron el lugar.

Las paredes de adobe y los tejados de tejas rojas se desmoronaron. En cuestión de segundos, todo lo que vimos fue una espesa nube de asfixiante polvo beige que se elevaba hacia nosotros a tal velocidad que los pilotos tuvieron que girar bruscamente a la izquierda, contra el viento, para adelantarse a ella.

Estaba seguro de que el general Stansky encargaría al dron Raptor y al satélite que tomaran más fotografías, pero pasarían horas antes de que alguien pudiera ver lo que había debajo de aquella nube de polvo asfixiante. Yo apostaba por un gran montón de gravilla.

Cuando la explosión se desvaneció bajo el rugido de los motores del Black Hawk, un aire refrescante entró por las puertas abiertas. Fue entonces cuando José Ortega apartó la gran bota de Ace y se dio la vuelta.

Me miró y se echó a reír. "Eres realmente un tonto, Gringo. O debería llamarte El Fantasma, ¿eh?", gritó por encima del rugido del motor. "Deberías haber escuchado con más atención lo que decía Consuela, haber prestado atención a sus palabras y haber oído lo que te decía con los ojos. Ves, ahí es donde la Biblia se equivoca, Gringo. El diablo es una mujer. Estabas hablando con el mismísimo Lucifer, y ni siquiera lo sabías, ¿verdad?".

"Ella no me asusta, José, tampoco el infierno". Sonreí. "Ya he pasado unos cuantos viajes allí, y está sobrevalorado. Más vale que te preocupes tú".

"Pero Gringo, todavía no lo entiendes, ¿verdad? Arrestaron a la Ortega equivocada", rugió. "Ella se paseó y mostró su piel y esa bata de baño de seda a todos ustedes y sus cerebros se derritieron. ¿Puedo llevar mi joyero, Sr. Americano? Es para los niños. ¿Puede su hombre llevarlo al coche por mí, Sr. Americano? ¿Puede acompañarme mi entrenador personal? Y mi chef francés también'... Déjame decirte algo, Gringo, ese 'chef francés' suyo es de Marsella, no de París. ¿Sabes lo que cultivan en las calles de Marsella? Bolsas de plástico negro de basura apiladas hasta las ventanas del segundo piso y hombres que saben usar un cuchillo. Son asesinos a sangre fría, todos ellos".

"Y la dejaste marchar con ese gran joyero suyo sin ni siquiera mirar dentro, sin preguntarle a mi viejo amigo Pierre cómo cocinaría una tortilla de la mère poulard, o si siquiera sabe lo que es una, ¿verdad?". preguntó José mientras rugía de risa.

Me quedé mirándolo un momento y luego por la ventanilla, mirando hacia el oeste mientras las luces traseras de aquella caravana de limusinas Mercedes serpenteaban por aquella estrecha carretera hacia Culiacán.

"Muy bien, José, ¿cuál es la gran broma? Conseguí lo que me dijeron que consiguiera. Conseguí 'El Jefe'. Ahora, ¿me estás diciendo que no eres el 'Primer Premio' después de todo? ¿Quién es entonces? ¿La encantadora Consuela?"

"¡Estúpido americano arrogante!" Volvió a reírse de mí, pero no había nada humorístico en sus ojos ni en su voz. "Su ordenador portátil estaba dentro de ese joyero. Tiene todos nuestros registros financieros, las cuentas bancarias, las operaciones, las nóminas y los pagos, ¡*TODO*!", se rió de mí hasta que finalmente volvió a apoyar la cabeza en el suelo. "¿Por qué crees que *ELLA* tenía todas esas cosas? ¿Por qué?", preguntó, pero yo no tenía respuesta. Lo que tenía era una sensación de malestar creciendo en mis entrañas. "Y lo dejaste escapar por la puerta... no, no, ¡hiciste que uno de tus hombres se lo llevara!".

Ace y yo nos miramos como tontos y tontos, sintiendo que nos entraban ataques terminales de estupidez. "Entonces, ¿estás diciendo que ella es el cerebro?" preguntó.

"Con números y dinero, y manipulando a la gente, sí. Pero cuando se trataba de disparar a la gente, o cortar brazos y piernas, ese era mi trabajo. Hacíamos una buena pareja, ¿no crees?"

Le miré un momento antes de responder. "Bueno, supongo que puedo creerme esa última parte con bastante facilidad. Pero mira por la puerta del helicóptero", le dije, señalando la nube de polvo que aún se cernía sobre su hacienda. "Echa un largo y último vistazo, José, porque dudo que vuelvas pronto. Y si lo haces, vas a necesitar un nuevo despacho".

Antes de despegar, le di al piloto la ubicación GPS de Popcorn, que estaba vigilando esa patrulla del ejército mexicano al este. "Buena idea", dijo Ace. "Es un largo camino de vuelta a Arizona". Luego nos volvimos a sentar en el asiento de lona. Ace hizo rodar a José y le puso su gran bota en la espalda. "Sabes, Ghos t, Ortega tiene razón en una cosa. La próxima vez que nos envíen a una de esas malditas operaciones, necesitaremos mejor información".

"¡Amén a eso, Hermano! No paro de decírselo, pero parezco un disco rayado".

"Serás un disco rayado, de acuerdo... ¡'Fantasma'!". Ortega levantó la cabeza, miró hacia arriba y se mofó de mí. "Espera y verás. Es *MI* machete el que lleva colgado a la espalda, señor. Quiero que lo cuides bien por mí, porque algún día me lo devolverás... entonces te enseñaré cómo se usa correctamente".

José dejó caer la cabeza sobre el suelo del helicóptero, pero siguió mirándome durante todo el camino de regreso a Fort Huachuca. Ésas fueron las últimas palabras que intercambiamos aquella noche, pero durante todo el camino de vuelta a Arizona, sus ojos no se apartaron de mí. Y a medida que el aplastante conocimiento de su nueva realidad descendía sobre él, pude ver el odio que crecía detrás de esos ojos oscuros.

Recordando aquella operación en la cima de una colina en México hace siete años, es doloroso darse cuenta de que la mitad de aquellos tipos que escalaron aquellas colinas con Ace y conmigo y derribaron la hacienda de Ortega están muertos ahora. Pero esa era la naturaleza de nuestro negocio, supongo.

Lonzo y Bulldog murieron juntos dos años después en un accidente de helicóptero en Siria.

Vinnie también murió en un accidente, cuando alguien lo arrojó por la ventana del quinto piso de un casino de Atlantic City propiedad de la mafia después de que acumulara unas deudas de juego muy elevadas.

Y Gramps murió en la azotea de ese mismo casino días después, pero no a manos del ISIS ni de la mafia neoyorquina. Gramps perdió la vida intentando demostrarme a mí y a sí mismo que sus manos eran más rápidas que las mías con un cuchillo: un gran error.

Como todos ellos deberían haber sabido, si vienes a por mí o a por los míos, entonces es cuando me convierto en "uno de los asesinos más letales que el gobierno de los Estados Unidos haya producido jamás", como oí decir una vez a uno de mis jefes. Y el abuelo no sería el último en aprenderlo.

SEGUNDA PARTE

Centro Penitenciario de Alta Seguridad de EE.UU.

Tucson, Arizona

Ahora

CAPÍTULO ONCE

USP Tucson

Fue un juez federal estadounidense de Phoenix quien condenó a José Ortega a tres cadenas perpetuas consecutivas hace casi siete años. Pasó los cinco primeros años en la "única" Penitenciaría US Super Max de Florence, Colorado, donde sólo enviaban a lo peor de lo peor. Fue un honor del que hubiera preferido prescindir. En Phoenix odiaban a los mexicanos, y como jefe convicto de un cártel de la droga mexicano, ser enviado a la Super Max era automático.

También era automático el confinamiento solitario total, "aislamiento", como lo llamaban, 24 horas al día, 7 días a la semana, todos los días. Nunca salió de su celda, *NUNCA*, durante *CINCO* años. Nunca salía. Le llevaban la comida a la celda en una bandeja. Y no le permitieron ni una sola visita, salvo su abogado, con el que podía hablar por teléfono a través de un plexiglás a prueba de balas.

Y esos cinco años sólo empezaron *DESPUÉS de* su condena. No incluyeron el juicio, su reclusión previa y posterior en la cárcel antes de la sentencia, ni los dos meses anteriores a su "detención" oficial, cuando lo "desaparecieron" en una "zona negra" de entregas en Panamá, donde fue sometido a ahogamiento simulado, electrochoques, golpes con mangueras de agua fría, durmió desnudo en un suelo de cemento sin manta y fue torturado por la CIA, la DEA y cualquier otra agencia estadounidense que quisiera darle una paliza o simplemente necesitaba practicar.

Sólo después de que le sacaran lo que concluyeron que era la última información sobre las operaciones del cártel de Sinaloa y lo que sabía de los otros cárteles, fue finalmente enviado a Phoenix para ser juzgado. ¿Enviado? Lo arrojaron desnudo desde una furgoneta a gran velocidad a la acera de la oficina del fiscal, atado de pies y manos como un pavo de Navidad. Ese fue otro honor del que podría haber prescindido.

Al fin y al cabo, José Ortega había sido el "Jefe" del cártel de Sinaloa, el mayor y más poderoso sindicato del crimen de todo México. Lo único parecido a él podría haber sido Genghis Khan o un caudillo medieval. Pero ya no. Aquellos días habían pasado, gracias al maldito gringo Burke, pero juró que los recuperaría.

Pero no fue un desperdicio total. Cuando José entró en el sistema, era un alcohólico gordo, estúpido y amante de la diversión, un joven arrogante que había heredado el imperio criminal regional que había construido su padre. Años antes, tropas del ejército mexicano arrebataron a su padre de las calles de Acapulco y lo enviaron al otro lado de la frontera para que los estadounidenses pudieran meterlo en la cárcel. En el caso de José, fue el cabrón de Burke, de la Delta Force norteamericana, quien bajó a Culiacán y lo agarró.

De un modo extraño, tenía que agradecérselo a Burke. La celda de Florencia era un "catre y una olla" de 1,80 x 1,90 metros, como la llamaban. Al principio, se pasaba el día tumbado en la cama, sin hacer nada, compadeciéndose de sí mismo. Después de semanas tumbado en su catre, con la cara pegada a la pared, eso se fue consumiendo. Más por aburrimiento que por otra cosa, empezó a hacer ejercicio. Al cabo de un mes, hacía ejercicio una hora al día.

Al cabo de dos meses, eran dos horas al día. Y entonces se convirtió en un loco, ejercitándose a tope cuatro horas al día con una brutal calistenia autoimpuesta en su celda. Eso, y la dieta insípida pero sana que le daban, le cambió física y luego mentalmente. Se deshizo de cincuenta libras de grasa y añadió veinte de músculo, con abdominales y dorsales y sixpacks como los que mostraban en televisión y él nunca entendió. Al cabo de seis meses, se había convertido en un hombre poderoso, cínico, furioso y vengativo.

Gracias, Gringo, se decía a sí mismo todos los días, pero te mataré de todos modos.

Tras esos primeros cinco años de encierro total en Florence, la Oficina Federal de Prisiones, el "Sistema" que todo lo ve y todo lo sabe, cedió y lo trasladó a la Penitenciaría de Alta Seguridad de Tucson, Arizona, supuestamente por "buen comportamiento". A Ortega le pareció divertido, ya que había muy pocas formas de no "portarse bien" cuando uno está aislado. Aun así, la Administración actuó como si le enviaran a Ventana Canyon, al Four Seasons, al Phoenician o a cualquier otro de los mejores complejos de golf de Arizona, como si le estuvieran haciendo un gran favor. ¡Tucson, Arizona! Era más de su humor cruel. Tucson le ponía a tiro de vista, olfato y distancia de la frontera con México, a sólo sesenta millas de distancia, pero eso era lo más cerca que pensaban que llegaría nunca.

Qué bien, pensó, teniendo en cuenta que USP Tucson era donde enviaban a más presos y a los peores depredadores sexuales y pervertidos del sistema. El cuarenta por ciento de los reclusos de USP Tucson entraban en esa categoría, asquerosos como Larry Nassar, el médico que abusó de todas aquellas chicas olímpicas. ¡Qué bien se lo iba a pasar!

Durante sus primeros seis meses en Tucson, le permitieron amablemente salir de su celda precisamente una hora al día de "recreo" en el "Patio". Para él, eso era a las 10:00 de la mañana, cuando los "Hacks", los guardias de la prisión de su unidad, lo recogían para su dosis matutina de aire fresco y "ejercicio" fuera en el Patio. José pensó que era similar a la forma en que se dejaba salir a un perro por la mañana a través de una trampilla en la puerta trasera de la cocina. Por desgracia, la Oficina Federal de Prisiones no parecía entender que un "patio" implicaba césped y árboles o arbustos.

Como en la mayoría de las prisiones, el "patio" era un cuadrado de asfalto desnudo, blanqueado por el sol, de unos 60 metros por 60 metros, a veces más grande, a veces más pequeño, rodeado de altas vallas metálicas, alambre de espino o muros de hormigón desnudo. Tenían torres de vigilancia, espirales de alambre de espino y guardias armados. Al que enviaban a José Ortega todas las mañanas era uno de los muchos "patios" de este tipo que había en USP Tucson, uno de los cuales servía normalmente a cada una de las "unidades residenciales". A pesar de lo lúgubres que eran los patios, eran preferibles a la celda de aislamiento unipersonal de 1,80 m x 1,90 m, una habitación con un "catre y una maceta", donde Ortega había pasado sus primeros cinco años.

Además de añadir césped, alguien tenía que decirle a la Oficina de Prisiones de EE.UU. que el "recreo" debía incluir algo más que pasear en círculos fumando cigarrillos. Ah, había pesas y bancos de musculación en un rincón, donde media docena de tipos negros de Chicago, Nueva York y Los Ángeles se ponían y musculados bombeando hierro. Ése era *SU* rincón. En dos esquinas había juegos de bancos de picnic, pero nadie tiro de ningún picnics there. Las mesas de una esquina eran territorio exclusivo de los moteros supremacistas blancos.

Las mesas de la esquina opuesta pertenecían a los jefes de los cárteles mexicanos y sus caballeros. Y en la esquina delantera había un único y solitario poste y tablero de baloncesto con un aro irregular y sin red. Aquel era territorio neutral, para que los pervertidos sexuales que eran física o étnicamente incapaces de meter una pelota en el aro, y mucho menos de hacer un mate, tuvieran la oportunidad de agarrarse y empujarse unos a otros, y conocerse de otra forma. Nadie se atrevía a meterse en uno de los rincones "equivocados", así que se quedaban sin rumbo botando la pelota hasta que se les acababa la hora.

Cada uno de los patios de USP Tucson albergaba sólo dos docenas de presos vigilados de cerca a la vez, un número más razonable para que lo controlaran los "Hacks" o guardias de la prisión. Pero en el Yard podía ver el cielo, o al menos un trozo de él, ver el sol y entablar conversaciones profundas e intelectuales con dos docenas de los peores malvivientes del sistema penitenciario gringo.

Después de ese primer año, como se portaba bien con los guardias y la administración, le concedieron una hora más al aire libre en el Patio, o en uno de los campos de atletismo de los alrededores, y pronto una tercera. Eso significaba tenis, fútbol o béisbol. Sin duda, el "Sistema" pensaba que todos los hispanos jugaban al fútbol o al béisbol, pero José Ortega no jugaba a ninguno de los dos. En el calor de Tucson, ¿quién lo haría?

En lugar de eso, José se unió a una pequeña liga de tenis, que jugaba muy temprano por la mañana, justo después del amanecer, francamente, porque atraía a un mayor calibre de reclusos, y la temperatura era al menos tolerable al amanecer. Para su sorpresa, algunos de los pervertidos sexuales jugaban un buen partido de dobles.

Fue en , durante su primera semana en Tucson, cuando José Ortega conoció a
Angus Bodine, el huraño jefe de los "Discípulos del Diablo", una de las bandas de
moteros criminales más despiadadas, racistas y supremacistas del sureste de
Estados Unidos, y compañero de prisión en USP Tucson. A Ortega le habían
dejado salir para uno de sus primeros descansos "recreativos" de una hora en su
patio y estaba sentado solo en un banco de picnic del patio, respirando el aire puro
de la montaña y disfrutando del cielo por primera vez en años.

Ortega conocía a muy pocos presos, salvo a un puñado de subalternos
aburridos y descontentos de los otros cárteles mexicanos, ninguno de los cuales le
inspiraba confianza ni se fiaba de los demás. Fue entonces cuando un motero
peludo y paleto al que no conocía se levantó de una de sus mesas, se arrebujó en
su mono naranja, cruzó lentamente el patio y se sentó frente a él. Ni que decir tiene
que todos los demás ojos del Patio estaban puestos en Ortega y el paleto.

"Me llamo Bodine", dijo el hombre sin presentarse. "Mis chicos y yo
queremos discutir un acuerdo de negocios con usted, mexicano".

José le estudió un momento, mirándole de arriba abajo, desde su coleta
canosa hasta su poblada barba, y luego dijo: "Yo no hago tratos con la basura
blanca gringa".

Bodine respondió con una sonrisa fina y sin gracia y alargó la mano sobre la
mesa para golpear a Ortega en la boca. José vio las estrellas cuando Bodine gruñó:
"¡Estúpido sudaca! Muestra respeto. Como el resto de nosotros, harás tratos con
cualquiera y con todos los que puedas en este agujero de mierda si quieres
sobrevivir".

Ortega le fulminó con la mirada, pero no dijo nada.

"Nos necesitamos unos a otros", gruñó Bodine. "Así es como funciona aquí.
Tú aún tienes contactos y suministros -los suficientes, por lo menos- y yo tengo la
mano de obra para distribuirlos y protegerlos... y para proteger también tu
lamentable culo mexicano aquí dentro. ¿O debería dejarte aquí para que las otras
bandas del cártel puedan saldar viejas cuentas y arrancarte la última carne de tus
lamentables huesos? Ya no estás encerrado las 24 horas en Colorado. Así que
elige, 'Jefe'".

José dudó un momento, pensativo. "Muy bien", dijo finalmente, "¿qué tienes
en mente, Redneck?".

Bodine sonrió. "Buena elección. Ahora nos entendemos".

Efectivamente, pensó José. Necesitaba dinero y poder, y crear un nuevo
negocio de distribución de drogas siempre era útil y valioso en sus apuros actuales.
Y conseguir acceso a una banda norteamericana en los estados del sureste de
Estados Unidos podría ayudarle a recuperar su antiguo imperio y conseguir la

venganza que tan fervientemente buscaba.

La prisión controlaba estrictamente todas las visitas, el correo y las llamadas telefónicas, y siempre las vigilaba, abría y grababa. Las formas de eludir el sistema eran pagar a un guardia, a un cocinero o a uno de los basureros para que introdujeran de contrabando un teléfono desechable en la prisión, pagar a un guardia para que te permitiera utilizar un teléfono de la prisión en mitad de la noche o hablar con tu abogado. Como todos los presos, Ortega odiaba a los abogados, especialmente a los suyos.

Después de todo, si hubieran hecho un mejor trabajo, uno no estaría aquí, ¿verdad? Sin embargo, en un centro penitenciario de alta seguridad, hasta un abogado cutre tenía su utilidad... y cuanto más cutre, mejor. Era el único visitante que José había tenido en siete años. Si alguien más intentaba visitarlo, como sus familiares, amigos, antiguos socios o incluso su esposa, el FBI, la policía de fronteras o los guardias de la prisión los arrestaban en cuanto pisaban suelo estadounidense. Al parecer, los abogados estaban exentos de todas las normas normales, por atroz que fuera su comportamiento.

Una de esas criaturas escurridizas era Wilson Redmond, el abogado de José en Denver, que conducía hasta Florence o hasta Tucson todos los jueves por la tarde para sus "consultas" privadas sobre asuntos legales. Era algo que el alcaide y la Oficina Federal de Prisiones decían que no se atrevían a escuchar. Pero si Ortega quería enviar un mensaje a una de las otras bandas u ordenar que determinadas partes entregaran dinero a otras partes, como un soborno para un guardia de prisiones, dinero o drogas a Angus Bodine, o realizar una transacción importante de drogas con Paco Gutiérrez o Joaquín Rodríguez, jefes de los cárteles de Tijuana y del Golfo, también encerrados en Tucson, o recibir dinero o mediar en un trato con otro cártel, entonces Ortega se lo comunicaba a Redmond.

El abogado de Denver telefoneaba entonces al abogado que representaba a la otra parte, quien se ponía en contacto con su cliente y realizaba la tarea propuesta. La respuesta invertía el proceso. El sistema no era tan rápido como un teléfono móvil o un correo electrónico, ni tampoco conversacional. Era lento, pero práctico y sorprendentemente eficaz dadas las circunstancias.

Es lo que hay, como Bodine tenía que recordarle de vez en cuando. No se podía esperar vencer al sistema penitenciario, pero con dinero suficiente, se podía salir adelante, se podía sobrevivir, y se podía seguir llevando los negocios fuera. Porque siempre había hombres que tenían un precio y podían ser comprados, si se tenía suficiente dinero. Y tener suficiente dinero nunca había sido el problema de José.

Eso fue hace dos años, se dio cuenta José Ortega. Hoy, cuando le dejaron salir al patio, había pasado siete años -dos mil quinientos cincuenta y cinco días- en una prisión federal estadounidense. Eso sin contar los sesenta días que había pasado en un programa de entregas extraordinarias de la CIA, siendo torturado día tras día antes de que lo enviaran a Arizona para ser juzgado. Maldijo a ese gringo bastardo de Burke cien veces en cada uno de esos días.

Inclinó la cabeza hacia atrás y volvió los ojos al cielo, uno de los pocos placeres que no podían quitarle en esta maldita prisión. Respiró hondo y se acercó a "su" banco, para tomar un poco el sol. Era suyo porque había pagado a un guardia para que lo colocara allí. Ninguno de los demás presos se atrevía ahora a importunarle a él o a su espacio, porque había pagado 5.000 dólares en cocaína, anfetaminas y fentanilo a través de los contactos que le quedaban del cártel a Angus Bodine para que protegiera su banco y le protegiera a él. Ya había sufrido dos atentados contra su vida aquí en Tucson, uno con veneno y otro con un cuchillo, sin duda orquestados por Consuela, y sabía que no sobreviviría a muchos más. Con el tiempo, ella contrataría a alguien competente.

Una cosa era el banco y otra muy distinta su seguridad personal. Aun así, Ortega pensó que era divertido ver cómo Bodine podía dejar de lado sus filosofías violentas y racistas y hacer negocios con cualquiera si el precio era justo o si al final iba a haber una buena recompensa. Lo mismo le ocurría a él, si era sincero consigo mismo.

Consuela se había hecho con su antiguo imperio. ¡Esa zorra! Y ahora lo quería muerto. Pero había ciertas partes de su antiguo negocio, ciertos traficantes y distribuidores, y personas clave en otros cárteles mexicanos que seguían siendo leales o al menos neutrales y con los que continuaba haciendo negocios, especialmente aquellos que querían que él volviera a estar al mando y Consuela desapareciera.

CAPÍTULO DOCE

Sherwood

Eran las 07.30. Levanté la vista y vi salir el sol por encima de la copa de los árboles que bordean el límite oriental de nuestra propiedad mientras salía rebotando del gimnasio, o del "centro de fitness", como prefiere llamarlo mi mujer Linda, y me dirigía a casa, algo menos animado de lo que había estado una hora antes de un entrenamiento matador. Siempre me levanto antes de las 06.00. Es un viejo e inquebrantable hábito del ejército que empezó cuando el sargento de primera clase Klein me gritaba al oído: "¡No dejes que esos cabrones te pillen en la cama, Burke! ¿Me oyes, Loo-tenant?"

Pero salir del potro de tortura antes del amanecer se convirtió en un hábito y me da tiempo para tomarme la primera taza de café fuerte y caliente, ponerme al día con el ordenador de la oficina de Chicago de Toler-Telecom, la empresa de telecomunicaciones de Chicago que heredé del padre de mi primera mujer, y pasar una buena hora en el gimnasio.

Salir del capullo del aire acondicionado y entrar en el aire matinal de Carolina del Norte fue como una bofetada de frescor en la cara: fresco, fresco y lleno de los ricos sonidos y olores del río y de los bosques de pinos que me rodeaban. No hay nada igual. Y tan diferente de la media docena de rotaciones de combate que pasé en los duros desiertos de Irak y Afganistán, por no mencionar la muy olvidable de México.

Aquellos días de servicio activo habían quedado atrás. Me harté de los malos lugares, las malas operaciones y la mala información, y me acogí a la "jubilación anticipada" tras doce años de misiones casi ininterrumpidas en Operaciones Especiales. Jubilación anticipada, dimisión, despido, lo que fuera. Mi nuevo suegro, Ed Toler, me ofreció algo que no pude rechazar: un trabajo, ayudándole a dirigir su empresa de telecomunicaciones de alta tecnología con sede en Chicago.

Nunca esperé que aquellas banderas cruzadas del Cuerpo de Señales me sirvieran para nada, salvo para hacer el ridículo y gastar bromas pesadas en el Club de Oficiales, pero me equivocaba. Le dije a Ed que no sabía nada de telecomunicaciones modernas. La vida media de la Tecnología Avanzada era de unos dieciocho meses, y mi clase del Cuerpo Básico de Señales había sido doce años antes. Ya no servía para nada. A Ed no le importó. "Tengo técnicos, Bobby. Lo que no tengo es a alguien que sepa dirigirlos y gestionar a la gente". Entonces Ed murió, mi primera esposa y su única heredera Angie, fue asesinada por un psicópata, y me encontré dirigiendo el lugar, o fingiendo hacerlo.

"El bosque de Sherwood", como Linda llama cariñosamente a nuestra antigua granja de tabaco de Carolina del Norte y antiguo centro de conferencias corporativo, es ahora nuestro hogar. Está a ocho kilómetros al sureste de Fayetteville y Fort Bragg. Ha sido un sueño hecho realidad. La espectacular casa principal, de estilo victoriano, se parece un poco a la de Tara en *"Lo que el viento se llevó"*, pero con revestimiento de tablas de madera blancas y tejado verde de hojalata. Añadimos un edificio para huéspedes de treinta y seis habitaciones igualmente bien decorado, al que yo llamo "Motel 6", sólo para cabrearla.

También construimos un centro hipermoderno de ejercicio y salud, al que yo llamo "el gimnasio", para cabrearla aún más. Media docena de las antiguas dependencias de la granja de tabaco se han convertido en algo más moderno y útil, como nuestra sala de servidores y un almacén cubierto para motos y vehículos de tres ruedas.

He añadido una pista de obstáculos "extremos" de tres kilómetros que es lo bastante dura como para hacer que un Delta se replantee su futuro o para que un Navy SEAL caiga de rodillas, y un campo de tiro profesional para rifles y pistolas. Con las "broncas" en las que nos hemos visto envueltos a lo largo de los años, mantener la vista fija para disparar es esencial si esperas dar en el blanco a 800 metros con una Barrett del calibre 50, como Ace y yo hacemos habitualmente.

Puede que el bosque de Sherwood fuera idea de Linda, pero debo admitir que me ha encantado cada minuto que hemos pasado aquí, en nuestra humilde "granja", desde que nos mudamos de Chicago hace cuatro años. Ha sido un oasis de paz y tranquilidad bien protegido para nosotros, y una ganga por los 17 millones de dólares que nos gastamos en comprarlo, remodelarlo y mejorarlo.

¿Cómo consiguieron 17 millones de dólares un mayor retirado del ejército, recién ascendido a teniente coronel, y su mujer, antigua recepcionista? Muy sencillo. Nuestros brillantes "Geeks" informáticos los robaron. Es cierto que se lo robaron a varias mafias y otros tipos malos, extranjeros y nacionales, pero hicieron tan buen trabajo que los trasladamos permanentemente de la oficina de Toler-Telecom en Chicago a Sherwood. Ahora ocupan la tercera planta de la casa principal y llaman a su centro de datos de última generación el Geekatorium o el "KGB Spymaster Data Center", según quién pregunte.

Los Geeks son magos financieros. Hicieron desaparecer esos 17 millones de dólares iniciales de las cuentas bancarias y de inversión supersecretas de dos familias mafiosas de Chicago, casi 20 millones más de las mafias neoyorquinas de los Lucchesi y los Genovese y de sus emblemáticos hoteles de Atlantic City. Pero eso te pasa por tirar a uno de mis sargentos desde el tejado de un casino de cinco pisos. Y más recientemente, los Geeks arrebataron otros 13 millones de dólares a varias familias de la mafia rusa en Brooklyn. Los magos "prestidigitadores" de primera fila que ofrecen espectáculos en el Strip de Las Vegas no podrían haberlo hecho mejor. De hecho, los Geeks eran tan buenos que la mafia no sólo no sabía quién se lo había llevado, sino que, a pesar de toda la ayuda contable y legal de Wall Street, ¡ni siquiera sabían que había desaparecido! Y así fue. Y como la buena comida china, nunca querrás meter la cabeza en la cocina ni preguntar cómo la han hecho.

Como hace cualquier buen malversador, los Geeks rompieron el dinero de la mafia en cientos de trocitos, lo blanquearon a través de docenas de bancos y cuentas en las Caimán, Suiza, Nigeria, Tailandia, Bulgaria y otros lugares. Semanas más tarde, ese dinero se encontró en una serie de cuentas de inversión privadas propiedad de un laberinto de empresas turbias de múltiples capas, al final de las cuales está "Los alegres hombres del bosque de Sherwood".

Se trata de una entidad sin ánimo de lucro gestionada por un bufete de abogados suizo y contables suizos, y depositada en un banco suizo. Como todo el mundo sabe, los bancos suizos no hablan de nada, y menos de cuentas fiduciarias, salvo para confirmar que el fideicomiso bancario registrado posee el título de propiedad de una finca a las afueras de Fayetteville, Carolina del Norte. Según la oficina del secretario y tasador del condado, se trata de una preciosa casa victoriana y un centro de conferencias corporativo en una antigua granja de tabaco, antes propiedad de una empresa farmacéutica con sede en Minneapolis, que sufrió un cambio de propietarios y decidió vender algunos activos "no críticos". El banco también confirma que "The Merry Men of Sherwood Forest" emplea a Robert y Linda Burke como administradores de la propiedad, y que cualquier otra pregunta debe dirigirse a ellos, por escrito.

Durante nuestra remodelación de la propiedad -la casa era un proyecto exclusivo de Linda, y yo me encargaba de todo lo demás- llamé a algunos viejos amigos de Fort Bragg, del cuartel general de la CIA en Langley y del Mossad israelí para que nos asesoraran. Mejoraron por completo la seguridad del lugar, añadiendo vallas de alambre de espino discretamente situadas por todo el bosque, sensores, cámaras, barreras de carretera emergentes, una estación de seguridad vigilada y guardias para protegernos de los asaltos ocasionales que hemos sufrido por parte de mafiosos rusos, agentes chinos y profesores de sociología inspirados en el ISIS.

Ahora, el bosque de Sherwood nos proporciona una excelente base de trabajo y un hogar lejos del hogar para nuestros amigos de Operaciones Especiales que sirven en la 82nd Airborne Division, la 75th Rangers, el JSOC y el Destacamento Delta Force en la cercana Bragg, así como otros amigos de la policía estatal y local, el FBI, la CIA y la NSA que nos han ayudado en diversas operaciones a lo largo de los años. Una o dos veces al mes organizamos una barbacoa en Sherwood para ellos y sus cónyuges o parejas. Esta fue una de esas bacanales.

"¡Daaad! Date prisa!", me llamó una voz de niña desde el porche trasero de la casa, rompiendo mi momentánea ensoñación. Era mi hija, Ellie, que me saludaba emocionada. "Mamá te está buscando", gritó.

No hay duda, pensé. Y como de costumbre, Ellie llevaba a Crookshanks, su gordo y desagradable gato de foso, en brazos mientras bajaba a saltos los escalones y llegaba a mitad de camino al gimnasio para reunirse conmigo.

"Hola, cariño", le contesté, dejando al gato a un lado mientras le plantaba un beso en la frente. Me han dicho que el gato es inofensivo, pero no para mí ni para nadie que amenace remotamente a Ellie. "¿Lista para ir al colegio hoy?" pregunté. Atrás quedaron los días en que le preguntaba si había terminado los deberes. Ahora, los hacía todos mentalmente o en el ordenador para una clase de matemáticas avanzadas o informática en línea en Berkeley, North Carolina State o el MIT, a cuyos graduados los Geeks llamaban "¡esos bobos!". La triste verdad era que yo no entendía nada de lo que ella hacía, ni de lo que ellos hacían, y eso que soy licenciado en ingeniería. "No te metas más con los profesores", le dije.

"¿En serio?" Respondió Ellie. "No estaba eligiendo. Estaba corrigiendo".

"¿Y el de matemáticas? Ya sabes que sus sentimientos se ven heridos", dije con una sonrisa.

"Lo sé, lo sé. Lo intento", soltó una risita y empezó a correr hacia el porche.

Ellie tiene un gran problema. Es una genio fuera de serie en matemáticas e informática, a la que los Geeks tutelaron y dirigieron a través de su "Berkeley Summer Boot Camp", como ellos lo llamaban, que era un programa que crearon para ella.

Los tres Geeks eran licenciados en Matemáticas e Informática por Berkeley y, gracias a sus tutorías, Ellie ya había superado los cursos universitarios de Matemáticas del catálogo de cursos de Berkeley. Ellos son los que dicen que es un genio y que ahora es la "4th Geek", no Linda ni yo. Y esos tipos sí que son genios. Cuando dicen que ella también lo es, les haces caso, lo que también explica por qué Ellie tiene problemas ocasionales con los profesores de matemáticas de primaria.

CAPÍTULO TRECE

El "Yard", USP Tucson

Mientras daba su habitual paseo matutino por el Patio, José Ortega levantó la vista hacia la torre de guardia y se dio cuenta de que había una cara nueva mirándole desde allí arriba, un nuevo guardia, o "Hack", estudiándole. Una cara nueva aquí no era nada bueno, sobre todo una con un rifle que se ponía demasiado entrometido. José ya había pagado suficiente dinero a las viejas caras cansadas. Añadir otra boca codiciosa que alimentar nunca era bueno. Este probablemente era otro soldado retirado del ejército estadounidense como los demás, como el cabrón de Burke. Este tenía una gran barriga y había aceptado un trabajo de funcionario en la Oficina de Prisiones después de que la Oficina de Correos y la TSA lo rechazaran, sonrió José. Sí, las mismas caras cansadas de siempre, las mismas tripas cerveceras de siempre y las mismas bocas de siempre para alimentar a las bandas de las prisiones.

José Ortega siempre estaba atento a su entorno. Era el "quién y el dónde" de seguir vivo aquí. Tal vez fuera un hábito nervioso, o un rasgo de autoprotección heredado de su padre, o una habilidad desarrollada y perfeccionada. Siempre giraba la cabeza y movía los ojos, barriendo a los lados y hacia atrás, incluso cuando caminaba por el Patio.

Su difunto padre era un cabrón grosero y brutal que disfrutaba abofeteando a sus hijos cuando no miraban. Los suyos no eran "golpecitos de amor" instructivos, eran puñetazos de hombre en toda regla. "Algún día me lo agradecerás, chico", decía. En eso se equivocaba, pero no en lo de estar atento y alerta. "Nunca te atacan de frente, chico, ni yo tampoco", solía agitarle el dedo y sermonearle su padre. "Siempre te atacan por detrás o por los lados cuando creen que no estás mirando". Entonces les pegaba en la nuca a la primera oportunidad que tenía.

Siguiéndole a tres o cuatro metros de distancia, como todas las mañanas cuando salía al patio a dar su paseo, iban dos fornidos miembros de la banda de moteros paletos y supremacistas blancos de Angus Bodine, sus guardaespaldas para ese día. A algunos reclusos, e incluso a la administración de la prisión, les parecía extraño que el refinado jefe de un cártel mexicano tuviera como guardaespaldas a la peor basura blanca, pero para José tenía todo el sentido del mundo.

Los últimos hombres en los que confiaría eran sus compatriotas hispanos, sobre todo los mexicanos. Los únicos en los que confiaba plenamente eran los motoristas anglosajones, porque habían sido comprados y pagados, y Angus y él tenían una larga relación de negocios. Nadie quería ver a José Ortega a salvo más que Angus Bodine. Ortega seguía siendo un importante proveedor y traficante de drogas, aunque mucho menor, tras su detención y encierro. La banda de moteros de Bodine era uno de sus distribuidores en el exterior, y Ortega supuso que los hombres de Bodine podrían reconocer una amenaza anglosajona más fácilmente que él.

Cuando Ortega se acercaba a su banco, se cruzó con un grupo de jóvenes hispanos de unos veinte años que estaban de pie contra la pared, susurrándose airadamente, con los ojos brillantes y los dedos en la cara, mientras intentaban evitar la atención de los guardias. Dos de ellos eran colombianos, dos mexicanos y dos jamaicanos, según recordaba. Probablemente acababan de bajarse del autobús la semana pasada procedentes de distintas bandas. Aún no eran del núcleo duro, como los presos mayores.

Por razones de autoconservación, los "condenados a cadena perpetua" sabían quiénes eran los demás, porque existía una jerarquía de poder dentro de los muros de la prisión. Todos sabían en qué escalafón se encontraban y qué peldaño ocupaban, y todos esperaban ser tratados con el respeto que ese estatus les otorgaba. Los jóvenes maleducados y arrogantes tenían una vida corta aquí.

Mientras pasaba junto a ellos, la cabeza de José se movía lentamente de un lado a otro, como de costumbre. Por el rabillo del ojo, Ortega captó un breve destello de movimiento, poco más que un borrón que de repente se le acercó desde fuera de aquel grupo. Ortega siempre estaba alerta. Sus instintos seguían siendo agudos y listos, pero ya no tanto como antes.

Al girar la cabeza en esa dirección, vio el brillo del metal en la mano de uno de los jóvenes. Era un mango, o una navaja, una especie de cuchillo casero hecho con un trozo de metal fino y afilado, de quince centímetros de largo y con cinta adhesiva como mango, que vio acercarse a él en la mano de aquel joven. Era la tercera vez en los últimos dos años que alguien se le acercaba, una con un cuchillo y otra con veneno, pero ninguna había llegado tan cerca. Esta vez sí. Afortunadamente, la hoja no medía más de quince centímetros.

José se dejó llevar por sus instintos. Se giró para bloquear el golpe que sabía que le iba a dar, pero era demasiado lento y el joven demasiado rápido. El cuchillo alcanzó a José en la espalda, bajo las costillas del lado derecho. Y el joven era fuerte; su hoja se hundió profundamente. Con la misma rapidez, el joven lo sacó y le clavó el cuchillo por segunda vez en una rápida sucesión, sin alcanzarle el hígado ni el riñón. José sintió el profundo corte del cuchillo y sintió que le invadía la rabia. Eso significaba que Consuela había vuelto a sobornar o seducir a alguien, un guardia o alguien de la administración, para que introdujera un arma para que uno de esos jóvenes gamberros lo matara.

Pero José Ortega también era fuerte. Tenía las manos como dos tornillos de banco por sus incesantes entrenamientos, y cuando consiguió agarrar la muñeca del chico, le miró. Los ojos de Ortega se abrieron de par en par cuando vio aquel cuchillo ensangrentado. Así que, antes de que el chico pudiera usarlo por tercera vez, José le retorció el brazo, apretando y rompiendo los huesos de la parte inferior del brazo del chico y dislocándole el codo. Si no lo hubiera hecho, el chico habría seguido apuñalándole y seguramente le habría matado allí mismo. Uno de los dos guardaespaldas de Bodine, un motero paleto, le dijo más tarde que había sonado como cuando su abuela le partía el cuello a una gallina en la granja.

El chico gritó, pero Ortega le sujetó el brazo. Finalmente, sus dos guardaespaldas motoristas, que se suponía que le protegían, cerraron la brecha y apartaron al joven. Lo tiraron al suelo y lo patearon y pisotearon hasta dejarlo sin sentido, pero ya era demasiado tarde.

Los Hacks que estaban en el patio y los que estaban en las torres se sorprendieron tanto como los prisioneros que estaban abajo al ver el intento de golpe. Los prisioneros empezaron a señalar y a gritar. Los Hacks que estaban en el suelo iban armados con porras, no con pistolas ni rifles, pero rápidamente se abalanzaron sobre los motoristas, los agarraron y se los quitaron de encima. A la primera señal de sangre, sonaron las sirenas y los Hacks de las torres hicieron disparos de advertencia para que todos se tiraran al suelo. Pero para entonces, José sólo era débilmente consciente de lo que ocurría a su alrededor. Ni siquiera oyó los disparos mientras yacía inconsciente en el suelo, en medio de un charco de sangre que crecía rápidamente.

Más tarde, José se dio cuenta de que el chico era uno de los perros falderos de Miguel Contreras, del cártel de los Zetas, que había llegado a la prisión el mes anterior. Eso sólo podía significar una cosa: los Zetas se habían aliado ahora con su mujer, Consuela, para matarlo. Pero los Zetas no la querían más que a los demás, y todo el mundo sabía que nunca se podía confiar en ellos. Este era su tercer intento de matarle. Él sólo había intentado matarla dos veces, pero juró que si sobrevivía a ésta, igualaría el marcador.

Mientras se hundía en la inconsciencia sobre el hormigón desnudo, recordó algo que le dijo su padre. "Si vas a por el rey, más vale que no falles". Esta vez, se arrepentiría.

José Ortega se despertó lentamente, molesto por un pitido rítmico que oía en algún lugar cercano y que perturbaba su sueño, y que finalmente comprendió que era una máquina. Abrió un ojo y la vio a su lado, con luces que parpadeaban, líneas que se movían por la pantalla y monitores que pitaban mientras su ojo volvía a cerrarse. ¿Un monitor cardíaco? Y sintió algo en la nariz. ¿Un tubo? No, dos tubos, uno en cada orificio nasal, que le soplaban aire frío por la nariz, provocándole una congelación cerebral. Odiaba eso. Y tenía los labios resecos y agrietados. Tenía la garganta seca, demasiado seca, demasiado seca para tragar, pero tenía una sed terrible. Y odiaba el dolor sordo que le palpitaba en el cráneo. Intentó levantar la mano para sacar el tubo, pero tampoco podía levantar la otra mano, ni los brazos.

Consiguió abrir un ojo de nuevo, al menos en parte esta vez. Luego abrió el otro y vio que estaba tumbado en una cama con un par de brillantes esposas alrededor de la muñeca derecha, que estaba encadenada al marco de la cama. Y tenía tubos de plástico metidos en los brazos y cables conectados por todas partes. ¿Pero esposas? Sus dedos se deslizaron por las sábanas. Eran las sábanas más blancas y crujientes en las que había dormido nunca. Levantó la vista y vio los bancos de luces fluorescentes. Se dio cuenta de que era un hospital. Ésos eran los únicos lugares que tenían sábanas tan blancas como el almidón, techos de un blanco puro y una luz blanca y dura.

Abrió más los ojos y, mientras la niebla de su cerebro se despejaba lentamente, se dio cuenta de que estaba tumbado en una cama de hospital, en el hospital de la prisión, apoyado con monitores y un gotero de suero salino clavado en el brazo. Se le encogió el corazón. Se dio cuenta de que no era un simple hospital. Era el techo de la enfermería de la prisión.

"Agua", susurró José, a pesar del aire frío que le soplaba en la nariz. Levantó la mano izquierda y dejó que los dedos se abrieran camino desde las sábanas, recorriendo con cautela las gruesas vendas que le envolvían los costados y el pecho. Vio a aquel estúpido joven que corría hacia él en el patio, al que le faltaban dos dientes delanteros, con una sonrisa estúpida y el brillo de una hoja afilada en la mano.

Aquella cara se grabó a fuego en el cerebro de Ortega. ¿Un joven? Poco más que un niño asustado, pero grande y musculoso, con cara de niño de coro, de ángel. ¿Un ángel? Tal vez el Ángel de la Muerte, se preguntó Ortega mientras se desmayaba. Y recordó a los guardaespaldas moteros de la Hermandad Aria que corrieron en su ayuda, imposiblemente tarde, pero que patearon y pisotearon al ángel con sus gruesas botas negras hasta que su madre no lo reconoció.

Lástima que no fuera Consuelo la que yacía en el patio en lugar de aquel chico. José Ortega trató de reírse, pero el dolor sordo de sus costillas estalló de repente con un dolor agudo, como si otro cuchillo le hubiera cortado profundamente. El chico le había apuñalado dos veces en la espalda, por debajo de las costillas. Sabía que el apuñalamiento debía de haberle causado heridas internas, rompiendo y cortando cosas en lo más profundo de su ser. Podía sentirlo, tal vez las costillas y luego más, mucho más. Y recordó la sangre, su sangre, pero a pesar de todo, seguía vivo. Se curaría. Y cuando lo hiciera, habría un infierno que pagar. Esto no era obra de los otros cárteles, ni del Ejército, ni de la policía, ni de sus otros rivales. Era su querida esposa, Consuela, quien estaba detrás una vez más.

Los americanos lo encerraron en la cárcel hace siete años, y los guardias sólo le habían permitido salir de su celda de aislamiento unipersonal para pasear por el patio durante los dos últimos años. Sin embargo, una sola mirada a todos esos tubos y monitores que le salían de ambos brazos, a los vendajes que le envolvían la parte superior del cuerpo y a los puntos de sutura, le decía que pasaría mucho tiempo antes de que volvieran a dejarle salir. Lo volverían a encerrar en aislamiento, solo otra vez, completamente solo, todo por culpa de esa zorra de Consuela y ese cabrón de Burke.

Pero ahora ya lo sabía. Si vale la pena hacer algo, hazlo tú mismo. Era él o ella, como lo había sido desde que ese bastardo lo arrebató de la hacienda sobre Culiacán. Al final, uno de los dos tendría éxito y el otro moriría. La ecuación era así de simple.

CAPÍTULO CATORCE

Campo de tiro

Linda nos esperaba en la puerta de la cocina, sonriendo a Ellie, pero no tanto a mí. "Robert", empezó, lo que yo sabía que era una advertencia de lo malo que se avecinaba. "¿Puedo suponer que ya lo tenéis todo preparado para la barbacoa?", preguntó, señalando en dirección general al patio trasero. "Comienza esta tarde, ya sabes, con más de un centenar de personas que yo sepa ..."

"Más bien ciento cincuenta ahora", la corregí.

"Oh, ¿ciento cincuenta ahora? Qué bien que me lo hayas dicho, pero no veo que vaya a pasar nada ahí fuera. ¿Ah, y Ace me acaba de decir que ustedes dos se dirigen al campo de tiro? ¿Ahora?"

Le devolví la mirada y sonreí, como se sonríe a un niño lento de primer grado. "Linda... todo está copacetic y planeado hasta el culo de un mosquito. Confía en mí". Le lancé mi "mirada" de confianza, pero me rebotó.

"De acuerdo", suspiré, sabiendo que quería detalles. "Después del campo de tiro, Ace y yo nos pasaremos por el Economato Sur de Bragg para recoger el gran pedido que hicimos ayer de cerveza, refrescos, filetes, salchichas, barbacoa Carolina, patatas asadas, patatas fritas, salsa, condimentos, mazorcas de maíz, hielo y cualquier otro 'objetivo de oportunidad' que veamos. Tres equipos de limpieza vendrán a las 9.00 para retocar todas las habitaciones del anexo. De momento hay veinte reservadas, pero ya sabes cómo cambian las cosas. Las tres carpas de alquiler, las mesas y las sillas llegan a mediodía y el proveedor las tendrá todas montadas a las 14.00, aunque ya hemos dicho a la gente que la fiesta no empezará hasta las 16.00". Y los Geeks, nuestros "maestros del fuego" oficiales, sacarán las grandes parrillas a las 14.30 y tendrán el carbón caliente a las 15.00... Y Ace y yo llenaremos los grandes arcones con el hielo y la cerveza cuando volvamos del Economato".

"¿Algo más?" Pregunté, mirándola de nuevo. "¿Tú y Ellie os vais a encargar de los postres? Haz un pedido de dos docenas de pasteles y tartas, o los que creas que vas a necesitar, y los recogeremos cuando recojamos todo lo demás. Podemos congelar lo que sobre y sacarlo el mes que viene... Así, me imagino que estamos fácilmente preparados para los ciento cincuenta, si todo el mundo se presenta, o para doscientos, por si acaso, porque nunca se sabe, ¿verdad?".

"No, nunca lo sabemos... ¿verdad?". Me miró fijamente, sus ojos se entrecerraron sospechosamente. "Me tendiste una trampa otra vez, ¿verdad? Esperando a que te lo pidiera... Pero supongo que me lo merecía".

"Oh, no, no, mi amor, pero este no es nuestro primer rodeo. Hacemos esto cada mes o cada dos meses, y el peor insulto que se le puede dar a un Delta es decir que no sabe organizar una buena fiesta. Como el Sargento Klein solía gritarme al oído durante la escuela Ranger..."

"¡Las cinco P!" dijo Ace al salir de la cocina y unirse a nosotros, que acabábamos de subir las escaleras del sótano desde la cámara acorazada de la sala de armas. "La planificación previa evita un rendimiento de mierda. ¿No es eso lo que solía decir?". Ace llevaba dos fusiles Barrett del calibre 50, dos carabinas M-4 y dos bandoleras llenas de cargadores sobre los hombros, a la espalda y en los brazos. Para cualquier otra persona, sería una carga. Pero no para él.

Me giré y me encontré cara a cara con la figura imponente y familiar del ahora sargento mayor retirado Ace Randall, con una amplia sonrisa de oreja a oreja.

Linda nos miró con desconfianza y finalmente negó con la cabeza. "¡Oh, olvídalo! Sentaos. Os traeré dos tazas de café. Todavía está demasiado oscuro en el bosque como para que podáis dar con algo", dijo y desapareció en la cocina.

"Creo que la señora está poniendo en duda nuestra puntería", dijo Ace, mientras dejaba su carga en el suelo y girábamos dos de las pesadas sillas Adirondack de madera del porche trasero para mirar hacia el campo abierto que había detrás de la casa, todavía cubierto de sedosas bolsas blancas de niebla matinal que colgaban en las zonas bajas.

"Como siempre, pero tiene razón... como siempre", dije. "La seguridad es lo primero".

"No, primero el café. Pero deberíamos esperar unos minutos. Demasiada niebla terrestre". El campo se alejaba suavemente hacia el oeste, terminando en los densos bosques que bordeaban el ancho río Cape Fear más allá. Y con los blancos automáticos móviles y emergentes que añadimos y las posiciones de tiro a cuatro distancias, Fort Bragg no tenía un campo de tiro mejor que el mío.

Bebimos el café y la niebla casi se disipó. Recogimos nuestros rifles y nos dirigimos campo a través hacia el campo de tiro. Lo construimos hace dos años en los espesos bosques que bordean el río. Tiene un canal hundido de dos metros de ancho y cuatro de profundidad, con desagües franceses y quince centímetros de arena y grava para llevar el agua de lluvia al río. Damos mucha importancia a la seguridad, y los árboles y la profundidad de la zanja impedirán que las rondas perdidas y el ruido salgan de la zanja y de la propiedad.

Excavamos por debajo del nivel del suelo y amontonamos tierra en cada orilla para tener un margen de seguridad adicional de un metro y amortiguar el ruido de los disparos. En el extremo más alejado, justo después de las dianas finales de 1.200 metros, añadimos una losa de hormigón colocada en un ángulo descendente de 45° para desviar los proyectiles hacia la tierra, no hacia la propiedad colindante ni hacia el río.

Para los blancos, construimos estaciones de tiro gemelas a 100, 500, 1.000 y 1.200 metros, lo que equivale a más de tres cuartos de milla. Eso es suficiente para disparos en los que se puede confiar. Tanto los francotiradores del Ejército como los del Cuerpo de Marines de EE.UU. han efectuado disparos a distancias mucho mayores. Carlos Hathcock, infante de marina, tiene el récord estadounidense de una muerte en Vietnam a 1,4 millas, y un canadiense tuvo muertes en Irak hasta a 2,1 millas. Utilizaban un McMillan Tac-50, también un fusil de calibre 50 como nuestros Barretts, excepto Hathcock, que en realidad utilizaba una vieja ametralladora M-2 de calibre 50. Para mí, esos no son disparos en los que se pueda confiar. Prefiero grupos de disparos fiables y ajustados a 1.200 metros, o tres cuartos de milla, cualquier día.

"Nada como un poco de tiro al blanco para empezar un largo día", comentó Ace mientras yo abría los controles automáticos de tiro al blanco y colocaba la primera serie de blancos emergentes a setecientos cincuenta metros. Entonces encendí el sistema de megafonía, que tenía altavoces en ambos extremos y en el centro, y anuncié: "Manténganse alejados del bosque. El campo de tiro está abierto. El campo de tiro está abierto".

"Empecemos a quinientos metros. ¿La apuesta de siempre, Sargento Mayor?" Pregunté.

"Entendido, Coronel."

"Tío, los dos parecemos tan patéticos, ¿verdad? Como si fuéramos dos viejos pedorros en una convención de la Legión Americana, y el rango fuera una cosa de reserva temporal. ¿No es así?" pregunté.

"¿Recibir nuestros ascensos de la mano de la Secretaria de Defensa, la mismísima Sheila Fitzsimmons? Es difícil tomárselo en serio. Parecía un montaje. Miré a mi alrededor en busca de cámaras, ya sabes, una de esas cosas de cámara oculta. Pero esas órdenes del Departamento de Defensa firmadas por ella parecían bastante reales".

"Sí, pero espero que algún día de repente hagan 'Puf', y oiga un '¡Sólo bromeaba! Pero hasta que llegue ese día..." musité, acomodándome detrás de mi visor. "El perdedor le dice a todo el mundo en la fiesta que el ganador tiene mejor puntería". Asintió, y ambos nos pusimos los auriculares insonorizados. "Entonces está listo a la izquierda".

"Y listo a la derecha", respondió, mientras insertábamos nuestros cargadores en los receptores y colocábamos los primeros cartuchos.

"Listos en la línea de fuego", añadí mientras empezábamos a disparar.

Una hora más tarde, después de haber disparado a numerosos blancos desde las cuatro distancias, descargamos, intercambiamos los rifles para volver a comprobar si tenían munición real, como siempre hacíamos por seguridad, y limpiamos nuestros casquillos.

"Me alegra ver que los dos lo seguimos teniendo", confirmó Ace, apoyando el rifle contra su hombro. "Por cierto, ¿quién ganó?"

Le miré y sonreí. "Con toda franqueza, puede que me hayas superado esta vez".

"Tal vez", se encogió de hombros. "Pero tienes que venir aquí más a menudo, así que voy a llamarlo un empate. Ahora, sobre la barbacoa, tus mentiras interesadas y exageraciones a Linda aparte, ¿realmente esperamos una gran concurrencia?"

"Eso parece", me encogí de hombros. "Vienen todos los sospechosos habituales de por aquí, desde Fort Bragg hasta DC y puntos intermedios".

"Así que, mientras aguanten los filetes, las salchichas y la cerveza, todos lo pasaremos bien".

"Oye, compramos suficientes filetes y salchichas para alimentar al ejército de Sherman en la Marcha a través de Georgia".

"Bien, porque sé que los chicos han estado haciendo acopio de historias que contar y un montón de mentiras nuevas", añadió Ace, riendo. "Seguro que todas las han traído".

"Claro que no, pero creo que Linda ya se está poniendo nerviosa, así que será mejor que tú y yo volvamos a la casa y nos encarguemos del montaje".

"Entendido... Coronel Burke."

"Copiado... Sargento Mayor Randall", y ambos nos echamos otra buena carcajada en el Ejército.

CAPÍTULO QUINCE

La enfermería

Había un pequeño botón rojo de emergencia clavado en la sábana cerca de la mano de José. Era lo único que podía alcanzar, así que lo pulsó. En cuestión de segundos, dos musculosos "enfermeros" entraron detrás de su enfermera de urgencias. Ella corrió. Ellos caminaron. Era una gringa gruesa y canosa, pero una enfermera de verdad, que enseguida empezó a comprobar los números y las líneas de los monitores. Su etiqueta decía "Betty". Al no ver nada malo, se acercó a la cama y le pasó los dedos por la muñeca, buscando el pulso. La máquina indicó que tenía pulso y que respiraba, así que ella había hecho su trabajo y parecía satisfecha. Se volvió y jugueteó con los tubos y diales que había detrás de él para parecer importante.

En ninguna de las etiquetas de identificación de las enfermeras o los guardias aparecían sus apellidos, sólo sus nombres o apodos. Ortega tuvo que admitir que eso era inteligente. Ningún miembro del personal, y mucho menos los Hacks, querrían que un preso de alta seguridad supiera dónde vivían. Las tarjetas de Navidad y los regalos de cumpleaños para sus hijos serían la menor de sus preocupaciones.

Como él sabía, los dos hombres que estaban detrás de ella no eran enfermeros de verdad, iban vestidos de blanco, pero eran Hacks, dos de los más grandes, lo que significaba la importancia de José. Después de que todos los demás Hacks de las torres y del Patio hubieran fallado tanto en el último atentado contra su vida, ya era hora de que alguien le tomara en serio. Pero estos dos sólo llevaban ropa blanca de hospital para impresionar a los visitantes "oficiales" de la Oficina de Prisiones que se encontraban en la zona en visitas de inspección. Eran los únicos visitantes que pasaban de la sala de visitas.

Uno de los enfermeros era un negro americano de piel muy oscura. El otro era un asiático americano. Era el "chino" más grande que Ortega había visto nunca, y no es que se vean muchos en el oeste de México. Lo único que le importaba al Sistema era que ninguna de las enfermeras fuera hispana, aunque casi la mitad de los Hacks y del personal administrativo de la prisión eran mexicanos o de media docena de países latinoamericanos. La Oficina de Prisiones era demasiado lista para ser tan estúpida. No permitían que el personal hispano se acercara a Ortega ni a los demás presos del cártel, fueran del país que fueran y pertenecieran a la banda que pertenecieran. La Oficina de Prisiones lo sabía muy bien. ¿Perfil? Sonrió. Por una buena razón. Todos tenían familia, coches, casas y cuentas bancarias al sur de la frontera y eran demasiado fáciles de presionar, comprar o matar. Pero había otras formas de llegar a la gente si uno era decidido y paciente.

José hizo un débil gesto a la enfermera Betty para que se acercara e intentó hablar. "Mi abogado. Llame a mi abogado", dijo en un susurro doloroso y áspero. "No importa la medicación... mi abogado".

La asiática Hack, que estaba detrás de Betty, se adelantó y la apartó, mirando a Ortega por un momento con un par de ojos fríos y analíticos.

"Mi abogado, quiero a mi abogado", volvió a decir José mientras su cabeza volvía a caer sobre la almohada.

"Ah, por fin se ha despertado, señor Ortega", comentó con indiferencia el guardia asiático con una voz tan dura como el granito. Su etiqueta decía "Chen". En la del gran negro Hack se leía "Mohammid". Qué estupidez, pensó José. La Dirección General de Prisiones les exigía que llamaran a los presos por sus apellidos y su honorífico, o título, y sin embargo los presos sólo conocían a los Hack por su nombre de pila. Y ni siquiera sabían escribirlos bien. Pero al menos éste era educado.

"Hora de sus medicinas", dijo Chen, pero ignoró por completo la petición de Ortega de su abogado.

José levantó los ojos y miró al guardia. Antiguo militar, como todos los Hacks de este lugar. ¿Qué, un chino? Pensar demasiado bajo las duras luces del banco de fluorescentes le provocó una punzada de dolor que le atravesó el cráneo hasta los dedos de los pies. "No necesito más medicamentos", le susurró José. "Yo... necesito un teléfono... un teléfono, para llamar a mi abogado".

Chen frunció el ceño como si apenas pudiera entenderle, aunque no importaba. "Sabe que aquí no hay teléfonos, señor Ortega. Y tampoco visitas, no sin la aprobación del alcaide, que no obtendrá sin nuestra recomendación, ¿verdad?". La expresión de Chen no cambió, como si no le importara, que no le importaba. "Y eso requerirá tu cooperación". Chen le miró de nuevo. "Ya no parece que te estés muriendo, así que es hora de que tomes la medicación, tal y como te ha recetado el médico de la prisión".

"Quiero el teléfono... y a mi abogado", repitió Ortega.

Ortega le fulminó con la mirada y quiso seguir discutiendo, hasta que Chen se inclinó hacia él y le dijo en voz baja: "Tienes tres opciones. Puedo ponerte las pastillas en la boca y darte un vaso de agua para que te las tragues. O puedo mantenerte la boca abierta y hacértelas tragar una a una, en seco. O puedo metértelas por el culo. Elija una, señor Ortega".

La mano de Chen descansaba sobre la pistola eléctrica de su cinturón, siempre una amenaza silenciosa aquí dentro. Al fin y al cabo, se trataba de una penitenciaría federal de alta seguridad en el desierto del sur de Arizona, tan cerca de México que podía saborearlo, pero en el extremo equivocado de la carretera y en el extremo equivocado de ninguna parte. Cuando un Hack te dice que hagas algo, normalmente lo haces, quizá rápido, quizá despacio, pero las consecuencias de no hacerlo serían muy graves y muy unilaterales. Así que José abrió la boca y aceptó en silencio las pastillas y el vaso de agua que le proporcionó Chen.

Chen miró su reloj. "Dentro de una hora volveremos para cambiarle el vendaje. Si eres un buen interno y sigues cooperando, te daré una inyección de analgésico antes de empezar. Si no, no será agradable".

Chen y los otros dos se dieron la vuelta y salieron de la habitación, dejando a José solo de nuevo. Contempló el techo, estudiando las baldosas blancas y limpias, examinando el dibujo y contando el número de puntos de cada baldosa. Era un ejercicio sin sentido, pero le ayudaba a calmar la mente. Cuando no lo hacía, volvía a perder el control y los planes de venganza le daban vueltas en la cabeza como un montón de toallas en la secadora. Pero eso sólo empeoraba su dolor de cabeza, y con los puntos en la espalda y las esposas en las muñecas, no podía dormir ni concentrarse.

Tenía que admitir que aquellos americanos sabían cómo construir una prisión. En su malograda juventud, José había estado encerrado en varias cárceles mexicanas y en una colombiana, aunque no permaneció allí mucho tiempo después de recibir una llamada de uno de los hombres de su padre. Cuando eso ocurría, sus carceleros no podían deshacerse de él lo bastante rápido. Pero eran lugares mugrientos, con colchones grumosos y manchados, si es que tenían alguno, retretes mugrientos, pintadas por todas las paredes y sudor goteando de los techos.

Esas cosas nunca pasarían aquí. No en una Penitenciaría de Alta Seguridad de los Estados Unidos. La prisión estaba inmaculada por dentro y por fuera, y construida para la seguridad, tan bien diseñada y dirigida que era imposible fugarse hasta donde él podía ver. Y había pensado bastante en ello. Aislaban y dominaban a sus prisioneros día y noche, día tras día, para quebrar su voluntad y controlar sus mentes. Pero a José no le afectaba así. Le hacía más despiadado y más decidido a salir de allí y vengarse, costase lo que costase.

Fue Consuela quien lo puso en esta cama de hospital. Sin duda a través de una de sus muchas conquistas. Alguien le consiguió al chico el cuchillo, y fueron buenos para haber llegado tan lejos. Debió de pagarle mucho dinero al chaval para que intentara una jugarreta así, mucho, y delante de las narices de sus guardaespaldas. Pero no era el chico del cuchillo quien le preocupaba. Era la gente que le consiguió el cuchillo. Todavía estaban por ahí. Y si pudieron hacerlo una vez, podrían hacerlo de nuevo.

Al final, el chico fracasó igual que los demás. Y Consuela fracasó. Y ahora era de nuevo el turno de José. Se vengaría de Consuela, y no fallaría. Luego se vengaría de ese gringo, Burke.

La asesina "riña matrimonial" de José con su encantadora esposa, Consuela, fue una cosa, pero fue Burke quien lo secuestró y lo metió en esta penitenciaría. Eso era mucho peor. Y si no podía atrapar a Consuela, atraparía a Burke.

¿Secuestro? En el fondo de su cerebro brotaba el núcleo de una idea, un plan dentro de un plan. Pero para llevarlo a cabo, necesitaría ayuda, y para conseguir esa ayuda, necesitaba ver a su abogado y que éste le dijera al abogado de Bodine que tenían que hablar, y que Bodine concertara una cita. Y el tiempo no estaba de su parte.

CAPÍTULO XVI

Culiacán Rosales, México

Consuela Ortega estaba en el balcón de su oficina, en el tercer piso, contemplando el panorama de la ciudad: Culiacán Rosales, como se la conocía oficialmente, *SU* ciudad ahora. Mirando más al oeste, vio las aguas color aguamarina del Golfo de California brillando en el horizonte. El cielo al atardecer, antes de la puesta de sol, solía ser espectacular, lleno de sus colores favoritos, el naranja y el morado. Aparte de las hermosas puestas de sol de aquí abajo, ella hubiera preferido quedarse en el recinto amurallado de su hacienda en las estribaciones de Sierra Madres, la que obligó a José a reconstruir y remodelar para ella. Pero ese maldito gringo no le dio otra opción que mudarse aquí, a la llanura, en el corazón de los cárteles, cuando arrastró a José a la cárcel y voló su preciosa hacienda en pedazos.

Desde entonces ha sido una guerra abierta. Primero tuvo que luchar y derrotar a las bandas aquí mismo, en la ciudad, para mantenerse con vida, derrotándolas una tras otra hasta que por fin tuvo a la mayor parte del cártel bajo su control. Se rió. Los hombres podían ser crueles y salvajes en , pero nadie podía igualar su astucia y su crueldad en .

Además, con José pudriéndose en esa prisión estadounidense durante los últimos siete años, estaba sola. El Ejército Mexicano, la Policía Federal, y los otros cárteles mexicanos intentaban constantemente derrocarla o matarla, así que su seguridad era lo primero. Primero querían volver a poner a José al mando. Pero a medida que pasaban los años, y era obvio para los cárteles que él no iba a volver, decidieron eliminarla a ella y repartirse el territorio de Sinaloa. Por eso compró esta gran casa en pleno centro de la ciudad, entre el ayuntamiento, la catedral y la gran comisaría. Son las tres patas históricas del poder en México. Si añadimos el Ejército, los nuevos magnates y los cárteles, tenemos el México moderno.

Tardó siete años, pero su cártel, el cártel de Sinaloa, ya era dueño de la ciudad y del estado. Era dueño de la iglesia, de la policía y había neutralizado las guarniciones militares de la zona. Pierre y Jennifer mataron a los asesinos a sueldo que los otros cárteles enviaron tras ella, enseñándoles a no interferir y haciéndola cada vez más intocable. Mientras ella permaneciera aquí, en su fortaleza, no es que no siguieran intentándolo.

Culiacán había sido un adormecido pueblo de vacas de provincia antes de que ella se mudara aquí. Ni José ni su gordo padre habían hecho nada por mejorarla a lo largo de los años, pero Consuela no cometió ese error. En su haber,

José consiguió que el cártel dejara de dedicarse al tráfico de personas, la extorsión, la protección, la cocaína y las mujeres. Con su título de ingeniero, les orientó hacia la producción de fentanilo, la gallina de los huevos de oro que ahora ponía todos sus huevos.

Pero fue ella quien construyó y refinó esa operación, convirtiéndola en un negocio de 20.000 millones de dólares al año, empequeñeciendo los ingresos de todos los demás cárteles y del cártel de Sinaloa cuando José lo dirigía. Utilizó ese dinero para crear su propio ejército privado, establecer alianzas y comprar el gobierno. Pero se aseguró de que se quedara aquí, en Culiacán, para fertilizar su base.

era ahora una ciudad sorprendentemente moderna de 800.000 habitantes. La mitad de su población trabajaba para ella y le era intensamente leal. Era la reina, la emperatriz y la diosa de Culiacán. Compró la mansión del antiguo gobernador, la remodeló y decoró como una diosa, y los habitantes de la zona harían cualquier cosa por protegerla.

¿Una diosa? Tal vez, pensó al vislumbrarse a sí misma en las ventanas de cristal de la puerta francesa, con su melena oscura hasta los hombros, su piel perfecta, sus penetrantes ojos negros y su peineta de peineta española clavada en la nuca. Esa peineta le daba un aire de elegancia del viejo mundo que se sumaba a su aspecto de frialdad glacial. La peineta formaba parte de su imagen y era su arma secreta. Para el mundo, mostraba valores tradicionales, pero los seis largos dientes de aquel peine alto y negro contenían cuchillas afiladas como cuchillas de afeitar. Le daban confianza, sabiendo que estaban ahí si alguna vez las necesitaba, y hablaban mucho de su verdadera naturaleza. Belleza, con un filo asesino, una mujer sexy pero tradicional que había luchado contra los hombres que intentaron aplastarla. He aquí una mujer que llegó a la cima de un mundo de hombres, y ahora nadie la destronaría fácilmente. Y dos viajes al año al mejor cirujano estético de Costa Rica la mantenían con ese aspecto.

Había matado a su cuota de dragones a lo largo de los años, pero sus enemigos seguían siendo su marido, José, que seguía atormentándola desde la cárcel con su mera existencia, y los otros cárteles, todos dirigidos por los "buenos viejos muchachos". Habían querido sustituir a "la mujer" y devolver a José al poder desde que ella se hizo con el poder. Y por mucho tiempo que ese cerdo de José permaneciera encerrado en aquella prisión estadounidense, seguía teniendo sus amigos y seguía siendo una amenaza.

Y por mucho que ella le apartara de sus fuentes y de sus amigos, él seguía dirigiendo ciertas operaciones que ella no había podido aplastar, y aún podía interferir con ella. Ya había intentado matarlo dos veces en aquella prisión, pero hasta ahora le había resultado imposible poner o comprar un sicario fiable lo suficientemente cerca como para hacer el trabajo. Del mismo modo, incluso con la ayuda de otros cárteles, él había sido incapaz de matarla. Sin embargo, ninguno de los dos podía dejar de intentarlo. Como dos escorpiones en una caja pequeña, sólo uno podría sobrevivir, y quizá ninguno de los dos. Era realmente un enfrentamiento mexicano a la antigua usanza.

Consuela se dio la vuelta y entró en su despacho. Piensan que no soy más que otra cara bonita, pensó sombríamente, un sustituto hasta que puedan sacar al idiota de mi marido de su celda de la cárcel americana. No les daría esa satisfacción. José se pudriría en aquella caja de hormigón hasta que sus huesos se convirtieran en polvo antes de que ella cediera. Sin embargo, en los rincones oscuros y furiosos de su mente, sabía que el tiempo no estaba de su lado por mucho que luchara. Sin embargo, mientras pudiera respirar, seguiría jugando a este juego mortal con él y con ellos, negándose a permitir que nadie le arrebatara aquello por lo que tanto había luchado. Si creían que podían, se lo estaban pensando dos veces.

Atravesó rápidamente su despacho y recorrió el largo pasillo hasta llegar a la recepción de su salón. La gran mansión servía de escaparate, oficina de negocios y fortaleza. Pocas personas que no formaran parte de su personal o de sus asesores de confianza pasaban del salón. Sus zapatos de tacón con punta de acero, que chasqueaban con fuerza en el suelo, anunciaban su llegada mucho antes de que ella llegara.

Como de costumbre, Pierre Beauchamp, su guardaespaldas y chef ejecutivo, la esperaba cortésmente en la puerta, sin duda con su cuchillo favorito en la manga. Alto, delgado como un rayo y tan rápido con los pies como una bailarina de ballet, el cuchillo era todo lo que Pierre necesitaba. Consuela sabía que Jennifer, la esposa y compañera de Pierre, y "entrenadora personal" de Consuela, tampoco estaría lejos con su igualmente mortífera pistola Walther .22 magnum. Al igual que Jennifer, era compacta y mortal. Consuela nunca salía de casa ni entraba en una reunión sin ellas.

Pierre, que conocía sus pasos tan bien como los suyos propios, la saludó con una inclinación de cabeza apenas perceptible y abrió la puerta para que ella la atravesara sin perder un segundo. Se echó el lustroso pelo castaño por encima de un hombro y se alisó las solapas de su chaqueta perfectamente entallada al entrar en el salón, donde dos hombres la esperaban sentados en el sofá de terciopelo. Jennifer ya estaba allí, de pie a unos pasos, en una esquina de la habitación. Pierre se colocó en la esquina opuesta.

¿Joaquín Rodríguez y los otros jefes del cártel? Sabía que no debía fiarse de las motivaciones de hombres como ellos.

CAPÍTULO DIECISIETE

Bosque de Sherwood

Menos mal que la camioneta Dodge Ram de Ace es de las grandes. Él y yo volvimos del economato y de la licorería "Clase 6" del puesto hacia el mediodía con veinte cajas de varias marcas de cerveza, una caja de whisky de Kentucky, una de whisky escocés, una de vodka, cajas de refrescos en lata, papelería y utensilios de plástico, cajas de filetes, docenas de cajas de salchichas, kilos y kilos de carne picada, bollos, bolsas de ensalada, una docena de botellas de salsa barbacoa, salsa picante, dos docenas de galones de Ben & Jerry's, varios cubos grandes de ostras frescas, seis docenas de mazorcas de maíz sin descascarillar, patatas para asar, papel de aluminio, cubos grandes de ensalada de patatas, barbacoa Carolina y ensalada de col. Mientras los chicos del economato llenaban la parte trasera de su camión, Ace y yo empujábamos rápidamente dos carritos por los pasillos y arrebatábamos otros "objetivos de oportunidad", que era cualquier otra cosa en la que no hubiéramos pensado.

Puede que le haya dicho a Linda que no era nuestro primer rodeo, pero hace tiempo que aprendí que organizar es como hacer salchichas. Siempre queda mejor cuando empiezas y cuando acabas, que a la mitad, cuando lo estás haciendo, lo que significa que no éramos tan organizados.

Eran las 15.00 cuando terminamos de descargar, cogí una Heineken fría de una de las grandes neveras y me dejé caer en una silla Adirondack de la cubierta trasera. "Dejarse caer sobre madera dura, por muy moderno que sea el diseño, puede ser doloroso. Ace cogió una Coca-Cola y se sentó con más cuidado en la silla de al lado. Si hubiera hecho "plopping", no estoy seguro de qué se rompería primero, pero probablemente sería la silla. Pero yo ya me había terminado la mitad de mi cerveza, y él se puso rápidamente a su altura.

Saqué el móvil y comprobé los vídeos de las cámaras de seguridad de la azotea de la casa.

"¿Estás revisando el patio delantero?", preguntó. "El mes pasado había demasiadas camionetas y demasiados coches aparcados donde les daba la gana. Era un desastre".

"De acuerdo. Así que he contratado a unos cuantos jóvenes policías militares para dirigir el tráfico y conseguir que esta vez todo el mundo se alinee en un orden razonable. De momento, sólo hay veinticinco coches y camionetas ahí fuera, y parece que lo tienen bajo control sin electrocutar a nadie ni tirarles al suelo."

"La verdadera prueba vendrá alrededor de las 17:00 cuando los chicos del puesto salgan de servicio".

"Sí, pero me imagino que si conseguimos aparcar bien a los primeros cabezas huecas, el resto nos seguirán como lemmings y no harán demasiadas tonterías". Miré el reloj.

"¿Hora de circular y presionar la carne?"

"No, voy a quedarme alrededor de las parrillas y cocinar los filetes. He descubierto que eso siempre hace que un hombre parezca importante, como si supieras lo que haces, sobre algo al menos."

"¿Vas a dejar que los 'Great Unwashed' vengan a ti para variar?"

"Ese es el plan. Ya he dado mis pasos corriendo por ese maldito economato".

"¿Tienes un recuento mejor?" preguntó Ace mientras terminaba su cerveza.

"Me imagino que todos los Deltas que no están fuera en algún lugar recibiendo disparos, además de un montón de chicos de la 82nd , la 75th , el puesto MPs y CID, nuestros detectives favoritos de la policía de la ciudad, algunos de los chicos del FBI y la CIA de Washington, Nueva York, e incluso Nueva Jersey ".

"Suena como una convención de la Orden Fraternal de la Policía".

"Parece que los estamos atrayendo estos días. Los de fuera trajeron a sus esposas por mi insistencia. La mayoría se queda a dormir".

"Me encantan esos pagarés".

"Yo no he dicho eso. Pero tengo confirmaciones de asistencia del general Jacobson, Bill Jeffers, Pat O'Connor y Jim Caruthers del JSOC, lo que significa que el resto de su personal vendrá detrás de ellos". Sin embargo, el mensaje de Jacobson era un poco extraño. Dijo que podría no estar aquí hasta las 21:00, pero fue un poco críptico en cuanto a por qué".

"Cosas generales, Fantasma. Muy por encima de nuestras cabezas. Pero hablando de críptico, oí que Sasha traerá a su nueva novia Sandy".

"¿Es críptico o copto?" pregunté.

"¿Te refieres al... cómo decirlo, 'interesante' nuevo novio de su madre Ludmilla?". Ace se rió.

"¡Ah! El ex monje ortodoxo armenio convertido en camionero copiloto de dieciséis ruedas". Sonreí. "Eso sí que será una conversación entretenida".

"Sin duda", rió Ace.

"Y puede que haya otras sorpresas esta noche".

En ese momento, oímos unas carcajadas y giramos la cabeza para ver a un numeroso grupo de chicos y chicas en pantalones cortos y camisetas deportivas que venían del aparcamiento del patio delantero. Ace suspiró: "¡Hora del espectáculo! Será mejor que nos pongamos a trabajar, Fantasma. Parece que nos van a invadir los de la Generación Z".

Cuatro horas más tarde, cuando el sol se ponía sobre los árboles del oeste, el olor a churrasco, hamburguesas y salchichas llenaba el aire del sureste de Carolina del Norte. La multitud en el patio trasero seguía creciendo, y yo no paraba de saludar a chicos y chicas, y de cocinar. Para estas ocasiones especiales, incluso sacaba mi delantal blanco de "Gordon Ramsay" con "Master Chef" bordado en el pecho y un gorro de cocinero alto y blanco.

Ace se encargó de la cerveza, la bebida y las ostras crudas recién sacadas de la bahía de Chesapeake. Linda, Dorothy, Patsy, varias de las otras esposas y Ellie se turnaron con las ensaladas y los postres. Después, les encantaba tomarse una cerveza fría y descansar en nuestras sillas Adirondack de la terraza, encima de la parrilla de la barbacoa, donde se burlaban de nosotros y nos tiraban trozos de hielo y tapones de botellas de cerveza.

Afortunadamente, sólo se necesita un ojo, medio cerebro y un reloj de pulsera para cocinar hamburguesas y filetes en una parrilla ardiente. Y tenía razón. La parrilla era el lugar perfecto para acampar. Al final, cada uno de nuestros invitados se turnó para tomar algo de comida y pasar a saludarnos. Y no se me ocurre mejor manera de mantener el contacto con viejos amigos. Aunque dejé atrás esa vida, la sed de acción y el deseo de proteger a mi país seguían ardiendo dentro de mí con la misma intensidad que lo hacían en estos chicos.

Sabía que había desempeñado un pequeño papel en su formación y liderazgo, y eso me llenaba de orgullo y camaradería. Era un sentimiento de hermandad que no se puede explicar a la gente que no ha pasado tiempo en el ejército. Tanto si estábamos en servicio activo como si éramos veteranos, existía una hermandad del uniforme que, por desgracia, muy pocos de nuestros dirigentes en Washington compartían, y mucho menos comprendían o respetaban.

Mientras se devoraban los filetes y se bebían cervezas, me encontré en medio de docenas de historias -algunas verídicas y la mayoría embellecidas- procedentes de diversas partes de Oriente Medio, los países bálticos y Europa Central y Oriental. Incluso me topé con algunos tipos que habían regresado de misiones recientes como "observadores", "asesores de formación" y "enlaces de equipos" en Ucrania. Menos mal que yo no era bloguero, "periodista de Internet" o espía, pensé.

"Jefe", oí que me llamaba Sasha desde el otro lado de la parrilla ardiente con una rubita muy mona con botas de vaquero. "Quiero presentarte a Sandy. Trabaja en la posada River Bottom, cerca del intercambiador".

"¡El zueco!" Me acerqué y le di un fuerte abrazo.

"No", argumentó Sasha. "Debbie lo llama clogging, yo lo llamo baile ucraniano 'Hopak', como hacen los cosacos, pero me pongo sombrero y botas de vaquero, ¡y nadie nota la diferencia! Y jefe, ¿te acuerdas de mamá?", dijo mientras echaba la mano hacia atrás y tiraba de ella hacia delante.

"¡Ludmilla!" Cacareé. "Me alegro mucho de que hayas podido venir. La última vez que te vi fue después de que atravesaras la Puerta y a los guardias fronterizos en la frontera entre Georgia y Azerbaiyán en tu furgoneta de reparto de Amazon y nos llevaras de vuelta a Tiflis. Luego desapareciste y..."

"Desaparecido no, jefe", dijo mientras se volvía hacia el hombre bajito, redondo y calvo que estaba a su lado. "Madre huyó con este monje georgiano cabeza de chorlito, Nikoloz de Mtskheta".

"No, es Mtsʰχɛtʰɑ", dijo Nikoloz. "Se pronuncia como el ruso".

"¡Soy ruso! Como dije, tú de Mtskheta".

Ludmilla les dio a las dos unas palmadas en la nuca y dijo: "Ven, Sandy, vamos a por otra cerveza". Se abrazó a la rubita y tiró de ella.

"Sí, madre Kandarski", sonrió Sandy y se fue con ella.

No pude evitar reírme. El monje iba a encajar perfectamente en aquel grupo, decidí. Y Sandy también. También tuve tiempo de ponerme al día con la delegación del FBI, entre ellos Phil Henderson, de Trenton, Nueva Jersey, Gary Briscoe, del edificio Hoover, y mis dos listillos favoritos de Brooklyn, Sal Parvenuti y Brian Kaczynski, que habían venido a la fiesta con sus esposas.

En 1930, Ace me tiró la tapa de una botella de cerveza y señaló hacia un lado de la casa, donde vi entrar a un anciano chino muy delgado, con el pelo blanco hasta los hombros recogido en una larga coleta. Llevaba una vaporosa chaqueta Tang de seda negra e iba acompañado de una joven china que parecía estar al final de la adolescencia. Detrás de ella venía un chino corpulento con el pelo alisado que parecía un barril de cerveza con patas, llevando un enorme horno de calentamiento.

"¡No me digas! ¿No será Wei Jun, nuestro espía chino favorito?". preguntó Ace mientras se quedaba con la boca abierta.

"Y su hija Yo-Yo de Georgetown, y su guardaespaldas Tao, por supuesto".

Afortunadamente, Linda también los vio. Llamé la atención de Ellie e inmediatamente lo dejamos todo para acercarnos a saludarles. Ante el asombro absoluto de Linda y mío, Ellie se acercó a Wei Jun, que sabíamos que debía tener unos 90 años, ejecutó una delicada y educada reverencia china y le dijo: "Nin Hao, Wei Jun, Huān yíng huān yíng".

El anciano sonrió y le dio unas palmaditas en la cabeza. "Ni Hao, Ellie. Ha pasado demasiado tiempo".

"Desde el brillante recital de violonchelo de Xiuying en Georgetown", respondió Ellie y saludó cortésmente a la otra joven.

Nuestros dos invitados chinos estaban encantados con la forma tan correcta y respetuosa en que ella había saludado en chino. Una mirada a los ojos del hombre me lo dijo. Y cuando Ellie continuó la conversación en mandarín, todos nos quedamos un poco atónitos. Linda me miró y yo la miré y lo único que pudimos hacer fue pronunciar en silencio: "¿Quién es?".

"Deberías estar muy orgulloso de tu hija", le dijo Wei Jun a Linda. "Parece que los dos tenemos una suerte excepcional. Y para la ocasión, Yo-Yo ha preparado unos platos chinos muy especiales para ti y tus amigos. Si puedes encontrar una mesa, Tau lo preparará todo".

Ace no necesitaba órdenes. En dos zancadas, había cogido una de las mesas de servicio extra y la había colocado delante del fornido guardaespaldas de Wei Jun, que enseguida abrió las cajas calentadoras y colocó delante de nosotros un círculo de platos chinos de aspecto y olor deliciosos.

"Vaya", dijo Linda. "Mi hija puede hacer muchas cosas, pero su nieta es increíble".

De nuevo, el anciano sonrió y supe que no podía estar más contento. Entonces me miró, hizo un leve movimiento con el dedo y se acercó. "Coronel Burke, un momento de su tiempo, por favor", dijo mientras me cogía suavemente por el codo, me alejaba unos metros y se inclinaba más cerca. "Si mis ojos no me engañan, ¿no es el agente especial del FBI Briscoe el que está allí, bajo esa tienda con sus amigos del edificio Hoover?".

"¿Quieres que te lleve allí y te presente a los demás?". pregunté, olvidando por el momento que era un agente doble activo, que trabajaba con Gary.

Wei Jun negó con la cabeza. "Creo que pasaré de eso", respondió. "Pero por ahora, ¿podría comunicarle al agente Briscoe que me gustaría hablar con él un momento, digamos a las nueve de la noche? ¿Quizás en algún lugar... privado?"

"¿Dentro de la casa?" ofrecí. "Tenemos una pequeña biblioteca y una sala de televisión en el segundo piso, junto al vestíbulo. Dejaré la puerta abierta para ti".

"Una solución perfecta, coronel", sonrió.

"Es un placer, General. Me ocuparé de ello".

"Eres amable, como siempre. Y ahora, una comida deliciosa, amigo mío". Sonrió y me acompañó de vuelta a los demás y a la mesa que Yo-Yo estaba terminando de preparar. Mientras eso ocurría, me escabullí y me dirigí a Gary Briscoe, que estaba sentado y riendo entre cervezas con Phil Henderson, Sam Parvenuti, Brian Kaczynski y Sam Barfield, todos ellos de diversas oficinas del FBI con los que yo había trabajado y ayudado a lo largo de los años, y Veronica Sanders, la nueva agente a cargo de la oficina de campo de Fayetteville. Tenía especial interés en que apareciera para que los demás pudieran explicarle el valor de trabajar en cooperación con nosotros. Eso siempre fue útil.

Paseando entre los "Feebs" también vi a mi viejo amigo Ernie Travers, del Departamento de Policía de Chicago. ¿Se reía? Hice una doble toma, pensando que no había nada más divertido que un grupo de agentes del FBI y policías de alto rango vestidos con feas camisas hawaianas, bermudas y vaqueros azules intentando pasar desapercibidos. Me colé por la parte trasera de su tienda, aparté a

Gary y le di el mensaje de Wei Jun. Desde nuestro altercado con la Seguridad del Estado chino un año antes y el cambio de Wei Jun para convertirse en agente doble con Gary como "controlador", había visto muy poco al viejo, pero lo último que esperaba era convertirme en su conducto.

CAPÍTULO DIECIOCHO

La Mansión, Culiacán

Cuando entró en la habitación, Ignacio Torres, uno de sus leales lugartenientes, se sentó erguido y la saludó con una cortés inclinación de cabeza: "Señora Ortega". Ignacio siempre iba pulcro, arreglado y bien peinado. El otro hombre, Raúl Lopez-Lopez, no era nada de eso. Estaba gordo. Llevaba el cuello de la camisa apretado y los botones delanteros le sobresalían de la barriga. A pesar de lo desagradable que era López López, dirigía una de sus mayores operaciones de distribución en California y la costa oeste de Estados Unidos y, de vez en cuando, podía ser eficaz.

"Tengo noticias", dijo López-López.

"Entonces habla", ordenó, su tono gélido y hostil. "Si fueran buenas noticias, me lo habrías dicho inmediatamente, ¿no?".

"Sí, Señora, y lamento que no sea así. El atentado contra su marido hace cuatro días estuvo cerca, pero fracasó, mi Jefa".

"Fracasado, otra vez, ¿Raúl? Y por tercera vez. Eres un inútil".

"Sí, Señora, estoy de acuerdo. Como sabe, pasé los últimos seis meses seleccionando y entrenando cuidadosamente a un joven de aquí mismo, de Culiacán, un joven leal. Lo enviamos al norte y pagamos generosamente para que lo metieran en la prisión de Tucson, fingiendo ser de otro cártel. Pagó a los guardias para que entraran en "el patio", como lo llaman, al mismo tiempo que el señor Ortega. Incluso pudimos ponerle la navaja en la mano".

"¿Y qué? ¿El cobarde no actuó? ¿No atacó?" enfureció Consuela.

"No, el chico fue muy valiente. Es difícil para nosotros obtener detalles precisos desde dentro de la prisión, pero el chico corrió hacia José y le apuñaló dos veces en la espalda, por debajo de las costillas, hiriéndole gravemente. El chico intentaba ganarle de una puñalada, pero aquel demonio de José le agarró del brazo y lo retuvo hasta que sus guardaespaldas apartaron al chico antes de que pudiera rematar a José. ... Entonces casi matan al chico a patadas ... I ...".

"¡Si fracasó, es lo que se merecía!". Consuela se quedó de pie con los brazos cruzados, dándose golpecitos en la punta del pie, mirándolo con desprecio. "Entonces, Raúl, mi marido José, ¿todavía vive?".

"Sí, Jefa, es como un gato con nueve vidas. Lo llevaron al hospital de la prisión. Perdió mucha sangre y está en terapia intensiva, pero los médicos creen que vivirá. Lo seguiré intentando, señora", dijo Raúl con frustración. "No pongo excusas, pero esa cárcel es un lugar muy difícil para llegar a alguien".

Odiaba admitirlo, pero sabía que Raúl tenía razón. Cuando era adolescente en Los Ángeles, estudió arte dramático en la UCLA y sabía cómo manipular a los hombres, dentro y fuera de la cama. Lentamente, se acercó a Raúl y dejó que su mano pasara lenta y sensualmente por su hombro. Sus ojos brillantes recorrieron su figura de una forma que le erizó la piel, por lo que le agarró la barbilla y le clavó las uñas, dejándole marcas rojas y furiosas en la cara, haciéndole dar un respingo.

"No soy un jugador de pacotilla que acepta el fracaso, Raúl", lo miró con desprecio y lo observó retorcerse, disfrutando del miedo en sus ojos. "Soy Consuela Ortega y el cártel de Sinaloa es *MÍO*. Aunque me cueste cien intentos con cien de tus pistoleros, mataré a ese cerdo gordo, José, y a todos los demás antes de permitir que me lo quiten".

Finalmente le soltó la cara y les dijo a los dos: "¡Ahora salid de aquí y no volváis hasta que tengáis un plan mejor, uno que funcione!". Se dio la vuelta y salió furiosa de la habitación.

Horas más tarde, Consuela estaba sentada sola en su despacho, mirando por la ventana y observando la puesta de sol sobre la ciudad. Tenía el portátil abierto y una pila de hojas de cálculo sobre la mesa mientras revisaba las cifras diarias de producción y distribución de su lejano imperio. Sumida en sus pensamientos, se dio cuenta de que su teléfono móvil personal y muy privado vibraba sobre el escritorio. Se quedó un momento mirando la pantalla, sin reconocer el número. Su ceja se arqueó con desconfianza. Para empezar, sólo unos pocos tenían ese número, sólo aquellos a quienes conocía y en quienes confiaba. ¿Un desconocido? Curiosa.

Descuelga el teléfono y responde secamente: "¿Sí?".

"Señora Ortega, soy Paco Gutiérrez. Espero no interrumpir nada importante".

"Paco Gutiérrez... Casi no reconozco tu voz, Paco", contestó ella con su voz más sexy. "Ha pasado tanto tiempo. ¿Por fin los americanos han considerado oportuno liberarte de esa prisión tan inhóspita que tienen en Arizona?".

"Desgraciadamente, no, Señora. Joaquín Rodríguez y yo seguimos languideciendo aquí, injustamente".

"Estoy seguro. Pero, ¿qué puedo hacer por ti esta noche, Paco?"

"Esta debe ser una llamada bastante breve, Señora. Me costó 500 dólares sobornar a un guardia para que me dejara entrar en una de las oficinas y poder usar el teléfono de la prisión, y mi tiempo es bastante limitado, al igual que mis finanzas. Odio ser portador de malas noticias, pero me temo que su reciente intento con José no tuvo éxito ."

"Como me dijeron hace poco".

"Sí, pende de un hilo, pero sigue muy vivo".

"Tú eres uno de sus amigos en la cárcel, uno de sus socios, ¿no es así, Paco? ¿Por qué me cuentas esto?"

"No soy más que un pobre hombre, Señora, no puedo permitirme enemigos. Prefiero seguir siendo amigo de todos".

"¿Un hombre pobre? Tal vez, pero uno que está cantando una nueva canción ahora".

"Los tiempos cambian. He oído que los otros cárteles están inquietos, Jefa. Encuentran esta inestabilidad en la familia Sinaloa... incómoda. No tienen razones para creer que José saldrá de este infierno yanqui, mucho menos de su cama de hospital, pero también tienen problemas con tu liderazgo."

"Lo que estás diciendo, pero parece que no quieres decir, es que tus 'hermanos' del cártel no quieren ver a una 'hermana' dirigiendo el cártel más grande de México, ¿no es eso?".

"Estoy seguro de que eso es cierto para algunos, Jefa, pero la mayoría sólo quiere una fuente estable y fiable de Fentanyl, y no les importa si viene de ti o del culo de un burro. Sus palabras, no las mías".

"Hablando de burros", dijo. "Tengo entendido que también les gustaría deshacerse de ti y de Joaquín. Prefieren no depender de los jefes de los cárteles que están encerrados en la cárcel".

"Sospecho que es probable que eso también sea cierto, pero todo depende de con quién hables y cuándo. El equilibrio de poder entre los siete mayores cárteles siempre está cambiando, como sabes. Los otros aguantan casi todo si es bueno para ellos y para el negocio. Y en este momento, Joaquín Rodríguez, tú y yo nos encontramos en una situación precaria, cada vez más cerca del límite".

"Entonces, ¿es la autopreservación lo que te ha inspirado llamarme, Paco, ¿o la amistad?". Consuela se burló. "Con José a las puertas de la muerte, ¿estás tratando de besarme el culo, o salvar el tuyo?"

"Quizá las dos cosas, Señora", se rió. "Pero creo que también intentamos salvar la tuya. No eres tonta, Consuela. Sabes que no puedes seguir luchando contra los demás cárteles tú sola. Nosotros tampoco podemos, pero juntos..."

"¿Juntos? Eso está por ver", dijo, con un tono que destilaba desdén.

"Sí, pero no hace falta llegar a eso. Debe haber un equilibrio entre todos los cárteles o volveremos a tener una guerra abierta en las calles. Por eso una alianza entre nosotros tres puede beneficiar a todos", razonó Paco. "Puede que Joaquín y yo sigamos entre rejas, pero tenemos conexiones, recursos... para mantener el control de nuestras propias operaciones y apoyarnos mutuamente contra los demás. ¿Quizás te gustaría colaborar con nosotros?".

Consuela apretó los labios, considerando cuidadosamente sus palabras. Pero conocía demasiado bien los riesgos que entrañaba forjar una alianza así. Las traiciones estaban a la orden del día con aquella gente. Pero el tiempo se le acababa. No podía seguir rechazando una posible ventaja. "¿Qué tenías pensado, Paco?", preguntó con voz fría y mesurada.

"Desgraciadamente, mi tiempo con este teléfono está a punto de terminar, pero haré que mi abogado, Luis Hernández, le llame. Él puede ser nuestro intermediario confidencial".

"De acuerdo, pero mi cooperación tiene un precio... pero pequeño, muy pequeño" pequeño, muy pequeño".

"De alguna manera, pensé que podría", dijo Paco. "¿Qué es este pequeño precio tuyo?"

"Quiero a José muerto", dijo Consuela sin rodeos. "Es algo muy sencillo. Vosotros dos estáis ahí y podéis hacerlo por mí. Eso cimentará nuestra alianza".

Hubo una pausa. "Está bien vigilado. Como ya sabes, no será fácil, pero es uno de los puntos que podemos discutir".

"No pago por un trabajo fácil de hacer". Consuela colgó el teléfono, con los dedos apretando con fuerza el auricular. Una alianza con Paco y Joaquín era arriesgada en el mejor de los casos y suicida en el peor, pero probablemente necesaria, porque sus limitadas opciones se estaban agotando rápidamente. ¿Pero Paco y Joaquín? Sabía que no debía fiarse de las motivaciones de hombres como ellos.

CAPÍTULO DIECINUEVE

Bosque de Sherwood

Seguí sacudiendo la cabeza mientras me alejaba, riendo. Entonces, zumbó mi móvil. Vi en la pantalla que era Sam Cunningham, mi jefe de seguridad para este turno. Era la única persona, aparte de Linda, a la que sabía que nunca debía ignorar.

"Burke", respondí.

"Coronel, tengo un todoterreno Tahoe negro -parece del gobierno-, un sedán sin identificación del ejército y dos sedanes de la policía militar que suben por el camino de entrada . Acaban de entrar por la puerta, se han saltado a los vigilantes del aparcamiento y se dirigen a la puerta principal en medio de una nube de polvo."

"Recibido, Sam. Enseguida salgo".

Apenas terminé esa llamada, otra entró en su lugar. Esta vez, mi identificador de llamadas decía simplemente "Jacobson". El general me había dado su número privado meses antes, durante la Operación China, y el suyo era otro número que sabía que no debía ignorar. Contesté, pero antes de que pudiera decir nada, dijo apresuradamente: "Bob, me dirijo a tu puerta con Sheila Fitzsimmons...".

"Sheila ... te refieres al Secretario de ..."

"Por favor, que Ellie y tus Geeks se reúnan con nosotros en el vestíbulo... Y tú, Linda, Ace y su esposa, por supuesto".

"Entendido, señor", empecé a decir, pero ya había colgado, así que volví a paso ligero a las mesas de comida. Rápidamente agarré a Linda, Ellie y Ace, que estaban allí hablando.

Ellie", pregunté mientras la apartaba, "¿dónde están los Geeks?".

Se puso de puntillas y miró a su alrededor. "Uh, en las sillas bajo la última tienda con Ludmilla, Sandy, Patsy y Nikoloz", dijo.

"Bien, corre hacia allí y..." Dije, pero rápidamente cambié de opinión y me volví hacia Linda en su lugar. "Corre y dile a Jimmy, Ronald y Sasha que se reúnan con nosotros en el vestíbulo". Su boca se abrió para hacer una pregunta, pero la corté. "No hay tiempo para explicaciones, ¡hazlo AHORA!" Dije mientras me volvía hacia Ace. "Tú busca a Dorothy y ponte al día. Ellie, tú vienes conmigo". Empezaron a discutir, pero les corté. "Es Sheila, la..." Empecé a decir.

Pero Linda se quedó boquiabierta antes de que terminara. "¡Oh!" fue todo lo que dijo antes de darse la vuelta y dirigirse a los Geeks.

Ace me miró y sacudió la cabeza. "Ves, te dije que recuperaría el rango".

"Tonto, ella no está aquí para verte a ti o a mí. Está aquí para ver a Ellie".
Ace me miró, parpadeó, y me dio una Linda, "¡Oh!"

"¿Qué puedo decir? Ella y Ellie se hicieron buenas amigas después de
aquella entrega de premios. ¿Te acuerdas? Bueno, mi hija le ha hablado tanto de
todas las cosas que ella y los chicos hacen en el Centro de Datos que Sheila quiere
verlo ella misma".

Ellie se encogió de hombros y dijo: "Bueno, vosotros invitabais a todos
vuestros amigos y ninguno de mis amigos de séptimo, así que...".

"No hay ningún problema. Siempre eres bienvenida a invitar a tus amigos,
cuando quieras", le dije mientras la cogía de la mano y corríamos de vuelta a la
casa, a través de la cocina y hasta el vestíbulo, donde nos encontramos con el
teniente general Jacobson y Sheila Fitzsimmons, la secretaria de Defensa, que
acababan de entrar por la puerta principal, acompañados por cuatro policías
militares de paisano que tomaron posiciones alrededor de la sala, sin intentar
siquiera pasar desapercibidos. Se pueden esconder las armas, pero no los cortes de
pelo. Estaba seguro de que habría otros policías uniformados fuera, junto a la
puerta principal y alrededor de sus coches.

Mientras que los parlamentarios de su equipo de seguridad personal iban
vestidos con trajes de negocios, el general y la secretaria eran todo menos eso.
Llevaban unos bonitos pantalones cortos de vestir y camisetas deportivas
informales, intentando pasar desapercibidos en la fiesta, lo cual era absurdo. El
general había jugado al baloncesto en West Point y medía 1,90 m. Su cara estaba
en todas las noticias, sobre todo en una comunidad militar como aquella.

Conocí a la secretaria durante la ceremonia de mi ascenso, por supuesto, pero
aquel día pasaron tantas cosas y tan deprisa que tuvimos poco tiempo para hablar.
Era bastante nueva en el puesto, pero ya entonces había salido lo suficiente en la
televisión como para que todo el mundo conociera su cara al verla. Ahora, sin su
traje de negocios y sus gafas de leer, vi a una mujer agradable, de mediana edad,
con el pelo canoso y una cara sonriente, que parecía haber luchado contra
demasiadas cenas de pollo de DC desde entonces, un riesgo ocupacional en DC.
Pero junto a Ellie, parecía su tía favorita, y eso era lo único que importaba.

Cuando entré en el vestíbulo, la secretaria estaba estudiando detenidamente
los dos enormes samovares rusos, pulidos y brillantes, colocados sobre pedestales
de mármol en el centro del vestíbulo. "Son increíbles, Bob", dijo mientras miraba
el más alto y decorativo. "¿De dónde los has sacado? No sabía que tuvieran una
gira por Moscú".

Sonreí. "Tuve una visita, sí, pero no de forma oficial. Ése, con el intrincado
grabado, fue un regalo de Sergio, el Patriarca".

"¿De la Iglesia Ortodoxa Rusa?" Completó mi pensamiento. "¡Estás de broma!"

Bob Jacobson se inclinó para ver de cerca la más corta y redonda. "La otra es nueva, pero ¿de dónde has sacado ésta?", preguntó con suspicacia.

Miré las dos y dije: "La más corta y redonda, con el brillo más intenso y esas delicadas patas y pico, vino primero. Fue un regalo de... 'El Zar', o al menos eso dice Sasha. Lo enviaron desde cierto código de correo ruso sin nombre ni nota, pero Sasha dice que todo el mundo en Moscú sabe que eso es el Kremlin, y que de allí no sale nada que el Zar no haya enviado o aprobado, así que...". Me encogí de hombros.

Esta vez, Jacobson se quedó con la boca abierta. "¿El... quieres decir de Putin?"

"Eso es lo que dice Sasha, aunque Putin nunca lo admitirá, ni entonces ni mucho menos ahora, con todo lo que está pasando".

"No, creo que no", se rió Sheila. "Pero apuesto a que tienes algunas historias que nos contarás más tarde tomando una cerveza, ¿no ?".

"Bueno, supongo que sus autorizaciones de seguridad son lo suficientemente altas", me encogí de hombros.

"¿Es otra de esas cosas de 'si te lo digo, tengo que matarte'?" Ellie preguntó.

"Ya no", dije mientras todos nos reíamos.

Entonces la secretaria se volvió hacia Ellie y le dijo: "Pero no he venido a ver esos preciosos samovares de latón. He venido a ver a tu preciosa hija y esa increíble operación informática de la que no para de hablarme". Justo entonces llegó Linda con los tres Geeks a cuestas.

"Ellie, ¿por qué no presentas a la secretaria a tus tres mentores?", dije, haciéndome a un lado y girándome hacia los Geeks. Para entonces, ya habían reconocido a nuestros dos invitados e intentaban esconderse unos detrás de otros. No es fácil para tres chicos.

Y con su voz más educada y adulta, Ellie dijo: "Sheila Fitzsimmons, te presento a Jimmy Barker, Ronald Talmadge y Sasha Kandarski, conocidos por aquí como "los frikis". "

El Secretario les miró de arriba abajo y dijo: "Me alegro de conocerles por fin, caballeros. Reconozco sus caras de la ceremonia de promoción del año pasado, incluso a usted, señor Kandarski. La sala estaba abarrotada, pero le vi a usted escondido en la última fila con gabardina, sombrero y gafas de sol oscuras".

"Sí, señora Secretaria", respondió Sasha visiblemente encogido, mientras la Secretaria se adelantaba y les estrechaba la mano a cada uno.

"Ellie me ha contado historias tan maravillosas sobre tu trabajo, las técnicas que utilizas en tu extracción de datos y tu... pirateo. Y usted ha hecho un trabajo maravilloso como tutor. Tuve que venir y ver esta operación informática tuya yo mismo. ¿Cómo lo llamaste, Ellie? ¿El Centro de Datos del Spymaster de la

KGB?", se rió. "Pero no se preocupe, señor Kandarski, no estoy revisando papeles... no es que no haya hecho que mi ayudante les echara un vistazo largo y tendido, pero los suyos son extrañamente vagos... Es broma", se rió.

"Es un fuera de serie, no cabe duda", le dije. "Jimmy, ¿por qué no vas delante y los cuatro le hacéis una visita guiada al Secretario? Realmente es un diseño increíble, que diseñaron con la ayuda de Linda".

"Y la chequera de Bob", dijo Linda.

"Cierto", acepté rápidamente. "Y es el mejor dinero que hemos gastado".

"Bob", dijo el Secretario. "*NADIE ha* gastado más dinero en centros de datos que yo. Grandes, pequeños, son los pozos de dinero sin fondo del gobierno en estos días, por lo que estoy realmente interesado en ver cómo sus chicos integran su operación multi-terminal y doblan en todas esas diferentes bases de datos en diferentes formatos. Parece increíble. Tal y como lo describe Ellie, puede que hayáis creado un gran modelo de "centro pequeño" en el que podamos pensar".

"Aquí no hay 'orgullo de autor'", dije mientras subíamos las escaleras. "Puedes robar todo lo que quieras. Si no recuerdo mal, un día montaron esos diseños de sistemas después del café y antes de comer", me reí mientras le entregaba el recorrido a Ronald, que lo recogió sin problemas.

"Lo que verás en el centro de datos es un grupo integrado de cuatro estaciones de trabajo, conectadas a través de un potente servidor, módems, bases de datos e impresoras", le dijo. "Pueden trabajar de forma independiente o en equipo. Piensa en las hojas de un trébol de cuatro hojas que se juntan todas en el centro, cada una de ellas con un potente portátil 'Razer' de última generación y tres monitores."

"¿Un Razer? ¡Qué guay! Es el mejor portátil para jugar que se puede conseguir hoy en día, ¿no? "dijo Sheila. De un plumazo, se ganó a los frikis. "Y luego está la minería de datos y el hackeo, sobre los que quiero saber más", continuó.

"Señora Secretaria", intentó intervenir Ronald. "Le aseguro que..."

"*NO* me importa, Ronald. No soy el policía de los datos. Exactamente lo contrario. Necesito las mejores defensas que pueda conseguir contra exactamente lo que vosotros hacéis... lo que Ellie dice que hace tan bien. Por lo tanto, quiero recoger sus cerebros ".

"Será un honor, señora secretaria", se hicieron eco Ronald y Jimmy. Sasha se quedó con la boca abierta.

"He oído que de vez en cuando os coláis hasta en la NSA. ¡Eso es delicioso! *REALMENTE* quiero averiguar cómo lo hacéis".

"Incluso el Departamento de Defensa", dijo Sasha. "Ellie también lo hace. Pensamos que es demasiado joven para ser arrestada".

Eso detuvo a Sheila en seco. Volvió a mirar a Sasha y luego a Ronald y sonrió. "Obviamente no esta noche, pero con el permiso del Coronel Burke, realmente necesito llevarlos allí para alguna consulta, a Ellie también, cuando tengan tiempo".

"No hay problema, Sheila", le dije rápidamente. "Es lo menos que puedo hacer. Pero mis chicos tienen... antecedentes interesantes, y sé que harás profundas comprobaciones de seguridad antes de..."

"Ya está hecho, Bob, y tienes razón, 'interesante' es una forma de decirlo. Pero no te preocupes, no seré el primer Secretario que contrata a un antiguo empleado del KGB del Centro de Moscú".

"Un simple estudiante de la Escuela de Codificación de Moscú en la Universidad Lomonosov", murmuró Sasha. "Y es FSB ahora, no KGB, Camarada Secretario."

"Intentaré recordarlo, Sasha. Bien, muéstrame el lugar, Ronald, Jimmy, Sasha", dijo Sheila mientras subía las escaleras.

CAPÍTULO VEINTE

La enfermería

El dolor llenó las siguientes noches y días, pero lo único que José Ortega podía hacer era tumbarse boca arriba cada cuatro horas y mirar fijamente el techo de baldosas acústicas de la enfermería, contando los agujeros y pensando en la venganza. Cuando por fin se quedaba dormido, entraba la enfermera "Betty" y lo ponía boca abajo. El dolor reinaría durante las horas siguientes, y él se quedaría mirando las mesas y el equipo médico a su izquierda o las máquinas de monitorización y los armarios a su derecha. Luego, como un cerdo en un asador, cuatro horas más tarde ella le ponía boca arriba y la agonía volvía a empezar.

Cada dos rotaciones, cuando estaba boca abajo, la zorra de Betty le abría las vendas y le hurgaba en las heridas con los dedos, limpiaba los cortes profundos, revisaba los puntos y volvía a vendarlo canturreando y sonriendo agradablemente mientras lo miraba todo el tiempo. Así una y otra vez. Tanto si le daba la vuelta rápida como lentamente, el dolor era el mismo: insoportable, como si alguien con una mano grande y uñas largas y ásperas le hubiera metido la mano por el culo y le hubiera arrancado el corazón a través del culo. Pero pronto aprendió que no era aconsejable hablar con alguien que tuviera unas tijeras quirúrgicas en una mano y la vida en la otra. Eso sólo les animaba.

Lentamente, las dos profundas heridas de cuchillo se curaron. El flujo de sangre se redujo a un goteo y se detuvo, y entonces Betty sacó los drenajes; sin duda tan lenta y dolorosamente como pudo. Pero a medida que los fuegos en la parte bajan de su espalda disminuían, tener las tuberías fuera ayudaba.

La tarde del cuarto día, el cabrón de Hack, Chen, le permitió por fin hacer una llamada con el teléfono desechable que le había colado a cambio de la promesa de mil dólares. Ortega marcó el número privado de su abogado en el centro de Denver. Naturalmente, Wilson Redmond no contestó. Probablemente estaba en el campo de golf gastándose el dinero de Ortega, pensó José. El teléfono sonó siete veces y luego saltó el buzón de voz.

"Lástima", dijo Chen con una sonrisa sarcástica e intentó apartar el teléfono.

"¡Debo dejarle un mensaje! Si quieres tu dinero, ¡retrocede!" dijo José mientras le arrancaba el teléfono a Chen. La espalda le estalló de dolor, pero sabía que tenía que trazar una nueva línea con él. Ortega echó humo. Tenía el maldito abogado penalista más caro de Denver y el cabrón nunca le cogía el teléfono. Cuando esta nueva llamada fue desviada de nuevo al contestador automático de Redmond, lo único que Ortega pudo hacer fue decir: "Soy yo. Dile al amigo de mi amigo que necesito verle". Su código era a medias, pero solía funcionar. "Dile el sitio de siempre, o que me encuentre. Y la próxima vez que vengas, trae un sobre con 2.000 dólares dentro y dáselo a mi nuevo "amigo" chino. "

Ortega se desplomó sobre la almohada con un sudor frío y doloroso y le devolvió el móvil a Chen. Ortega levantó la vista y vio que el chino sonreía. Progresos, aunque a pequeños pasos.

Cuando Chen llegó a la mañana siguiente, José le dijo: "Necesito salir de aquí. Quiero bajar al Patio, donde podré respirar aire fresco. ¿Me entiendes?"

Chen le miró y negó con la cabeza. "Sí, lo entiendo, pero debes amar el dolor, mexicano. El médico de la prisión nunca lo aprobará. Y si decide que necesita examinar tus heridas antes de que puedas irte... ¡Oooh! No será agradable".

"Ese viejo bastardo borracho no sabe lo que aprobó, y tú y yo lo sabemos, Chen. Sólo sácame de aquí".

Chen se marchó riéndose para sus adentros, pero a la mañana siguiente, cuando Betty estaba en una reunión de personal, Chen debió de decidir que Ortega estaba lo bastante bien como para andar. Entró empujando un andador. Con la ayuda de Mohammid, agarraron a José por debajo de los brazos y tiraron de él para ponerlo en pie, sin demasiada delicadeza. Pero Ortega no se atrevía a decir nada. Deseaba desesperadamente salir de aquella cama y, si se quejaba, Chen le obligaría a guardar reposo aún más tiempo.

"Antes de que pruebes el patio", dijo Chen, "veamos si puedes andar. No quiero que salgas ahí fuera, te caigas de bruces y el alcaide me eche la bronca por haber sido tan estúpido como para dejarte salir de la cama en primer lugar. Betty ganaría y tú y yo perderíamos, a lo grande".

Ortega sabía que Chen tenía razón, así que no tuvo más remedio que aguantarse, como suele decirse. Así pues, Ortega lo destripó y subió y bajó de su piso cada pocas horas durante los días siguientes. Para asombro de Chen, José salía diez pasos y luego volvía a la cama, luego veinte, luego a una silla al final del pasillo donde podía sentarse y descansar uno o dos minutos. Luego hasta el final del pasillo y de vuelta otra vez sin descansar. Y por último, el gran bucle alrededor del suelo y vuelta. Eso incluso impresionó a Chen, aunque el gran Hack nunca lo admitiría.

Esto duró varios días más. En todo ese tiempo, el apestoso abogado de Ortega, Redmond, nunca se presentó en la prisión, y José no recibió ningún mensaje suyo. ¿Privilegio abogado-cliente? Obviamente, eso no significaba nada aquí. El abogado penalista anglosajón más caro de Denver, y eso era todo lo que Ortega tenía. ¡Privilegio abogado, una mierda, pensó! Debería haber contratado a un abogado mexicano barato de Laredo o El Paso, con un traje arrugado, un bigote desgreñado y manchas de tacos en la camisa. Al menos así no se habría sentido tan enfadado por haber sido ignorado.

Ortega tampoco había visto ni oído nada de Angus Bodine. El motorista podía estar muerto, encerrado en aislamiento o simplemente intentando demostrarle algo a José; pero le gustara o no, José necesitaba hablar con aquel paleto huraño e ignorante. Bodine era su llave, el eje indispensable del plan de venganza de Ortega contra Consuela y Burke.

"Necesito un poco de sol", le dijo finalmente a Chen. "Te he demostrado que puedo caminar sin caerme de bruces. Ahora, por favor, llévame al patio durante mi periodo de ejercicio", le pidió Ortega con educación. "Mañana por la mañana estará bien. Pregunte al médico si es necesario, pero ya sabe que estoy bien".

Chen le miró fijamente y le estudió durante un momento antes de encogerse de hombros. "Ya veremos", dijo Chen mientras se inclinaba más hacia él. "Pero te reconoceré el mérito, Ortega. Eres un cabrón duro. Después de lo que has pasado, los demás hispanos de este lugar estarían tirados en la morgue o suplicándome droga".

Cuando Chen se marchó, Ortega sonrió para sus adentros. ¿Idiota? Idiota. Yo fabrico eso. Sé lo que contiene y no se me ocurriría usarla.

A la mañana siguiente, a las 9.45, los dos grandes Hacks, Chen y Mohammid, entraron en su habitación empujando un andador. La enfermera Betty les seguía nerviosa, quejándose, quejándose y agitando un dedo acusador. "¿De verdad dijo el doctor Holbert que estaba bien que sacarais al señor Ortega al patio?", volvió a preguntar.

"Sí, Betty", le contestó Chen amablemente. "Ve a despertarle y pregúntale si no me crees".

"Sí", se rió Mohammid. "Con la resaca de siempre. Le gustaría eso".

Ella le devolvió la mirada. "¡Ya veremos!", dijo mientras salía enfadada, pero sabían que nunca se lo preguntaría al médico ni a nadie.

Mohammid sonrió ampliamente, mostrando los dos dientes delanteros que le faltaban. "¡No todos los días te toca morderle el culo a esa vieja zorra!"

Chen también se rió, mientras empujaba el andador a un lado de la cama de José. "Súbete. Si es lo que realmente quieres hacer".

"No necesito esa cosa", dijo Ortega, sacudiendo la cabeza.

"Oh, sí, así es. Si te caes y te haces daño, Betty nos denunciará, y el doctor Holbert no se acordará de aprobar esto, que no lo hizo, y a Mohammid y a mí nos descontarán el sueldo de una semana", dijo Chen. "Así que usa el andador".

Ortega le miró mientras rodaba lenta y dolorosamente fuera de la cama y se colocaba detrás del caminante. "¿Por qué has accedido finalmente a hacer esto?", le preguntó a Chen.

El chino respondió con una fina sonrisa. "¿Por qué? Porque ahora me lo debes, mexicano".

"¿Y qué? ¿Tienes miedo de que no te paguen?"

"No, pero creo que empezarás a necesitarme más y a deberme mucho más, ¿verdad, señor José, 'Big Blade' Ortega, 'El Jefe' del cártel de Sinaloa?".

Ortega le miró y le devolvió la inclinación de cabeza. "Sí, creo que lo haré, Chen. Ahora, llévame al Astillero antes de que acabe mi hora. Hay gente con la que tengo que hablar".

CAPÍTULO VEINTIUNO

Dentro de la cueva del hombre

Vi que el general Jacobson me hacía un gesto con la cabeza, así que me contuve y dejé que los Geeks, Ellie y Linda subieran las escaleras, seguidos por Ace y Dorothy. Supuse, acertadamente, que tenía algo de lo que quería hablarme, y me alcanzó en el rellano del segundo piso.

"Bob, ¿hay algún lugar donde podamos hablar un segundo?"

Estábamos frente a la puerta de nuestra pequeña biblioteca y sala multimedia del segundo piso, así que le hice un gesto para que nos siguiera. Entramos y cerré la puerta tras nosotros.

Rápidamente echó un vistazo a las estanterías empotradas, el televisor de pantalla grande y los mullidos sofás de cuero y dijo: "Estupenda 'cueva de hombre', Fantasma".

"Sí, una de esas cosas que todo el mundo dice que teníamos que tener y nadie usa".

"Te escucho. Pero tengo que decirte que tu nombre apareció en los "tambores de la jungla" de inteligencia. "

"Eso no suena bien. ¿Cuál era el contexto?"

"México. El cártel de la droga de Sinaloa. La NSA captó interceptaciones y conversaciones de móvil - escuchas ilegales, sin duda - pero ¿México? Me avisaron, de todos modos".

"Podría ser creíble. Me enviaron a una operación allí, en su día y mucho antes de que usted o el Secretario Fitzsimmons se hicieran cargo. Tal vez hace siete años ahora, pero era una gran cosa en ese entonces. El Mayor General Stansky era el CG, y él nos envió. Alto, alto secreto. Dijo que era una orden directa del Secretario de Defensa y del Presidente".

"Eso lo convertiría en algo importante en cualquier momento. Ahora que lo pienso, oí el rumor de que desarmaste uno de los cárteles".

"Eso es una exageración. Digamos que mi equipo capturó al 'Jefe' del cártel de Sinaloa y voló su cuartel general. Eran los más grandes y los más malos entonces. Tal vez lo sigan siendo, pero México nunca fue mi AO. Yo volvía enseguida a la tierra de los Haji a pelearme con los tipos de las túnicas negras y las barbas, y desde entonces ni siquiera he intentado mantenerme al día de lo que pasa por allí".

"Los nombres que me dio la NSA eran José Ortega, su mujer Consuela y otros jefes de cárteles. ¿Te suenan?"

"¡Oh, sí! Era el Jefe, el tipo que secuestramos. Pero la última vez que supe, estaba en el Federal Super Max en Colorado cumpliendo cadena perpetua. No trajimos de vuelta a Consuela. La dejamos huir a Culiacán, en la costa, con el personal doméstico. Mis órdenes eran agarrarlo a él, a nadie más, y asegurarme de que no hubiera daños colaterales. De hecho, tenía órdenes explícitas de dejar en paz a los "civiles". Resulta que fue un gran error. Deberíamos haberla cogido a ella también. Es tan desagradable como él, y dijo que ella era el cerebro y él sólo el músculo".

"Interesante. Bueno, sigue encerrado, pero hace dos años lo trasladaron del Super Max a la Penitenciaría Federal de Alta Seguridad cerca de Tucson. Es un escalón por debajo en seguridad, y donde alguien le clavó un cuchillo hace un par de días".

"Debería haberles clavado un cuchillo a los dos. ¿Murió Ortega?"

"Aparentemente no".

"Entonces, ¿por qué la preocupación? ¿Qué ha detectado la NSA?"

"En primer lugar, su nombre. Eso hizo saltar todas las alarmas en Washington y provocó que la NSA indagara más. Al parecer, Ortega te ha estado culpando de todo".

me reí. "Supongo que soy el único que queda. El general Stansky está muerto, y el presidente y el secretario de Defensa hace tiempo que se fueron, pero no fui yo quien le clavó el cuchillo".

"No, el rumor es que fue su mujer quien lo arregló, pero él te culpa de todos modos. Está encerrado allí con los jefes de los cárteles de Tijuana y del Golfo, los Zetas y un puñado de subjefes de otros cárteles. Supuestamente, fue uno de sus soldados rasos quien le clavó el cuchillo en la espalda. Pero tienen otra compañía allí. Hay un líder de una banda de moteros paletos, rusos, mafiosos italianos de Detroit y Chicago, jamaicanos, ladrones de Wall Street, pervertidos sexuales, de todo. La lista es interminable".

"Qué pena, qué triste. Parece que encaja bien. Pero todavía está en la cárcel, ¿verdad?"

"Oh, sí, en la enfermería. Y no me malinterpretes, esto es un 'aviso' no oficial entre amigos, Fantasma. No estás en servicio activo ni eres un oficial en activo en mi puesto o bajo mi mando, así que no hay mucho que pueda hacer en un sentido o en otro. Pero esos cárteles tienen pistoleros por todas partes. Así que, el punto es, cuida tu trasero, Bob".

"Entendido, y siempre lo hago", le dije al general. "Pero déjeme que le enseñe algo", dije y me puse detrás del sofá, donde un viejo machete deslustrado con cinta aislante negra por mango colgaba de la pared de mi biblioteca. Lo descolgué y se lo tendí a Jacobson. "Soy El Fantasma, pero ¿sabes cuál es el 'mango' de José Ortega? ¿Su apodo pandillero?"

El general frunció el ceño mientras cogía el machete y lo inspeccionaba con cautela, sintiendo lo afilado que estaba. "Ahora que lo pienso, ¿no he leído que lo llaman 'Gran Cuchilla' o algo así?", preguntó mientras me miraba. Con su 1,90 y mi 1,70, no era difícil. "Supuse que se refería a su... bueno, ya sabe a qué me refiero", dijo Jacobson.

"Sí, eso pensaba yo también", me reí. "Pero resulta que no es eso. Es el machete, *SU* machete. Lo usaba para descuartizar a los rivales y enemigos de su padre".

"Un aprendiz de carnicero normal. Supongo que eso fue antes de ir a Stanford para el MBA".

"Probablemente, pero apuesto a que le gusta mucho más ese machete que los dos títulos universitarios".

"O tú".

Me eché a reír. "General, no tiene ni idea. Para empezar, nunca le caí bien a Ortega, pero cuando me vio coger su machete y subir al helicóptero con él colgado a la espalda, le caí mucho peor. Creo que se ha pasado los últimos siete años pensando en cómo usarlo contra mí, y luego contra su mujer, Consuelo. Se odiaban".

"Una pareja", dijo Jacobson. "He oído que han estado yendo y viniendo tratando de matarse el uno al otro desde que lo recogiste allí abajo. Sospecho que ambos quieren matarte".

Suspiré: "Entendido. No serán los primeros, pero ahora que sé lo que pasa, tomaré más precauciones. Y, como último recurso, siempre me queda esto -dije mientras levantaba el machete de Ortega.

"Suficientemente bien, ahora vamos a ponernos al día con el Secretario y su hija."

"Ninguno de nosotros puede correr tan rápido, señor."

CAPÍTULO VEINTIDÓS

The Yard, USP Tucson

En realidad, había cuatro patios dentro de la prisión de alta seguridad de Tucson, cada uno de los cuales servía a un grupo de celdas, clasificadas según el nivel de amenaza del recluso y el correspondiente nivel de seguridad requerido. Al igual que Ortega, a muchos reclusos de Tucson se les permitía salir al patio durante uno o más bloques de tiempo específicos, de los cuales había cinco al día en cada patio.

El tiempo que se les permitía era sobre la base de una recompensa incremental. Si te portas bien, tendrás menos restricciones. Si metías la pata o te ibas de la lengua, el sol se convertía en un recuerdo lejano. El resultado neto era que sólo había veinte o veinticinco reclusos fuera del patio en un momento dado, y los guardias casi los superaban en número. Algunos incluso circulaban con ellos por el patio. La mayoría los observaba desde las torres, las pasarelas o los muros.

En el Patio, como en cualquier otro lugar de la prisión, la administración intentaba mantener un equilibrio entre la población blanca, negra e hispana en todo momento y lugar. No porque les importara, como bien sabía Ortega. Era porque no querían que un montón de quejas aparecieran en el *New York Times* y el *Washington Post*. Los reclusos aprovechaban cualquier oportunidad para joderles y gritar: "¡Brutalidad! ¡Racista! U homófobo!" Eso funcionaba siempre.

Pero, normas penitenciarias y equilibrio racial aparte, era inútil. Los presos hacían lo que querían y se segregaban automáticamente en grupos étnicos de blancos, negros e hispanos, le gustara o no al sistema. ¿Por qué no? Ésos eran sus amigos, y cada uno prefería juntarse con los suyos. Así era en todas las prisiones y en todos los comedores de los institutos del país, porque así eran las cosas.

El Patio no era grande, con cuatro puertas de acero reforzado en las entradas a los tres pabellones de celdas y al ala administrativa de la prisión, donde se encontraba la enfermería. Esa era una de las que casi nunca se abrían. Por eso, cuando José Ortega salió lentamente por esa puerta, apoyado en su andador y escoltado por dos "enfermeros" Hack vestidos de blanco, las cabezas se giraron y José Ortega atrajo la atención sorprendida de todos los demás reclusos y Hack del Patio.

Miró a su alrededor, pero nada había cambiado durante su ausencia. Ocho reclusos negros sudaban y gruñían alrededor del equipo de levantamiento de pesas, sobre todo para impresionarse unos a otros o a los Hacks que rondaban cerca. Los reclusos hispanos seguían reunidos alrededor de las mesas de picnic de hormigón en una esquina del patio. Vio a Paco Gutiérrez, del cártel de Tijuana, y a Joaquín Ángel Rodríguez, del cártel del Golfo, sentados con las cabezas juntas, hablando con tres ex pistoleros del cártel, el ex alcalde de Guadalajara y un senador federal mexicano. A José Ortega le parecieron media docena de mexicanos de mediana edad y con sobrepeso que se reían de chistes verdes en español.

En la esquina opuesta, Angus Bodine y tres de los líderes de su banda de moteros estaban sentados en otro grupo de mesas con tres paletos de aspecto aún más estúpido, hablando y riendo de forma similar, pero en inglés. Y la mesa de José Ortega estaba vacía. Eso fue muy deprimente. Lo que habría sido más deprimente habría sido ver que le habían dado su mesa a los depredadores y pervertidos, pero ellos normalmente nunca venían aquí. Tenían su propio patio.

Tras el apuñalamiento, los demás reclusos supusieron que la próxima vez que verían a Ortega sería en una bolsa de goma negra en la parte trasera de la furgoneta del forense del condado, rumbo a la morgue. Los hermanos no tardaron en darse cuenta de que aquello no tenía nada que ver con ellos, se encogieron de hombros y volvieron a sus pesos. Los presos hispanos, sin embargo, se levantaron y se apresuraron a saludarlo, sonriendo y dándole palmadas en la espalda, hasta que Chen los detuvo. "¡Idiotas! ¿Queréis matarlo?", gritó, y retrocedieron rápidamente.

Pero Ortega no había pasado por todo ese dolor y se esforzó por bajar al Yard sólo para ver mexicanos. Les estrechó la mano y sonrió, pero se dirigió rápidamente a la mesa de Angus Bodine. El jefe de los moteros había encendido un cigarrillo en cuanto vio a Ortega entrar por la puerta y le observó con una sonrisa irónica y los ojos fríos de un tiburón mientras se acercaba. Los dos hombres intercambiaron asentimientos cómplices antes de que Ortega hiciera un gesto a Chen y Mohammid para que se marcharan. Se subió al andador para parecer más alto y sano. Sólo entonces atravesó el patio en dirección a los motoristas, ignorando el dolor de las cuchilladas que le subían por la espalda como rayos a cada paso que daba, pero se negó a mostrar la más mínima debilidad. Aquí no.

Bodine lo vio venir y gruñó: "¡Largaos!" a sus amigos paletos como un oso pardo huraño que sale de su hibernación invernal. "¡Ahora!" y se largaron rápidamente mientras José Ortega se sentaba pesadamente en el banco frente a su jefe.

Bodine lo estudió un momento y luego observó: "Los Hacks han estado bastante inquietos desde tu pequeño 'incidente' aquí fuera". José le siguió con la mirada mientras observaba despreocupadamente a los guardias apostados en las paredes y torres a su alrededor que miraban fijamente a Ortega.

"Deberían". Ese chico casi me mata, Angus. ¿Dónde diablos estaban tus hombres?"

Bodine bajó los ojos, avergonzado. "Sí, mira, lo siento. Esos dos..."

"Eran tus hombres, Angus. Si hubieran trabajado para mí, estarían en el desierto arrancando cactus. Te pagué para que me protegieras y fallaste. Ahora me lo debes".

"Supongo que tienes razón. ¿Cómo puedo arreglar esto, José?"

"Se supone que somos compañeros. ¿Te acuerdas? ¿Mis drogas, para la distribución y protección de tu banda de moteros? ¿Incluyéndome a mí? Hemos hecho mucho dinero juntos, Angus. ¿Recuerdas? Bueno, ahora me debes 'a lo grande', como les gusta decir a los gringos".

"Supongo que sí. Pero sé que tienes algo en mente. ¿Qué quieres que haga, José?".

"Un pequeño trabajo para mí, en Carolina del Norte."

"¿Carolina del Norte?" preguntó Bodine, sorprendido.

"¿Supongo que tienen gente allá atrás? Un capítulo distante de su ... ¿cómo se llaman? ... Su nación aria redneck biker fraternidad? "

"Lo suficientemente cerca, pero sí, ah tiene mah chicos de vuelta allí. Y tengo un abogado en Atlanta llamado Mayfield. Tiene un problema de "polvo blanco" en la nariz, si sabes a lo que me refiero. Así que dime a quién quieres que maten, se lo diré al abogado, y él llamará a mis chicos. Lo harán, lo prometo".

"No, no matar a nadie... Esta vez no". José sonrió. "Es 'somfin' diferente ..."

El juego había comenzado, pensó José Ortega.

Ninguna prisión podía retenerlo. Ninguna herida podía detenerlo, porque tenía una sed de venganza que no podía saciarse, no hasta que Consuela y ese gringo Burke estuvieran ambos bajo tierra criando gusanos.

Los labios de Ortega se curvaron en una fina sonrisa mientras se inclinaba hacia delante, ignorando el dolor de espalda, mientras le decía a Bodine exactamente lo que quería que hicieran él y sus hombres.

El partido había comenzado.

CAPÍTULO VEINTITRÉS

Centro comercial Fayetteville

Después de que todos tuvieran unos días para relajarse y recuperarse de la fiesta de los Merry Men en Sherwood, Linda decidió que era hora de un poco de R&R y un poco de unión madre-hijo. Empezaban las rebajas en los grandes almacenes, así que era el día perfecto para ir al gran centro comercial de Fayetteville. Después de acostar a Eddie, de tres años, para su siesta matutina, llamó con antelación y concertó citas por la tarde con su peluquería y salón de manicura favoritos, que tenían una estupenda zona de juegos para niños. Cuando Eddie se despertaba, iban a comer y a ver a los cachorros.

Entre Bob, Ace, los Geeks y las docenas de Deltas que a menudo "pasaban por el barrio" y se dejaban caer por allí, cualquier día, a cualquier hora, el bosque de Sherwood siempre había sido un corralito masculino, una "cosa de tíos" y Linda necesitaba desesperadamente salir de allí de vez en cuando. Como siempre, Eddie era la excusa perfecta. Y Dios sabe que él siempre estaba dispuesto. ¿Por qué no iba a estarlo? Podía viajar en su nueva sillita en la parte trasera del coche con mamá, sin tener que compartirla con su hermana mayor Ellie o con papá.

El viaje siempre incluía la gran zona de juegos del centro comercial, con los toboganes y la piscina de bolas, y terminaba con un helado y la tienda de animales, los dos lugares favoritos de Eddie. Y ella pasaba por su restaurante favorito de costillas de Carolina y traía a casa seis trozos grandes y una gran ensalada, ensalada de col, patatas asadas y hush puppies para cenar. No fue un mal día.

"¡Viaje por carretera!" cacareó Linda mientras levantaba a Eddie de la cama. Él ya tenía una gran sonrisa cuando ella lo hizo rebotar en su cadera y se dirigió al intercomunicador de seguridad en la pared de la habitación de Eddie. "Mike", le dijo al supervisor de seguridad del turno de día. "Voy a llevar a Eddie al centro comercial para que se maquille y vea ropa nueva".

"Entendido, Sra. B., haré que Ernie Pollard traiga el coche a la puerta principal".

"¿De verdad?", suplicó. "¿Es necesario? Esperaba poder escabullirme y conducir hasta allí yo sola", le dijo, con la esperanza de que por una vez podría salir de la propiedad sin que uno de los guardias de seguridad la siguiera, persiguiéndola a cada paso. Un deseo, pensó.

"Sabes, estamos bajo órdenes estrictas del coronel. Él ... "

"Sí, lo sé, pero puedo tener esperanzas, ¿no?", dijo ella, observando que incluso los chicos de seguridad, todos ex militares, la mayoría ex Delta, llamaban ahora a Bob "Coronel", con un evidente nuevo toque de respeto.

"Sra. B, he hablado con Ernie y todos los demás chicos y les he dicho que usen un toque muy ligero para que tenga todo el espacio que quiera, pero sabe que ha habido incidentes en el pasado, y ..."

"Sí, sí, lo sé", Linda sabía que no ganaría, así que no tenía sentido discutir. "Veré a Ernie en el coche de enfrente en cinco minutos."

Ella ya no quería oír hablar de ello, pero Bob seguía recordándole de todos modos que hacía sólo unos años que un profesor de sociología radical como una cabra -¿acaso hay de otro tipo, empezaba a preguntarse ella?- con una pistola y una caja de explosivos plásticos C-4 la había secuestrado en el porche del bosque de Sherwood. Fue una jugada de la que pronto se arrepintió. Y no podía olvidar a aquel policía militar chino que disparó un cohete antitanque LAW contra la camioneta de Bob frente a la puerta principal y convirtió en palillos de dientes uno de los grandes pinos de Cedar Creek Road.

Y casi se había olvidado de aquella banda rusa de Brooklyn que hizo pasar un montón de camionetas por la puerta principal y disparó contra la fachada de la casa con AK-47. O el loco del doctor Lawrence Greenway, su jefe por aquel entonces. Linda le metió dos balas Magnum 357 en el "centro de masa corporal", como lo llamaban Bob y Ace, y lo hizo caer desde el tejado de su edificio de oficinas en Chicago. Pero aquel chiflado tenía una pistola apuntando a la cabeza de Ellie, así que "¿Qué puede hacer una chica?". Además, eso era antes, y ahora es ahora. A ella le molestaba todo lo que restringiera su estilo de vida sin pedirle permiso, pero estaba atascada. Le gustara o no, a Bob le daría un ataque si intentaba salir del complejo sin uno de los guardias de seguridad. "No me gustaría tener que buscar una nueva esposa", le dijo. "Los nuevos modelos son mucho más caros."

Cross Creek Mall está a unos veinte minutos de Sherwood Forest, en la esquina noroeste de Fayetteville, no lejos de Fort Bragg. Con un centenar de tiendas, podía matar fácilmente varias horas entre la peluquería y una docena de tiendas de ropa de mujer, buscando rebajas, sobre todo en trajes de baño, que tan desesperadamente necesitaba. Obviamente, fabricaban los suyos viejos con un material que se encogía solo, lo que garantizaba que las mujeres tuvieran que comprar unos nuevos cada año.

Eddie ya era demasiado mayor para un cochecito, así que tuvo que dejarle correr libre. Pero con Ernie Pollard detrás, había cuatro ojos sobre el niño, así que no iba a ir muy lejos. Cuando Eddie se cansaba e inquietaba de tanto correr, iban a la heladería y luego pasaban por la tienda de animales para que hablara con los cachorros. Para ser un guardia que llevaba una pistola grande bajo la chaqueta, Ernie le daba todo el espacio que necesitaba.

Después de la peluquería y las tiendas de ropa, Linda tuvo que admitir que le estaba costando, así que hicieron una parada para tomar un helado. Estaba agachada, intentando limpiarle la cara con la tercera toallita húmeda, cuando echó un vistazo a su reloj y vio que eran casi las cuatro de la tarde. La hora de Mickey Mouse, como siempre la llamaba Bob. Hora de recoger las costillas y volver al granero, ya que Ellie estaría en casa del colegio más o menos cuando ellos llegaran. Afortunadamente, con las costillas sumadas al resto de la comida que había sobrado de la barbacoa, no tendría que preocuparse de cocinar, tal vez durante la próxima semana o dos.

Eddie caminaba a su lado, riendo con los ojos muy abiertos y señalando cosas en los escaparates, cuando vio la tienda de animales tres puertas más abajo, donde entraba el pasillo lateral de servicio. Como de costumbre, gritó: "¡Cachorros!". Y despegó como un misil teledirigido.

Fue entonces cuando ocurrió.

En cuestión de segundos, cinco "moteros" con tatuajes, chalecos vaqueros, pantalones de tiro bajo, cadenas y coletas aparecieron de la nada. Uno de ellos cogió a Eddie delante del escaparate de la tienda de animales. Linda corrió inmediatamente hacia él, pero otros dos matones la agarraron por los codos y la apartaron del escaparate. En cuestión de segundos, aquellos dos la tenían bajo control, marchando a paso ligero por la puerta lateral del pasillo detrás del tipo que llevaba a Eddie.

En cuanto empezó a bajar, Ernie Pollard, su guardaespaldas, metió la mano en la chaqueta para sacar la pistola Glock de 9 milímetros que llevaba en una funda de hombro, pero antes de que pudiera terminar de sacarla, otros dos motoristas aparecieron por detrás y le agarraron de los brazos. Eran los más fornidos de los cinco motoristas y no esperaban ningún problema de un guardaespaldas rechoncho. Pero Ernie era un marine duro. Tenía que serlo para sobrevivir a los Delta del Ejército en el bosque de Sherwood.

"Una vez cabeza hueca, siempre cabeza hueca", decía Bob, parafraseando el mantra del Cuerpo de Marines. Pero Ernie había ganado dos Estrellas de Plata por las malas en la provincia afgana de Helmand, que fue donde Bob lo conoció. Según el antiguo comandante de batallón de Ernie, a quien Bob telefoneó personalmente. Dijo que Ernie era un hijo de puta desagradable y eficaz. Eso era exactamente lo que Bob quería, así que le concedió la absolución por lo de marine y lo contrató en el acto. Resultó ser una buena inversión y un complemento perfecto para el destacamento de protección que necesitaba para la familia.

Dos motoristas tenían a Ernie agarrado por los brazos, pero Ernie era fuerte y tenía la constitución de un bombero. Se agachó, soltó un brazo y alcanzó a uno de los motoristas con un codazo corto y seco en el plexo solar, que le dejó sin aliento y probablemente le rompió varias costillas al mismo tiempo. Volviéndose hacia el otro, le asestó un derechazo en el puente de la nariz. Ernie se volvió hacia el primero y le dio un codazo en la nuca. Liberado de esos dos, por fin pudo meter la mano bajo la chaqueta para coger la Glock. Por desgracia, uno de los motoristas que sujetaba a Linda se le había adelantado. Ya tenía la pistola desenfundada, se giró y disparó a Ernie en la pierna, haciéndole caer al suelo, agarrándose la herida.

"¡Mami!" Eddie gritó, tratando de alcanzar a Linda.

"Venga y mantenga la bocaza cerrada, señora, y nadie saldrá herido; al menos, ni usted ni este chico", le ordenó uno de los motoristas que la sujetaban. "¿Entendido?"

El que sujetaba a Eddie tenía a un tigre por la cola. El niño de tres años era fuerte y podía ser tan desagradable y decidido como su padre cuando quería, arañando, pateando y mordiendo, pero estaba muy por encima de su categoría de peso. El motorista dio media vuelta y echó a correr por el estrecho pasillo de servicio con Eddie al hombro.

Linda gritó que se detuvieran, pero sabía que no lo harían y no tuvo más remedio que seguirles la corriente. De mala gana, hizo lo que él le dijo y se quedó callada por el momento. Pero no era una mujer con la que se pudiera jugar. Si no hubieran tenido a Eddie, habrían tenido una gran pelea en sus manos. Los otros dos seguían sujetándola por los brazos y la empujaron por el pasillo. Detrás de ella, oyó dos disparos más, pero eso sólo hizo que los motoristas corrieran más rápido, más allá de los baños, por una puerta de emergencia, y en el estacionamiento más allá.

"Si fuerais muy listos, nos bajaríais ahora mismo", les advirtió Linda.

"¿Qué? ¿Quiere decir que no le parecemos listos, señora?", le gruñó uno de ellos.

"No tienes ni idea de en cuántos problemas te has metido".

¿"Nosotros"? Tiene imaginación, señora. Como te dijo Gus, mantén la boca cerrada".

Así que lo hizo, porque sabía que su atención debía estar completamente en Eddie ahora. Ella les advirtió, pero no le creyeron. Pronto lo descubrirían.

Los motoristas empujaron a Eddie y Linda a través de la salida de emergencia situada al final de la puerta del pasillo y los introdujeron en una furgoneta negra que les esperaba en el aparcamiento. Empujada al suelo, atrajo a Eddie hacia sí, envolviéndolo en ambos brazos y abrazándolo mientras la furgoneta se alejaba a toda velocidad, dejando tras de sí nada más que el olor a goma quemada.

CAPÍTULO VEINTICUATRO

La cubierta trasera, Sherwood

Mi teléfono móvil tiene una pantalla digital con la hora en 24 horas "continental" o militar. Estaba sentado en la cubierta trasera con Ace tomando una cerveza al final de la tarde, viendo cómo los vendedores desmontaban las últimas tiendas. Las estaban cargando, junto con las sillas y las mesas, en la parte trasera de un camión de plataforma, cuando sonó el pitido de mi teléfono. El reloj marcaba las 4:09. Mi identificador de llamadas decía "Harry Van Z", que yo sabía que era Harry Van Zandt, un detective de la policía de la ciudad de Fayetteville y un viejo amigo que había estado en la fiesta unas noches antes.

"¡Harry! ¿Todavía tienes resaca?" le pregunté con una sonrisa. Al mismo tiempo, recibí de repente otras dos llamadas entrantes. Eso era extraño, pensé, porque mantengo los números de mi móvil muy, muy privados. No era habitual recibir una llamada, y mucho menos tres al mismo tiempo.

"Bob, supongo que alguien ya te ha llamado..." Harry comenzó apresuradamente.

"¿Sobre qué, Harry?" pregunté, aún sonriendo.

"Mira, sólo quiero que sepas que George y yo estamos en ello. Ya estamos en el centro comercial y George está..."

"¿Qué quieres decir con que estás en el centro comercial?" Me incorporé rápidamente. "¿De qué demonios estás hablando, Harry?"

Hubo una fea pausa al otro lado antes de que finalmente fuera al grano. "Bob, parece que Linda ha sido secuestrada. O estamos bastante seguros de que lo ha hecho, en el centro comercial con el pequeño Eddie, pero supuse que alguien más ya te había llamado."

El corazón se me subió a la garganta. Al instante pasé de ser el viejo jubilado sentado en la silla Adirondack al arcángel vengador Robert, a punto de descargar la ira de Dios sobre la cabeza de alguien, con llamas, rayos y todo.

"Vale, háblame, Harry. ¿Qué sabes?"

"Las cosas todavía están un poco fluidas por aquí, Bob, pero parece que cinco motoristas agarraron a Linda y a tu hijo delante de la tienda de mascotas. Tenemos aquí a un tipo llamado Ernie Pollard, que dice que trabaja en seguridad para ti y es el guardaespaldas de Linda. ¿Es eso cierto?"

"Entendido, Ernie Pollard, trabaja para mí".

"Disparó y mató a un motorista que le disparó e hirió a un segundo, pero recibió un disparo en la pierna y no pudo continuar la persecución. Está aquí en el lugar siendo atendido por los paramédicos de la ciudad. Los otros tres motoristas sacaron a Linda y al chico por la entrada de servicio y los metieron en la parte trasera de una furgoneta negra, que parece que les estaba esperando en el aparcamiento, y luego se marcharon."

"¿Dónde están Linda y Eddie ahora?" Pregunté.

"No lo sabemos, Bob, ojalá lo supiera. La furgoneta se alejó y están en el viento."

¿Secuestrado? ¿Por moteros? ¿Linda? El cerebro me daba vueltas. "¿Supongo que han cerrado el centro comercial y todas las carreteras principales?" Golpeando a ciegas, tratando de mantener todo bajo control.

"Por supuesto. Nuestro grupo de gestión de crisis se está poniendo en marcha y todo eso está ocurriendo ahora mismo. Están comprobando todas las cámaras que podemos encontrar dentro y en las carreteras principales, y he puesto un APB a la policía local, del condado y estatal."

"¿Conseguiste la marca y el modelo de la furgoneta? ¿Y el número de matrícula?"

"Todavía estamos trabajando en todo eso, Bob, pero lo tenemos bajo control. Mira, necesitas calmarte".

"Estoy tranquila, Harry. No me excito, me equilibro. ¿Te acuerdas? ¿Qué pasa con la furgoneta?"

"Tiene matrícula de Tennessee, pero sólo tenemos una parcial. Estamos en contacto con el Departamento de Transporte de Tennessee y he solicitado un bloqueo de la Policía Estatal en las principales carreteras de Carolina del Norte en dirección norte hacia Charlotte, Winston-Salem y Raleigh. La Policía Estatal de Tennessee está poniendo sus ojos en todos los puntos de cruce. Pero miren, me tengo que ir. Te mantendré informado en cuanto pueda".

"Voy para allá. Quiero hablar con ese motorista, Harry".

"No, no, Bob. No puedes hablar con él, ni ahora ni nunca. Déjanos hacer nuestro trabajo. La encontraremos y la traeremos de vuelta. Quédate ahí arriba y mantén a los indios en la reserva por mí hasta que lo hagamos. ¿De acuerdo? Lo último que necesito es un montón de Deltas corriendo por mi escena del crimen".

Los indios, ¿eh? "Está bien, Harry, está bien, entiendo", le dije mientras sentía que el vapor se acumulaba y los Burkes no están construidos con válvulas de seguridad. "Esperaré aquí junto al teléfono hasta que tenga noticias tuyas", le dije, tumbado como una alfombra, mientras colgaba. Comprendí perfectamente lo que Harry intentaba decirme acerca de no ir al centro comercial, y probablemente me habría dicho casi lo mismo a mí misma, pero no estaba dispuesta a escuchar nada de eso.

Me levanté y me volví hacia Ace. Por los fragmentos que oyó y mi expresión, supo que algo de proporciones cósmicas iba muy mal, y ya estaba en pie. "¡Vámonos!" le dije, tratando de no desahogarme con él ni con nadie de por aquí, mientras salíamos a la carrera por la parte de atrás y subíamos por el lateral de la casa donde estaban aparcados nuestros camiones.

"Ponme al corriente", dijo mientras corríamos, uno al lado del otro. "¿Escuché algo sobre Linda y Eddie?"

"Secuestrado", dije. "En el centro comercial."

"Llevaremos mi camioneta", dijo. "Yo conduciré. No estás en condiciones".

Por un segundo, iba a discutir, pero luego me detuve y dije. "Tienes razón, como siempre. Además, puedo aprovechar el tiempo para hacer algunas llamadas".

CAPÍTULO VEINTICINCO

Centro comercial Cross Creek, Fayetteville

Incluso conociendo todos los atajos que hay por Fayetteville entre Sherwood y el centro comercial, llegamos a Cross Creek en la mitad del tiempo que cualquier conductor razonablemente prudente debería haber tardado. Pero ni Ace ni yo éramos razonables ni prudentes en ese momento. Sabiendo que los policías de la ciudad, y probablemente todos sus primos del condado y del estado en el centro-sur de Carolina del Norte estaban ocupados estableciendo controles en todas las carreteras en los lados oeste y norte de la ciudad y deteniendo cada furgoneta negra que veían nos dio licencia para ignorar los límites de velocidad y las señales de tráfico a lo largo del camino.

Ace subió a toda velocidad por Cedar Creek Road hasta Grove Street, giró a la izquierda sobre dos ruedas y salió disparado por Grove Street, que se convirtió en la All-American Highway y conducía directamente a la puerta principal de Fort Bragg, pero no íbamos tan lejos. En la autopista 401, Ace se saltó la salida y el semáforo, y se dirigió hacia el sur, unos dos kilómetros, hasta el centro comercial.

Entramos en el aparcamiento del centro comercial sin problemas, y ya pude ver que los policías municipales habían acordonado las entradas del centro con cinta amarilla. Conocía a la mayoría de los policías de la ciudad por su nombre de pila, y con lo que yo hacía ahora para ganarme la vida, esas relaciones locales eran esenciales. Y lo que es más importante, todos me conocían a mí y a mi familia y lo más probable es que ya se hubieran enterado de lo ocurrido. A pesar de las órdenes que seguramente Harry había dado, nadie nos detuvo a Ace ni a mí cuando pasamos por debajo de la cinta amarilla de la escena del crimen y atravesamos las grandes puertas de cristal del centro comercial. Por el número de agentes uniformados y los brillantes flashes de los fotógrafos de la escena del crimen, era fácil ver dónde estaba la acción.

En cuanto Harry me vio, puso los ojos en blanco, casi suplicándome. "Cielos, Bob, no había necesidad de que subieras aquí. Te lo dije..."

"Sí, probablemente tengas razón, Harry, pero estoy aquí. Así que, acompáñame".

"Sería una pérdida de tiempo. Dejad que os enseñe los vídeos de seguridad", dijo mientras nos conducía a la oficina del centro comercial, que estaba en el pasillo de servicio cercano, el mismo que habían utilizado los motoristas para huir. El compañero de Harry, el detective George Greenfield, estaba allí, apoyado en la espalda de un tipo regordete con camisa blanca, un parche de "Cross Creek

Security" en el brazo y una cursi placa de pseudopolicía chapada en latón en el bolsillo de la camisa.

"Ven aquí y mira esto, Bob. Roland otra vez". dijo George a los policías de alquiler del centro comercial, señalando el monitor de vídeo. "Decidme si reconocéis a alguno de estos tipos".

Me incliné sobre el hombro del policía del centro comercial, pero no tardé mucho, apenas uno o dos minutos, en ver cómo se desarrollaban ante mis ojos las imágenes granuladas del secuestro grabadas por tres cámaras diferentes.

"Pásalo otra vez", le dije al policía del centro comercial. La primera vez que repasé el vídeo, aún estaba en estado de shock. Después me volví analítico, buscando en la cinta detalles que se me habían pasado por alto, y dejé que hicieran retroceder el vídeo y volvieran a pasar los distintos ángulos de cámara cuatro o cinco veces hasta que los conocí fotograma a fotograma.

"¿Ves algo que se nos haya pasado?" preguntó Harry esperanzado.

Sólo pude sacudir la cabeza. Por mucho que quería encontrar algo y señalar la pantalla en un momento de "¡Ah, hah!", no podía. Los motoristas llevaban el pelo largo, estaban tatuados y vestían vaqueros, cadenas y coletas. Obviamente, habían estado siguiendo a Linda y la alcanzaron cuando Eddie corrió hacia el escaparate de la tienda de mascotas, y ella le siguió. Sabían lo que hacían y sabían cómo manejar a una joven madre. Una vez que uno de ellos cogió a Eddie, Linda no tuvo más remedio que seguirlos por la puerta lateral del pasillo y salir a la furgoneta negra. Podía ver las matrículas de Tennessee que Harry había mencionado, pero tenía razón. Embadurnaron la matrícula con el barro suficiente para ocultar los números, haciendo imposible una identificación específica.

"Esos cabrones", murmuro en voz baja, sintiendo una repentina oleada de protección e impotencia por mi familia.

"¿Reconoces a alguno de ellos?" Preguntó George.

"No. Nunca había visto a ninguno de ellos... Pero hazlo una vez más", le dije, e hice que se detuviera en una toma que mostraba la espalda de uno de los motoristas. "¿Qué es eso en su chaqueta? Pasaron rápido, pero creo que todos tienen ese logo. Pone "Devil's... algo, con una cabeza de diablo".

"Son los Discípulos del Diablo", dijo el policía del centro comercial. "Los vemos aparecer de vez en cuando. Nada más que problemas, y normalmente hacemos que la policía los persiga".

"Investigaremos a esa banda", dijo Harry. "Obviamente, fue planeado y bien ejecutado, y no se parecen a ninguno de tus viejos amigos chinos o rusos, o incluso italianos, sólo a una variedad de paletos de Carolina. ¿Alguna idea de por qué te persiguen?"

"No, pero voy a averiguarlo".

"Bueno, son descarados, lo reconozco", dijo George. "Les volaremos la cara y sacaremos primeros planos de los cinco, del muerto también, y se los enviaremos al FBI, para que hagan un reconocimiento facial con su nueva base de datos. A mí no me parecen vírgenes; probablemente tengan antecedentes tan largos como mi brazo".

"¿Qué oficina del FBI?" Pregunté. "¿A dónde los envían?"

"La Oficina de Campo está en Charlotte. Es con quien solemos tratar", respondió George, sabiendo que yo también tenía mis contactos.

"Bien, pero aunque el FBI pueda identificarlos, eso no significa que vayamos a encontrarlos. ¿Dónde está el cuerpo?" Pregunté.

"El forense acaba de llevárselo. Va a revisar los tatuajes y cualquier otra cosa que pueda encontrar. Tal vez nos den algunas pistas".

"¿Y al que disparó mi chico?"

"Lo enviamos arrestado al Centro Médico Cape Fear, con cuatro policías acompañándolo. También enviamos a tu chico allí. Los médicos del Centro de Trauma son muy buenos con las heridas de bala".

"¿Cabo Miedo? Sí, lo son". Sabía que Harry me estaba diciendo "manos fuera", así que no le presioné con nada más. "Vale, gracias, chicos. Saldremos de aquí".

"Eso está bien, Bob", dijo Harry con suspicacia. "¿Qué vas a hacer ahora?"

"¿Yo? Voy a hacer algunas llamadas, soltar a los Geeks y volver al granero. Vosotros seguid haciendo lo que estáis haciendo, centraros en la furgoneta y en dónde han ido. Tal vez en los controles de carretera aparezca algo. Voy a contactar a algunas personas que podrían saber quién los envió y darnos una pista del "por qué". Con suerte, nos encontraremos en el medio. Pero gracias por dejarme ver esa cinta". Les estreché la mano y Ace y yo nos apresuramos a entrar en el centro comercial y salir al aparcamiento.

"¿De verdad te estás echando atrás?" Preguntó Ace.

"¿Qué te parece?" Le fulminé con la mirada.

Cuando llegamos al camión de Ace, mi móvil volvió a sonar. Era Mike Burton, mi jefe de seguridad. Había recibido un par de llamadas suyas que no contesté durante el trayecto, porque tenía la cabeza en otra parte, pero sabía que ya era hora de hacerlo. "Vale, Mike, SitRep", le pregunté mientras estábamos junto al camión, y le puse en el altavoz. "¿Qué demonios ha pasado?"

Mike estaba fresco y tranquilo como de costumbre, todo militar, y no perdió el tiempo. "La policía se llevó el móvil de Ernie Pollard. Le quitó uno a un médico de la ambulancia y me llamó, quisiera o no el tipo. Ernie dijo que fue con Linda al centro comercial. Condujo, como ambos sabíamos, según nuestro procedimiento estándar, señor. Ya conoce a Ernie, lo hace todo según las normas. Como sea, detuvieron la hemorragia y lo están llevando al Hospital del Ejército Womack en Bragg. El motorista herido yace a su lado en la otra camilla, con dos patrullas de la policía de Fayetteville haciéndoles interferencia. Ernie estaba armado. Disparó a dos de ellos, mató a uno e hirió a este otro, pero insistió en llamar e informar".

"Buen hombre". Lo siento, Mike. Perdí los estribos. ¿Cómo está?"

"La herida de bala en su pierna está atravesada. Pero es un marine. Desayunan plomo. Se pondrá bien".

"Me alegro de oírlo", le dije mientras respiraba hondo, intentando tranquilizarme.

"Linda es una mujer fuerte e ingeniosa, Bob", dijo Mike. "Ella también estará bien".

De repente, algo que dijo Mike me impactó. "¡Un momento! ¿Dijiste que llevaban a Ernie y al motorista a Womack? ¿En Post? Harry Van Zandt dijo que los llevaban al Cape Fear Medical, aquí en la ciudad".

"Quizá ese era el plan original, no lo sé. Tal vez Cape Fear estaba lleno. Pero Ernie definitivamente dijo que los llevarían a Womack. De hecho, insistió en Womack, que está más cerca del centro comercial que Cape Fear".

Ace estaba de pie escuchando la conversación y empezó a asentir y a sonreír. "Me he tomado unas cuantas cervezas con Ernie", dijo. "Es un marine orgulloso, y prefiere morir antes que ir a un hospital civil. Un hospital del Ejército ya es bastante malo. Y ya conoces la VA, si no empiezas bien el papeleo, se fastidia todo. Probablemente insistió, y ese viejo oso pardo no es la clase de tipo con el que un técnico de ambulancias civil por horas vaya a discutir".

"¡Bazinga!" Ace estuvo de acuerdo mientras nos sonreíamos. "Llama a Sharmayne. Yo conduciré".

"Exactamente lo que estaba pensando", dije mientras nos amontonábamos en su camioneta.

CAPÍTULO VEINTISÉIS

Aparcamiento del centro comercial

La suboficial jefe y agente especial Sharmayne Phillips dirigía la oficina de la División de Investigación Criminal o CID del Ejército en Fort Bragg. Formaba parte del Batallón de Policía Militar y dependía directamente del Jefe de Policía de Fort Bragg. La CID era como el FBI o el NCIS. Se encargaban de las investigaciones penales en el puesto o en las que estuviera implicado personal del Ejército, como hacían en todas las demás partes del Ejército.

Sharmayne y yo no nos llevábamos muy bien cuando se hizo cargo de Bragg. Eso es un eufemismo leve. Pero llegamos a un acuerdo cuando se dio cuenta de que yo casi siempre tenía razón y ella casi siempre se equivocaba. Eso supone un duro golpe para el ego de cualquier mujer, como Linda y ella solían lamentar. ¿Qué puedo decir?

Marqué su número y contestó al tercer timbrazo. "Sharmayne Phillips, señor. ¿En qué puedo ayudarle?", empezó su saludo militar estándar hasta que miró la pantalla y vio que era yo. "Oh, Dios, Bob, acabo de enterarme de lo de Linda. No me lo puedo creer. ¿Hay algo que pueda hacer?"

"En realidad, sí la hay", respondí. "Por eso he llamado. Tal vez pueda resolverme una pequeña duda. ¿Estoy en lo cierto en que el CID, como representante oficial del Provost Marshal, tiene total autoridad sobre todas las personas y todas las instalaciones del puesto en tiempos de emergencia?"

Hizo una pausa, sorprendida por mi pregunta. "Sí, claro que sí".

"¿Y eso significa que tú?"

"Uh, entendido, sólo el viejo yo", respondió toda burbujeante hasta que se dio cuenta de con quién estaba hablando, que no tenía ni idea de lo que yo quería decir, y que no se fiaba de mí ni un pelo. "¡Muy bien! ¿En qué demonios me estás metiendo esta vez?".

"¿Puedes reunirte conmigo en el Centro de Trauma Womack en el puesto, digamos, en cinco?"

"¿Y me vas a decir de qué va esto?".

"¿No lo hago siempre? Ah, y ¿puedes hacer que un escuadrón de Guardias de Seguridad de la Policía Militar se reúna con nosotros allí?"

"¿Quieres un escuadrón de policías militares también? ¿Vas a decirme de qué va todo esto?"

"Vestido de batalla completo, y quiero que cierren el lugar."

"¿Quieres que haga qué?"

"Te lo explicaré todo en cuanto llegue. ¿No confías en mí?"

"¡Diablos, no, no confío en ti!"

"No importa. Te veré allí en cinco... Ah, y hay una ambulancia llegando a Womack desde la ciudad con dos pacientes y quizá cuatro policías municipales. Déjalos entrar, pero no los dejes salir. Es una instalación del ejército, ¿verdad? "

"Sí, pero..."

"No 'Yeah-buts'. Tú eres el jefe, ¿verdad? No importa lo que diga la policía...
... Linda y Eddie han sido secuestrados. Te lo explicaré más tarde".

"¿Qué? ¡Burke!", dijo, pero colgué antes de que dijera nada más.

Ace sólo tardó cuatro minutos en llegar en coche desde el centro comercial Cross Creek Mall hasta la entrada del Centro de Traumatología del Hospital del Ejército Womack de Fort Bragg. Es imposible no verlo: un gran monolito de ladrillo rojo de siete plantas con 138 camas para pacientes que domina la parte central del puesto. Una vez en el puesto, condujimos más despacio, porque los policías militares de allí no dan tregua a los que van demasiado rápido, ni siquiera a Ace o a mí.

De camino a la autopista All-American Highway, marqué el número de Phil Henderson. Phil era el agente especial a cargo de la oficina estatal del FBI en Trenton, Nueva Jersey, normalmente llamado "el SAC". Pero hay SAC grandes y hay SAC pequeños. Phil había sido un SAC muy pequeño en la oficina del FBI de Northfield (Nueva Jersey), cuyo fracaso estaba garantizado, y que nunca pudo seguir el ritmo de los chanchullos de la mafia en la cercana Atlantic City hasta que el Ratoncito Pérez le dejó bajo la almohada un montón de libros de contabilidad reales de los casinos de la mafia.

Phil pasó rápidamente de ser el único agente en una diminuta oficina en un callejón sin salida a dirigir la sede central del estado, un gran puesto en SAC con un gran personal situado en un lugar muy importante. Desde entonces, Phil nunca dejó de responder o devolver mis llamadas.

"¡Fantasma!", contestó agradablemente al tercer timbrazo, usando mi mango Delta. "Gran fiesta el sábado por la noche. A mi mujer le encantó. ¿Qué puedo hacer por ti?"

"Necesito tu ayuda, Phil. Alguien ha secuestrado a Linda y a Eddie", le dije, yendo directa al grano, contándole rápidamente los detalles del ataque en el centro comercial, la banda de motoristas y la furgoneta negra con matrícula de Tennessee. Estoy seguro de que oyó cómo me invadían la ira y la frustración, así que fui breve.

"Maldita sea", le oí murmurar enfadado. "Voy a llamar al Director en cuanto cuelgue el teléfono. Sabe lo mucho que nos has ayudado en el pasado. Se lo dije, y Sal también".

"¿Sal?" pregunté, muy sorprendido.

"Incluso Sal. Puede que no te lo diga, pero sabe que te lo debe y se lo ha dicho al director. El director también me comentó que Ramón Arenas, el SAC de Miami, también le dijo algo sobre tu ayuda. No sabía de qué iba todo eso, pero cuanto más mejor".

"Te lo contaré la próxima vez que te vea. Ramón también recibió unos huevos del Conejo de Pascua".

"Estupendo. De todos modos, voy a conseguir que el Director de grupo de trabajo esta cosa ".

"La policía de Fayetteville acaba de enviar fotos de los motoristas a tu oficina en Charlotte. Tienen un montón de buenas fotos de cabezas de las cámaras y se supone que tus chicos las pasarán por reconocimiento facial. Y creemos que ya hemos identificado a la banda a la que pertenecen".

¿"Los policías de la ciudad"? ¿Era tu amigo Harry Van Zandt? Lo conocí en la fiesta. Iré a Charlotte, ataré a Harry, y traeré a nuestras unidades de bandas y secuestros del edificio Hoover. Luego podemos pasar todo por nuestras bases de datos y comparar notas en breve. Y en cuanto termine esta llamada, pondré al Equipo de Rescate de Rehenes de Quantico en espera y haré sonar todas las alarmas que pueda encontrar en DC. De nuevo, todo lo que tengamos es tuyo".

"Gracias, Phil. Por eso he llamado. Tienen un motorista en el hospital y estoy a punto de interrogar ... "

"No lo mates. Sé que eres bueno en esto, pero nosotros somos mejores. Cuando le pongamos las manos encima, podremos exprimir hasta la última gota de ese pavo".

"Entendido, y luego voy a soltar a los Geeks sobre ellos también. La verdadera pregunta no es quién, es por qué".

"En pocas palabras, Bob, has acumulado más enemigos de la cuenta. Era inevitable que uno de ellos fuera a por ti. Así que ten cuidado. Llegaremos al fondo de esto y removeremos cielo y tierra para recuperarlos".

"Gracias, Phil. Sé que puedo contar con vosotros", le dije mientras entrábamos en el aparcamiento del Centro de Traumatología Womack.

"Lo comprobaré en cuanto salga con el director", dijo y se marchó.

"¿Alguien más a quien podamos llamar?" preguntó Ace, con los ojos llenos de determinación.

"Bueno, están el General Jacobson y el Coronel Jeffers en el JSOC," dije. "Si alguien puede ayudarnos a encontrar a Linda y Eddie, son ellos".

"Bob, me sorprendería que el Coronel Jeffers no se haya enterado ya. Y si él sabe, Jacobson sabe. Normalmente son los primeros en enterarse. Pero después de que terminemos aquí, tienes que llamar a los Geeks. Son nuestra arma secreta número uno".

"Recibido".

CAPÍTULO VEINTISIETE

Culiacán, México.

Era última hora de la tarde y el aire estaba en su punto más opresivamente caliente en el centro de la ciudad. El hormigón y el asfalto se habían pasado todo el día absorbiendo el calor abrasador. Ahora, a última hora del día, le devolvía el favor y seguía irradiándolo hacia el exterior, lo quisieran o no.

Consuela Ortega seguía echando de menos su exuberante jardín y las colinas abiertas y azotadas por el viento que rodeaban su antigua hacienda, pero aquellos días se habían ido y ya nada los traería de vuelta. Se tumbó en la cama completamente desnuda y lamentablemente sola una vez más. Su espacioso dormitorio principal ocupaba la mitad del extremo oeste de la tercera planta de su mansión en el centro de Culiacán, y no podía refrescarse. Había abierto de par en par las puertas francesas de todos los balcones que recorrían tres lados de la habitación. Permitían que soplara la más leve brisa de la tarde, y el aire se había vuelto por fin medianamente tolerable.

Podía cerrar todas las puertas y encender el aire acondicionado central, pero lo odiaba. Estaba convencida de que el aire frío y seco le resecaría la piel y la convertiría en una anciana. No, prefería quedarse aquí tumbada y sudar, aunque no fuera por culpa del tiempo. Necesitaría un gran cubo de agua helada para refrescarse de lo que había estado haciendo durante las últimas tres horas, entreteniendo a uno de los jóvenes y muy en forma profesores de baile de la escuela de su hija. O, mejor dicho, permitiendo que el joven la entretuviera a ella, de la forma más enérgica. Últimamente, sus gustos se inclinaban hacia hombres más jóvenes y vigorosos como él, pero hoy ni siquiera eso le proporcionaba satisfacción o sueño.

Era la estación en que los vientos de Santa Ana soplaban hacia el oeste desde los desiertos. Su aire caliente y seco se deslizaba por los valles de las montañas y enloquecía a la gente de ansiedad, inseguridad, envidia, depresión y paranoia. ¿Paranoia? ¿Tener a los hombres de seis cárteles de la droga mexicanos intentando matarte cada día con balas, drogas y bombas es paranoia? Difícilmente. Tampoco era algo que una larga fila de jóvenes viriles pudiera satisfacer.

Consuela lo había visto vestirse y salir por la puerta, creyendo que dormía. Le dirigió una última mirada anhelante y, por un momento, pensó en volver a llamarle, pero decidió no hacerlo. Ya era suficiente, por ahora. En el pasillo, cuando el joven cerró la puerta tras de sí, Pierre, su guardaespaldas, se levantó del sillón donde esperaba pacientemente.

Pierre siempre se mostraba franco y sin prejuicios. Le habría dado al joven un sobre con una cantidad considerable de dinero como regalo, abriendo y cerrando la hoja de su estilete como advertencia cortés para que mantuviera la boca cerrada y sus pensamientos para sí mismo en relación con la tarde que acababa de pasar con la Jefa y sus "preferencias" a veces inusuales.

Como todo el mundo sabía en Culiacán, las advertencias de Pierre nunca debían tomarse a la ligera. Tenía los ojos fríos de una víbora de fosetas y podía ser aún más letal con ese cuchillo.

Oyó que la puerta principal se cerraba, lo que hizo sonreír a Consuela, ligeramente avergonzada pero perversamente orgullosa al darse cuenta de que acababa de agotar a otro atractivo y joven amante. ¿Pero eran ellos los que rejuvenecían o era ella la que envejecía? Bueno, pensó mientras se estiraba lánguidamente sobre la cama, se había convertido en su elixir de juventud, y la mantenía joven sin edad. Y como todos los demás, éste era una mejora cualitativa respecto a un viejo gordo y estúpido como su marido José.

Finalmente, renunció a la siesta y se levantó de la cama, vistiéndose con su tapado de seda más fino, se acercó a la ventana y salió al balcón. Encendió un cigarrillo y aspiró profundamente. Abajo, la ciudad y el valle parecían brillar mientras el aire caliente se elevaba de las calles y los tejados. Qué espectáculo tan hermoso, pensó, al menos desde la distancia.

Tiró el cigarrillo por el balcón a la calle y se dio la vuelta. Al volver al dormitorio, oyó el zumbido de su móvil en la mesilla junto a la cama. Lo cogió y se quedó mirando la pantalla un momento. Decía: "Llamada desconocida". Qué raro, pensó.

"Sí", respondió en voz baja.

"Señora Ortega, ¿cómo le va esta hermosa tarde?"

Hizo una pausa, reconoció la voz, pero había pasado mucho tiempo. "¿Paco Gutiérrez?", preguntó. "¿Tú otra vez? No creí que las cosas cambiaran tan rápido en la cárcel".

"Para mí, desgraciadamente no, Jefa".

"Y estamos en pleno día. ¿Por qué me llamas e interrumpes mi trabajo? Ya sabes lo ocupado que estoy".

"Ah, Señora Ortega, ¿una mujer hermosa como usted? Mi temor era interrumpir algo deliciosamente más importante que unos papeles".

"Paco, Paco", se rió entre dientes. "Me conoces demasiado bien, y llevas demasiado tiempo encerrado en esa prisión con todos esos hombres cachondos. Tu imaginación está sacando lo mejor de ti".

"Sin duda, Señora, sin duda alguna, pero eso es lo que pasa cuando todo lo que un hombre puede hacer es pensar y soñar con mujeres hermosas como usted".

"Aceptaré tus halagos, Paco, pero ¿por qué me llamas? Tengo hombres de verdad a mi alrededor ahora, y no estoy interesada en tener sexo telefónico contigo esta tarde, y antes de que preguntes, todavía no he hablado con tu abogado."

"Lo sé, Señora. Él y yo hablamos y le di algunas orientaciones, pero esta llamada es sobre un tema ligeramente distinto. Pensé que a usted también le interesaría saber qué hace su marido, José, estos días."

"En realidad no, Paco. Ahora es poco más que un viejo y cansado recuerdo para mí, encerrado en esa penitenciaría americana a las afueras de Tucson, y sospecho que estará allí hasta que muera. Así que no. Hay muy pocas cosas de José que me interesen ya".

"¿Estás segura de eso, mi querida Consuela? Podría sorprenderte".

Se quedó mirando el teléfono un momento y finalmente dijo: "De acuerdo, Paco. Puedes dejar de tomarme el pelo. ¿Qué trama ahora ese gordo cabrón?".

"Bueno, en primer lugar, puede que te cueste creerlo, pero José ya no es el mexicano agradablemente gordo que conocíamos. Ha adelgazado drásticamente, ha ganado músculo y tiene un aspecto muy parecido al de hace veinte años. ¿Cómo lo llaman los gringos? Está 'ripped'. "

"¿Y se supone que debo creer que la vaca también saltó sobre la luna, Señor?"

"Se lo juro, milady. Y lo que es más importante, José ha tomado un nuevo filo. Se ha metido en el negocio de los secuestros".

"¿Secuestro?" Se lo pensó un momento. "Sabe, es triste escuchar que una mente criminal tan fina como la suya se haya hundido en un crimen callejero tan burdo y feo. En la Ciudad de México, Puebla, Guadalajara, incluso aquí en Culiacán, los secuestros son ahora pan comido. Pero, ¿qué será lo próximo que haga José? ¿Robar gasolineras? ¿Robar cheques de los buzones de los ancianos? Qué patético. Pero, ¿por qué debería interesarme esto, Paco?".

"Por el objetivo que eligió".

"Muy bien, mi curiosidad finalmente ha sacado lo mejor de mí. ¿A quién perseguía ese tonto?"

"Su querido marido hizo secuestrar en Carolina del Norte a la mujer y al hijo pequeño de un soldado gringo llamado Burke. ¿Le suena el nombre Burke, Madame?"

"¿Burke?" Consuela se despertó de golpe, con el cerebro dándole vueltas. ¿A qué juego estaba jugando ahora el gordo tonto de José? "¿Pero no sigue José encerrado en la cárcel contigo y con Joaquín, Paco? ¿Y aún así te dijo que secuestró a la mujer y al hijo de ese tal Burke?".

"Bueno, no me lo dijo, Señora. Su marido ya no nos cuenta casi nada. Ahora sólo habla con sus amigos de la banda de moteros americanos. A ellos les encargó el secuestro de la gringa".

"Pero si no te lo dijo, Paco, ¿cómo te enteraste entonces? ¿Se lo dijo a

Joaquín?"

"No, no, Señora. No nos lo dijo a ninguno de nosotros. Afortunadamente, los motociclistas americanos tienen bocas grandes, y tenemos gente con oídos grandes que pueden escuchar ".

"Espías", querrás decir. ¿Allí en la cárcel? Pero supongo que sí, ¿no?", concedió ella, con la mente aún dándole vueltas. ¡Burke! ¡Ese gringo bastardo! Lo odiaba tanto como odiaba a José, y ahora José había secuestrado a la mujer de aquel hombre. "No dudo de lo que me dices, Paco, pero eso me parece una tontería por parte de José. La venganza personal nunca es buena para los negocios. ¿No lo habéis aprendido ya tú y los demás?".

Pudo oír cómo Gutiérrez se esforzaba por reprimir una carcajada al otro lado. "En realidad, Señora..." dijo Paco.

Al final, ella también tuvo que reírse. "Tiene razón, señor. En nuestro negocio, bueno, es nuestro negocio, ¿no? A nadie le importa lo que nos hagamos los unos a los otros, mientras no perjudiquemos a los de fuera. El padre de José era un campesino ignorante y un tonto, pero dijo una cosa que nunca olvidaré. Nada es bueno ni malo. Es bueno para el negocio o malo para el negocio'. "

"Sí, ese viejo bastardo tenía razón, ¿no?"

"¿Pero ¿cuándo ocurrió esto?"

"Hoy temprano. Esta tarde, en un lugar llamado Carolina".

"Secuestrar a la esposa de ese soldado gringo sólo agitará a los estadounidenses y traerá más calor sobre el gobierno en la Ciudad de México y sobre los cárteles, todos ellos, incluyendo el mío y el tuyo. ¿Y dices que José usó una banda de motociclistas estadounidenses para hacer esto?".

"Bueno, difícilmente podría hacerlo él mismo, ¿verdad? Tampoco podría conseguir que uno de los otros cárteles lo hiciera por él".

"Sí, pero recurrir a gente de fuera, a hombres que no pertenecen a la hermandad, eso no es bueno", dijo. "¿Es esta la banda de moteros que distribuye la droga para él?"

"Sí, los Discípulos del Diablo. Su líder, Angus Bodine, está encerrado aquí en Tucson con nosotros. Vaya nombre para un hombre que monta en moto, ¿eh? Me han dicho que este paleto ignorante creció en las montañas de alguna parte. Y esta banda suya, los Discípulos del Diablo, tiene grupos por todas partes. Los llaman "aquelarres", si puedes creerlo".

"¡Piedad! Tendré que rezar un rosario por esa pobre mujer. ¿Covens, dices?"

"Sí, y hemos oído que el que se la llevó está en un pueblecito de mierda en las colinas de Carolina del Norte llamado Jensens Ford".

¿"Carolina del Norte"? Sí, recuerdo que allí vivía Burke, en el Fuerte Bragg del Ejército Americano. Pero en verdad, el tipo nunca me molestó como molestó a José".

"No, supongo que no", dijo Paco. "Bueno, pensé que te gustaría saberlo, Consuela".

"Sí, y gracias por llamar, Paco. Estoy seguro de que fue difícil para ti conseguir un teléfono allí".

"No, no fue así. Te llamaré si me entero de algo más, Señora."

Consuela desconectó y dejó el móvil sobre la mesa, con la mente acelerada. Lo miró fijamente durante un largo rato, luego volvió a cogerlo y pulsó el número 1 en la marcación rápida.

Bastaron dos timbres para que Pierre contestara. "Sí, Señora. El joven se ha ido. ¿Desea que vuelva la bailarina?"

"No, dudo que me sirva de mucho durante un tiempo", se rió entre dientes.

"¿Hay otro problema, entonces?"

"Nunca tengo problemas, Pierre, sólo oportunidades interesantes. Ven aquí y trae a Jennifer contigo. No tenemos tiempo que perder. Llamaré al aeropuerto y tendré el jet cargado de combustible y listo para partir inmediatamente".

"¿Vas a alguna parte, Jefa?

"No, vosotros dos sí. ¡Ahora venid aquí!"

CAPÍTULO VEINTIOCHO

Centro Médico del Ejército Womack

Ace y yo corrimos por el aparcamiento hasta la entrada del Centro de Traumatología. La unidad de rescate del centro comercial de los bomberos de Fayetteville había llegado antes que nosotros y estaba aparcada bajo el pórtico con las puertas traseras abiertas. Estaba vacía. El conductor estaba sentado en el asiento delantero con un portapapeles apoyado en el volante, rellenando papeles: la leche materna del gobierno. Pude ver a los dos paramédicos limpiando el compartimento trasero, limpiando y desinfectando las superficies y reponiendo, mientras su compañero metía sábanas ensangrentadas, vendas, gasas y los monos que llevaban puestos en una gran bolsa amarilla de basura para materiales peligrosos. Menudo trabajo, pensé. Embolsarlos, etiquetarlos y limpiar después.

También había dos coches patrulla de la policía de la ciudad de Fayetteville aparcados allí, uno justo delante de la ambulancia y otro justo detrás. No sabría decir si habían guiado a la ambulancia o si la habían encerrado y no la dejaban salir. Los dos coches estaban vacíos, pero había un policía municipal apoyado en el capó del coche de cabeza, con los brazos cruzados, mirando distraídamente a través de las puertas del Centro de Traumatología hacia el vestíbulo mientras pasábamos corriendo.

Tampoco había policías en el otro coche. También había un turismo verde oscuro de la policía militar delante del coche de policía que iba en cabeza y un pequeño autobús de la policía militar y otro turismo de la policía militar detrás del último coche de policía. ¿Boxeando en los boxers? Intencionadamente o no, no podría decirlo. Y puede que Sharmayne Phillips no confiara en mí, pero me había escuchado y había hecho lo que le pedí.

Dos altos y fornidos guardias de seguridad de la Policía Militar, ambos sargentos del batallón de Policía Militar 503rd, se encontraban en parada frente a las puertas automáticas de entrada al Centro de Traumatología. Iban completamente vestidos de combate, con cascos, protectores faciales, chalecos antibalas, cinturones de pistola, porras y fusiles semiautomáticos M-4. Su trabajo consistía en vigilar que no hubiera nadie. Su trabajo consistía en asegurarse de que nadie entrara, y parecía que ya lo habían hecho antes. El Centro de Traumatología estaba cerrado, y eso no se ve todos los días en el Womack.

A medida que nos acercábamos a toda esa carne que bloqueaba las puertas delanteras, me deslicé detrás de Ace y le dejé guiar, por tres razones. Primero, esos tipos tenían órdenes. Segundo, esos sargentos de la policía militar sabían quiénes éramos. De eso no había duda. Y tercero, ningún sargento de la policía militar de la base iba a escuchar nada de lo que dijera un teniente coronel "retirado". Pero todos sabían quiénes eran los sargentos mayores, en activo o retirados, sobre todo uno tan importante como Ace Randall, porque ellos mandaban en los clubes de suboficiales. Ace no parecía tener intención de detenerse y ellos no tenían intención de intentarlo. Así que los dos policías militares se hicieron a un lado con elegancia y le permitieron cruzar las puertas en doble fila sin romper el paso. Y ninguno de los dos se dio cuenta de que el pequeño le seguía.

Las grandes puertas se cerraron tras nosotros. Nos encontramos en la zona de recepción, donde Sharmayne estaba de pie, con las manos en la cadera, mano a mano con otros tres policías municipales, uno de ellos con galones de sargento. Sharmayne se mantenía firme con aire de autoridad, lo cual no era tan difícil de hacer cuando tenía media docena de policías militares completamente armados, dos detrás de ella y otros dos bloqueando las entradas a los pasillos de las salas de reconocimiento.

Me vio entrar y de repente pareció aliviada. "Coronel Burke", se volvió y se dirigió a mí con su voz oficial de "policía". "He asegurado las instalaciones y al sospechoso, como usted solicitó", sonando más segura de lo que yo estaba de que los policías de la ciudad no me reconocerían del coronel Sanders. Sin embargo, la mayoría de los policías de por aquí son exmilitares. Cuando oían el título de coronel, me miraban como si fuera alguien importante. "Si no le importa, ¿podría ponernos al día al sargento y a mí?", preguntó, tirándome la patata caliente justo en el regazo.

"Suboficial Jefe Phillips", resoplé y seguí el juego. "El motorista que secuestró a los dos dependientes del Ejército en el centro comercial acaba de ser trasladado aquí, y tenemos que interrogar al individuo lo antes posible". Mi voz era firme y, de algún modo, mi cuerpo recordó cómo proyectar mi antiguo "porte militar", sin que la ansiedad se desparramara por todo el suelo.

"¡Whoa!" dijo el sargento de policía. "Más despacio aquí. Ese tipo está en custodia FPD, en *MI* custodia. Teniente Van Zandt nos envió ... "

"Sargento", me volví y le hablé en voz baja y con educación, explicándoselo como lo haría a un aburrido alumno de segundo curso. "Esta es una instalación del Ejército de los EE.UU. en medio de un puesto del Ejército de los EE.UU. en propiedad federal. Con el debido respeto a su magnífico departamento de policía y al teniente Van Zandt, cuando atravesó esas grandes puertas allá en la autopista All-American, salió de su jurisdicción y entró en la jurisdicción federal, y de facto, ese motorista se convirtió en *NUESTRO* prisionero, el prisionero del agente Phillips, no el suyo." Entonces me volví hacia Sharmayne y sonreí. "Vamos a ver al prisionero".

Se interpuso entre sus dos policías militares y no tardó en salir corriendo por el pasillo hacia las salas de tratamiento. Ace y yo la seguimos rápidamente, pero cuando el sargento de policía intentó hacer lo mismo, me volví y levanté la mano. "¡Quieto!", le dije. le dije.

"Pero..."

"Sin peros y sin preocupaciones, sargento. Ese tipo no va a ir a ninguna parte, y usted puede vigilarlo tan fácilmente sentado aquí en el sofá como revoloteando fuera de su sala de tratamiento". Aquello no entusiasmó al sargento, pero no pudo hacer nada mientras los tres nos alejábamos por el pasillo.

Una vez que salimos del alcance del oído, Sharmayne se inclinó y dijo en voz baja: "Burke, vas a hacer que me despidan, que me formen un consejo de guerra o que me pongan contra la pared y me fusilen antes de que acabes, ¿verdad?".

"No hay duda, Sharmayne, pero ese motorista es la única pista que tenemos para encontrar a Linda y Eddie, y voy a hacer lo que haga falta para sacarle respuestas. ¿Vas a ayudarme?"

"¿Tú? ¡Diablos, no! ¿Pero Linda? Eso es harina de otro costal". Sharmayne asintió, y cuando por fin se dio cuenta de la gravedad de la situación, dijo. "Oh, claro que lo haré, pero no le dejes moratones frescos ni permitas que Randall lo haga pedazos, pero las cosas van a estallar aquí muy rápido, en cuanto llegue Harry Van Zandt: él, el alguacil preboste y el fiscal municipal".

"Entendido, pero con suerte, ya nos habremos ido para entonces. Además, ¿no cursaste uno o dos semestres de derecho? Entonces sabes que la posesión es el 99% de la ley. El culo de ese motorista es nuestro hasta que deja de serlo. Así que síguele la corriente".

Mientras nos acercábamos a la segunda puerta a la derecha, no podía evitar la sensación de que cada segundo contaba ahora. Si conseguíamos sonsacarle alguna información útil a aquel motorista, tal vez -sólo tal vez- podríamos traer a Linda y a Eddie de vuelta a casa sanos y salvos.

Otros dos de sus policías militares, vestidos de combate, estaban delante de la puerta. Sharmayne les indicó que entraran con nosotros, y Ace y yo les seguimos. Era un quirófano estándar y estéril, con un médico y dos enfermeras con batas quirúrgicas blancas, gorros y mascarillas inclinados sobre un tipo gordo y peludo con vaqueros azules y botas de trabajo que estaba tumbado en una camilla entre ellos. Le habían esposado la muñeca izquierda a la cama y tenía lo que supuse que era una herida de bala en el hombro derecho. Cuando entramos, el médico y las enfermeras acababan de conectarlo a los monitores y de quitarle las vendas y los vendajes que le habían puesto los paramédicos.

El médico se giró y nos miró atónito: "¿Qué demonios estáis...?".

"Fuera", fue todo lo que le dije. "Seguridad nacional. Ve a por un cigarrillo o una taza de café un par de minutos. No tardaremos mucho".

El médico miró las armas y el equipo de combate que llevaban los policías militares. Para mi sorpresa, se encogió de hombros, hizo un gesto a las dos enfermeras y se marcharon.

Me acerqué a la cama y no pude evitar fijarme en el marcado contraste entre las estériles paredes blancas de la sala de curas y el aspecto sucio y desaliñado del motorista, con barba poblada, pelo largo y tatuajes. Pero empezó a sudar mientras sus ojos nos miraban a nosotros y a los policías militares, dándose cuenta por primera vez de que podía estar metido en un buen lío.

Antes de que pudiera decir una palabra, Ace me dio un codazo, se acercó a la mesa de operaciones y se inclinó sobre él. Se puso justo en la cara del motorista, lo bastante cerca como para que pudiera sentir su aliento caliente. En las circunstancias más amistosas, el corpulento sargento mayor resultaba intimidante.

"Te lo diré muy rápido, Jethro", le espetó Ace con voz grave y amenazadora. "¿Dónde se llevaron tus amigos a esa mujer y al niño?"

"Tío, no te voy a decir nada", le espetó el motorista, luchando contra sus esposas. "Tengo derechos, sabes".

"Y también tienes una Harley grande, ¿no?". El motorista frunció el ceño, sorprendido por la pregunta. "¿Te gusta conducirla por el campo con tus amigos, subiendo y bajando las colinas, abriéndola en las carreteras secundarias para que el viento te acaricie el pelo?".

El motorista frunció el ceño. "Sí, claro, me gusta montar así".

"¿Y puedes conducir esa vieja Harley sólo con la mano izquierda?"

De repente, el motorista parecía confuso. "Sólo mi... ¿Qué quieres decir con conducir mi moto sólo con la mano izquierda? Diablos, no, no puedes hacer eso. Se necesitan las dos manos".

"Bueno, vas a decirnos lo que queremos saber, o eso es todo lo que vas a tener el resto de tu vida, sólo tu brazo izquierdo, porque el derecho ya no te va a funcionar nunca más". Ace sonrió mientras introducía el dedo índice en la herida de bala abierta en el hombro del motorista y lo movía por el interior como si fuera una varilla en una copa de cóctel.

Los ojos del motorista se abrieron de par en par y su cuerpo se enderezó como una tabla, pareciendo levitar sobre el colchón por un momento de dolor. Pero antes de que pudiera gritar, Ace le tapó la boca con la palma de la otra mano y lo mantuvo allí.

Ace sacó finalmente el dedo y, cuando el motorista volvió a tumbarse en el colchón, le dijo: "Apuesto a que tienes huesos rotos, trozos de bala y nervios y músculos desgarrados, ¿verdad, Jethro? Y si te lo hago una vez más, ya no podrás ni limpiarte el culo con esa mano. Ni siquiera podrás matar moscas con ella. Tal vez tus amigos te dejen ir detrás de ellos en la parte trasera de sus bicicletas, estilo perra. Te gustará, ¿verdad?", dijo mientras se inclinaba de nuevo y levantaba la mano de la boca del motorista. "Ahora, ¿dónde llevaron a esa mujer?"

"Tú... tú no puedes hacerme esto", susurró el motorista, blanco como una sábana. "Tengo mis derechos".

"¿Derechos? Tus 'derechos' se fueron por la ventana en el momento en que participaste en el secuestro de esa mujer y ese niño", dijo Ace mientras daba golpecitos con el dedo en la herida del hombro del tipo.

El motorista tenía la cara blanca y había perdido toda su arrogancia. Aun así, el tipo susurró "¡Vete al infierno!" a través de lo que obviamente era un dolor insoportable.

"Respuesta equivocada", gruñó Ace, mostró al tipo su dedo índice ensangrentado y volvió a inclinarse hacia delante.

CAPÍTULO VEINTINUEVE

Centro Médico del Ejército Womack

Antes de que Ace pudiera volver a meter el dedo en la herida de bala, Sharmayne extendió la mano y lo detuvo. "Está a punto de desmayarse, Ace, y necesitamos información".

La cara del motorista era un mosaico de magulladuras y cortes, pero sus ojos seguían ardiendo de desafío. "Quiero a mi abogado", dijo con voz temblorosa. "¡No diré nada hasta que tenga mi abogado!"

Le hice un gesto a Ace para que se apartara y me hice cargo. "No te vas a llevar ningún abogado, Doofus", le dije con toda naturalidad.

El tipo se giró y me miró. "¿Qué quieres decir, ah no es gittin 'uno? "

"Realmente metiste la pata esta vez, mi hombre. Estás acusado de secuestrar a dos dependientes de un oficial del ejército de EE.UU.. En virtud de la *Ley Patriota*, Código de EE.UU. Capítulo 11-3-B, el Juez Federal aquí presente acaba de declararte oficialmente terrorista, como después del 11-S."

"¿Qué? ¡No soy un maldito terrorista! Soy un americano patriota de los Discípulos del Diablo".

"La ley dice que eres un terrorista, así que tu próxima parada es Guantánamo, Gitmo. ¿Has oído hablar de Guantánamo, Jethro?". El tipo me miró, luego a Ace y a Sharmayne, y negó con la cabeza, pero sus ojos me dijeron que sabía exactamente a qué me refería. "Está en Cuba, un país extranjero, no en Estados Unidos, y allí no tendrás ningún derecho. Ninguno. Tres cuartas partes de los presos de allí son terroristas árabes de Oriente Medio. Sin abogados. Sin libertad condicional. Ni siquiera sentencias. Te sentarás en una caja de hormigón de dos metros por dos metros y te pudrirás 24 horas al día, 7 días a la semana, el tiempo que queramos, y nadie sabrá que estás ahí abajo".

"Vamos, hombre. No podéis hacerme eso. Fui marine... durante un tiempo, en Camp Lejeune... ¡y tengo mis derechos!", dijo mientras sus ojos iban y venían de mí a Sharmayne. Casi suplicaba, probablemente porque ella llevaba uniforme y era una mujer. Tal vez pensó que ella le ayudaría, aunque yo estaba segura de que no tenía ni idea de lo que significaba su rango de suboficial del ejército.

Bueno, señor "yo fui marine", tenía derechos, pero ya no", intervino Sharmayne. "En diez minutos estará en un avión rumbo al sur, a la tierra de las palmeras, los mojitos y Fidel Castro, pero nunca verá nada de eso. Todo lo que vas a ver allí son un montón de árabes y todos tus compañeros terroristas", dijo mientras sacaba un bolígrafo y un bloc de papel del bolsillo. "Pero haré una cosa por ti. Dime el nombre de tu madre y la llamaré para decirle que no volverá a ver a su hijo. Al menos sabrá que sigues vivo. ¿Cómo se llama?

El motorista parpadeó. "Agnes, Agnes Rumford... vive en Jensens Ford".

En una mesa auxiliar estaba lo que quedaba de la camisa del tipo y sus efectos personales, entre ellos un puñado de monedas, un viejo reloj de bolsillo de ferrocarril con cadena y su cartera. La abrí y vi un carné de conducir de Carolina del Norte. Por la foto, era él,

"Buford Rumford", leí el nombre, y lo miré. "Aquí dice Jensens Ford, también. Eso está al suroeste de aquí, ¿no? ¿De ahí es de donde eres, de donde son los Discípulos?". Me miró fijamente, aún desafiante, pero pude ver cómo se le movían los engranajes dentro de su grueso cráneo de paleto.

Justo entonces, oímos el lejano rugido de uno de los grandes C-130 que se aproximaba a Pope Field, a unos kilómetros al norte del hospital. Miré mi reloj. "¿Oyes eso, Buford? Es tu avión aterrizando en el aeródromo, probablemente de vuelta después de dejar a 82 hombres de la Aerotransportada[nd] en un salto de práctica en una de las zonas de salto cerca del enorme puesto". Eso era algo cotidiano cuando estabas destinado aquí. Pero no se lo dijimos.

"En cuanto el avión recargue combustible, los de la CIA entrarán aquí, te pondrán una bolsa negra en la cabeza y te sacarán de aquí. La siguiente parada es Guantánamo. Última oportunidad. Así que, si quieres evitar ese curso intensivo de árabe, será mejor que empieces a hablar. ¿De ahí salió el grupo que atacó el centro comercial? ¿Jensens Ford?"

"Uh, sí", dijo y se quebró tan rápido, encogiéndose de nuevo en la cama. "La mayoría de nosotros".

"Esa furgoneta negra que tenías era de Tennessee. ¿Alguien la condujo hasta aquí?"

"Sí, un tipo llamado Richie Thorpe. Lo condujo desde Kingsport, Tennessee."

"¿Quién es tu jefe?" exigió Ace, con su voz grave retumbando como una tormenta que se avecinaba.

"Es Rico, Rico Thomas", respondió el motorista, con gotas de sudor en la frente. "Es el presidente de nuestro aquelarre. Así es como los Discípulos del Diablo llaman a sus grupos: aquelarres. Tenemos oficiales, como los Proscritos y los Ángeles del Infierno", dijo con orgullo.

"¿Y vive allí, en Jensens Ford?" Buford asintió. "¿Tiene una casa allí?" Buford volvió a asentir. "Entonces, ¿de quién fue la idea de secuestrar a la mujer y al niño? ¿De Rico?

"No, Richie me dijo que Rico recibió una llamada del abogado del gran jefe, un picapleitos llamado Mayfield, de Atlanta. Es a quien nos dijeron que llamáramos si teníamos problemas con la ley".

"Bien, ¿quién es el gran jefe?" pregunté.

¿"Grande"? Oh, ese sería Angus Bodine. Es nuestro Presidente Nacional, el gran hombre en persona, pero Richie dice que está en la cárcel en Arizona. Cuando Bodine quiere algo, se lo dice al abogado, el abogado se lo dice a Rico, Rico se lo dice a Richie, y Richie se lo dice al resto de nosotros. Así funcionan las cosas. Ya sabes, el privilegio del abogado y la cadena de mando. Así es como conseguimos las drogas y las armas que vendemos. Y eso es todo lo que sabemos. ¡En serio!"

"De acuerdo", intenté mantener al menos una fachada de paciencia mientras le preguntaba la más importante. "¿A dónde llevaban a la mujer?"

"Ah, no lo sé bien. Nunca me lo dijeron. Simplemente llegué en la furgoneta con el resto de ellos", dijo Buford, empezando a parecer patético. "De verdad. No me dicen mucho. Pero estoy seguro de que no quiero ir a Guantánamo, señor. Si supiera dónde está, se lo diría".

Volví a mirarle. Siempre había controlado muy bien a la gente y, aunque no me lo estuviera contando todo, no creía que estuviera mintiendo. "¿Y el resto de tu operación? ¿Cuántos hombres hay en tu banda ahí abajo?".

"Una docena, a veces quince o veinte, dependiendo de quién esté fuera de la cárcel, pero eso es sólo la cuadrilla de Rico", dijo. "Hay otros 'aquelarres' de los Discípulos del Diablo, como los llama Angus Bodine. Tienen otros aquelarres por toda Carolina, incluso en Carolina del Sur y Tennessee, y Richie podría llamarlos si quisiera."

En ese momento, oí un alboroto detrás de mí y el teniente general Jacobson entró en la sala de tratamiento con el sargento mayor O'Connor pisándole los talones. Ambos vestían uniformes de gala. Por si no fueran lo bastante impresionantes, Jacobson llevaba su sombrero de servicio plano y redondo, el que tiene la ancha banda dorada de general y hojas de roble doradas en todo el ala. Jacobson medía 1,90 m o más y había jugado al baloncesto en West Point. Con el ceño fruncido y una barbilla que podría servir de aldaba, llamaba la atención de todo el mundo.

"¡Burke! Me enteré de que se llevaron a tu esposa. Y Eddie. ¿Ya le has sacado algo a este hombre?" Jacobson exigió saber, su mirada fulminante se posó en el motorista como la llama de un soplete.

"Algunos, señor. Como sabe, el avión de la CIA a Guantánamo le espera en la pista".

Jacobson me miró y asintió. "Gitmo, ¿eh? Sabes, la CIA tiene ahora ese nuevo 'centro de detención' en Mozambique. Si no coopera, ¿por qué no lo envías allí?".

"¿Mozambique? ¡Eh! No es mala idea, señor".

"Es la elección perfecta. Les encanta que les enviemos a un tipo gordo como él para que haga 'desaparecer', porque allí las cocinan y se las comen, y me han dicho que les encanta la comida americana asada a fuego lento". Jacobson se volvió y miró a Buford, que había vuelto a quedarse con los ojos muy abiertos. "Me han enviado un extracto de su expediente personal del Cuerpo de Marines. Bastante escaso. Por otra parte, no pudiste dejar los Marines mucho tiempo, ¿verdad?", preguntó el general, y Buford asintió rápidamente. Entonces Jacobson señaló las relucientes estrellas plateadas de su hombro. "Antes de que el Cuerpo te echara con esa baja por mala conducta, ¿te enseñaron a contar hasta tres?".

"Uh, sí señor ... uh, quiero decir no, no, ah ya lo sabía".

"Bueno, esas estrellas en mi hombro significan que puedo hacer lo que quiera contigo".

Buford tragó saliva. "Eso es todo lo que sé, señor, se lo juro". Pero al estar cerca de Ace, y ahora de aquellas estrellas y de la amenaza de Guantánamo, por fin lo comprendió.

Intervine y rápidamente hice la siguiente pregunta. "Me estabas hablando de Rico. ¿Dónde está su casa en Jensens Ford? ¿Hay algún otro sitio donde puedan llevarla?".

¿"Rico"? Vive en la carretera de North Fork, a media milla del pueblo. Una gran cosa blanca y vieja con dos graneros en ruinas en la parte de atrás y un gran autobús rojo de la iglesia sentado en el patio delantero. Iban a llevarla allí, o a la trastienda del viejo almacén del pueblo que su padre Beau vendió al 7-11 el año pasado, pero Rico aún tiene la llave".

El general Jacobson se había alejado para hablar con el sargento mayor O'Connor y estaba de espaldas a la puerta cuando el coronel John Weatherby, mariscal de Fort Bragg y una de las personas que menos me gustan, irrumpió en la sala de tratamiento con la cara roja. Iba acompañado por el sargento de policía de Fayetteville y dos de los grandes policías militares. Al verme de pie junto a la cama del prisionero, su atención se centró inmediatamente en Sharmayne y en mí, y concentró toda su ira en nosotras.

"¡Agente Phillips! ¿Qué demonios está pasando? ¿Y qué hace Burke aquí? Acabo de recibir una llamada de Pete Newell, el fiscal de la ciudad de Fayetteville, que..."

En ese momento, el general Jacobson se puso detrás de Weatherby, que no se había dado cuenta de que el general estaba en la habitación. "Coronel Weatherby", dijo el general mientras le tocaba el hombro, y el coronel casi se sobresaltó. "Que quede claro. Me importa un bledo lo que diga Pete Newell, y a usted tampoco debería importarle. El agente Phillips ha estado trabajando aquí bajo mis órdenes directas y personales en un asunto de gran importancia, al igual que el teniente coronel Burke y el sargento mayor Randall. Y usted, señor, trabaja para mí, no para el fiscal municipal. Pero venga aquí un momento -dijo, pasando un largo brazo por los hombros de Weatherby para apartarlo del paciente-. "Coronel, sepa que trabajo bajo las órdenes directas y personales del Secretario de Defensa. ¿Entiende lo que eso significa?"

Los ojos de Weatherby se abrieron de par en par y retrocedió rápidamente. "Ah, ya veo, sí señor, yo..."

"Está claro que el interés del Ejército prevalece sobre cualquier interés que la ciudad pueda tener respecto a este paciente. ¿Está eso perfectamente claro para ti?"

"Oh, eh, sí señor, pero el ..."

"Como quizá *NO* sepa, la hija del coronel Burke es una de las jóvenes favoritas del Secretario. Así que, si su esposa prefiere quedarse aquí en esta cómoda asignación aquí en Bragg, en lugar de donde la señora Fitzsimmons podría reasignarle, digamos, Thule, Groenlandia a primera hora de la mañana de mañana, hágase un favor y haga exactamente lo que le digo".

Weatherby tragó saliva y se puso tan blanco como Buford Rumford, que yacía en la cama entre nosotros.

El general Jacobson se volvió entonces hacia mí y me dijo: "Pero por lo que oigo ahora, parece que hemos acabado con este hombre, ¿no es así, coronel Burke?".

"Sí, señor, creo que le hemos sacado todo lo que había que sacarle".

"¡Bien! Coronel Weatherby, traiga a ese médico y que termine de coser a este hombre. Y dígale a la ambulancia que se quede donde está. Cuando el médico termine, hable con el fiscal municipal y dígale que sus agentes de policía pueden trasladar al señor Rumford al hospital civil. ¿Está claro, sargento?", preguntó al sargento de la policía municipal.

"Sí, señor", respondió el sargento.

Jacobson se dio la vuelta, miró a Buford Rumford y dijo: "Por supuesto, si lo prefieres, puedo hacer que te metan en el primer autobús Greyhound que se dirija a Parris Island. Estoy seguro de que a los marines les encantaría tenerte de vuelta. Todavía les debes tres años, ¿no?".

Rumford negó enérgicamente con la cabeza, por lo que el general se volvió hacia el sargento de la policía municipal y le dijo: "Bien. Su prisionero ha disfrutado de toda la hospitalidad que el Ejército de los Estados Unidos le va a brindar hoy. Es todo suyo, sargento. Y en cuanto al resto de ustedes, por favor acompáñenme al vestíbulo".

Mientras salíamos por la puerta y caminábamos juntos por el pasillo, Jacobson dijo: "Creo que tenemos algunas cosas que discutir, ¿verdad, coronel Burke? Su jefe es un motorista llamado Angus Bodine, que está en la cárcel en Arizona. ¿No es allí donde está ese otro amigo suyo? Usted no cree en las coincidencias, ¿verdad?"

"Nunca lo he hecho, nunca lo haré, señor."

"¿Y todavía tienes ese machete colgado en la pared?", preguntó.

"El tiempo corre. No necesitamos discutir nada. Vámonos".

CAPÍTULO TREINTA

Womack y Sherwood

Volvimos al vestíbulo y me quedé de pie junto a las ventanas con las manos cerradas en dos puños apretados, luchando por mantener bajo control mis emociones. Es cierto que sabíamos más que hacía treinta minutos y que las piezas iban encajando, pero la imagen de Linda y el pequeño Eddie siendo secuestrados en el centro comercial en el asiento trasero de una furgoneta negra aún estaba demasiado fresca. Seguía persiguiéndome como una pesadilla que se negaba a terminar.

El general Jacobson me hizo un gesto para que me uniera a él en el rincón. Ace, Sharmayne y CSM O'Connell le siguieron, tanto si quería como si no. "Muy bien, Bob, ¿qué quieres que haga? Nadie hace esto a nuestra gente o a sus familias y se sale con la suya bajo mi vigilancia. No podemos tener eso, y no se mantendrá. Llama al batallón y forma un equipo. O'Connell interferirá por ti en la logística y el personal. Llamaré al aeródromo de Pope para que preparen el aire. Si hay algo más que necesites, desde información a cobertura aérea, y no lo tengo, llamaré a Sheila Fitzsimmons al Departamento de Defensa y lo conseguiré. ¡Maldición! ¡Vamos tras esos bastardos!"

Estaba claro que estaba tan enfadado como yo y acostumbrado a salirse con la suya, pero levanté la mano y le detuve lo más educadamente que pude. No estaba muy seguro de cómo discrepar públicamente con tres estrellas rutilantes, así que decidí exponerlo. Como solíamos decir antes: "¿Qué va a hacer? ¿Mandarme a Irak?"

Así que le dije: "Señor, por mucho que me gustaría hacerlo, no estamos preparados y estamos muy lejos de ello. Esa es mi esposa y mi hijo. Si realmente están en esa granja en 'Jackass Flats' como ese idiota de Rumford dice que podrían estar... podrían estar... No enviaré a nuestros hombres allí hasta que sepa que los controlaremos, dominaremos y sacaremos a salvo".

A pesar de lo acalorado que estaba Jacobson por el secuestro de Linda, me miró, asintió y retrocedió rápidamente. "Sí, tienes razón, por supuesto. Menos mal que uno de los dos está pensando".

"Además, General, en el fondo sabe que no podemos hacer eso".

"¿Posse Comitatus?", asintió a regañadientes. "Esa maldita ley de 1878 que dice que las tropas federales no pueden involucrarse en la aplicación de la ley civil. Lo sé, lo sé. Se remonta a la Reconstrucción, y te guste o no, es ley de letra negra".

"Y ni un general de tres estrellas ni Sheila Fitzsimmons pueden darnos una 'Tarjeta para salir de la cárcel' y hacer que eso desaparezca. Así que deja que Ace y yo nos encarguemos por el momento. Pronto te pediré ayuda para información y logística, porque ya no somos "tropas federales". Tampoco lo son algunos de mis chicos. No me faltarán voluntarios, se lo aseguro. Y más tarde esta noche, puede que uno de sus helicópteros necesite un largo viaje de revisión de mantenimiento. ¿Le parece bien?"

"Tendré uno de los nuevos Stealth Hawks cargado de combustible y listo para salir. Avísame cuándo y será tuyo", me dijo mientras me daba una palmada en la espalda y nos dirigíamos a la puerta. "Parece que uno de nosotros ha hecho un mejor trabajo manteniendo su temperamento bajo control que el otro. Cuando necesites más información, fotos aéreas o imágenes por satélite, llámame a mí o a O'Connell, y lo haremos".

"Gracias, General, pero lo primero que tengo que hacer es averiguar lo que no sé. Voy a soltar a los Geeks en esto. Ellos no juegan con ninguna regla, y también estoy llamando a los marcadores que tengo con el FBI, la CIA y la NSA. Así que, créeme, estoy en ello".

Antes incluso de llegar a la puerta principal del Centro de Traumatología, ya había sacado el móvil y marcado el número de Ronald Talmadge en el Geekatorium de la tercera planta de Sherwood. Según me contaron hace poco los Geeks, se reunieron y se declararon República Popular Independiente de Geekdom.

Ahora son una democracia total sin un líder ungido, simplemente con diferentes intereses, habilidades y temperamentos... o eso creen. Francamente, eso ofendió a cada hueso de mi cuerpo militar, que pedía a gritos una cadena de mando, pero parece que les funciona, como casi todo lo que hicieron. Cuando le pregunté a Linda al respecto, simplemente se encogió de hombros. "Sigue la corriente, Bob. No durará mucho. De todos modos, Patsy es quien realmente dirige el lugar. Le pregunté y me dijo: 'Chicos, ¿por qué arruinarles la diversión? "

Patsy Evans era la principal amante de Jimmy Barker. Era más o menos su madre y la "adulta" de la habitación. Ayudaba el hecho de que hablara inglés en lugar de lenguaje de programación o Geek. Y como sabía qué día de la semana era y cuántas monedas de 25 centavos había en un dólar, era la única que podía pedir comida o bebida, comprar cosas o manejar dinero.

Cuando necesitaba algo, Ronald Talmadge era la persona tranquila, fría y brillantemente analítica a la que solía acudir. Era bueno organizando el equipo y tratando con gente de fuera cuando era necesario un mínimo de tacto o diplomacia. Jimmy Barker, en cambio, jugaba solo, era un dínamo con visión de túnel, pero veía caminos y pautas que los demás no veían. Y luego estaba el "ruso loco",

Sasha Kandarsky. Después de un paquete de Red Bull, era simplemente una fuerza de la naturaleza que no paraba, una avalancha humana a la que no le importaba de quién vinieran sus órdenes. De todos modos, las ignoraba todas. Por último, estaba mi brillante hija de doce años, Ellie, la "Junior Geek", que se ponía rápidamente al día y los superaba a todos.

En este caso, llamé a Ronald porque necesitaba un esfuerzo de equipo total, y me pareció lo correcto. Contestó incluso antes de que sonara el primer timbre. "No hace falta que pregunte, coronel, ya estamos en ello, y acabo de conectar a los demás en esta llamada mientras hablamos".

No me molesté en preguntarle cómo lo sabía. Sin comentarios ni antecedentes por mi parte, pasó directamente a un Sit Rep punto por punto, porque me conocía y sabía que se lo pediría. Como Linda decía a menudo, "los Geeks no son de este mundo".

"Sasha hackeó las redes policiales de Fayetteville y Carolina del Norte", dijo Ronald. "Le gusta la jerga y el lenguaje policial y cree que así mejorará su inglés. Así es como nos enteramos del secuestro y de todo lo demás en primer lugar. Ahora, estamos en ello".

"Bien, entonces pasemos directamente a... "

"Antes de que lo hagas, Ellie hackeó el sistema de audio e intercomunicador de Womack. Así que también escuchamos todo eso. Así que dividí nuestra investigación en los Ortega, los cárteles mexicanos, los abogados y la banda de moteros Discípulos del Diablo, en particular Angus Bodine y ese grupo al oeste de nosotros. Rumford tenía razón. Bodine está en la prisión federal de Tucson con Ortega.

"Es la Navaja de Occam, papá", oí decir a Ellie. "La solución más simple es casi siempre la mejor solución. Es 2+2, ¿verdad?"

Pensé un momento en lo que estaba oyendo. "Eh, así es", respondí.

Entonces, continuó Jimmy, "Ortega utiliza a Bodine y a su banda de moteros para distribuir drogas. Jimmy está trabajando en los registros de propiedad de Jensens Ford. Y Ellie está pirateando las bases de datos de las fuerzas de seguridad estatales, locales y federales en busca de esos nombres y de dónde salió esa furgoneta."

"¿Ellie está...?" pregunté.

"Coronel B, ella es nuestra mejor hacker, sin discusión", añadió Ronald. "Claro, es ilegal como el infierno, tal vez, pero ¿a quién le importa? Si realmente explota, que no lo hará, sólo tiene doce años y es su madre la que ha sido secuestrada. Ningún jurado va a tocar eso. Todo lo que tiene que hacer es llorar y le darán una medalla".

La lógica era irrefutable. "Tal vez", respondí. "Pero eso no impedirá que su madre nos pegue a todos 'por la cabeza y los hombros' cuando vuelva a casa. Pero bueno, todo eso tiene sentido", dije, oyendo de fondo la habitual música a todo volumen y el chasquido de teclados rápidos.

"Más tarde, si tu amigo, el general, no puede conseguirte esas imágenes de satélite, la semana pasada, Ellie descubrió cómo reasignar algunos satélites del DoD y la NSA sin que nadie lo supiera. Estoy seguro de que *REALMENTE no quieres* oír hablar de eso".

Ni siquiera sabía cómo contestarle.

"En fin, Jimmy ha investigado los registros de la propiedad de la granja Jensens Ford que poseía el abuelo de Rico Thomas y te está enviando los mapas y las antenas a tu teléfono. Está en la carretera de North Fork, a unos 800 metros al oeste de la ciudad, en medio del bosque. Es una vieja granja de tabaco con dos graneros decrépitos, un montón de coches abandonados y un gran autobús rojo de la iglesia en el patio delantero."

"Todo eso se correlaciona con lo que dijo Rumford".

"Bien, y puede que no quieras oír esto, pero Sasha hizo el 'más mínimo retoque' en uno de los satélites meteorológicos rusos 'Meteor 2' que volaban por la costa este de los Estados Unidos. Lo "desplazó unos cientos de millas", o eso dice, pero en ruso, y conseguimos unas magníficas imágenes preliminares por infrarrojos de la casa y los graneros. Sasha las superpuso con los planos de la tasadora fiscal del condado y vemos gente dentro, quizá una docena, pero no hemos hecho más que empezar".

"¿Sasha reasignó un satélite meteorológico ruso? ¿Que estaba volando sobre el este de EE.UU.?"

"Es un satélite meteorológico del tipo de la KGB, Jefe", respondió Sasha. "Pero tiene muy buenas cámaras. Y no te preocupes. Todo el mundo sabe lo que estaba haciendo, pero Washington no quería decir nada, porque entonces tendrían que hacer algo. Así que Sasha lo hará por ellos. Cuando termine de 'salirme con la mía' con el Meteor 2, tendrá una 'avería grave' y se estrellará misteriosamente contra el 'no tan secreto' Centro de Inteligencia de Señales ruso en Lourdes, a las afueras de La Habana."

"Que no te pillen", le advertí.

"¿Atrapado? ¿A mí? Jefe, en mi malgastada juventud en la Escuela de Codificación de Moscú, ¡escribí programas para los satélites Meteor! Los bastardos del FSB no tendrán ni idea cuando este cachorro "corra a casa" con mamá. El FSB no se atreverá a decir nada: ni a los EE.UU., por lo que realmente es un satélite; ni a los cubanos, porque el Centro de Inteligencia de Señales ni siquiera debería estar en Lourdes y los satélites no deberían estrellarse allí; ni al Kremlin, porque el zar Vladimir les dará una buena bofetada si se entera de otro fracaso".

Como de costumbre, Sasha estaba lo suficientemente loca como para entender a los rusos mejor de lo que yo nunca podría.

CAPÍTULO TREINTA Y UNO

Culiacán, México

Consuela Ortega los **esperaba** en el balcón de su dormitorio del tercer piso, vestida sólo con aquel camisón de seda transparente que se había puesto después de que la bailarina se marchara. Lo había cerrado cuando salió al balcón, pero la tenue brisa de la tarde seguía besando su piel, provocándole escalofríos como siempre. Mirándose a sí misma, la fina prenda que la cubría no podía ocultar la verdad. Se estaba haciendo mayor. No lo sentía, al menos de momento. Sus ojos seguían reflejando la misma determinación y el mismo poder que la llevaron a la cima de este juego mortal años atrás y la mantuvieron allí, pero los primeros signos eran inconfundibles.

Es hora de actuar, se dijo, y golpeó con el puño la sólida barandilla de hierro forjado. Era hora de acabar con los intentos de asesinato de José. Sólo un Ortega puede sobrevivir y sólo uno lo hará.

Por fin oyó que llamaban a la puerta. "Entrad", llamó por encima del hombro, se dio la vuelta y atravesó su opulento dormitorio para salir a su encuentro. Consuela no se molestó en saludarles. Pierre y Jennifer trabajaban para ella desde hacía casi una década, y no se molestó en sonreír a ninguno de los dos. Pierre era el único hombre atlético de todo México por el que no sentía ningún interés romántico ni sexual. No se atrevía.

Jennifer Hurley era la muy atlética y fría entrenadora personal de Consuela, la muy hábil compañera y esposa de Pierre, y una completa psicópata. Una mirada a los ojos de Jennifer le dijo a Consuela que él estaba fuera de los límites. Sus manos rápidas y su cuerpo ágil le resultaban muy tentadores, pero sabía que si se le ocurría entretenerse con Pierre, podría ser su último recuerdo, aunque muy agradable.

Para sus misiones profesionales, Pierre prefería el contacto personal y cercano que conseguía con su estilete de 9 pulgadas. "Rara vez se falla con el cuchillo", decía irónicamente. Si alguna vez fallaba, Jennifer era su apoyo con su pequeña pistola Walther WMP Magnum del calibre 22. Era el arma de un asesino. Era el arma de un asesino: calibre pequeño, munición potente, para disparar a bocajarro a la cabeza. Como le explicó Jennifer, con la 22 la bala entraba, se movía un poco y nunca salía. Menos sucio, pero igual de efectivo.

Jennifer siempre llevaba la pequeña pistola oculta en algún lugar de su cuerpo y era tan letal como ella. Cuando necesitaban más potencia de fuego, por ejemplo, "para una acción de grupo, para dominar una zona o simplemente para controlar a la multitud", como él decía tan sucintamente, llevaban Uzis compactas del calibre 45 con cargadores de treinta cartuchos y supresores de sonido.

Pierre y Jennifer entraron en el lujoso dormitorio de Consuela, tenuemente iluminado, y se detuvieron a mitad de camino. Oscura o brillantemente iluminada, sus ojos no pudieron evitar sentirse atraídos por la poderosa mujer que tenían delante. Su cuerpo apenas quedaba oculto por su fino tapado de seda, pero Pierre y Jennifer no se sorprendieron ni se ofendieron. Ya la habían visto demasiadas veces pavonearse ante ellos completamente desnuda. Esta vez, sin embargo, era su mirada penetrante la que reclamaba su atención.

"¿Nos ha llamado, Madame?" preguntó Pierre asintiendo cortésmente, con cara de piedra, como de costumbre. "Si me dice nuestro destino y objetivo, sabremos qué llevar y qué decir a los pilotos para su plan de vuelo".

Al noreste, a "El Norte", Estados Unidos, pero no tiene por qué preocuparse", desmintió su preocupación con un gesto de la mano. "Ya se lo he dicho a la sección de vuelo, y eso es todo lo que necesitan saber. Me importan un bledo ellos o su plan de vuelo. Que se inventen uno. Cuando los pilotos despeguen, puede decirles que su destino es Washington DC. Aterrizarás en una pequeña pista privada en Carolina del Norte, muy cerca de allí, pero eso debería ser suficiente cobertura para ti y para ellos. La pista de aterrizaje debe estar sin tripulación a altas horas de la noche y en un vector similar, por lo que es la elección perfecta. Puedes ir y venir tan rápido que nadie sabrá que estuviste allí".

"Sí, Jefa", dijo Pierre con otra leve inclinación de cabeza.

"Pero escúchenme con atención". Los miró con ojos duros y oscuros, con voz firme y autoritaria. "Os envío allí porque José consiguió que sus amigos moteros americanos secuestraran a la mujer del soldado americano Burke y a su hijo. ¿Os acordáis de nuestro viejo amigo Burke?"

Pierre miró a Jennifer y ambos asintieron. "Sí, lo recordamos muy bien. Fue él quien destruyó su hermosa hacienda en las montañas aquella noche después de arrestar al señor Ortega y perseguirnos hasta Culiacán. ¿Cuándo fue eso? ¿Hace siete años?"

"Yo lo recuerdo, Jefa", Jennifer hizo una rara contribución. "Según recuerdo, era un hombre pequeño, de baja estatura, pero llevaba un rifle muy grande.

"Y es bastante competente con los hombres y las armas", añadió Pierre.

"Una, y la misma", respondió Consuela.

"Es un oficial de Operaciones Especiales, ese Burke, un profesional", dijo Pierre.

"Como tú".

"Es usted muy amable, Señora. Yo era un simple sargento, pero como su Mayor Burke, eso fue hace años. Aún así, se da cuenta de que su marido, José, no es rival para ese tipo".

"José no es rival para nadie, y menos para mí".

"No señora, nunca lo son", sonrió Jennifer.

Pierre sonrió también, siguiéndoles la corriente a ambos. "¿Pero un hombre como Burke, con sus antecedentes?" Pierre advirtió. "No tolerará que el señor Ortega maltrate así a su familia. Irá tras ellos, tras él, y habrá repercusiones".

"¡Oh, eso espero! Por eso tú y Jennifer vais a volar a Carolina del Norte. Hay un pueblecito llamado Jensens Ford donde los moteros se llevaron a la mujer y al hijo de Burke", les dijo Consuela mientras se paseaba de un lado a otro, sumida en sus pensamientos. "Comprendo la obsesión de José por la venganza, pero el bufón de mi marido cree que puede utilizar a la mujer y al hijo de Burke en mi contra, que Burke me culpará de alguna manera y eso le beneficiará. Quizá le diga a Burke que sabe dónde está su mujer y, como recompensa, Burke le saque de la cárcel. Todo me suena bastante a medias, a desesperada, pero no conozco el resto del plan de José".

"Si el señor Ortega tiene un plan", sonrió Pierre. "Estaría de acuerdo con usted. Parece una exageración, y muy poco inteligente pinchar a un hombre así. ¿Pero no sabe por qué?"

"No, lo que *SÍ* sé es que no puedo dejar que José se salga con la suya. Debemos desbaratar esto que está planeando, sea lo que sea, antes de que vaya más lejos. Por eso quiero que vosotros dos vayáis allí, liberéis a la mujer y a su hijo, y los traigáis aquí ilesos".

"¿Y los motoristas?" preguntó Pierre.

"No son de mi incumbencia. Y no quiero ser insultante, Pierre, pero puede haber un número importante de ellos ahí dentro, así que ten cuidado".

"Es muy amable por tu parte preocuparte, Jefa", sonrió. "Pero no serán un problema para nosotros".

"Estoy segura de que es así, pero ya sabes lo difícil que es contratar buena ayuda hoy en día, sobre todo cocineros", sonrió. "Y entrenadores personales, por supuesto. Cuando termines allí, creo que es mejor no dejar testigos. Ninguno. Mátalos a todos. Así quedarás mejor ante los otros moteros, los cárteles y José. ¿No crees?"

Esta vez fue Jennifer la que sonrió. Consuela sabía que siempre había sido la más sádica de las dos. Fue entonces cuando oyeron pasar un helicóptero, rodear el edificio y aterrizar en el tejado.

"¿Para nosotros?" preguntó Jennifer.

"Sólo hasta el aeropuerto. Mi nuevo jet Gulfstream debería estar cargado y esperando. Despega dentro de quince minutos. Debería llevarte allí en menos de tres horas, mucho antes del amanecer, con combustible de sobra para el viaje de vuelta. Hay un pequeño aeropuerto privado en el condado de Richmond cerca de tu objetivo. Roba un coche y desactiva su GPS y chips de seguimiento, por supuesto, y te enviaré por correo electrónico mapas y otros detalles."

"Por supuesto, señora", dijo Pierre.

"Traerás a la mujer y al niño aquí, donde les prepararé una habitación", continuó Consuela. "Estoy segura de que la mujer tendrá preguntas. No las respondas. Limítate a decirle que un benefactor anónimo te contrató para liberarla, y que eso es todo lo que sabes. Ahora vete. Cuando vuelvas con ellos, haremos otros preparativos y esperaremos a que lleguen su marido y José, que seguro que llegarán."

Consuela oyó el rugido y el estruendo en toda la casa cuando el helicóptero despegó del tejado por encima de ella. Se puso el camisón sobre los hombros y salió al balcón, donde lo vio elevarse y desaparecer sobre la ciudad. Aquí, en su fortaleza, acurrucada en el centro de *SU* ciudad, se encontraba en su mejor momento. Ahora era su hogar. Entre la catedral, el ayuntamiento y la nueva comisaría central de policía. Aquí nadie podía tocarla. Era su refugio.

Ella *SABÍA* esas cosas. Sin embargo, no podía deshacerse de la molesta sensación de que algo no iba bien. Era como mirar una fotografía borrosa, ligeramente desenfocada. José era un bufón gordo, pero ella lo recordaba como un jugador de ajedrez decente, quizá incluso mejor que ella.

Llevaban demasiado tiempo enzarzados en esta danza mortal como para que ella no sospechara que él tenía más cartas escondidas en la manga. Movimientos dentro de movimientos. Aun así, ella intuía que todavía no se habían hecho los últimos movimientos del juego. Pretendía ser ella la que acabara arriba, que siempre había sido su posición favorita, se rió entre dientes. ¿Confiada? Sí, pero todo podía venirse abajo si bajaba la guardia. Eso no ocurriría.

Cinco horas más tarde, Pierre y Jennifer atravesaron el pequeño pueblo de Jensens Ford, en Carolina del Norte. Era casi medianoche. De día o de noche, la pequeña ciudad parecía un lugar deprimente, pensó Pierre. ¿Pueblo? Era poco más que el cruce de dos estrechas carreteras comarcales con una gasolinera, una oficina de correos, un "Próximamente, 7-11" y cuatro señales de stop. Viajaron en un todoterreno oscuro al que había hecho un puente en el aparcamiento del aeropuerto y luego había cortocircuitado su rastreador GPS interno. Jennifer conducía siguiendo las marcas de las carreteras de Carolina del Norte, mientras Pierre observaba la cara brillante de la aplicación Google Map en su teléfono móvil.

El vuelo hasta Carolina del Norte en el nuevo Gulfstream G-650-ER de Consuela no podía haber sido más fácil. El elegante pájaro ejecutivo podía alcanzar velocidades de hasta 700 mph sin inmutarse. Les dio tiempo a comer, preparar sus armas y estudiar los mapas. Como de costumbre, Pierre y Jennifer iban vestidos para matar, literalmente. Cada uno llevaba pantalones de seda negra que se ceñían a sus bien acondicionadas piernas, jerséis de seda negra de manga larga que cubrían sus torsos y ocultaban la más delgada armadura corporal, pasamontañas de seda negra, finos guantes negros y zapatillas de gimnasia con suela de goma que permitían la máxima flexibilidad, tracción y velocidad.

"Ya casi", le dijo.

"Tome el siguiente desvío a la derecha. Ahí", vio la señal de North Fork Road. Media milla más adelante, le dijo que aminorara la marcha y, con calma, le señaló un estrecho camino rural que desaparecía en un espeso pinar. "Es aquí. La casa está quizás media milla más allá".

Al cabo de unos minutos, aminoró la marcha y apagó los faros del todoterreno, tanteando el camino de tierra lleno de baches, comprobando periódicamente por el retrovisor que no habían captado a ningún seguidor.

Pierre apagó la aplicación de mapas y cerró el teléfono. Luego comprobó la carga de los dos pesados subfusiles Uzi del calibre 45 de la vieja escuela que habían traído. Era inusual que Jennifer llevara algo más que su pequeña Walther Magnum 22 o que él utilizara algo más que el cuchillo. Pero dado el tamaño de la oposición a la que podrían enfrentarse esta noche, la adición de subfusiles pesados con sus cargadores ampliados de treinta balas parecía apropiada.

Pierre siempre prefirió su fino cuchillo de estilete de nueve pulgadas para sus "trabajos húmedos" más delicados y su rifle para los disparos largos, mientras que ella solía preferir su Walther, muy precisa. Pero le reconfortaba el tacto y el peso equilibrado de la Uzi corta y robusta. No había nada como sus balas de gran calibre para poner fin a una discusión o controlar una situación incómoda.

Jennifer bajó las ventanillas mientras el denso bosque de pinos se cerraba a su alrededor en la estrecha carretera de dos carriles, llenando el coche con el aroma de agujas de pino frescas. Tomó una curva, rebotando entre roderas, raíces y baches, y por fin vio la vieja granja blanca. Como era de esperar, alrededor de la casa había coches destartalados, un tractor abandonado y un viejo autobús escolar rojo sobre bloques, y en el campo cercano había una trilladora rodeada de maleza.

Cerca de la entrada, entre los coches, había media docena de motocicletas y un coche marrón y blanco del sheriff. Pero lo más importante es que vieron luces encendidas en el interior de la casa e, incluso desde esa distancia, pudieron oír música a todo volumen, música country, música de paletos.

Jennifer no fue más lejos. Miró a Pierre y él asintió mientras se metía el estilete en la manga. El mejor cuchillero de Marsella se lo había hecho a mano y estaba tan afilado como una navaja de barbero.

Se sentaron a observar la granja durante un momento o dos, escuchando los sonidos de la noche, hasta que ella dijo: "Una casa así siempre tiene un sótano o un sótano de raíces, y la entrada suele estar junto a la cocina". Ella cogió su Uzi y se escabulló sigilosamente por la puerta del acompañante, mientras él hacía lo mismo por el otro lado.

"Sí, suponiendo que haya uno, creo que es allí donde los llevaremos. Yo entraré por la puerta principal. Usted entre por atrás y espere allí", dijo agradablemente, como si fueran a dar un paseo vespertino.

"Por supuesto", respondió Jennifer con una agradable sonrisa mientras se alejaba por el patio lateral, en dirección al porche trasero. Vestidas de negro, eran invisibles.

Cuando Pierre se acercó al porche, cambió la Uzi a "automática", que podía disparar seiscientas balas por minuto, lo que significaba que podía vaciar todo el cargador de treinta balas en tres segundos si era necesario. Un pensamiento muy reconfortante.

Como de costumbre, no sentía tensión ni nerviosismo, pero cuanto más se acercaba, más se avivaban sus sentidos, agudamente alerta a cualquier ruido, el crujido de una tabla del suelo, el crujido de una ramita o el susurro de las hojas cercanas. El olor a moho de la vieja granja en descomposición parecía elevarse a su alrededor, mezclándose con los potentes olores a gasolina y goma quemada de las motocicletas cercanas. Como un hábil depredador al acecho de su presa, tomó nota de todas estas cosas, las procesó y siguió adelante.

Pierre no hizo ningún ruido cuando tanteó la vieja madera del porche delantero y luego lo cruzó con paso ligero. La puerta estaba abierta, pero delante había un mosquitero. Cuando llegó a ella, apoyó la punta de los dedos en el pomo. Palpó la casa, la respiró, mientras en su interior crecía un regocijo innegable. Lo sentía cada vez que anticipaba la emoción de la matanza.

CAPÍTULO TREINTA Y DOS

Womack y Sherwood

Me paseaba nerviosa por el aparcamiento cuando sentí que una mano me tocaba el hombro. Era Ace. No interrumpió la llamada, sólo pronunció las palabras: "¡Cálmate, Fantasma!". Fue entonces cuando me di cuenta de lo apretados que tenía los puños y de lo tensa que me había vuelto. Tenía razón, pero eso no significaba que supiera cómo deshacerlo.

Jimmy cogió la llamada y dijo: "Por cierto, señor B, ya casi he terminado con los títulos de propiedad y los registros de sociedades del condado y del estado. Las escrituras se remontan a través de media docena de sociedades ficticias y fideicomisos a un tal Angus Bodine, o a su esposa y primos, a través de ese abogado Edward Mayfield de Atlanta. Es socio principal de Mayfield y Reynolds. Para ser un gran abogado sinvergüenza en un gran bufete de abogados sinvergüenzas, no hizo un buen trabajo ocultando las cosas. Bastante torpe si me preguntas. Cuando enviemos los papeles y todos los registros telefónicos que descargamos a tus amigos del FBI, harán su agosto con el blanqueo de dinero y un montón de cargos RICO."

Ronald se echó a reír. "Hablando de los registros telefónicos, sólo he estado merodeando por ellos unos diez minutos. Como siempre dicen esas grabaciones de atención al cliente, hay 'un volumen de llamadas inusualmente alto', entre ese teléfono del bufete de abogados de la granja en Atlanta donde trabaja Edward Mayfield, y lo que parecen una serie de teléfonos desechables en Tucson y Jensens Ford, Carolina del Norte. Cuando cuelgue el teléfono, entraré en el sistema de su bufete y averiguaré exactamente qué extensión de oficina se utilizó. Eso es lo bueno de los bufetes de abogados. Les encanta cobrar a sus clientes por minuto, así que tienen registros de cada llamada, indexados por abogado. No debería ser muy difícil atar cabos".

"Jefe", intervino Sasha. "Con tres, tienes rollos de huevo, y conspiración."

"Buena observación", le dije. "Ronald, mira a ver si puedes entrar en los registros de la compañía telefónica y rastrear las llamadas entre Bodine y el carísimo abogado de Ortega, Wilson Redmond, en Denver. Es otro sinvergüenza. Comprueba cualquier llamada que haya hecho a Mayfield. Lo mismo con los otros jefes del cártel. Es tan corrupto como el de Atlanta, y si puedo darles a mis amigos del FBI suficiente material, podremos cocinarlos a todos en la misma olla".

"Considérelo hecho, señor B", respondió Jimmy, mientras oía de fondo el enérgico chasquido de los teclados.

"Si encuentras alguna llamada específica dentro o fuera de la prisión, anótala y puedo hacer que el FBI vea si la Oficina Federal de Prisiones tiene registros telefónicos de las mismas fechas de esos presos".

"¡Papá coronel!" Ellie se rió. "Hemos dejado esa idea en el polvo hace cinco minutos. No hacen falta registros telefónicos. Encontramos grabaciones de la prisión de *TODAS* las llamadas y reuniones. Resulta que graban todas las llamadas que entran y salen de ese lugar, y graban todas las reuniones de los visitantes. Todo, incluidos abogados y archivos, está ordenado alfabéticamente y con referencias cruzadas por recluso y visitante. Ya estoy revisando las llamadas y las grabaciones. Pero papá, yo creía que las llamadas y reuniones entre presos y sus abogados se supone que son privadas. Eso es lo que dicen siempre en la televisión".

Me lo pensé. "Tal vez sí, tal vez no. Probablemente dependa de quién preguntaba y de si alguien pregunta y de lo mal que les caen los dedos si les pillan".

"¿Otra vez?", preguntó, sorprendiéndome de nuevo por lo rápido que aprendía la jerga militar.

"Bueno", intenté explicar. "No pueden utilizarlo ante un tribunal. Sería inadmisible y probablemente ilegal, pero si no lo sacan a relucir, nadie sabe que lo tienen o que lo están haciendo. Y probablemente dependa del estado en que se encuentren y de quiénes sean los jueces. Si alguien saca el tema, siempre pueden alegar que sólo lo usan por seguridad, que sólo buscan "palabras clave" problemáticas y más amenazadoras, y callarse".

"Entonces, ¿estás diciendo que probablemente puedan salirse con la suya?"

"Tal vez. Míralo de esta manera, los presos de esa cárcel ya están encerrados en el próximo siglo, muchos de por vida, así que ¿quién va a quejarse? Y, lo que es más importante, ¿quién va a pagar a un abogado para que investigue, redacte y presente una queja así? Los abogados sólo hacen esas cosas para clientes de pago y la mayoría de esos reclusos hace tiempo que agotaron su cuerda pro-bono. Pero escuchar probablemente le dé a la prisión alguna buena información sobre lo que realmente está pasando dentro".

"Furtivo", dijo Ellie.

"Probablemente, pero gran trabajo, Ellie. Ronald, tengo que hacer otras llamadas, así que os llamaré dentro de unos veinte minutos. Mientras tanto, seguid investigando", dije mientras colgaba.

Está bien, Linda, me susurré, sintiendo su presencia conmigo, aunque estuviera a kilómetros de distancia. Aguanta. Ya voy.

Miré a Ace y ambos subimos a su camioneta. Condujo mientras nos dirigíamos hacia el sur a través de Post, rodeando Fayetteville y bajando por Cedar Creek

Road hasta Sherwood Forest.

"Piensa como un Delta", me repetía mientras me golpeaba el muslo con el puño: planifica, ejecuta, adáptate y vence. Golpe, golpe, golpe. Como nos gritaba el sargento Klein cuando nos arrastrábamos por el frío barro de Georgia durante el entrenamiento de los Rangers: "¡Dolor! Enfoca la mente, ¿verdad, panda de imbéciles?".

Sin tiempo que perder, mi siguiente llamada fue para Phil Henderson. Él y yo sólo nos habíamos visto una vez antes de que llegara a su puerta aquella famosa funda de almohada llena de libros de casinos de la mafia. Dejando a un lado aquellas sospechas iniciales, cuando ahora marco su número de móvil, a cualquier hora del día o de la noche, mis llamadas, al igual que las del director del FBI, nunca van al buzón de voz durante mucho tiempo.

"Phil, soy Bob Burke. Tengo más información para ti sobre la banda de moteros de Carolina del Norte que secuestró a Linda y Eddie. Se llaman los Discípulos del Diablo. Son nacionales y tienen lo que llaman "aquelarres", si puedes creerlo, por todo el país, pero sobre todo en el sureste. Hay un tipo llamado Angus Bodine que los dirige. Está encerrado en la Penitenciaría Federal de Tucson con José Ortega".

"¡Ortega! Vaya, creía que estaba en el Super Max de Colorado".

"Ya no. Trasladaron a Ortega a la Penitenciaría Federal de Alta Seguridad de Tucson. Bodine también está allí. Igual que los jefes de otros cárteles. Y se dice que Ortega y Bodine trabajan juntos, sobre todo en la distribución de fentanilo".

"Eso es genial, Bob. He vuelto a llamar al Director. Está a bordo con ambos pies y las ruedas están girando rápidamente aquí. El equipo de rescate de rehenes de Quantico está a la espera y se han establecido conferencias telefónicas con todas las personas de las que hablamos la última vez. A veces el FBI puede ser como un gran acorazado. Tenemos todos esos grandes cañones, pero lleva un tiempo conseguir que el barco gire y los cañones apunten hacia el objetivo. Pero cuando lo hacen... como dijo el director, es nuestra oportunidad de acabar con muchos malos".

"Gracias, Phil. Mis cerebritos han estado destrozando Internet y voy a pedirle a Ronald, uno de mis chicos, que te envíe todo lo que han averiguado sobre Bodine, los jefes del cártel que están encerrados con él y Ortega, y en particular sobre sus abogados. A pesar de todo el encierro y el aislamiento, así es como se comunican, a través de los abogados.

Por lo que ya he visto, tendrás suficiente para pillarlos a todos por blanqueo de dinero, fraude electrónico, importación de drogas ilegales y un montón de violaciones de la ley RICO. En el peor de los casos, puedes poner las pelotas de sus abogados en un tornillo de banco y empezar a apretar. Son comadrejas, y ninguno de los dos ha sido muy cuidadoso. Dejaron un rastro de papel que puedes conducir un tanque. Además, unos sórdidos como ellos delatarían a sus madres".

"Lo haré. Te mantendré informado. Así que déjame ponerme a ello".

Mi tercera llamada fue para John "High Rider" Carmody. Era un suboficial jefe-4 piloto de helicópteros, recientemente jubilado y muy condecorado. Tras cuatro misiones de combate en Irak y Afganistán, se convirtió en el piloto personal del general de división Stansky. A lo largo de los años voló casi todo con cuchillas y fue miembro durante mucho tiempo de los Merry Men. Al igual que Phil Henderson, mis llamadas a él siempre eran atendidas, de día o de noche.

"John, este es Bob Burke."

"Hola, Fantasma. Gran fiesta la de la otra noche. Gracias por la invitación. ¿Qué tal?"

"Necesito tu ayuda".

"¿Necesitas mi ayuda? Cualquier cosa, tío. La tienes."

"¿Puedes volar uno de esos nuevos Stealth Hawks?" Le pregunté.

¿"Volarlas"? Bob, puedo volar una bañera si le pones palas de rotor. Pero resulta que yo escribí el manual y examiné a todas las tripulaciones de vuelo iniciales de los Stealth Hawks la primavera pasada".

"Perfecto. Sube al aeródromo Pope *lo antes posible*. Hay uno esperándote en la línea de vuelo, a nombre del General Jacobson. Te estarán esperando".

¿"Jacobson"? ¡Vaya! Es uno o dos metros más alto que yo, así sabrán que no soy él".

"No importará. Tendrá mi nombre en alguna parte, o pueden llamar a su oficina. Asegúrate de que está cargado de combustible y completamente armado, con todo el equipo óptico nocturno, armas automáticas y demás, luego vuela hasta Sherwood y aterriza en el patio delantero. Estoy pensando en ponerme en marcha en noventa minutos como muy tarde y luego daré los detalles".

"Entendido", respondió sin preguntar por qué. Hay que querer a los amigos así.

Me volví hacia Ace. "Te pongo a cargo del personal. Llama a Koz, Chester, Batman, Kraut, Jefferson Adkins y a todos los 'sospechosos habituales'. Espero que haya suficientes por aquí. A ver a quién puedes reunir".

"No te preocupes, no faltarán voluntarios para esto. La mitad de la unidad te debe mucho".

"Bueno, asegúrate de que sepan que esto es estrictamente 'extraoficial' y estrictamente voluntario. Pon a Henry Zhang en esa lista. Me pareció verle ayer por aquí".

"Ese chino golpeador de anillos aún te debe por salvar a su familia en esa Op china".

"Lo sé. Y me ha estado molestando durante meses para que le diera la oportunidad de devolvérmelo. Esta es su gran oportunidad. Y llama a Tim Foster. Que traiga un par de sus drones, uno con todas las ópticas y otro con armas. Incluyéndonos a ti y a mí, eso debería darnos una docena de buenos hombres".

"Tendremos muchos Operadores cualificados entre los que elegir", dijo Ace.

"Esperemos que no llegue a la guerra. Pero dile a todo el mundo que esté aquí en Sherwood en una hora como máximo si necesitan equipo, ruedas arriba en noventa minutos como máximo".

Con High Rider y el helicóptero preparados, volví a centrar mi atención en la avalancha de buena información que llegaba a mi teléfono desde los Geeks. Cada actualización aumentaba mi determinación y mi confianza en que traeríamos a Linda y a Eddie a casa sanos y salvos.

Jimmy me llamó con otro informe de situación y me dijo: "Sr. B, hemos investigado más y Sasha ha conseguido buenos infrarrojos de ese satélite. Los rusos no pueden disparar bien y sus tanques se caen a pedazos, pero ese satélite tiene una gran resolución. Necesitamos conseguir uno de esos. ¿Crees que podríamos robar uno?"

"Tal vez volver a apuntar a uno, pero podemos hablar de eso más tarde", le dije para que volviera al mensaje.

"Tienes razón. De todos modos, Sasha ve tal vez una docena de firmas de calor en esa casa. Por las fotos, también ha identificado una docena de motos aparcadas fuera de la casa, además de coches, pero podría haber más aparcados dentro de los graneros. Van y vienen. Por lo tanto, calcula que hay cerca de una docena de motociclistas en esa casa en cualquier momento, además de Linda y Eddie. Por lo tanto, es necesario esperar una fuerte resistencia ".

"Ya lo hice. Pero gracias por el aviso, Jimmy", respondí. "Y que sigan llegando datos".

"Cualquier cosa para ayudar, jefe", dice. "Seguiremos buscando más información".

"¡Jefe!" Sasha saltó en la línea antes de que yo colgara, su voz llena de preocupación. "Ten cuidado ahí abajo. Las llamadas telefónicas y los informes de gastos de la oficina del sheriff del condado dicen que el sheriff de ese pueblo es corrupto de cojones. Su coche está aparcado en esa vieja casa blanca, justo delante de la puerta principal. Nosotros los rusos podemos oler policías corruptos, Jefe. Eso es todo lo que tenemos, y mi olfato me dice que ese sheriff es amigo de esos Discípulos del Diablo".

"Gracias por el aviso, Sasha."

CAPÍTULO TREINTA Y TRES

Jensens Ford, Carolina del Norte

Pierre permaneció en el porche el tiempo suficiente para que sus ojos se adaptaran a la tenue luz del interior. Lentamente, abrió la desvencijada puerta de madera, no más de medio metro, y la atravesó con un movimiento fluido, sin vacilar ni hacer ruido. Como un espectro vestido de negro, barrió lentamente la habitación con el cañón de su Uzi, esperando y buscando cualquier amenaza. No había ninguna.

Cinco motoristas estaban dentro del salón. Parecían dormidos. Tres estaban tumbados en el sofá. Uno yacía torpemente sobre el brazo de una silla acolchada y otro estaba tirado en el suelo detrás de la mesa de café, dormido o desmayado. Todos llevaban vaqueros azules manchados, botas y chalecos de cuero negro, cadenas, tatuajes y pelo largo, bigote y barba. Debía de ser el "uniforme del día" del aquelarre, decidió Pierre. Estúpidos americanos, ¿qué sentido tenía ser civil?

Había un enorme televisor en color de pantalla grande, pero no tenía volumen y, de todos modos, ninguno de ellos lo estaba viendo. Pierre recordó haber visto la caja de cartón en la que debía de venir tirada en la tierra del jardín delantero. Era uno de los modelos más nuevos y grandes, y en la caja ponía que tenía una pantalla en color de noventa y ocho pulgadas.

La tenían en precario equilibrio sobre dos pilas de cajas de cartón vacías contra la pared opuesta, y su parpadeante pantalla proporcionaba la única luz de la habitación. Uno de ellos debió de ponerla en silencio, o tal vez aquellos imbéciles eran incapaces de descifrar los controles. En lugar de eso, la habitación se llenó con los estridentes riffs de guitarra de música country que salían de un radiocasete colocado en el suelo, en una esquina.

Si alguna de las lámparas de mesa o de techo de la habitación funcionaba, ninguna de ellas estaba encendida tampoco. Frente al sofá había una mesa baja y larga cubierta de pistolas, rifles, escopetas recortadas, ceniceros rebosantes, cajas de balas y latas de cerveza, algunas en posición vertical y otras tumbadas. A pesar de las puertas y ventanas abiertas, la habitación apestaba tanto a cerveza rancia, hombres sucios y marihuana que Pierre se esforzaba por no respirar.

Echó un vistazo a la pantalla del televisor y vio que el programa parecía ser un combate femenino de lucha en el barro. Qué divertido, pensó. Bueno, al menos estaba en silencio, porque era un deporte con el que no estaba familiarizado, aunque eso no importaba. La calidad de la imagen de la televisión era tan mala que podría haber sido la exposición de ganado de la Feria Estatal. Tal vez la granja estaba demasiado lejos en el campo para una recepción decente, o estaban utilizando una señal pirateada, o un motociclista borracho había disparado a la antena parabólica en el techo lleno de agujeros. Podría haber sido cualquiera de esas cosas, y todas ellas.

Vestido de negro de la cabeza a los pies, Pierre se abrió paso silenciosa y lentamente a lo largo de la pared lateral para mejorar sus ángulos de tiro, hasta que vio al motorista de la silla acolchada gruñir, estirarse y abrir un ojo. El francés se quedó helado, pero el motorista ya le había visto. Enfocó ese ojo hacia Pierre, y luego el otro, entrecerrando los ojos.

"¿Pero qué...? ¡Eh! ¿Quién demonios eres, tío?", preguntó indignado el motorista mientras intentaba incorporarse. "¿Qué haces aquí?". Cuando vio el traje negro de Pierre, dijo: "¿Eres un maldito ninja?".

El motorista frunció el ceño cuando su cerebro puso por fin la primera marcha, pero hasta ahí llegó. Gruñendo, se inclinó hacia delante y cogió una escopeta recortada que había sobre la mesita. Eso fue un gran error, pensó Pierre mientras disparaba un solo tiro de la Uzi silenciada del calibre 45 y hacía volar al motorista hacia atrás en la silla sin que le quedara parte de la cabeza.

Con el supresor de sonido de la Uzi, el disparo no fue muy fuerte, pero cuando el motorista dejó caer la escopeta, ésta se estrelló contra la mesa y tiró al suelo otras armas y latas de cerveza. Una le dio en la cabeza al paleto que dormía allí abajo. Se revolvió y gruñó, despertando a uno de los motoristas que dormía en el sofá. Los demás oyeron lo suficiente para despertarse también y ver al hombre vestido de negro con un subfusil apuntándoles. Entonces se quedaron paralizados.

"¿Ya están todos despiertos?" preguntó Pierre. "¿No? Bueno, prod esos otros dos", señaló a los ciclistas desplomado en el otro extremo del sofá, todavía dormido. Después de unos cuantos empujones, se incorporaron, frunciendo el ceño, confusos y quejosos.

"¡Cállate!" ordenó Pierre mientras disparaba a la pared por encima de sus cabezas, salpicándoles con trozos rotos de yeso. Eso llamó su atención. "¿Sabéis qué es esto?", levantó la Uzi. Le miraron boquiabiertos, todavía confusos y probablemente drogados, así que les explicó. "Es un subfusil del calibre 45. Con media docena de balas se puede disparar. Media docena de balas os partirán por la mitad a cualquiera de vosotros, gordinflones, y tengo treinta balas en el cargador. Ahora, ¿quién quiere ser un héroe?", preguntó, con voz tranquila y sin ninguna emoción, mientras recorría lentamente la sala con la Uzi, retando a cualquiera de ellos a desafiarle. Los motoristas intercambiaron miradas nerviosas, pero no hicieron nada.

"Bien. Levantadlo", indicó a los motoristas que estaban más cerca del cadáver tirado en la silla. Lo cogieron por los hombros y las piernas y lo levantaron, tambaleándose bajo el peso muerto del hombre. "¡A la cocina, todos, ahora!"

Pierre les siguió de cerca, con su Uzi apuntándoles a la espalda mientras atravesaban la puerta. Las luces de la cocina se encendieron, lo que significaba que Jennifer estaba lista y ya se había ocupado de esa habitación. Justo dentro de la puerta de la cocina, vio una estrecha puerta interior. Como Jennifer sugirió, supuso que conduciría a un sótano, o a un sótano de raíces, como lo llamarían estos americanos rurales. Cualquiera con algo de cultura lo llamaría bodega, pensó, a menos que estuvieran cultivando marihuana allí abajo, cosa que este grupo bien podría estar haciendo. Y en cuanto al vino, si lo bebían, probablemente era Thunderbird, Carlo Rossi o Wild Irish Rose. Se estremeció al pensarlo. Tenían una vida útil de unas dos horas. No hacía falta mantenerlos fríos.

Jennifer llevaba los mismos ajustados trajes de seda negra y pasamontañas sobre la cara que él, hechos a mano para ellos por una costurera de Culiacán. Los trajes les cubrían de la cabeza a los pies y de los dedos de las manos a los pies. Las únicas aberturas eran para los ojos y la boca. Si no fuera por los bultos sobre sus pechos y caderas, uno nunca podría distinguirlos o saber que uno de ellos era una mujer. Pero Pierre lo sabía. Notó cómo los bordes de sus labios se curvaban en una sonrisa en la estrecha abertura de la boca. Como de costumbre, ella disfrutaba más que él de este tipo de trabajos, sobre todo la anticipación de matar.

Jennifer estaba de pie en el centro de la cocina con su propia Uzi apuntando a otros seis motoristas -cinco hombres y una mujer- que ahora estaban de rodillas con las manos en la parte superior de la cabeza, con los dedos entrelazados. En el centro de la habitación había una mugrienta mesa de cocina cubierta de cartas, latas de cerveza, colillas y trozos de patatas fritas y pommes de terre frites, esas asquerosas "patatas fritas" que comen los americanos sin gusto como estos patanes. La mujer era una rubia desaliñada con tatuajes, cadenas, vaqueros y cuero, igual que sus colegas masculinos. Un sexto hombre yacía hecho un ovillo frente a ellos en un charco de sangre agarrándose el estómago, con más sangre rezumándole entre los dedos.

Conocía a Jennifer. Cuando sus objetivos son tan obviamente ignorantes, cerdos de clase baja como éstos, ella siempre sentía cierto orgullo al saber que estaba prestando un servicio a la humanidad impidiendo que procrearan y se multiplicaran, contaminando aún más la reserva genética humana. "Uno sólo puede caer tan bajo", le dijo una vez.

Al final de la fila, Pierre vio a un hombre mayor con uniforme marrón de sheriff, barriga cervecera, cara roja y una funda de pistola vacía, arrodillado con los demás. Jennifer ya le había quitado la pistola del calibre 38 y se la había metido en la cintura. El sheriff del pueblo, supuso Pierre. Lo único que el hombre podía hacer ahora era mirarles y fruncir el ceño con ojos duros y furiosos.

"Estás en un mundo de dolor aquí, hijo," el sheriff finalmente habló. "No sé con quién crees que estás tratando, pero..."

"Sé exactamente con quién estoy tratando", le cortó tranquilamente el francés golpeándole en los dientes con el supresor de sonido del extremo de su Uzi, arrancándole unos cuantos dientes. "Ahora, cállese, sheriff. Es su única advertencia".

Pierre se dio la vuelta, abrió lo que supuso que era la puerta del sótano y buscó el interruptor de la luz a lo largo de la pared lateral de la escalera. Vio que se trataba de una escalera de madera sin pintar que se extendía hasta el oscuro sótano. En cuestión de segundos, sintió y olió la humedad y la suciedad del suelo. La luz de abajo no era brillante, tal vez una bombilla de cuarenta vatios que colgaba del bajo techo. Agachándose, incluso desde la puerta, vio que era un almacén lleno de cajas, tablas viejas, muebles rotos, herramientas oxidadas, un banco de trabajo decrépito y chatarra.

Hizo un gesto con la cabeza a Jennifer, que bajó corriendo las escaleras por delante del grupo, y les indicó que la siguieran. "Bajad ahí", dijo al grupo e hizo un gesto con el cañón de la Uzi. "Todos vosotros. Os vamos a encerrar en el sótano. Y llevad a esos dos con vosotros", dijo señalando a los hombres muertos y heridos. Cuando su grupo hizo lo que le dijo, bajó las escaleras y llegó abajo, oyó el rápido staccato de tres disparos amortiguados de su Uzi en el sótano, seguido del ruido sordo de un cuerpo al caer.

"¿Va todo bien?" preguntó Pierre mientras apuntaba a los demás con su subfusil, listo para disparar.

"Ya está todo bien", respondió su agradable voz. "Uno de ellos decidió no escucharte y ser estúpido. Esperemos que los otros ahora vean el error de sus caminos", respondió mientras la procesión llegaba al fondo. "Todos ustedes, contra la pared, de rodillas, con las manos en la cabeza. ¡Ahora!" Para cuando Pierre llegó al fondo, todos habían hecho exactamente lo que Jennifer les dijo que hicieran. Pero aunque eran unos patanes ignorantes, al parecer también habían visto películas. Pierre sintió que la tensión aumentaba a medida que sospechaban lo que podría ocurrir a continuación. Fuera como fuese, no les daría ninguna oportunidad de actuar en consecuencia.

Cuando los motoristas estuvieron todos en posición contra la pared, Jennifer se acercó al primer hombre de la fila, el que estaba junto al sheriff: "¿Dónde está la mujer Burke?".

El motorista giró la cabeza y la miró por encima del hombro. "¡Cuando Angus se entere de lo que estás haciendo aquí, zorra, te va a arrancar las tripas!".

Jennifer le disparó inmediatamente en un lado de la cabeza. La pesada bala del calibre 45 le voló la cabeza y lo estampó contra la pared como un saco de patatas. Se deslizó hacia abajo y terminó en un montón al pie de la pared.

"¡Dios santo!", gimoteó el sheriff, con el lado izquierdo de la cara salpicado de sangre.

Pierre no tardó en dispararle también en la cabeza, y éste se desplomó al pie del muro, junto al primer motorista.

"Ninguna de las dos eran respuestas aceptables, ¿verdad?". Pierre preguntó con calma a los demás mientras sus fríos ojos se dirigían al siguiente motorista de la fila. "Lo intentaremos de nuevo. Ahora, ¿dónde está la mujer Burke?". Esta vez obtuvo una respuesta claramente diferente, como esperaba.

"¡Arriba, tío! Arriba, está en el dormitorio trasero del segundo piso".

"Gracias. Eso está mucho mejor", les dijo Pierre. "Y apreciamos mucho su cooperación". Antes de que pudieran contemplar cualquier otra travesura, Jennifer dio la vuelta y les aseguró las muñecas a la espalda con unas esposas flexibles de plástico.

"Ahora, inclinaos todos hacia delante y apoyad la frente contra la pared hasta que vuelva", les dijo Pierre. Arrodillados como estaban, con las manos atadas y apoyados contra la pared, estaban completamente inmóviles. Y tal vez, con las esposas puestas, habían pensado que podrían pasar la noche. Se equivocaban.

CAPÍTULO TREINTA Y CUATRO

Jensens Ford

"Señores... y señora", les dijo Pierre. "Voy a subir para comprobar la veracidad de lo que acaban de contarnos. ¿Alguno de ustedes desea cambiar esa historia?" preguntó mientras miraba a su alrededor esperanzado, pero vio que todos negaban con la cabeza. "Mi siguiente pregunta: ¿hay más amigos vuestros arriba?". De nuevo, todos negaron con la cabeza. "¿Ninguno? De acuerdo, aceptaré eso como la verdad... por el momento. Pero si subo y descubro que alguna de las dos respuestas es incorrecta, será duro con vosotros aquí abajo. ¿Lo entendéis todos?" De nuevo, no dijeron nada y movieron la cabeza afirmativamente. "Y mientras yo no esté, no contempléis la posibilidad de desafiar a mi compañera. Ella nunca falla".

Jennifer les habría disparado a todos en ese mismo instante, especialmente a la mujer, pero Pierre sabía que primero debían asegurarse de que la mujer Burke estaba realmente aquí antes de eliminar a los demás.

Pierre asintió a Jennifer. No pronunció palabra. No hacía falta. Se dio la vuelta y corrió rápida y silenciosamente escaleras arriba, a través de la cocina, y registró cuidadosamente cada habitación del primer piso. Volvió al salón delantero, vio el enorme televisor parpadeante y oyó aquel maldito radiocasete que seguía emitiendo su estridente música country.

Pierre era uno de los hombres más tranquilos y estables. Pocas cosas le ponían nervioso. Pero al mirar el radiocasete, sus ojos se entrecerraron. Era la esencia destilada de todo lo ofensivo que había en aquella granja. Sus notas chirriantes habían irritado sus refinados sentidos por última vez. Además, podía argumentar, el ruido era un riesgo para la seguridad. Necesitaba silencio, levantó la Uzi y disparó una sola bala contra la máquina ofensiva, haciéndola estallar contra la pared en cien pedazos. La cacofonía se apagó bruscamente y la casa se unió al silencio de la agradable noche campestre.

"Por fin", murmuró en voz baja mientras se daba la vuelta y subía las escaleras del segundo piso, con la Uzi preparada. Con destreza, comprobó cada habitación por la que pasaba, con los sentidos afilados como cuchillas, atento a cualquier indicio de peligro que pudiera delatar la presencia de más motoristas. Pero todas las demás habitaciones estaban vacías hasta que llegó a la última puerta de la parte trasera de la casa. Tenía lo que parecían ser una aldaba y un candado nuevos que habían sido torpemente añadidos entre la puerta y el marco.

Los miró detenidamente. Parecían ser artículos baratos de ferretería local fijados con clavos de tejado doblados en lugar de tornillos del tamaño adecuado.

Ofrecían poca seguridad, pero quizá fueran adecuados para mantener dentro a una mujer y un niño pequeño.

Cuando el radiocasete estaba a todo volumen, la mujer Burke no pudo oír nada de lo que él o Jennifer habían dicho o hecho en el piso de abajo. Tampoco había oído nada de los disparos con los supresores de ruido de sus armas. Ahora, Pierre sospechaba que ella podía oírlo todo, así que llamó suavemente a la puerta y la llamó con voz amistosa y un leve acento francés: "¿Señora Burke? ... Madame Burke, ¿está usted ahí?"

Un momento después, oyó la voz de una mujer que respondía a través de la puerta, temblorosa y preocupada, pero decidida. "Sí. ¿Quién está ahí? ¿Quién es usted?"

"Un amigo. Hemos llegado para sacarte de este infierno", explicó. "La puerta parece estar cerrada con candado, y no tengo la llave, así que me temo que debo disparar a la cerradura. Tenga la amabilidad de retroceder". Al oír el rápido susurro de movimiento al otro lado, colocó la boca del cañón del supresor de sonido de la Uzi cerca del candado, esperó unos segundos más y apretó el gatillo. Los fragmentos de metal volaron por el suelo al estallar el candado.

Pierre se quitó el pasamontañas de la cabeza y se lo metió en el cinturón mientras se arreglaba el pelo despeinado y abría la puerta. Dentro, en el rincón más alejado, vio a una mujer asustada de mediana edad con un niño pequeño en brazos. Era una mezcla muy potente que debería haber considerado antes. Había miedo en sus ojos, pero también una ira prodigiosa. Con el niño, no sería agresiva, pero sí muy defensiva. Haría lo que le dijeran, pero si alguien amenazaba al niño, se enfrentaría a una madre oso pardo que no se rendiría sin luchar hasta la muerte.

Pierre le hizo un gesto para que saliera.

"¿Quién es usted?", preguntó con recelo.

"Amigos de su marido. Me llamo Pierre", respondió con la voz más amistosa que pudo reunir.

¿"Suenas francés"? ¿Estuviste en la Legión? Uno de los amigos de mi marido estuvo en el Regimiento de Paracaidistas 2nd ... Bueno, era amigo de un amigo. ¿Es ese el regimiento en el que estuviste?"

"No, querida, yo estaba en el 3rd REI, que es el 3rd Regimiento de Infantería. Los Paras tuvieron toda la suerte. Estaban destinados en Córcega, un lugar encantador, mientras que a nosotros nos enviaron a Guyana y a la selva más inhóspita de Sudamérica. Pero eso fue hace años y sigo tratando de olvidar todo eso. Ahora, si es tan amable de seguirme, Madame. Todo se explicará más tarde - sonrió y trató de tranquilizarla, observando cómo la mirada de Linda oscilaba entre su rostro y la Uzi que llevaba en la mano, tratando de calibrar hasta qué punto podía confiar en aquel desconocido.

"¿Pero quién eres tú?", volvió a preguntar, ahora con la voz temblorosa mientras bajaba corriendo las escaleras.

"Eso no es importante en este momento ... operadores independientes, si se quiere", dijo finalmente para apaciguarla. "Como a veces lo es su marido, ¿no?".

Lo estudió un momento, aún insegura, y luego preguntó: "¿Dónde están todos los motoristas? ¿Adónde han ido? ¿Siguen abajo?".

"No, ya se han ido. Los ahuyentamos. Probablemente no pudiste oírlos marcharse con todo el ruido que salía de ese maldito radiocasete. Vámonos... por favor, tenemos que darnos prisa", hizo un gesto hacia la puerta.

Linda dudó durante una fracción de segundo y luego miró a Eddie, dormido en sus brazos, y se dio cuenta de que no tenía elección. Se apresuró a seguirle, pasó corriendo junto al desconocido vestido de negro y salió por la puerta principal. El corazón le latía con fuerza en el pecho, pero reprimió el miedo, concentrándose en la seguridad de su hijo más que en cualquier otra cosa. Entonces se detuvo en el porche y contempló la misma colección de coches y bicicletas abandonados que había cuando ella llegó.

"Por favor, sigan caminando por el camino de entrada. Nuestra furgoneta está aparcada más allá de la línea de árboles. Si quiere, usted y el niño deberían subir al asiento trasero y esperarnos. Jennifer y yo llegaremos pronto después de limpiar algunas cosas".

"¿Pero sus motos?", preguntó. "¿Cómo... adónde fueron?", se volvió y preguntó a Pierre, repentinamente confusa.

"Fuera de la parte trasera, corriendo a través del campo de la granja ... sin sus motocicletas. Ahora, vaya, por favor, por el camino de entrada a la camioneta, antes de que regresen. Nos reuniremos con usted en un minuto ".

Finalmente, Linda hizo lo que él le pedía, desechando cualquier otro pensamiento o preocupación que pudiera tener, y se alejó a toda prisa por el camino de entrada.

Pierre sonrió, sabiendo que la niña estaba por encima de todas sus preocupaciones, incluso del sentido común. Volvió a entrar en la casa. Afortunadamente, la mujer no había visto la sangre en la pared del salón ni en el suelo de la cocina. Se apresuró a bajar las escaleras del sótano y encontró a Jennifer esperándole, mirándole. Asintió y ambos se abalanzaron sobre los ocho motoristas restantes antes de que pudieran decir o hacer nada.

Había siete hombres, y una mujer, que seguían vivos allí abajo, apoyados contra la pared, pero ni a Pierre ni a Jennifer les importó. Él empezó automáticamente desde un extremo y ella desde el otro, disparando ráfagas precisas de tres tiros contra la fila de motoristas, como máquinas gemelas. Él pensó que ella había disparado más veces a la motera, pero eso no importaba.

Las ejecuciones duraban sólo unos segundos, y si a Jennifer le importaba exorcizar sus demonios personales sobre la mujer, a Pierre no le importaba. En el sótano de gruesas paredes y suelo de tierra, el ahogado staccato de los disparos sonó como un hombre con una tos persistente mientras los motoristas caían, sus cuerpos desparramados torpemente, parcialmente unos encima de otros a lo largo de la base de la pared.

Jennifer sacó entonces su pequeña Walther WMP y recorrió la fila, asestando un único tiro de gracia a la cabeza de cada uno de ellos. "*¿La masacre de San Valentín?*", preguntó. "Vi esa película. Tú y yo podríamos haber estado en ella".

"O más apropiadamente, ¿tal vez *Bonnie y Clyde*?", respondió. "He mandado a la mujer Burke al coche. Vámonos".

Sin decir una palabra más, se apresuraron a subir las escaleras, apagaron la luz y cerraron la puerta del sótano con una ominosa finalidad, sellando la carnicería que había dentro.

"¿Deberíamos incendiar la casa?", preguntó con toda naturalidad.

"Creo que no. La Jefa quería que ella... y ellos... quedaran como ejemplo para que Bodine y los cárteles lo tuvieran en cuenta antes de volver a por ella".

Jennifer asintió y, en ese momento, no pudo evitar admirar la implacable eficacia con la que actuaba su compañero. Hacían tan buena pareja y había una refinada elegancia en la forma en que trabajaban juntos y completaban cada tarea. Mientras volvía a atravesar el salón y salía por la puerta principal, supo que no había nadie más -francés, inglés o incluso estadounidense- a quien prefiriera tener a su lado en una misión.

"Le dije a la mujer Burke que perseguimos a los motoristas por la parte de atrás, hasta el bosque", le dijo. "No digas nada más."

"Por supuesto", aceptó mientras se quitaba el pasamontañas.

Linda ya estaba sentada en el asiento trasero de la furgoneta con Eddie durmiendo a pierna suelta cuando Pierre y Jennifer subieron. Las puertas se cerraron silenciosamente tras ellos y Linda oyó el clic de las cuatro puertas al cerrarse. ¿Se preguntó si era algo automático de la furgoneta? ¿O era algo que hacían ellos?

¿Ahora era ella su prisionera en lugar de los motoristas? Miró a su alrededor, todavía insegura. La furgoneta parecía uno de esos lujosos modelos familiares que había visto tan a menudo en la televisión. Y tenía un banco y asientos de cubo en la parte trasera, lo que le permitía viajar sentada en el banco con Eddie tumbado a su lado en lugar de estar los dos acurrucados en el mugriento suelo de la otra furgoneta. Y parecían educados y bien educados con ella.

Linda se asomó al asiento delantero y vio de cerca a sus dos libertadores. El hombre era pequeño y moreno, sentado al volante. La mujer era rubia, de pelo largo y más alta que él. Dijo que se llamaba Jennifer. Linda se acordaba de eso. La mujer se dio la vuelta en el asiento delantero y la encaró, colocando una pequeña pistola en el respaldo del asiento delantero, quizá distraídamente, pero claramente visible. ¿Era por su bien? se preguntó Linda, mientras la mujer la miraba con una mirada gélida.

Vio los ojos del hombre mirándola por el retrovisor. "Siéntese, reléjese y cuide de su hijo, señora Burke", le dijo. "Pronto estará en casa. Sólo un pequeño viaje en avión. Eso es todo. Por favor, abróchese el cinturón, no queremos un accidente, no después de todo lo que ha pasado".

Pierre dio la vuelta a la furgoneta y recorrió con cuidado el camino de tierra hasta la autopista, donde encendió los faros y se dirigió hacia el sur, hacia la pequeña ciudad. No era el momento de llamar la atención, pensó. Tanto él como Jennifer habían bajado las ventanillas de los asientos delanteros hasta la mitad, para permitir que el aire fresco de la noche expulsara los olores terrosos del bosque, la granja y el sótano.

Cuando se detuvo en el cruce de la ciudad, oyó un débil y rítmico golpeteo que le hizo detenerse.

Jennifer también lo oyó. "Qu'est-ce que c'est"? ¿Qué es eso?", preguntó ladeando la cabeza, asomándose por la ventanilla y cambiando al francés para que la mujer del asiento trasero no entendiera lo que decía.

Puede que ella no reconociera el sonido, pero Pierre sí. Había montado en ellos a menudo. "Hélicoptère, mais faible, à une certaine distance." *Un helicóptero, pero el sonido era débil y a cierta distancia,* respondió.

"Trop peu, trop tard", Demasiado poco, demasiado tarde.

"Oui, mais nous ne resterons pas dans les parages pour savoir qui". Sí, pero no nos quedaremos para saber quién es", respondió y se alejó rápidamente hacia la noche.

El jet les esperaba en la pista con la escalerilla bajada, como él le había ordenado. "Madame Burke", le dijo. "Por favor, entre con Jennifer. Hay un gran dormitorio principal en la parte trasera del avión para usted y el niño. Tiene comida y bebida. Parece agotado. ¿Por qué no se acuestan los dos y descansan?"

Una vez que las dos mujeres hubieron entrado, Pierre condujo la furgoneta robada de vuelta al aparcamiento, la devolvió al lugar de donde la había sacado y limpió rápidamente el volante, los instrumentos, los tiradores exteriores de las puertas y los asientos delanteros y traseros para eliminar lo peor de las huellas dactilares que pudieran haber dejado. Luego volvió corriendo al avión, subió las escaleras y le dijo al piloto que despegara, muy satisfecho de sí mismo. Los americanos pueden ser tan estúpidos, pensó. Es increíble que su raza haya sobrevivido tanto tiempo.

CAPÍTULO TREINTA Y CINCO

Sherwood

Viajábamos ligeros, sin mochilas ni equipo, salvo los dos drones que traía Tim Foster. Los demás llevábamos lo que teníamos en las manos, en los bolsillos de nuestros chalecos protectores o colgando de los cinturones de tela que llevábamos en la cintura. Nuestros cascos llevaban gafas de visión nocturna abatibles, NVG, y cada uno de nosotros llevaba un pequeño escuadrón individual Rifleman prendido en el chaleco con su auricular Bluetooth y su micrófono.

Teóricamente, un Black Hawk puede transportar doce tropas de combate totalmente equipadas sentadas dentro en los asientos corridos, incluso con las mochilas llenas, pero nosotros llevábamos trece. Y eso era en teoría. Como solía decir mi padre: "Si funciona en teoría y no funciona en la práctica, Bobby, es que no funciona". Pero compacto y acogedor, era un ajuste apretado para los doce chicos que Ace agarró para venir con nosotros, pero no les importaba. Ellos querían estar en este Op y su elección era o bien apretujarse en el interior o de pie fuera en los puntales y colgar en el marco de la puerta, que la mayoría de los chicos prefieren, porque era un paseo más fresco, ofrece una vista excelente, y luego los otros chicos caben en el interior.

Todos habíamos hecho inserciones aéreas cientos de veces antes, asaltos de combate, o CA, en zonas de aterrizaje calientes. En Afganistán o Irak eso podía ser al rojo vivo, no tan caliente, o "¡Por qué demonios no nos dijiste que era caliente!". Las inserciones sigilosas en la jungla o en un estrecho saliente de una ladera rocosa en las estribaciones del Hindu Kush no eran necesariamente más fáciles dependiendo de tu sentido del equilibrio. Mi abuelo decía: "No importa lo que te digan, Robert, la práctica hace... la práctica, y no mucho más, salvo moratones y piernas rotas".

Nada afila más a un soldado y lo mantiene así que el combate en vivo con balas reales luchando contra un enemigo al que realmente quieres matar".

El nuevo "Stealth Hawk", como lo llamaban los cerebros del JSOC, era un Black Hawk actualizado con un nuevo y potente motor que podía entrar en modo silencioso. Con palas de rotor suaves como un susurro, pinturas antirradar, armamento mejorado y nueva tecnología electrónica, era una pieza de trabajo. Con suerte, no necesitaríamos esas tres últimas habilidades, porque una aproximación sigilosa y silenciosa a esa granja nos permitiría acercarnos mucho más antes de tener que tocar el suelo. Y si nos encontrábamos con problemas, el cañón automatizado y la ametralladora Gatling que llevaba debajo nos permitirían zanjar cualquier discusión que surgiera. Pero las características de sigilo eran la razón por la que utilizábamos el Stealth Hawk en lugar de un Black Hawk convencional.

Salté al asiento vacío del copiloto, me abroché el cinturón y me puse el casco de vuelo que lo acompañaba. John Carmody, alias "High Rider", había volado desde el aeródromo de Pope y nos esperaba en el patio delantero de Sherwood.

"Operaciones de Vuelo dijo que el ayudante del general Jacobson les había dicho que me dejaran llevarlo en un 'paseo de comprobación mecánica' para él", se rió. "¿Cargado de combustible, munición real y cohetes de 2,75 pulgadas para una revisión? Sabían que todo era mentira, pero nadie dijo nada".

"Allí arriba no discuten con tres estrellas", me reí. "Un nuevo soldado raso podría, pero ninguno de esos otros tipos de ahí arriba lo haría".

"Has acertado, Fantasma". Se sentó detrás de la palanca en el asiento derecho o de mando. No había copiloto, pero el Ejército exige uno, así que yo iba en el asiento izquierdo del copiloto.

La primera vez que volé en el asiento izquierdo de un Black Hawk, era subteniente en mi primer destino en Alemania, recién salido de la Escuela del Tío Sam para Niños Descarriados en el Hudson y de la Escuela de Rangers. El piloto me dijo que saltara al asiento del copiloto. "Pero yo no sé pilotar una de estas cosas", le dije al piloto. No importaba; el Ejército exigía uno, así que me dijo que me subiera de todos modos. Mi trabajo consistía en mantener los ojos a la izquierda y avisarle si veía algún avión volando bajo. A la Fuerza Aérea de Alemania Occidental le encantaba saltar de árbol en árbol, moviéndose bajo y muy rápido, y se suponía que debía gritar si veía uno acercándose a nosotros... o un SAM. Después de eso, nunca dudé en sentarme delante. Mejor allí, que amontonarse en la parte de atrás.

Eran sólo setenta y cinco millas de Fort Bragg a Jensens Ford, menos de media hora de vuelo en el Stealth Hawk, probablemente más cuando High Rider fue a la reducción de ruido, redujimos la velocidad, y comenzó a saltar árboles una vez que nos acercamos; hizo un reconocimiento aéreo, acercándose lentamente a la casa.

Se había corrido la voz rápidamente sobre Linda, y Ace no tuvo problemas para llenar una tripulación. Se zampó a Koz, Chester, The Batman, Kraut, Popcorn, the Prez y Taco Bell de la Unidad. Ya estaban preparándose y de camino a Sherwood cuando llamó. "Lo mismo con el coronel Adkins", dijo Ace. "Irrumpió por la puerta de la cocina justo cuando terminé de marcar su número de teléfono. 'Randall, dame la maldita llave de la maldita sala de armas', bramó el coronel". Con 1,90 de estatura y 90 kilos de peso, el que fuera tackle de los All-Big-Ten no era alguien a quien se pudiera ignorar, ni siquiera por parte de Ace.

"Tuve que despertar al capitán Zhang. Acababa de terminar un turno de 24 horas en Planes y Operaciones y no se había enterado del secuestro", añadió Ace. "Cuando lo hizo, se puso manos a la obra y vino directamente aquí. Ah, y Tim Foster tiene un nuevo dron. Dice que tiene una óptica mucho mejor y una resolución más clara tanto en vídeo como en infrarrojos."

Ace se hizo cargo de nuestras armas y equipo, como de costumbre, mientras yo localizaba más información. Cuando nos encontramos en la puerta del helicóptero, me entregó mi Barrett del calibre 50 y mi pistola Sig-Sauer. Incluso había colocado los supresores de ruido en ambas, había precargado mi chaleco con cargadores adicionales y la radio, y había colocado mis gafas de visión nocturna en el casco.

"Dios", le dije, realmente impresionada. "Si no estuviera ya casado, Ace... ¿Tú también cocinas?". le pregunté.

"Fantasma, hoy en día ni se te ocurra bromear con esas cosas", miró a su alrededor. "¡Me echarán del Club de Suboficiales! Además, no fui yo. El coronel Adkins estaba dando vueltas por la cocina y poniéndome nervioso, así que lo mandé a la sala de armas y le pedí que preparara el equipo y cargara los cargadores. Así tenía algo que hacer y me lo quitaba de encima".

"Sabia decisión, Tonto."

"Eso pensaba, pero viéndole en la sala de armas, un coronel O-6 recibiendo órdenes de un sargento mayor retirado... Es suficiente para hacer llorar a un hombre, Ghost."

"No, está tan cabreado por lo de Linda que quiere abrir grandes agujeros en esos moteros, y hará lo que sea para no quedarse fuera de la diversión".

"Lo mismo conmigo y el resto de los chicos. Sin cuartel esta noche".

"No, sin cuartel", respondí rápidamente. "Cruzaron la línea". Y chocamos los puños en ella. "¿Listos para rodar?" pregunté, dedicándole una sonrisa tensa y furiosa, sabiendo que podía contar con todos los hombres de aquel helicóptero.

Una vez que estuvimos en el aire y lo suficientemente lejos del alcance de las radios de nuestro escuadrón de cualquier oído indiscreto en Bragg, me giré en mi asiento, le hice un gesto a Ace para que se inclinara más cerca y dejé mi micrófono abierto cuando le grité por encima del rugido del motor: "Diles a los chicos que, cuando lleguemos a tierra, si alguien dentro o alrededor de esa casa les dispara o hace el más mínimo gesto incorrecto, vuélenlo por los aires". ¿Entendido? Como dijiste antes, ¡sin cuartel!"

Podía oír lo que yo decía a través de su auricular, igual que los demás, y sabía exactamente lo que estaba haciendo. Así que asintió y me gritó: "¡Sin cuartel!".

Mientras volábamos hacia nuestro destino, no podía dejar de imaginar el miedo que sabía que habría en los ojos de Linda y la confusión en los del pequeño Eddie.

La culpa era una emoción poderosa, quizá la más poderosa, y yo tenía un caso terminal de ella. Había pasado demasiado tiempo en otros lugares resolviendo los problemas de otras personas, y demasiado poco en casa ocupándome de mis propios asuntos con ellos y con Ellie. Así que esto se había convertido en algo personal. Se trataba de mi familia, de recuperar lo que me habían quitado, y de vengarme de los que habían tenido el valor de hacerlo.

"Nos acercamos a Jensens Ford", dijo High Rider por los auriculares de la tripulación, interrumpiendo mi profundo funk. Sería bonito decir que mi ritmo cardíaco nunca cambió cuando dijo eso. ¿Un viejo profesional como yo? ¡Un toro! Sentí que se me aceleraba el corazón y sentí un rápido chute de adrenalina en cuanto lo oí.

"Reconoce la zona, John", le dije. "Rodea la ciudad y luego baja a sigilo y nos moveremos por la granja". Una mirada me dijo que Jensens Ford no era gran cosa. Era el cruce de un par de carreteras estatales de dos carriles en medio de una zona tabaquera, con una gasolinera, lo que probablemente había sido el almacén general del pueblo, ahora con un letrero rojo y blanco del 7-11 en la fachada, y una oficina de correos. Se podía decir que era la oficina de correos, porque tenía un estacionamiento y un asta de bandera en el frente. Al final de la calle había un Dairy Queen. Supongo que no podían permitirse el lujo de vivir en la zona alta del centro.

Dimos otra vuelta por el pueblo, pero salvo una furgoneta negra que vimos dirigirse hacia el sur y una camioneta blanca que iba hacia el este, no había mucho que ver a esas horas. En el sur rural, no era de extrañar. La Oficina de Correos y el 7-11 tenían unas pocas luces exteriores, sólo unas baratas lámparas empotradas sujetas a las paredes delanteras para iluminar las puertas. Probablemente eran para los encargados, para que pudieran encontrar las cerraduras si intentaban entrar antes del amanecer o estaban borrachos. Aparte de eso, no había ni una sola luminaria sobre el cruce. Y todo lo demás en la ciudad estaba oscuro.

Si había un ladrón, un borracho o un grafitero en la ciudad, probablemente se fueron hace mucho tiempo a pastos más verdes. ¿Y las motocicletas y las bandas de motoristas? No eran extraños a las zonas rurales de Carolina del Norte. Probablemente la mitad de los chicos del campo habían tenido una o pertenecido a una en algún momento.

Supongo que nadie prestó atención cuando los Discípulos del Diablo de Angus Bodine tomaron la vieja granja de tabaco de Beau Thomas. La mayoría de la gente del campo piensa que hay que vivir y dejar vivir, y no meterse en lo que no les importa, siempre y cuando se quedaran en aquella granja y no molestaran a nadie más. Eso probablemente explicaba el comentario de Sasha sobre el sheriff del condado. Unas cuantas contribuciones a la campaña y uno o dos tragos de polvo blanco ayudarían mucho a mantener a la ley alejada de Angus. ¿Un aquelarre? Poca gente por aquí sabría lo que era eso.

"Parpadea y te perderás ese pueblo", oí que Ace me decía al oído mientras lo rodeábamos volando a un kilómetro de distancia. Difícil no estar de acuerdo.

"Vamos a ver la granja", le dije a High Rider. Viró a la derecha y voló por North Fork Road hacia el norte hasta que desapareció entre los árboles, y comenzamos a dar vueltas lentamente de nuevo. "Sospecho que es ahí", dijo High Rider mientras señalaba un campo de labranza fangoso y descuidado con una vieja granja blanca y una destartalada colección de otros edificios y vehículos en el centro.

Cuando el helicóptero rodeó la granja desde la distancia por última vez, vi que había luces encendidas en una de las habitaciones traseras del segundo piso, tal vez un dormitorio, y en la parte trasera del primer piso, que probablemente era la cocina. Ninguna de las otras habitaciones estaba iluminada que pudiéramos ver, y no vi ningún movimiento en el exterior.

Bajé las gafas de visión nocturna y estudié los edificios en su inquietante verde danzante, pero no vi ninguna forma fantasmal que representara a personas, ni arriba ni abajo. Ace y yo habíamos utilizado estas cosas u otros modelos sobre el terreno cientos de veces. Y esto no era lo que esperaba ver. Abrí el teléfono y volví a mirar el plano de la casa, intentando localizar la ubicación exacta de las habitaciones con las luces, y rápidamente llegué a la conclusión de que había acertado la primera vez. Se trataba del dormitorio trasero y de la cocina. A cada minuto que pasaba, aumentaba mi sensación de urgencia y mi energía nerviosa, necesitaba sacarlos de allí... ya.

"¿Ves algo?" Ace me preguntó por la red de radio del escuadrón.

"¡Negatorio! Ni una maldita cosa. ¿Y tú?" pregunté.

Ace negó con la cabeza: "Yo también tengo a 'Kwame' Adkins mirando por el otro lado".

Y yo tampoco veo una maldita cosa, Fantasma. Hay un par de luces encendidas dentro de esa granja vieja y destartalada, pero no veo ni una sola figura verde ahí abajo. Tampoco en los graneros. Si no lo supiera, juraría que el lugar está vacío, a menos que los tres tengamos gafas de visión nocturna. Qué raro".

"Sí", respondí mientras seguía mirando, "y se supone que hay al menos una docena o más de moteros ahí abajo".

"Supongo que tendremos que entrar y sacarlos de raíz", dijo Ace. "Nunca es fácil, ¿verdad?"

"No, nunca lo es", dije mientras me volvía hacia High Rider. "Ponlo en el siguiente campo. Tendremos terreno abierto para cruzar, pero esos árboles y la maleza parecen lo suficientemente densos como para proporcionar cobertura y amortiguar el ruido".

"Apagando ahora, Fantasma, con los amortiguadores de ruido encendidos y las aspas emplumadas, estaremos en modo sigiloso. No deberían oír nada. Este bebé podría acercarse sigilosamente a una monja en la iglesia. Ya verás".

Las hélices del Stealth Hawk emitieron poco más que un suave y lento "whoosh, whoosh, whoosh" al girar sobre nosotros. Y en cuanto los puntales tocaron tierra, salimos por las puertas, agachados, cruzando el campo en dirección al bosque, con las armas cargadas. Esta era una región tabacalera y la mayoría de los campos tenían un suelo negro, espeso y rico. Después de las recientes lluvias en la zona, los olores de ese suelo espeso y arcilloso eran abrumadores a medida que se elevaban a nuestro alrededor, llenando mis fosas nasales con un buen olor a hogar.

Los cuatro equipos se distribuyen en línea. Miré a Ace y a los otros dos jefes de equipo y no pude evitar pensar que era una noche perfecta para esto: doce soldados estadounidenses furiosos y fuertemente armados en busca de venganza.

CAPÍTULO TREINTA Y SEIS

Jensens Ford

Habíamos revisado las antenas y el mapa del tasador de la pequeña granja, y organicé el grupo en tres equipos de bomberos de tres hombres cada uno antes de salir del bosque de Sherwood. Y preparé un plan de maniobra, con Ace llevando un equipo hacia la parte delantera de la casa, el equipo de Koz registrando los graneros y dependencias, y mi equipo rodeando la parte trasera de la casa. Eran profesionales. Cada uno sabía dónde debía estar, cuándo debía estar y qué debía hacer.

Mi equipo y el de Ace rodearían por completo los dos lados del edificio para asegurarse de que no había "valores atípicos" y luego cerrarían las dos entradas. Después de que Koz despejara los edificios de la granja, nos apoyaría en la casa principal mientras el resto de nosotros forzábamos las puertas delantera y trasera.

"Atentos todos", dije con el micrófono en la barbilla, mientras cruzábamos a toda prisa el campo embarrado y nos adentrábamos en los árboles. "Si se pone bravo, golpeadlo; si está armado, bajadlo; y si os dispara, ¡matadlo! Estos tipos no nos van a dar ni una mierda", les dije y me dije a mí mismo.

Por último, me dirigí a Tim Foster, uno de mis chicos de seguridad de Sherwood que había convertido una afición infantil, jugar con coches de juguete eléctricos y maquetas de aviones, en un negocio de fabricación de drones de alta tecnología y muy letales. Esta noche había traído los dos, uno con su mejor arsenal de ópticas multicámara y otro con mini cohetes y armas de pequeño calibre.

"Pon los ojos arriba, Tim", le dije. "Bandas visuales e infrarrojas. Cubre la casa y las dependencias con cuidado, envía las imágenes a tu portátil y cuéntame lo que ves. La cámara de infrarrojos será inestimable para rastrear cualquier señal de calor, sobre todo si los motoristas deciden mover ficha."

"Copiado, Fantasma."

"Tendré las manos ocupadas ahí fuera, así que mantenedme informado".

"Entendido. Y tendré las armas listas para subir si es necesario".

"No hay problema, pero si necesitamos refuerzos, llamaré a High Rider. Tiene una Mini-Gun, un lanzagranadas de .40 milímetros, y una vaina de cohetes de 2.75 pulgadas. ¿Verdad, John?" Volví a llamar a High Rider. "Lo que tienes en el dron es un lanzagranadas, pero mantén el motor en marcha".

El barro no nos frenó, como tampoco lo hicieron los árboles a medida que avanzábamos por el bosque. Eran en su mayoría pinos, gruesos y muy juntos, pero eso significaba que las ramas inferiores se habían marchitado hacía años, lo que facilitaba el paso a ras de suelo. Cuando llegamos al borde del campo de Rico Thomas, nos detuvimos. Ace y yo volvimos a escudriñar la casa, las dependencias y los vehículos con nuestras gafas de visión nocturna, y estoy seguro de que los demás hacían lo mismo. Pero seguíamos sin ver nada. Odiaba caer en una trampa tan evidente, pero ya habíamos hecho todo el reconocimiento que podíamos. Por fin había llegado el momento de tomar una decisión y no nos quedaba más remedio que entrar a saco.

"Muy bien, moveos", ordené, y salimos en nuestros equipos de fuego en línea. Mi grupo, con Popcorn y Kraut, se dirigió directamente hacia el porche trasero y la puerta de la granja.

Treinta segundos después, recibí una llamada por radio de Ace, que se acercaba a la entrada de la casa. "Problema, Fantasma. No me había dado cuenta antes, pero uno de los coches que hay aquí arriba no es otro que el del sheriff del condado. De hecho, como el cabrón tiene su nombre pintado en el lateral del coche en dorado, pertenece al mismísimo maldito sheriff."

"Copiado. El ruso loco me advirtió que su coche podría estar aquí". Sabía que el tipo era corrupto, y esto lo probaba. Aún así, era una complicación que no quería. "Ten cuidado si te lo encuentras dentro. Es el último con el que queremos entrar en un tiroteo. Desarmadle y esposadle con el resto, y que todo el mundo lleve puesto el pasamontañas. Quizá si le hacemos fotos con el móvil a él y a los motoristas, podamos avergonzar al cabrón lo suficiente como para que se calle".

"Entendido. Aparte del sheriff, estoy listo".

Hice un gesto a mi grupo para que me siguiera, respirando hondo mientras nos dirigíamos hacia la granja. La adrenalina corría por mis venas, alimentando mi determinación de salvar a mi familia. Salimos rápidamente, con las armas preparadas. Me eché el rifle Barrett a la espalda y cambié a mi pistola Sig-Sauer de 9 milímetros. Ambas llevaban supresores de ruido, pero la pistola era mucho más manejable y fácil de usar dentro de un edificio.

A medida que nos acercábamos a la granja, las únicas luces interiores que seguía viendo procedían de la única ventana trasera del segundo piso y de la cocina. Mi corazón latía con fuerza en mi pecho mientras me preguntaba, ¿es ahí donde los tienen? ¿Arriba, en la parte trasera? Agarré mi Sig con fuerza, esperando que el sheriff estuviera allí cuando entrara. Podría estar en una seria retirada.

"Fantasma", oí la voz de Ace en mi auricular. "Estamos en posición alrededor del frente. Hay una puerta de mosquitera barata, pero la puerta de la casa está abierta por dentro. Creo que podemos entrar".

"Recibido. Lo mismo digo", respondí, esperando noticias de Koz en los graneros.

Sólo pasó otro minuto antes de que le oyera decir: "El granero y los cobertizos de herramientas están vacíos, Fantasma. No hay nada ni nadie, salvo una camioneta oxidada y unas cuantas motos más, eso es todo. Estaremos en la casa en una. "

"Entendido", contesté y miré el reloj, esperando nervioso. Cuando transcurrió el minuto, dije en mi micrófono de barbilla: "Entrada a mi señal: tres, dos, uno... ¡Ya!".

Mi equipo subió sigilosamente las escaleras traseras, cruzó el porche y entró en la cocina. Sabía que los chicos de Ace estaban haciendo lo mismo en la parte delantera. Teníamos la ventaja de que había luz en la cocina, pero la parte delantera de la casa estaba a oscuras y sabía que usarían sus gafas de visión nocturna.

"¡Despejado!" Le oí decir. "La sala está vacía".

"Lo mismo para la cocina", respondí. "Alguien estaba jugando una partida de póquer aquí abajo. Tengo cartas, fichas y dinero, y sangre regada por todo el suelo".

"Lo mismo digo. Tengo una salpicadura de sangre por toda la pared detrás del sillón reclinable, y rayas de sangre en el suelo. Las escaleras al segundo piso están aquí, así que subiré a revisar".

Por mucho que quisiera ser yo quien subiera primero, sabía que Ace estaba siendo lógico y que él era el indicado para ese trabajo, no yo. En su lugar, hice que mi equipo buscara en el resto de la primera planta.

No pasó mucho tiempo antes de que Ace me llamara: "Estas habitaciones también están vacías, no hay rastro de Linda ni de Eddie, pero alguien ha estado alojado en esa habitación trasera".

"¡Maldita sea!" Murmuro en voz baja, mi frustración va en aumento. "¿Dónde están?"

"Voy a volver a bajar, Fantasma. Sólo queda el sótano", dijo siniestramente. "Los chorros de sangre del salón vuelven a la cocina, como si hubieran arrastrado a alguien hasta allí".

"Sí", asentí. "Lo mismo aquí. Las manchas de sangre de aquí atrás llevan directo a la puerta del sótano. Lo mismo para las que vienen del salón".

Antes de que tuviera tiempo de pensar en ello, Ace ya estaba abajo, a mi lado, con las gafas de visión nocturna en la frente. No tardó mucho en apartarme y abrir la puerta del sótano. Estaba completamente oscuro, pero había un interruptor en la pared. Lo encendió, como yo, esperando lo mejor, pero extendiendo su carabina M-4 delante de él por si acaso. Con lo alto que era, tuvo que agacharse antes de bajar sigilosamente el estrecho tramo de escaleras sin pintar hasta el fondo y miró a su alrededor.

¿Están vivos? me preguntaba. ¿Estarán heridos? No pude contenerme y rápidamente me uní a él en el fondo. Ninguno de los dos dijo una palabra mientras contemplábamos la hilera de cadáveres. Él y yo habíamos visto más de una muerte violenta, pero esto era una ejecución. Había un montón de cuerpos ensangrentados contra la pared del fondo, hombres y una mujer, diez o más, vestidos con vaqueros y cueros, cada uno con al menos dos disparos.

Tanto las heridas de entrada como las de salida eran grandes, de balas de gran calibre. La mayoría en el centro de la espalda, donde habrían arrancado corazón y pulmón al salir, y observé una o dos heridas más de menor calibre en la cabeza de cada uno de ellos. Un golpe de gracia, como los franceses los llamaban originalmente, pero no había nada de gracia en ninguno de ellos. Fue una matanza, y los charcos de sangre que los rodeaban aún no habían terminado de secarse.

Me congelé. Afortunadamente, Ace no. Dio dos pasos hacia los cadáveres, se agachó con uno de sus largos y poderosos brazos y apartó los de arriba de las pilas lo suficiente para que pudiéramos ver mejor a los que estaban atrapados debajo.

El sheriff estaba en la pila. Se lo merece, no pude evitar pensar. Quizá si hubiera hecho su trabajo y hubiera detenido a esos tipos, o los hubiera echado de la ciudad, nunca habrían sido tan descarados como para secuestrar a mi mujer.

También había una mujer en el montón, pero tenía el pelo largo y negro y vestía vaqueros y pieles. No sabía cuál era su problema, y no me importaba. No había forma de confundirla con Linda, y eso era lo único que me interesaba.

Como era de esperar, la granja que teníamos encima estaba en silencio. No se movía ni una criatura, como suele decirse; no había ruido alguno.

"Vámonos de aquí, Fantasma", dijo Ace, tomando el mando y empujándome escaleras arriba. Luego apagó la luz detrás de él y cerró la puerta. "Tenemos que volver a Sherwood y resolver esto, Fantasma. Nos están superando seriamente".

Lo único que pude hacer fue asentir y darle la razón. "Echemos un segundo y largo vistazo alrededor. Debe haber pistas aquí en alguna parte".

"Sí, nos falta algo, eso es seguro," estuvo de acuerdo. "Tú ve al segundo piso y revisa todo esta vez. Yo y mis chicos miraremos aquí abajo y en el primer piso", dijo.

Asentí con la cabeza y subí corriendo el estrecho tramo de escaleras con mis chicos, y volví a mirar en cada habitación, en los armarios y debajo de todas las camas. Lo hicimos lenta y metódicamente mientras él y sus chicos hacían lo mismo en la cocina y el salón.

Quienquiera que lo hiciera iba un paso por delante de nosotros y eran asesinos a sangre fría. Por mucho que hablara de ello antes, estos tipos lo hicieron, todos ellos, y "Tan fríos como el culo de una bruja en bragas de latón", como solía decir mi abuelo. Los moteros e incluso las bandas de narcotraficantes o la mafia podían ser estúpidos y crueles, pero no así, no desde la masacre de San Valentín en Chicago, pero eso fue hace cien años.

Los otros tres dormitorios de la segunda planta eran un desastre, con colchones rotos tirados por el suelo, sábanas sucias y ropa sucia desparramada por todas partes, como si fuera la casa de una fraternidad o el cuarto de literas de los moteros. Pero el dormitorio trasero, donde estaba la luz, tenía un aspecto completamente distinto.

Vi la nueva aldaba y la cerradura destrozada que alguien había disparado. Enseguida me di cuenta de que era allí donde habían encerrado a Linda y Eddie, porque era la única habitación que estaba limpia. Eso no ocurrió por accidente. Alguien les dijo a los motoristas que la limpiaran antes de traerla aquí, como si quisieran que la cuidaran como es debido. Incluso la cama estaba limpia y al menos enderezada. Pero eso era todo. No encontré nada que mostrara dónde está ahora.

No encontré nada más arriba y finalmente volví a bajar. Ace había tirado la papelera en medio del suelo y Koz hurgaba entre las latas de cerveza, las bolsas de McDonald's, los bocadillos a medio comer y las patatas fritas del día anterior.

"¿Dónde está Ace?" Le pregunté a Koz.

Hizo un gesto hacia la puerta del sótano, así que me acerqué y volví a mirar hacia abajo. Ace había vuelto a encender la luz del techo, había alineado los cadáveres en fila y había sacado todo de sus bolsillos. Incluso le quitó las botas al motorista para mirar dentro.

"¡Nada!" La voz de Ace se quebró. "Ni una maldita cosa sobre ninguno de ellos. ¡Y ni una maldita cosa sobre Linda!"

"O tal vez mucho más de lo que pensamos", respondí. "Ocho moteros, una mujer y un sheriff del condado ejecutados con fría precisión como ésta. Dejaron los cuerpos en ese suelo de tierra desnuda como si fueran basura, sólo para quitarlos de en medio, como si no les importara que alguien los encontrara. Alguien estaba enviando un mensaje en voz alta, lo que era seguro".

"¿Pero qué mensaje? ¿Y para quién?" preguntó Ace. "Podrían haberlos llevado al bosque y fusilarlos allí, o haberlos metido en los maleteros de los coches y haberles prendido fuego. En lugar de eso, los llevaron al sótano, los pusieron en fila, les dispararon y se marcharon. Habría hecho falta una docena de hombres o más para trasladarlos a cualquiera de esos otros lugares".

"Tienes razón, no fueron una docena los que lo hicieron, quizá sólo un puñado, incluso dos o tres. Pero podrían haber prendido fuego a la casa y quemarla hasta los cimientos", dije. "Eso habría dificultado mucho que la policía y los bomberos pudieran desentrañar nada, y entonces probablemente habrían tenido que traer a la policía estatal de Raleigh o al equipo forense de la gran ciudad de Charlotte. Pero no, querían que los encontraran así para enviar un mensaje y no les importa quién lo sepa, porque no los encontraremos, no por aquí, al menos."

"Los cuerpos ni siquiera están fríos, Fantasma. Y mira toda la sangre en el suelo. Apenas está empapada o coagulada. No llevan muertos más de media hora antes de que llegáramos, quizá menos".

"¡Muy oportuno!" Dije, sacudiendo la cabeza y golpeando con el puño la pared de yeso de la escalera. "No los habremos visto. Pero, ¿quiénes son? ¿Y adónde se han llevado a Linda?"

"Bueno, para empezar, quienquiera que fuese, no podían ser muchos. Ningún helicóptero o gran convoy de vehículos. Los habríamos visto entrar o salir mientras rodeábamos la zona".

"¿Te refieres a la furgoneta negra que vimos en la carretera, alejándose de aquí?" pregunté.

"Podría ser. Y te diré que, fuera quien fuera, no les gustaban mucho Angus Bodine ni sus moteros, y no creo que les gustara tampoco que ayudaran a José Ortega. Creo que ese es el "a quién" va dirigido el mensaje. No es para ti, es para José".

"¿Te refieres a alguien a quien no le gusta Ortega y quiere que se quede dónde está, en la cárcel?".

"Entendido. Mi mejor suposición son los otros cárteles mexicanos, o su esposa".

"¿La encantadora Consuela?" pregunté, mientras registraba los dos últimos cuerpos. "Se sabe de otro país. Si eso es cierto, significa que también tiene a Linda y a Eddie. Los moteros se la llevaron y ahora Consuela, o quien sea, la tiene".

"Eso creo yo, a menos que sea otro cártel, alguna otra banda de Harley o la sección local de 'Ayuda a limpiar el condado de Anson'. Pero mira sus cabezas", dijo Ace mientras señalaba a varios de ellos. "Dos heridas de entrada de pequeño calibre separadas por uno o dos centímetros, sin orificio de salida".

"Un 'doble golpe', así es como lo llaman nuestros viejos amigos de Nueva York, los Genovese y los Lucchese, y los DiGrigoria de Chicago", le dije.

"No estarás diciendo que crees que esto es un golpe de la mafia, ¿verdad?" Preguntó Ace.

"No, no, pero fue un sicario profesional quien lo hizo. Alguien que fue precavido, asegurándose de que no quedaran cabos sueltos, ni testigos, pero eso no lo averiguaremos aquí abajo. Vámonos. Llamé a los demás por la radio del escuadrón y dije: "Muy bien, terminen. Salgan todos por la puerta de la cocina y vuelvan al pájaro. Hemos terminado aquí."

Cuando subí las escaleras y entré en la cocina, Koz acababa de abrir la puerta de la nevera y estaba rebuscando en su interior. Yo también eché un vistazo y, en el suave resplandor de la luz interior, vi la pistola humeante: un galón medio vacío de leche de almendras, un paquete de gofres congelados para niños y una caja de Cocoa Puffs. El corazón me dio un vuelco. A menos que los Discípulos del Diablo fueran intolerantes a la lactosa y les gustaran los Cocoa Puffs, ésas eran señales claras de que Linda y Eddie estaban aquí.

"¿Pero ¿quién demonios pone cereales en la nevera?" preguntó Koz.

" Alguien que vive en el campo, como en Carolina del Norte, y que una vez tuvo un montón de cucarachas", le dije.

"¿De tu malgastada juventud en la Fayetteville rural?" Ace a sked. "Demasiado seco donde crecí."

"Sí", tragué con fuerza contra el repentino nudo en la garganta. "Estaban aquí, sin duda, y alguien se los llevó".

"Claro que sí", dijo, dándome una palmada en el hombro. "Los encontraremos, Fantasma. Los encontramos una vez y volveremos a hacerlo. Cuando lo hagamos, los mataremos, los mataremos a todos".

"Sí", dije, mirándole y sellando el lazo. "Hombres muertos caminando. Todavía no lo saben, pero lo sabrán. De vuelta a Bragg. ¡Estamos en el reloj!"

CAPÍTULO TREINTA Y SIETE

Sherwood

El sol se asomaba por encima de la línea de árboles hacia el este, proyectando un cálido y acogedor resplandor sobre el patio delantero del bosque de Sherwood cuando High Rider posó el helicóptero Stealth Hawk sobre la hierba. Estaba claro que el sol estaba de mejor humor que yo. Francamente, un cielo gris y nubes negras de tormenta habrían sido más apropiados.

Después de la mayoría de las operaciones, a mis chicos y a mí nos invadía la "emoción de la victoria". Esta vez fue la "agonía de la derrota", y eso no ocurría muy a menudo. Pero las noticias no eran del todo malas. No habíamos sufrido ninguna baja, ni siquiera algunos pequeños golpes y abolladuras, y no habíamos disparado ni un tiro.

Pero esto no era un ejercicio de entrenamiento en la escuela y el marcador no contaba. Fracasamos en el único objetivo que importaba. Debíamos liberar a Linda y a mi hijo Eddie, de tres años, de las garras de la banda de moteros de Angus Bodine, y volvimos a casa con las manos vacías. Por supuesto, a una docena de miembros de la banda de moteros de Bodine y a un sheriff corrupto del condado les fue mucho peor. No volverían a casa en absoluto, pero eso no era cosa mía y tampoco había nada que celebrar.

Yo era un soldado y un tirador, no un mago. Linda y Eddie simplemente habían desaparecido. El telón negro había caído alrededor de la gran jaula en la que estaban en el centro del escenario, y no estaban dentro. Se habían desvanecido. En algún lugar, sabía que el astuto mago de la capa negra me observaba y se reía. Miré a mi alrededor, esperando que volvieran a salir del ala derecha del escenario y me saludaran, que salieran por la trampilla o que aparecieran de repente en el balcón superior. Pero nada de eso había ocurrido. Tenía muchas teorías, pero no sabía adónde se los habían llevado, ni quién lo había hecho, ni por qué.

"Maldita sea", maldije y sacudí la cabeza mientras Ace y yo descargábamos nuestro equipo. "¿Qué demonios salió mal ahí atrás?"

Ace también sacudió la cabeza, dos calabazas huecas traqueteaban y hacían mucho ruido, pero eso era todo. El sudor brillaba en su frente a la luz de la mañana cuando dijo: "Yo tampoco lo sé, Fantasma. Pero tenemos que averiguarlo muy rápido".

¿De verdad? pensé, más deprimido de lo que nunca había estado. Los hilos estaban todos ahí. Seguían entretejiéndose una y otra vez en mi mente desde que miramos en aquel sótano y vimos aquellos cadáveres. Repasé las permutaciones y combinaciones hasta que me dio un calambre. El único nombre que se me ocurría era Consuela Ortega. ¿Por qué? Hacía siete años que no cruzaba espadas con aquella arrogante diva. ¿Por qué ahora? ¿Por qué Consuela vendría a por mí ahora? "Muy bien, ¿qué ha cambiado? ¿Qué hay de nuevo?" Murmuré tanto para mí como para Ace.

"¿Novedades? A José lo metieron en la cárcel hace unos días", dijo Ace. "Tiene que haber una relación. No era la primera vez que lo intentaban. A pesar de la alta seguridad sobre todo en esa penitenciaría, alguien llegó a él, y casi lo mata esta vez. Tuvo que ser ella o uno de los otros cárteles, y tal vez eso forzó su mano".

"¿Los hombres desesperados hacen cosas desesperadas?" Le ofrecí.

"Si siguen intentando matarlo, tarde o temprano uno de ellos lo conseguirá. Esos moteros trabajaban para José y el jefe de esa banda está en la cárcel con él. Así que puede que lo de los moteros agarrando a Linda fuera una idea loca de José".

"Pero ¿por qué? ¿Qué tengo que ver ya con él o ella? Ese asunto en las montañas fue hace siete años. Es historia antigua".

"Se podría pensar. Pero no es que a José le queden muchas cartas por jugar, ¿verdad? ¿Desesperado? Ha estado aislado en esas prisiones federales durante los últimos siete años sin nada que hacer salvo pensar en locuras y sin nada con lo que hablar salvo consigo mismo. Esto puede parecer una locura, pero ¿y si José secuestró a Linda y Eddie para poder usarlos como peones para que te muevas en su contra? Para que vayas allí y la mates por él. ¿O tal vez para que tú, a escondidas, lo saques de la cárcel a cambio de recuperar a Linda y a Eddie? ¿Estás loco? Ya lo creo. Pero él también lo está ahora".

Le miré y me encogí de hombros. "En este momento estoy lo bastante enfadado como para no estar seguro de que no lo haría. Entonces lo mataría. Pero eso ni siquiera se acerca a la explicación de lo de anoche. ¿Quién mató a todos esos moteros y quién la tiene ahora?".

"Sí, te entiendo, pero la única persona con algún incentivo para hacerlo es Consuela. Tal vez ella escuchó lo que estaba haciendo y decidió detenerlo antes de que despegara".

"Tiene sentido, lo reconozco. Pero tenemos mucha teoría y pocos hechos".

"Cierto. Pero tenemos esa furgoneta negra alejándose de esa granja. Y una camioneta blanca. Eso fue lo único que vimos allí, y apuesto a que no había mucha más actividad en los aeropuertos a esa hora de la noche. Aún así, tenemos que revisar los datos de las aerolíneas, la FAA y las cámaras de tráfico. Tal vez encontremos otro hilo en todo eso".

"Nosotros no, los Geeks lo harán", respondí. "Voy a subir ahora mismo y soltarlos. Sus cerebros frescos valen mucho más que los nuestros ahora. Estas últimas veinticuatro horas me han agotado".

"Supongo que ya no somos tan jóvenes como antes".

"No estoy seguro de que alguna vez lo hayamos estado. Ya tengo muerte cerebral y necesito dormir. Si no duermo un poco, nunca voy a pensar en esto".

"Entendido, hermano", dijo Ace, dándome una palmada en el hombro. "Yo limpiaré y guardaré el equipo en la Sala de Armas mientras tú vas a despertar a los Geeks y los sueltas. Pero debes saber que apenas son las 07:30. Son criaturas nocturnas que rara vez ven el sol antes de las 1100. ¿Necesitas que vaya contigo y golpee un cubo de basura para despertarlos?"

"No, pongo Reveille a la carta en su señal de audio. Puedo subirlo a unos 100 decibelios".

"Eso debería servir. Lo oirán a medio camino de Fayetteville".

"Gracias, Ace", reí por primera vez en mucho tiempo. Me di la vuelta, entré por la puerta principal de la casa, atravesé el vestíbulo y subí las escaleras del tercer piso de dos en dos. Nadie sabía mejor que yo que la frustración y el enfurruñamiento son para los perdedores.

También lo es perder, y yo no lo toleraba. Cuando llegué al rellano del tercer piso y atravesé las puertas dobles del Geekatorium, para mi sorpresa, Jimmy, Ronald, Sasha y Ellie ya estaban trabajando duro en sus ordenadores. La presencia de mi hija justo en medio de ellos me llenó el corazón de orgullo, pero también me apretó el nudo del pecho. Esperaba que no se metiera en este lío.

"Chicos, tenemos un grave problema", anuncié, yendo directo al grano. "Linda y Eddie siguen desaparecidos, y tenemos que averiguar quién se los llevó y dónde".

"Lo sabemos, coronel papá", respondió Ellie, con los ojos fijos en las pantallas de los tres monitores que colgaban sobre el escritorio de su cubículo. "Hemos estado escuchando todas tus comunicaciones y señales de audio desde que te fuiste anoche".

"Todos hemos estado trabajando como locos, jefe", añadió Sasha desde el otro lado de la pared de la estación de trabajo. "Jimmy, el niño juguete, se está tomando una Coca-Cola light; Ronald, su tercera taza de té verde; y Patsy, un Red Bull y un Dunkin' Donuts Donut Hole para su servidor. Luego, repostaremos y volveremos a la hiper velocidad warp".

"¡Genial! Dime qué tienes". pregunté, tratando de ocultar la desesperación en mi voz. "¿Cualquier cosa?"

"Nada concreto, todavía no", admitió Ronald. "Pero estamos revisando las reservas de coches de alquiler y de aviones de Charlotte y cotejándolas con los registros de la FAA de los planes de vuelo de los aviones privados".

"¡Ese es mi hack, papá!" dijo Ellie. "Y se me ha ocurrido un vuelo curioso.

Se trataba de un avión corporativo privado procedente del sur, al parecer de México, con destino a Washington DC, pero que dio muchas vueltas por el suroeste. Cuando cruzó Carolina del Norte, perdió altitud y desapareció completamente del radar de la FAA durante casi una hora. Creen que estaba saltando de un árbol a otro, y se supone que eso no se debe hacer", parloteó a la velocidad de una ametralladora, dándome lo que ella llamaba "un volcado de datos". "

"Eso es cosa de narcotraficantes", se apresuró a decir. "Luego, ese mismo avión volvió a aparecer en el radar de Charlotte una hora más tarde y despegó de nuevo hacia el sur, esta vez sobre Alabama y Luisiana, y luego sobre el Golfo de México, a través de aguas internacionales y fuera del control de la FAA. Estuvieron a punto de enviar aviones de las Fuerzas Aéreas para que lo persiguieran, pero el avión volvió hacia el oeste sobre México. La FAA en Charlotte y luego en Houston interrogó al piloto, pero éste afirmó que tenía un problema mecánico con su transpondedor, que había ido a Washington y que lo llevaría a reparar. Pero cuando la FAA empezó a sentir curiosidad, desapareció de nuevo. Decidieron que probablemente se trataba de un tráfico de drogas y lo incluyeron en una lista de vigilancia, pero no fue suficiente y llegó demasiado tarde. "

"¿Hacia y desde México?" pregunté cuando se acercó a respirar.

"Noroeste de México. ¿Te suena?" preguntó Ronald.

"Entendido. Quédate con esa, Ellie. Buen trabajo, cariño".

"Roger, de vuelta a ti, papá coronel. Y voy a echar un vistazo rápido para ver si el NORAD tiene más que la FAA. Deberían, a menos que estuvieran completamente dormidos", refunfuñó.

"¿NORAD? ¿Puedes hackear el NORAD?"

"¡Daaad! ¿En serio?", dijo, y oí a todos los chicos reír.

"¿Algo más sobre los rivales de José?". Los miré, decidiendo cambiar de tema y no saber qué se traía entre manos. "¿Qué hay de los otros cárteles, o de su mujer, Consuela? Es la mejor suposición que se nos ocurrió a Ace y a mí. Se han estado disputando el control del cártel de Sinaloa y podrían estar utilizando a Linda y Eddie como peones por alguna razón."

"Eso todavía no computa, jefe", intervino Sasha, golpeando con fuerza su teclado. "Incluso un tipo brillante como Sasha necesita más datos. El gran ordenador en la cabeza no puede comer especulación".

"Sí, yo tampoco puedo", admití, frotándome las sienes y sintiendo que una tonelada de cansancio me rodeaba los hombros, aplastándome. "Tampoco podemos permitirnos perseguir sombras. Necesitamos algo sólido, así que sigue investigando".

"Entendido", fue el coro de respuestas de los Geeks.

"Estaré en el sofá al otro lado del pasillo, en vuestra sala de juegos. Despertadme si os enteráis de algo", les dije mientras me daba la vuelta y salía del Centro de Datos hacia su "corralito", como lo llama Linda. La habitación está equipada con ping-pong, un futbolín, una videoconsola multimedia de 72 pulgadas y el sofá más cómodo de toda la casa. Sabiendo que la maquinaria bien engrasada de la Geekdom funcionaba ahora a toda velocidad, me quedé dormido. Estoy seguro de que me quedé dormido antes de que mi cuerpo estuviera horizontal en el sofá.

CAPÍTULO TREINTA Y OCHO

El Geekatorium

Me desperté en un estado de estupor cerebral cuando el teléfono móvil que llevaba en el bolsillo se puso a cantar la canción de lucha del ejército, "On Brave Old Army Team", con el volumen al máximo. La elegí porque nadie podía dormir con ella, y menos yo. Miré la pantalla y vi que eran las mil, sólo dos horas desde que me había tirado en el sofá. Y lo que es más importante, no había puesto ninguna alarma, pero en la pantalla tenía una llamada entrante de Denver, Colorado.

"Burke al habla, señor; ¿en qué puedo ayudarle?" Contesté con el saludo telefónico de West Point que me habían machacado en la cabeza años atrás, las palabras brotando de memoria memorizada, a duras penas.

"Coronel Burke, es un placer hablar con usted, señor. Me llamo Wilson Redmond", oí una voz masculina de barítono almibarado como la que podría encontrar en un vendedor de coches usados, un agente de tiempo compartido o un congresista... con abogados, mi tipo favorito de gente. ¿Wilson Redmond? Lo recordaba de la cobertura periodística del juicio de José Ortega siete años atrás. Se me pusieron los pelos de punta y los pequeños radares de mi cabeza empezaron a dar vueltas. Era el escurridizo abogado defensor de José.

"No creo que hayamos hablado nunca", continuó Redmond. "Mi cliente, José Ortega, me pidió que le llamara para expresarle su más sentido pésame en cuanto se enteró del secuestro de su esposa Linda".

"Incluso en Denver, es terriblemente temprano para que un abogado suelte tanta mierda, Redmond, y no soy tan estúpido. ¿Qué es lo que *realmente* quieres? ¿Qué quiere *ÉL*?" gruñí, apretando los puños. El tipo tenía un par, eso estaba claro, y Ortega también.

"José solicitó le aseguro que no tuvo nada que ver con el secuestro de su esposa. Tiene su palabra solemne al respecto".

¿"Su palabra"? ¿La de José Ortega? Es el mayor narcotraficante de México. ¿Me estás tomando el pelo?"

"*ALLEGADO* señor de la droga, Coronel, hasta que el tipo fue misteriosamente reubicado en Arizona hace siete años, pero ¿le ha mentido alguna vez? No señor, no creo que lo haya hecho".

"Porque nunca le di la oportunidad".

"Eso es historia antigua, Coronel, como usted debe estar de acuerdo. Centrémonos en el presente. Mi cliente cree que su esposa Linda y el pobrecito

Eddie fueron secuestrados por su vengativa esposa, Consuela, para vengarse de usted por el ataque a su hacienda en las montañas hace tantos años. Esa mujer tiene una larga memoria. Cree que tu esposa y tu hijo probablemente estén retenidos por ella en su mansión en el centro de Culiacán, México, en este mismo momento."

¿"Consuela"? ¿En Culiacán, México? ¿Ah, sí? Eso está muy lejos de Fayetteville y Jensens Ford, Carolina del Norte".

"No por chorro rápido no lo es... o al menos esa es la teoría de José, que me ha encargado que te la cuente".

" ¿José? ¿Por qué debería creer una maldita cosa él dice, o usted? "

"Una excelente pregunta", continuó Redmond. "¿Por qué? Porque sabe que usted investigará y comprobará con todos sus espías y satélites gubernamentales... y sus Geeks... sí, él también sabe de ellos... Así que, por favor, compruébelo, y descubrirá que Consuela es la culpable, no él. Entonces José sabe que montarás otra de tus increíbles redadas de la Fuerza Delta e irás en picado por las montañas o por la bahía de California en tus helicópteros negros y le arrebatarás tu encantadora esposa a esa malvada y vengativa mujer."

"¿Eso es lo que José cree que haré?"

"¡Claro que sí! Pero quiere que sepas que ese plan fracasará. No puede funcionar. Usted es un gran y poderoso soldado con armas maravillosas, pero su mansión en Culiacán es una verdadera fortaleza en el corazón de una gran ciudad, al lado de un cuartel del ejército, de la catedral de la ciudad y del Ayuntamiento. Si cree que puede colarse allí, arrastrarse, volar o saltar en paracaídas con uno de sus escuadrones de la Fuerza Delta, como ha hecho antes, se equivoca. Yo también serví en el ejército, Coronel, aunque en el humilde Cuerpo General de Abogados de la Magistratura, pero también tuve un poco de entrenamiento de infantería. Creo que el término es 'mal terreno'".

"Entonces, ¿José me está dando una lección de táctica?"

"No, él le está dando inteligencia y una llamada de atención, *GRATIS*, Coronel. ¿Cree que usted y sus hombres pueden salir de la tierra en la plaza de la ciudad frente a su casa como tantos topos y forzar las puertas y ventanas? Se trata de una fortaleza, en el corazón de una ciudad abierta las 24 horas del día, no de una hacienda aislada en lo alto de las montañas a la que se puede llegar a hurtadillas. No es un lugar en el que puedas dejarte caer con tus "cuerdas rápidas". No, el tejado está lleno de sensores y alarmas. Pero lo más importante, no habrá ninguna sorpresa. ¿Por qué crees que se llevó a tu esposa? Linda es el cebo. Consuela te quiere *a TI*, a ti y a José".

Era demasiada información no corroborada para asimilarla de una sentada. Mi mente ya estaba acelerada, así que finalmente le pregunté: "Muy bien, ¿qué sugiere el omnisciente José? ¿Qué me olvide de Linda? ¿O que vaya allí y llame a la puerta de Consuela?".

"Oh no, no. Él sabe que eso tampoco funcionará. Pero si Consuela gana, José es el gran perdedor".

Pensé en ello y, aunque odiaba admitirlo, lo que Redmond estaba diciendo también encajaba con nuestra información. "Muy bien, ¿qué está sugiriendo la 'mente criminal maestra' de Tucson?"

Redmond se echó a reír. "Es más que sugerente. José todavía tiene amigos poderosos dentro del cártel de Sinaloa que también quieren que Consuela desaparezca", replicó Redmond sin perder detalle. "*Ellos* podrían meterte en ese edificio sin disparar un tiro y ayudarte a ti y a tu mujer a salir ilesos, pero sólo si José se lo pide personalmente y les demuestra que ha vuelto y que estará al mando. De lo contrario, nunca os ayudarán".

"Interesante, abogado, pero hay un pequeño problema", dije. "La última vez que miré, José estaba encerrado en la penitenciaría de alta seguridad de Phoenix, Arizona, cumpliendo múltiples cadenas perpetuas. El gobierno de EE.UU. nunca va a dejar salir a tu chico, a menos que sea para enterrar su culo gordo en una caja de pino en una tumba sin nombre."

"Tal vez no", continuó Redmond, como el decidido abogado que era, sin inmutarse ante mi escepticismo ni ante la verdad. "Pero José cree que eres un hombre muy poderoso y que puedes encontrar la manera de sacarle de ese lugar si te esfuerzas lo suficiente".

"¿Lo hace ahora?" Fue mi turno de reír. "Tomé muchas clases en West Point, pero no recuerdo que 'Orquestando fugas de prisión' estuviera en el catálogo de cursos".

"José esperaba que te mostraras escéptico", continuó Redmond, con una voz llena de confianza. "Sugiere que utilices esos satélites y aviones espía tuyos. Mejor aún, que vayas a Culiacán y veas el lugar con tus propios ojos. Rápidamente te darás cuenta de que una misión así sería inútil. Por desagradable que le parezca, acabará comprendiendo que lo que mi cliente le sugiere es su única alternativa. También comprenderás que el tiempo no está de tu parte".

"A ver si lo entiendo", dije lentamente, con voz fría como el acero. "¿Quieres que saque a José Ortega de una prisión de máxima seguridad de Estados Unidos, que lo lleve conmigo a México, al territorio de su cártel, y que confíe en él para que me ayude a liberar a mi mujer? ¿Y entonces nos dejará ir?"

"Esas son las condiciones de mi cliente", respondió Redmond sin vacilar. "¿Qué opción tiene, Coronel Burke?"

"Dime, Redmond, ¿José es realmente tan inteligente?" le pregunté. "¿Realmente consiguió que su amigo motero secuestrara a mi mujer y a mi hijo, sólo para engañar a Consuela y llevársela a México, sólo para que yo lo sacara de la cárcel y me lo llevara allí conmigo? ¿De verdad es tan listo?"

"Uno nunca sabe, ¿verdad?"

"¿Y supongo que cuando todo esto termine, José sonreirá y me permitirá devolverlo a la penitenciaría de Phoenix? Sabes lo felices que eso hará sentir a sus carceleros".

Redmond soltó una risita, el sonido de su risa falsa me crispó los nervios. "Por favor, debe ser razonable, coronel Burke. José propone arriesgarlo todo cooperando con usted: su vida, su reputación, su poder dentro del cártel. Debe permitirle ganar algo con esta transacción. Va a librar una batalla a vida o muerte con su mujer para liberar a la suya; es justo que obtenga algo a cambio".

Sabía que el hombre estaba jugando conmigo, forzándome a arrinconarme, pero Redmond tenía razón. ¿Qué otra opción tenía? No muchas. Tal vez sólo esta.

"Esto es lo que falla en su propuesta, abogado. Primero, no puedo sacar a José de la cárcel. No hay forma de sacarlo, y el gobierno de Estados Unidos nunca me lo va a entregar para que me lo lleve a México. ¿Para hacer qué? ¿Hablar con su mujer para que deje libre a la mía? Eso es imposible".

"Pero usted tiene gran influencia, y grandes capacidades, Coronel."

"Tengo otra sugerencia para que se la lleves a José, una que podría funcionar", le dije.

"¿En serio?" preguntó Redmond,

"Sí, ¿y si José llama a sus amigos de allí y hace que me metan dentro para que pueda liberar a Linda y a Eddie? Entonces iré a hablar con las autoridades de la prisión de EE.UU. y daré una rueda de prensa para contar a todo el mundo lo mucho que me ayudó José y cómo ahora es un hombre reformado. Diablos, incluso llamaré al presidente. Tengo amigos. Quizá hasta pueda conseguir una orden ejecutiva para liberarlo, porque es la única manera de que salga de la cárcel federal".

"Desgraciadamente, coronel Burke, por muy bonito que suene, me temo que sería un fracaso para mi cliente. Sus amigos sólo le ayudarán y le ayudarán a usted si están convencidos de que José vuelve en carne y hueso para deshacerse definitivamente de Consuela."

"Entonces tenemos un problema, abogado, uno grande".

"Tal vez, pero José tiene mucha fe en sus habilidades, coronel", respondió rápidamente Redmond. "Le llamó 'mago táctico' y sabe que usted no es de los que se precipitan. Como le sugerí, tómese su tiempo, estudie la situación y explore otras vías. Cuando te des cuenta de que lo que él sugiere es tu mejor opción, llámame. Ah, y otro punto menor que olvidé mencionar...".

"De alguna manera, me imaginé que lo habría".

"No, un punto verdaderamente menor. Se trata de una de las posesiones más preciadas de mi cliente, un viejo machete, que quizá no sepas que fue un regalo especial de su padre y que tiene un valor sentimental. Así que, cuando se te ocurra una manera de llevar esto a cabo, y lo lleves a México, él apreciaría que te llevaras su machete y se lo devolvieras."

"¿El machete? ¿Eso es todo lo que quiere?"

"Sí, y José Ortega es un hombre de palabra, coronel", respondió Redmond, con un tono suave como la seda. "Comprende que su cooperación es esencial para su propio éxito, y viceversa. Si los dos trabajan juntos, ambos saldrán beneficiados. Si no... bueno, no hace falta que explique las consecuencias. Piense en ello. Tienes mi número privado, y esperaré tu llamada".

Me recuesto en el sofá, con las palabras de Redmond dando vueltas en mi cerebro. Tenía razón en una cosa. Si la solución pasaba por Consuela, tenía que ir yo mismo a comprobar aquel lugar, con los pies en el suelo y los ojos en el objetivo.

Volví a coger el móvil y marqué el número 1 en la marcación rápida. Contestó al primer timbrazo, como de costumbre, y le dije: "Prepárate, Pancho, viaje por carretera".

"¿Necesito preguntar dónde?"

"México. ¿Tu amigo Larry aún tiene ese Cessna Citation X estacionado en Raleigh?".

"La última vez que oí".

"Llámale. Lo necesitamos para un día largo, tal vez dos. Coge tu 'Go Bag' también, y algunos 'juguetes'."

—

CAPÍTULO TREINTA Y NUEVE

Culiacán, México

Linda se despertó con un dolor de cabeza palpitante. Sus ojos intentaban adaptarse a la tenue luz de la habitación como si estuvieran mirando a través de la niebla. Lentamente, giró la cabeza y observó la enorme cama en la que se encontraba y la opulenta habitación que la rodeaba. ¿Habitación? ¿Cama? Pasó los dedos por las sábanas de seda, suaves y deliciosamente frescas, y dudó de haber sentido nunca algo tan lujoso. Fue entonces cuando se dio cuenta de que estaba vestida con un pijama de seda a juego. ¡Vaya! Se incorporó y se asomó por el cuello del pijama que llevaba puesto, pero la cabeza le latía aún más fuerte. La dejó caer sobre la almohada, aliviada al ver que seguía llevando su propia ropa interior. Eso bastaría por el momento.

Lentamente, giró la cabeza y volvió a mirar a su alrededor. Todos los muebles de la habitación -las mesitas auxiliares, las lámparas, dos cómodas, una mesita con dos sillas y el tocador- parecían igual de caros y lujosos, lo que daba al dormitorio un aire de grandeza que le recordaba a los palacios de Europa que ella y Bob recorrieron en su luna de miel. No era la decoración de viaje habitual de una ex recepcionista de oficina y esposa de militar.

Finalmente, se preguntó: "¿Algo de esto es real? ¿Dónde demonios estoy?" y "¿Cómo demonios he llegado hasta aquí?".

El dolor detrás de sus ojos y la niebla se despejaron lentamente. Lo último que recordaba era llevar a Eddie en brazos mientras subían a la cabina de un pequeño y lujoso jet con dos personas, un hombre y una mujer. Él era pequeño y enjuto. Ella era una rubia delgada. Ambos iban vestidos de negro de la cabeza a los pies. Entonces recordó aquella horrible granja en el campo y aquella pandilla de moteros paletos que la agarraron en el centro comercial, a ella y a Eddie, y todo volvió a su mente.

El hombre y la mujer rubia entraron y la rescataron a ella y a Eddie de los moteros. Dijo que Bob los envió. Ella sabía desde el principio que alguien vendría. Era plena noche y la llevaron por caminos rurales. Y cuando subieron al avión, la mujer trajo café y bocadillos para ella y Eddie, y luego... nada. El recuerdo terminó allí, sustituido por la oscuridad, hasta que despertó aquí, dondequiera que estuviera.

Con un fuerte gemido, Linda se incorporó y miró alrededor de la habitación. ¡Eddie! ¿Dónde estaba Eddie? No estaba allí. Se llevó la mano a las sienes

palpitantes mientras pasaba las piernas por encima de la cama y sentía la increíble
alfombra de felpa bajo los pies descalzos. Había ventanas a lo largo de la pared del
fondo y pesadas cortinas cerradas sobre ellas, pero una pizca de luz del día se
asomaba por el centro, invitándola a abrirlas.

Abrió las cortinas y la luz del sol, dolorosamente brillante, entró a raudales.
La cegó temporalmente y sólo empeoró el dolor de cabeza mientras retrocedía a
trompicones. Pero cuando sus ojos volvieron a ajustarse, vio que la ventana estaba
en lo alto, quizá en uno de los pisos superiores del edificio en el que se encontraba,
con una impresionante vista de una ciudad en expansión y el océano o un gran
lago a lo lejos. En primer plano, justo debajo de la ventana, había un hermoso
parque con hierba verde, árboles y flores.

En el otro extremo del parque había una hermosa catedral española, una
iglesia colonial de estilo misional adornada en rosa, beige y blanco, con dos altos
campanarios escalonados. Asombroso, pensó ella, pensando que parecían dos
pasteles altos. Mirando a la derecha del parque, vio lo que parecía un viejo cuartel
militar. Tenía tres pisos y se alzaba sobre el parque, con una enorme bandera a
rayas verticales rojas, verdes y blancas, con un emblema redondo dorado en el
centro, ondeando sobre el tejado. ¿La bandera? Intentó recordar de demasiados
bares en Chicago. ¿Era tequila el Cinco de Mayo? ¿México entonces? Pensó que
sí, pero también podría ser el Día de San Patricio, o incluso el Día de la Raza.
¿Guinness irlandesa o vino tinto? No, pensó, esa bandera era definitivamente
tequila. Era México.

México. ¿México? ¿Qué demonios estaba haciendo en México? "¡Bob!"
quiso gritar, pero Bob no estaba cerca.

Sus ojos se fijaron entonces en las ventanas. Estaban adornadas con barrotes
verticales de hierro forjado. ¿Eran bonitas? Sí, pero la bella artesanía ocultaba su
verdadero propósito: eran fuertes, inflexibles y claramente destinadas a mantener a
algunas personas fuera y a otras dentro.

Al apartarse de la ventana, Linda se dio cuenta por primera vez de que había
una cama infantil acurrucada contra la pared al otro lado de la grande, cubierta con
sábanas despeinadas, una manta de Snoopy y un puñado de juguetes infantiles de
peluche. Se acercó y cogió el juguete que estaba cerca de la almohada, un oso de
peluche, exactamente lo que Eddie habría elegido.

Y junto a él estaba la puerta abierta del cuarto de baño. Era casi tan grande
como la casita en la que creció de niña en Chicago, y probablemente costaba más.
Entró y vio una ducha grande, una bañera grande, un lavabo doble, un retrete, un
bidé, un amplio tocador con accesorios dorados y más cremas, polvos, jabones y
cepillos de los que encontrarías en el Ritz-Carlton, con una docena de toallas de
baño y de mano de felpa a juego.

Al volver al dormitorio, vio un armario doble al lado del cuarto de baño con ropa de mujer preciosa y cara colgada en perfecto orden en las barras y media docena de pares de zapatos nuevos alineados en el suelo debajo de ellas. Linda miró las etiquetas de la ropa. Todas eran de su talla. Junto a las barras de ropa colgada había una cómoda ornamentada.

Abrió los cajones y vio que los de la izquierda contenían ropa de niño, cosas adorables, todas de la talla de Eddie. Los cajones de la derecha contenían conjuntos completos de ropa interior y jerséis de su talla. Increíble, pensó. En un gancho de la pared, vio una hermosa bata de seda, que se puso rápidamente para cubrirse mejor. Le sentó tan bien como el pijama y las sábanas. Al salir de nuevo al dormitorio, vio un televisor de pantalla grande con reproductor de DVD y una estantería con películas infantiles de dibujos animados para completar el conjunto.

Finalmente, miró a su alrededor con las manos en las caderas y sacudió la cabeza. "¿Dónde estoy?", murmuró, con voz apenas audible incluso para sí misma. "¿Y dónde está Eddie?" Necesitaba respuestas, y las necesitaba rápido. Se acercó a la puerta y probó el pomo. La puerta era grande, pesada, estaba cerrada y no se abría. Miró la puerta y luego las manillas, las cerraduras y las bisagras. Por el trabajo de construcción y renovación que supervisó en Sherwood Forest, se dio cuenta enseguida de que no se trataba de chatarra "de constructor" de Lowe's o Home Depot. Y el trabajo de acabado era magnífico, artesanía profesional, no algo de lo que ella fuera a salir a la fuerza a menos que alguien le abriera la puerta o le diera la llave.

Los ojos de Linda recorrieron la habitación en busca de un teléfono o un botón de interfono, pero no vio nada de eso. Puede que el hombre y la mujer que la rescataron anoche de aquella casa la salvaran de una situación peligrosa con los motoristas, pero no podía evitar la sensación de que simplemente había cambiado a un grupo de carceleros por otro, aunque con un gusto más fino y suave.

"¡Hola, señora!" La mujer saludó a Linda en español con una cálida sonrisa mientras dejaba a Eddie en el suelo. "El niño es grande, pesado", dijo.

"Uh, Sí Sí", Linda reconoció algunas de las palabras y respondió nerviosa, agachándose y tendiendo los brazos a Eddie para intentar abrazarlo. Naturalmente, el niño de tres años no quería saber nada de eso. Corrió hacia la pila de juguetes nuevos que había en un rincón, con los ojos muy abiertos por la emoción. Linda no pudo evitar sentirse agradecida por aquel pequeño momento de felicidad en medio de la incertidumbre de su situación.

Oyó una tos detrás de la enfermera y levantó la vista para ver al hombre de negro del avión. "Buenos días, señora", le dijo amablemente. "Me llamo Pierre, y..."

"Sí, te recuerdo de anoche en esa vieja granja de Virginia, y volando hasta aquí... supongo que fue anoche".

"Sí, en efecto, lo era. Soy el chef ejecutivo del Ama..."

"¿Su chef?" preguntó Linda, sorprendida. "Pero la parte de la Legión Extranjera Francesa y el disfraz de ninja..."

"Bueno, soy su cocinero y también hago muchas otras cosas", concedió con una leve reverencia.

Linda miró la bata de seda y se cogió el cuello del pijama mientras preguntaba: "Tú no eras el que...".

"¡Oh, no, señora! Eran Jennifer y María, se lo aseguro".

"Vale, está bien", desechó Linda. Después de los dos últimos días, ésa era la menor de sus preocupaciones.

Pierre se volvió entonces hacia la bandeja de comida y dijo: "He preparado unas cuantas cosas para que comáis, tú y el chico. Por favor, díganme si ustedes o él prefieren otra cosa, cómo les gustaría que se preparara para la próxima vez, y con gusto los complaceré".

La próxima vez, pensó Linda, pero lo dejó pasar.

Pierre señaló hacia el armario y dijo: "Jennifer te ha comprado esa ropa; hemos calculado tu talla, así que avísanos si hay que ajustar algo. Y María", señaló con la cabeza a la mexicana, "es enfermera diplomada en puericultura y niñera. Por desgracia, no habla inglés".

Linda entrecerró los ojos ante Pierre. "Anoche te pregunté quién eras. Esquivaste la pregunta y dijiste que trabajabas para mi marido para rescatarnos. Era mentira, ¿verdad? Soy un prisionero aquí, Eddie y yo, ¿no es así? "

Pierre mantuvo la compostura, sin mostrar signos de culpabilidad ni de incomodidad, mientras se encogía de hombros y respondía: "Prisionero es una palabra muy dura. Digamos que estabas en una situación peligrosa con unos hombres muy peligrosos de los que te rescatamos. Ahora, estás perfectamente a salvo y eres el invitado de nuestra señora".

"¿Tu 'amante'? Has utilizado ese término varias veces. ¿Quién es?"

"Todo eso se aclarará en breve".

"¿Y la bandera mexicana en ese gran edificio de al lado? ¿Estamos en México?"

"En cuanto a dónde estás y quiénes somos, dejaré que mi Ama te lo explique. Ella se levantará más tarde después de que hayas tenido la oportunidad de comer, relajarte, y tal vez tomar un largo baño caliente".

"Bien, esperaré", asintió Linda, esforzándose por controlar sus emociones. Eso es lo que Bob le diría que hiciera. Observar, mantener la bocaza cerrada y planificar. Estaban jugando con ella, y deseaba desesperadamente respuestas, pero no las obtendría presionando a ese tipo. Pero el dolor de cabeza seguia ahi, detras de sus ojos, y nunca habia experimentado uno como este.

"Me drogaste en el avión, ¿verdad?", preguntó, más como una afirmación que como una pregunta, mientras se frotaba las sienes. No esperaba una respuesta, pero no pudo evitar expresar sus pensamientos.

Pierre volvió a encogerse de hombros educadamente, sin mostrar ninguna emoción. "Sabíamos que el vuelo sería más largo de lo que te habíamos hecho creer", admitió, con voz fría y distante. "Estabas muy estresada y no queríamos alarmarte demasiado, así que la Señora pensó que era mejor que descansaras después de todo lo que habías pasado. En una palabra, sí. Te dimos un sedante suave en el café".

"¿Cuándo conoceré a tu amante?" preguntó Linda, con los ojos entrecerrados.

"Pronto, Madame, muy pronto. Por favor, intente relajarse. Aquí no corre ningún peligro", respondió Pierre mientras se daba la vuelta y salía de la habitación con María, cerrando la puerta tras ellos.

Linda apretó la mandíbula, sabiendo que no tenía más remedio que esperar y admitir a regañadientes que Pierre tenía razón. Habían sido dos días difíciles, y ella necesitaba, "dormir y carburar cada vez que puedas", como oyó a Bob decir a sus chicos que hicieran demasiadas veces para contarlas, "porque nunca se sabe cuándo puede llegar la próxima oportunidad".

Su cerebro se agitó con una mezcla de miedo y rabia mientras intentaba recomponer lo poco que sabía sobre su situación y lo que podía hacer al respecto. Mantener la calma, por el bien de Eddie y el suyo, y esperar.

Lo único que sabía con certeza era que Bob vendría a sacarla de este lío muy pronto.

CAPÍTULO CUARENTA

Sherwood y Culiacán

Otro viaje por carretera, pensé con una mezcla de excitación y temor, no es que no se nos dieran bien después de todos estos años. Pero el tiempo no estaba de nuestra parte, no si Consuela Ortega, José o cualquiera de las otras bandas del cártel tenían a Linda. Necesitábamos mejor información, la necesitábamos rápido, y la mejor forma que veía de hacerlo era "con los ojos puestos".

"Me gustan los viajes por carretera tanto como a cualquiera", me sermoneó Ace, "pero los frikis llevan toda la mañana trabajando en esto. Y tienes al FBI y probablemente también al general Jacobson trabajando en ello. Sabes que ha llamado a la NSA y a la CIA. Tenemos que darles tiempo para que funcione.

"Yo sí, y han venido con las mismas preguntas que nosotros, y aún menos respuestas".

"¿Pero estás seguro de lo de Culiacán?".

"No estoy seguro de nada, pero es la que tiene más hilos conductores y es la única respuesta lógica que se me ocurre".

"Estoy de acuerdo".

"Yo lo sé, tú lo sabes, José Ortega lo sabe y hasta su maldito abogado parece saberlo. Y con el debido respeto a los Geeks y a todos los demás, mientras ellos siguen dándole a la manivela, yo tengo que bajar allí y "acercarme", porque tú y yo vemos cosas que ellos nunca podrán ver. Además, ninguno de nosotros confía en la información del cuartel general".

"Entendido", Ace se encogió de hombros y dijo: "He llamado a Larry. Viene desde Raleigh con su Citation X y se reunirá con nosotros en el aeródromo de Cross Creek dentro de una hora. Tiene que repostar, comprobar algunas cosas del avión y hacer el resto de esas cosas de 'piloto'".

"Bien, eso nos dará un poco más de tiempo para reunir nuestro equipo y volver a ver a todos".

"¿Quieres que llame a Bragg y consiga algunos chicos para ir allí con nosotros?"

"No, en ambos. Sólo tú, yo, Tim Foster, y su dron óptico. Más que eso, y destacaremos. Lo mismo para las armas. Es una ciudad de una compañía del cártel, y sería demasiado fácil que nos pillaran. Esto es sólo reconocimiento, así que pistolas y las radios de auriculares del escuadrón".

"¿No hay arma larga para vigilancia y apoyo de cobertura?"

Me lo pensé un momento y tuve que aceptar. "De acuerdo", respondí a regañadientes. "Trae uno de los rifles de francotirador Sig Cross 308. Es pequeño y plegable, y pensaba ponerte en uno de esos campanarios de iglesia. Son una vigilancia perfecta".

"¿Tienen dos campanarios?", preguntó.

"Es una catedral colonial española situada al otro lado del parque, justo enfrente de la mansión de Consuela. En realidad tiene dos nombres. Al principio se llamaba Catedral Basílica de Nuestra Señora del Rosario, y luego Catedral de San Miguel Arcángel. Elige el que quieras".

"¿San Miguel? ¿No es el ángel vengador que luchó contra el diablo y mató al dragón?".

"¿Tu madre te arrastró a la escuela dominical?"

"No, he hecho trampa y he visto las fotos en la web de la Cámara de Comercio".

"¿Culiacán tiene Cámara de Comercio?".

"Claro que sí, y un club Kiwanis, el Moose y el Rotary, para que los Jefes de cartel puedan salir a comer los miércoles por la tarde. Pero mientras yo me subo a uno de esos campanarios haciendo de Quasimodo, ¿dónde estarás tú?".

"Reconoceré la zona a pie y luego buscaré un banco en el parque, viendo cómo el dron de Tim persigue a las ardillas por el parque. Pero sé juicioso con ese rifle, Pancho. Es 'por si acaso'".

"Entendido, 'Cisco'... y no tienes ni idea de cuánto tiempo he esperado para usar esa. ¿Y nuestra ropa? Va a ser muy difícil que los tres parezcamos de aquí. Seguro que mi gorra de los Redskins no servirá".

"No. Todo el mundo sabe que los Dallas Cowboys son los dueños de México".

"Recibido. ¿Ni mochilas, ni pistoleras, ni maletines?" Dijo. "Entonces, tu look de corredor de bolsa gringo también está fuera."

"Sí, creo que lo mejor que podemos hacer es ir de Texas, con vaqueros, camisas del oeste, botas, tal vez corbatas y grandes sombreros de vaquero. Los dos tenemos cosas que nos ponemos para las barbacoas de los Merry Men, y probablemente podamos comprar un par de serapes por allí. Por las fotos, la ciudad parece bastante moderna".

"Esperemos que sí", dijo Ace. "Pero no olvides que Culiacán es la 'capital' del cártel de la droga de Sinaloa. Eso significa que es un nido de víboras, uno grande, y uno de los lugares más peligrosos del planeta para extraños, policías, narcos o cualquiera que llegue sin invitación desde El Norte."

Larry llegó puntual, como de costumbre, y se detuvo en la pequeña oficina de la pista de Cross Creek mientras cruzábamos la puerta. Es pequeño y privado, un lugar donde la gente se ocupa de sus propios asuntos, el lugar perfecto cuando

necesitamos un poco de sigilo y no estamos utilizando el "transporte público"
como los C-130 de la Fuerza Aérea fuera de Pope Army Airfield. Habíamos
volado a menudo en su jet ejecutivo Cessna X en operaciones privadas como ésta.
Era suave y rápido, podía volar a seiscientas millas por hora cuando alcanzábamos
altura de vuelo, y pagaba bien. Eso significaba que Larry siempre respondía rápido
cuando necesitábamos que nos llevaran.

Eran las 11:30 cuando despegamos, y serían 2200 millas o cuatro horas de
vuelo hasta Culiacán desde Fayetteville. Con una diferencia horaria de tres horas,
eso significaba que podría estar sentado en el parque vigilando la puerta de
Consuela a las 1330 o 1400, "Hora de las enchiladas". Como no habíamos
preparado el lugar adecuadamente con antelación y no disponíamos de nuestro
habitual arsenal de fotos aéreas, supuse que la opción más segura era aterrizar a
plena luz del día, justo en medio de Siesta. Eso sería perfecto y no llamaría
demasiado la atención en una perezosa y brumosa tarde entre semana en el soleado
centro de México.

Cuatro horas más tarde, descendíamos en el Aeropuerto Internacional de
Culiacán y nos dirigíamos a la terminal de aviación general, mucho más pequeña,
situada al otro lado. En el camino, vi al menos otras dos docenas de jets privados
de alta gama estacionados allí en los espacios permanentes: Bombardier Learjets,
Gulfstream IIIs, Embraer Phenoms, Beechcraft Premiers, e incluso uno de los
nuevos Honda 420s.

"Deberías dedicarte al negocio de los aviones corporativos, Larry", comentó
Ace. "Parece que el negocio de las drogas está generando un buen flujo de
efectivo".

"Puedes apostar dinero", añadí.

"¿Sí?" Larry se rió. "¿Y qué haces si no quieren pagar?".

"Bueno, ahí está eso", aceptó Ace.

Larry hizo una rápida visita a la terminal de aviación general para pagar una
plaza temporal en la plataforma y hacerse con un coche de alquiler de segunda
mano. Cuando volvió, Tim, Ace y yo "desembarcamos" del pequeño avión e
intentamos pasar desapercibidos entre los lugareños mientras entrábamos en la
terminal principal vestidos con vaqueros, botas de punta y una mezcla de camisas
vaqueras y vaqueras. Hicimos una parada rápida en la primera tienda de regalos y
ropa que encontramos en la terminal moderna y salimos con dos sombreros
vaqueros de ala ancha.

Los trajes no eran perfectos, pero servirían. Mientras lo hacíamos, Larry
pagó en efectivo un Hyundai sedán mexicano de cuatro puertas muy maltratado. El
asiento del copiloto era lo bastante grande para las largas piernas de Ace y Tim
tenía sitio de sobra en la parte de atrás para montar su dron, conmigo al volante.

Aparcó el Citation X en una de las plazas de alquiler para transeúntes y le dije que cerrara las puertas y no dejara entrar a nadie hasta que volviéramos. Llevaba una pistola de 9 milímetros en el cinturón, uno de nuestros subfusiles compactos Sig SBR Rattler con un cargador de treinta cartuchos completamente cargado colgado del cuello y una escopeta Remington V3 Tac-13 de cañón corto y calibre 12 junto a la puerta. La nueva Remington V-3 era la elección perfecta para "evitar que entre por la puerta gente que preferirías que no entrara", como decía mi padre.

"Eso debería mantener alejados a los lobos", le dije. "No quiero empezar una guerra aquí abajo, pero es tu avión y lo quiero aquí cuando volvamos. Dudo que tardemos más de una o dos horas, así que mantén la cabeza agachada, los ojos abiertos y los oídos atentos a la radio del aeropuerto".

"Entendido, Fantasma", contestó Larry, utilizando mi antiguo indicativo de las Fuerzas Delta, mientras cogía la escopeta y metía una nueva bala en la recámara. Ya estaba mirando por las ventanillas, escudriñando la pista y las calles de rodaje en busca de posibles amenazas, y parecía un poco nervioso.

"¿Ves algo?" le pregunté.

"No, y ese es el problema. Sigo teniendo la sensación de que alguien nos vigila".

Me agaché y miré por la ventana. "Sí, yo también tengo esa sensación en la nuca desde que aterrizamos. No vi a nadie, así que mantén los ojos abiertos".

"Tengo la misma sensación", Ace estuvo de acuerdo. "Y a mí tampoco me gusta".

Me senté en el asiento del conductor del destartalado Hyundai. Tim montó su dron en el asiento trasero y Ace viajó de copiloto en el asiento del copiloto. Por los mapas y las fotos aéreas, pensé que no tardaríamos mucho en llegar desde el aeropuerto, en la parte suroeste, hasta las catedrales del centro. La carretera conducía hasta allí. Era una especie de autopista regional, y estábamos a media tarde, no se suponía que fuera hora punta. Con lo que no había contado era con el tráfico mexicano a cualquier hora del día.

Como en Bagdad, El Cairo, Saigón, Manila, Nairobi, Bangkok, Ciudad de México, Buenos Aires, o incluso Roma, París o Los Ángeles, los automóviles y los conductores del tercer mundo no se llevaban bien. Los coches superaban en número a la capacidad de las carreteras en una proporción de dos a uno y, para empezar, nadie hacía caso de ninguna norma, ni siquiera del sentido común. Eso hacía que conducir en Culiacán fuera una pesadilla, como la hora punta de Los Ángeles en esteroides. La mezcla de coches, ciclomotores y peatones yendo y viniendo por la calle me hacía sentir como el blanco designado en una pista de coches de choque.

Mientras avanzábamos lenta pero constantemente hacia el centro de la ciudad, no podía evitar sentirme como un pez fuera del agua aquí abajo. ¿Pasar desapercibido? Había pasado desapercibido en todo Oriente Próximo, pero no nos confundirían con nada más que tres americanos en un maltrecho coche de alquiler coreano. La clave era pasar desapercibidos, aprender todo lo posible observando la fortaleza de Consuela y usar el dron para grabar un montón de vídeos que pudiéramos estudiar más tarde.

Al menos era difícil perderse con esos dos grandes campanarios frente a nosotros, que, como pude ver, era lo único que tenía la ciudad. Eran muy buenas estacas para apuntar. Cuando por fin llegamos al centro, vi que la catedral tenía un pequeño aparcamiento en la parte trasera, así que elegí el sitio más cercano a la autopista y a la puerta trasera de la catedral. Lo dejé apuntando hacia la autopista por si necesitábamos hacer una escapada rápida más tarde.

Ace salió, se estiró y desapareció en la catedral. Yo le seguí rápidamente y me incliné hacia atrás para hablar por última vez con Tim. "Una vez que tengas el pájaro en el aire -le dije-, céntrate en la gran mansión de ladrillo que hay al otro lado de la plaza. Graba todo lo que puedas de los cuatro lados, pero sobre todo del tejado y de todas las puertas y ventanas, delanteras y traseras, los mecanismos, las cámaras de seguridad exteriores, las luces exteriores y los guardias que veas por ahí. Quiero primeros planos de todo. No tendremos una segunda oportunidad, así que avísame si viene algún policía a husmear alrededor nuestro o del avión".

"Entendido, Fantasma", reconoció Tim. "Y te avisaré cuando tenga suficiente material".

"Andaré por ahí dándole un vistazo, pero eso no va a ser fácil. Rápido, sí, pero no fácil. Volveré en menos de una hora. Usa tu radio de auriculares si necesitas hablar conmigo o con Ace. Y mantén los ojos abiertos".

"Entendido", respondió.

CAPÍTULO CUARENTA Y UNO

Culiacán México

Hacia las dos de la tarde, la puerta del dormitorio palaciego donde tenían a Linda se abrió de golpe y Consuela Ortega entró en la habitación como una fuerza de la naturaleza. Parecía y actuaba como una diva de Hollywood, más grande que la vida, con una preciosa melena y una figura de estrella de cine. Desde la puerta, su mirada ardiente se posó en Linda mientras se presentaba.

"¡Soy Consuela! Espero que te hayas recuperado de tu dura prueba, Linda".

"¿Consuela Ortega?" preguntó Linda mientras las piezas encajaban de repente. "No me extraña. Usted es la mujer de aquel narcotraficante mexicano con el que mi marido tuvo aquella 'pelea' hace tantos años, ¿verdad?". preguntó Linda, con una voz cargada de ira y desdén.

¿"Mi marido"? ¿El señor de la droga, le llamas? Supongo que eso fue cierto alguna vez, querida, pero ¿'pelea'? He 'reñido' con muchos hombres en mis tiempos, pero no con tu marido. Te lo aseguro". Consuela respondió con una sonrisa socarrona y una carcajada lujuriosa.

El corazón de Linda latía con fuerza en su pecho mientras intentaba comprender la situación. Sabía que Bob se había enfrentado muchas veces a peligrosos criminales, pero la mayor parte de la información era altamente confidencial, incluso para las esposas de los Delta. Siempre se enteraba de sus aventuras mientras "los chicos" compartían una cerveza o en la barbacoa mensual, pero nunca esperó que una de sus operaciones pusiera en peligro a la familia. Ese pensamiento le produjo escalofríos.

"¿Por qué me has traído aquí? ¿Para vengarte de mi marido? ¿O vas a vengarte matándome?" preguntó Linda, con la voz temblorosa. Necesitaba saber a qué se enfrentaba y no podía permitirse mostrar miedo.

"¿Matarte? Cielos, no, Linda", respondió Consuela mientras acercaba una silla a la mesa y se sentaba, relajada, mirando a Linda con aire de total confianza. "Si eso era todo lo que quería, podría haber hecho que Pierre te matara allá en Carolina del Norte, ¿no? Siéntate, por favor. Voy a hacer que traigan algo de beber por la tarde".

"¿Pensé que las familias se suponía que estaban fuera de los límites?"

"¿Fuera de los límites?" Consuela se enfureció. "Tu marido invadió mi hacienda, mi hogar, y me envió a toda velocidad por ese camino de montaña, descalza, sin nada más que un delgado camisón de seda. Luego voló en pedazos mi hermosa hacienda, mi hogar, convirtiéndola en un montón de grava y polvo...

¿Y te atreves a decirme que las familias están fuera de los límites?"

"Me temo que nunca comparte sus aventuras conmigo, así que no sé nada de eso. Entonces, ¿qué quiere? ¿Por qué me has traído aquí?"

"Paciencia, querida. Todo será revelado a su debido tiempo".

Chasqueó los dedos y Pierre entró de repente en la habitación con dos botellas de vino y dos copas de cristal bellamente talladas. Linda sabía muy poco de vinos, salvo el Thunderbird y el Ripple en botellas con tapón de rosca de los partidos de fútbol americano del instituto para calentarse en las gradas del Soldier's Field, o lo que vendían a ocho dólares la botella en la tienda de clase VI del Ejército en el puesto, donde las estanterías tendían hacia el bourbon barato y la cerveza de la semana.

Sin embargo, observando a Pierre, había visto suficientes películas como para reconocer a un experto sumiller cuando lo veía. La miraba con ojos risueños mientras descorchaba la primera botella y seguía toda la ceremonia de verter una muestra en la copa de Consuela, dándole tiempo para que la oliera, la probara y la aceptara con cuidado, y luego llenaba sus dos copas.

Linda también probó lentamente la suya. Aunque no sabía qué era ni de dónde venía, sabía lo que era bueno cuando lo bebía. Asintió cortésmente a Pierre con un diplomático "Excelente". Él se retiró tan rápido como había venido, abriendo la segunda botella y dejándola también sobre la mesa antes de cerrar la puerta tras de sí.

"Parece tener mucho talento", dijo Linda.

Consuela se rió y dijo: "No tienes ni idea, querida, ni idea". Bebieron en silencio un momento, saboreando el buen vino. "Los hombres pueden ser tan estúpidos a veces, ¿verdad?". comentó Consuela, con los ojos brillantes de picardía mientras rellenaba la copa de Linda.

"¿Te refieres a nuestros maridos?" preguntó Linda, disfrutando de los ricos sabores que ahora bailaban en su lengua mientras terminaba la copa.

"¿Quién más?" dijo Consuela mientras rellenaba ambos.

"Realmente es un vino encantador y delicado", dijo Linda, mientras sentía que las tensiones de sus hombros empezaban a derretirse ligeramente, aunque intentaba mantenerse alerta y atenta.

"Es de una pequeña bodega que descubrí en España hace varios años. Me envían diez cajas cada año y ahora es uno de mis favoritos. A 900 dólares la botella, debería serlo, pero la mitad de la diversión consiste en gastar el dinero de mi marido de la forma más extravagante posible. Tengo una bodega llena de vinos que me dejó su padre, pero prefiero los míos". Pierre dice que el personal de la casa sigue llevándose botellas, pero no me importa. Que lo disfruten".

Mientras bebían, Linda no pudo evitar notar las diferencias entre ellas. Ambas eran mujeres fuertes que vivían en un mundo de hombres, pero Linda era físicamente más grande y robusta que Consuela, que se desenvolvía con un aire de elegancia y aplomo.

"¿Estás cómoda aquí, Linda?" preguntó Consuela, aparentemente sincera en su preocupación. "¿La comida? ¿La cama? ¿Los juguetes para Eddie? Es tan mono".

"Sí. Y todo está bien", respondió Linda con cautela. "Pero ¿por qué haces esto?"

Consuela ignoró la pregunta. "No tengo experiencia con niños, como sabes, pero reconozco a un niño bonito cuando lo veo. Así que le dije a Jennifer que comprara uno de cada cosa en las tiendas del centro mientras elegía tu ropa. Es bastante buena comprando y siguiendo órdenes, y además tiene muchas habilidades, como su marido".

"¿Pierre es su marido?"

"Oh, sí. Ella es mi entrenador personal ... entre otras cosas, como él. Así que si usted desea tener un masaje o un entrenamiento, voy a tener Jennifer pasar por aquí. Tiene unas manos maravillosas. María cuidará de tu hijo siempre que quieras. A ella también le parece adorable".

"Bueno, si sigo comiendo y bebiendo tu vino de esta manera, voy a necesitar mucho más que un entrenamiento", rió, mientras su mente se agitaba, tratando de determinar las verdaderas intenciones de Consuela. ¿Acaso se trataba de una estratagema para ganarse su confianza antes de que algún terrible destino se cebara con ella? "Pero aún no me has dicho por qué haces esto. ¿Por qué me retienes aquí? volvió a preguntar Linda, esforzándose por mantener la voz firme. "¿Qué probará esto?"

"¿Demostrar? Oh, absolutamente nada", Consuela desechó el pensamiento mientras daba vueltas al vino en su copa y se lo bebía antes de rellenar la suya y la de Linda con la segunda botella. "Quizá no lo sepas, pero mi José es ingeniero mecánico con varios títulos superiores y yo tenía una pequeña pero incipiente carrera cinematográfica en Hollywood cuando nos conocimos. Éramos bastante felices allí en California, hasta que su gente, ustedes los americanos, secuestraron a su padre, lo metieron en la cárcel y José se vio obligado a volver aquí y hacerse cargo del negocio familiar."

Consuela estudió a Linda un momento. "Ésa es la única razón por la que dejé Hollywood, renuncié al cine y me mudé aquí a Culiacán con él, a la sede de la familia, que yo detestaba. Si eso no hubiera sucedido, tal vez me habrías visto en la 'pantalla chica'. Pero viajando por el estado de Sinaloa, descubrí una maravillosa, pero decrépita hacienda amurallada y una iglesia misionera en las colinas al este de aquí. Se remontaban a siglos atrás. Así que, mientras José se ocupaba de sus negocios, yo me dediqué a restaurar y redecorar la hacienda. Fue una tarea enorme, se lo aseguro. Volví a enlucir y pintar todo, traje obras de arte y fuentes de Italia y España, y me gasté millones de pesos en reconstruir la iglesia. Incluso reconstruí el viejo barracón para que sus hombres tuvieran un lugar civilizado donde alojarse -dijo mientras bebía un largo sorbo de vino y miraba a Linda, los ojos de Consuelo centelleando.

"Entonces, una noche, tu marido y sus amigos del ejército americano se abalanzaron en sus helicópteros negros, agarraron a José, me echaron y lo volaron todo, convirtiéndolo en un montón de escombros. No quedó nada allá arriba, ¡nada! Tu marido voló mi hacienda, la iglesia, el barracón y todos los graneros y edificios de la granja. ¡Todo! No quedaron ni dos ladrillos apilados uno encima del otro".

Linda gimió en voz baja al oír hablar de la implicación de Bob, y pudo ver la ira que se acumulaba tras los ojos de Consuela mientras le contaba la historia. Sabía que Bob había hecho muchas cosas peligrosas en el pasado, así que tomó otro sorbo de vino, fortaleciendo su determinación a medida que el alcohol empezaba a calentarla, y dijo lo más directamente que pudo: "Mi marido es un buen hombre. Pasara lo que pasara ahí fuera, estoy segura de que sólo seguía órdenes".

"¿Tu marido es un buen hombre?" Preguntó Consuela. "Mi marido, José, es una mierda total. ¿Por qué debería pensar que el tuyo es diferente?"

"Estoy seguro de que tenía sus razones".

"Razones o no, los hechos son los hechos, y tú estás aquí", respondió Consuelo con una leve sonrisa, terminando su copa. "Pronto, todo será revelado".

Linda sintió que la tensión volvía a aumentar entre ellos, sus pensamientos se aceleraban mientras intentaba averiguar qué había planeado Consuela. Fuese lo que fuese, esta mujer tenía un filo afilado y desagradable, y Linda sabía que tenía que mantenerse en guardia, por su bien y por el de Eddie. Si de algo estaba segura era de que no tenía intención de caer sin luchar.

Linda estudió la esbelta figura de Consuela, los suaves movimientos de sus manos, la forma en que giraba la cabeza y se echaba el pelo por encima del hombro como una diva de Hollywood. "Eres muy valiente, viniendo aquí sola después de secuestrarme".

Consuela se echó a reír, con los ojos brillándole divertidos. Levantó la mano y sacó un peine decorativo de los exuberantes rizos que tenía a un lado de la cabeza. Con una floritura, mostró las afiladas cuchillas de quince centímetros que ocultaba. "Como la viuda negra, tengo mis sorpresas. Ésta no es más que una, y puede ser mortal", dijo con una sonrisa malévola.

"Aun así", replicó Linda, negándose a permitir que el miedo se apoderara de ella, "estás cometiendo un grave error al hacer esto".

"¿Sí?" Consuela rió entre dientes, devolviéndose el peine al pelo. "No lo creo".

"No conoces a mi marido".

"¿Su marido? ¿El gran Teniente Coronel Robert Tyrone Burke? Lo conozco mucho mejor de lo que crees, Linda. He pasado siete años estudiando al hombre. ¿Por qué crees que estás aquí?"

Linda cruzó los brazos sobre el pecho, tratando de ignorar la creciente sensación de malestar que le roía el estómago. "No lo sé. Pero, ¿cuánto tiempo piensas retenerme aquí?", preguntó con tono firme a pesar de sus pensamientos acelerados.

"¿Cuánto tiempo? Hasta que llegue su marido, claro", respondió Consuela con naturalidad mientras se levantaba de la silla. "Mi marido también vendrá. Ambos llegarán dentro de unos días, creo, quizá una semana, pero no más".

Linda no pudo evitar sacudir la cabeza y sonreír. "Cuando lo hagan, te arrepentirás. No tienes ni idea de dónde te estás metiendo, no después de lo que has hecho".

¿"Su marido"? El boina verde, o soldado delta, o como se llamen hoy en día. Admito que es un hombre formidable, pero no es más que un hombre", reflexionó Consuela, reclinándose en la silla y apretando los dedos. "He matado a muchos hombres mucho más capaces y valientes que él. También Pierre y Jennifer".

"¿Pierre? ... ¿y Jennifer?" Linda frunció el ceño.

Consuela se rió. "¿Qué? ¿Crees que 'monsieur sophisticated', es mi cocinero, mi chef parisino? ¿Es eso lo que piensas? Pierre creció en las cunetas de Marsella y pagué mucho dinero para contratarlo lejos de la mafia francesa, 'Les beaux voyous', como les llaman allí. Tú eres la que no tiene ni idea, querida. ¿Y en cuanto a Jennifer? Nadie disfruta más matando hombres que esa sádica zorra rubia. Pronto lo verás".

La confianza de Consuela era desconcertante. Linda la miró fijamente y vació su copa, pero ya sentía que se le nublaba la vista. Era el vino. Nunca había sido muy bebedora y necesitaba despejarse para saber qué hacer a continuación.

"Puedes pensar que tienes todas las respuestas", le advirtió Linda. "Pero cuando Bob llegue, verás lo equivocada que estás".

"Atrevidas palabras", contestó Consuela, sin que su sonrisa vacilara mientras se dirigía hacia la puerta. "Me ha gustado nuestra pequeña charla, Linda, pero creo que has bebido demasiado. Ahora te dejo sola. Te sugiero que eches una siesta antes de cenar para despejarte".

Las manos de Linda temblaban mientras se ponía en pie, contemplando la posibilidad de ir tras Consuela, pero era inútil. La mano de Consuela se alzó y golpeó a Linda en el esternón, en el centro del pecho, con la punta de un dedo, haciéndola caer de espaldas en la silla.

"Como dije, tengo muchas sorpresas... y ahora tendrás un bonito moratón como recordatorio. Por otra parte, podría haber usado el peine o golpearte más fuerte con el dedo y matarte, pero ¿por qué arruinar la diversión después? Prefiero saborear la mía".

"¿Pero por qué?" preguntó Linda, con la voz apenas por encima de un susurro. "¿Por qué traerme aquí? No sé nada".

"Claro que no", replicó Consuela, sus ojos oscuros mostrando por fin su verdadera intención maliciosa. "No sabes nada. Eres un imbécil de cerebro atontado. No te he traído por eso".

"¿Entonces por qué?"

"Para traerlos aquí a los dos, a tu marido y al mío, dos hombres igual de estúpidos", respondió Consuelo, saboreando cada palabra como si fueran delicados bocados. "Y cuando los tenga aquí, los mataré a los dos, por supuesto, y sentiré un gran placer al verlos morir".

Con eso, los ojos de Consuela brillaron con toda su furia mientras salía de la habitación y daba un portazo tras de sí, marchándose tan dramáticamente como había llegado, y dejando a Linda con la respuesta que no quería.

Linda se quedó mirando la puerta, ligeramente borracha. Por muy "atontada" que estuviera en ese momento, sintió que su ira iba en aumento. Sea lo que sea lo que Consuela estaba planeando, no era bueno. "Bob, ¡maldita sea! ¿Dónde estás?", gritó a nadie más que a una habitación vacía.

Luego se presionó el punto del pecho donde Consuela le había dado el golpecito. Le dolió. Volvió a apretar, más fuerte, y le dolió más. Luego, lo presionó con fuerza, ¡y dolió de verdad!

Esa zorra flacucha puede pensar que conoce a Bob, pero en realidad no me conoce a mí, pensó Linda. Lucharía contra esa loca y protegería a su familia ella sola, costara lo que costara. La mataría con sus propias manos si tuviera que hacerlo.

CAPÍTULO CUARENTA Y DOS

Culiacán

El plan era sencillo: reunir información sobre la fortaleza de Consuela, localizar a Linda y salir de Dodge sin llamar la atención. Pero cuando nos separamos y me dirigí hacia el parque, no pude evitar la sensación de que nos estaban vigilando, de que habían descubierto nuestra tapadera incluso antes de que pisáramos Culiacán. Pero ya no había vuelta atrás.

El sol de primera hora de la tarde caía sin piedad sobre las calles de Culiacán mientras me abría paso entre la multitud. El sudor me caía por la espalda y hacía que la camisa de franela se me pegara a la piel mientras daba vueltas por las calles. Observé de cerca la catedral, el cuartel del ejército y el ayuntamiento, pero la mansión era el centro de mi atención. Se erguía como un centinela silencioso, pesado y de ladrillo rojo, desafiando a cualquiera que intentara traspasar sus defensas.

Por mucho que quisiera encontrar una forma fácil de entrar, la realidad era dura: una ciudad extranjera y un edificio que realmente no conocía: esto iba a ser cualquier cosa menos sencillo. Mirara desde el ángulo que mirara, era una fortaleza, con altos e imponentes muros y evidentes medidas de seguridad.

"Fantasma, el dron está en el aire", informó Tim a través de mi auricular. "Te mantendré informado si veo algo que debas comprobar".

"Entendido", murmuré en voz baja, intentando no llamar la atención.

Aun así, no pude evitar reírme ante la ironía de todo aquello. Aquí estaba yo, un veterano de operaciones especiales que se había infiltrado con éxito en algunas de las fortalezas más fuertemente custodiadas y escondites en las cimas de las montañas del mundo, y sin embargo este lugar me tenía perplejo. Su casa era realmente una mansión, claramente la propiedad más bonita que habíamos pasado desde que aterrizamos. Parecía una embajada o una de esas casas construidas en la Edad de Oro de Nueva York para los Vanderbilt o los Astor. Bueno, había sido construida para un gobernador real.

La primera planta estaba elevada, por lo que los alféizares de las ventanas del primer piso estaban a dos metros del suelo, lo que hacía difícil trepar por ellos sin una escalera a menos que uno fuera un gimnasta. Además, las ventanas de las tres plantas estaban protegidas por barrotes verticales de hierro forjado, decorativos pero de aspecto robusto, que no se podían agarrar ni colgar, por lo que resultaba imposible forzarlos si no llevaba un soplete o un camión cazo. El ladrillo exterior parecía estar bien cuidado, grueso, con remates y sin asideros.

Luego estaba la puerta principal. Al igual que las ventanas, el suelo detrás de ella estaba elevado. También lo estaba el portal, con una escalinata, al final de un tramo de cuatro escaleras de piedra blanca. Eran diabólicas. Significaban que nadie podía salir corriendo y estrellarse contra la puerta. No con cuatro escaleras empinadas para subir. No, nada de eso de patear puertas de las películas de acción de Hollywood funcionaría en ese mamón. Inténtalo, y todo lo que conseguirías es un pie roto.

La puerta era grande, alta y ancha. Y sin entrar en detalles, la brillante superficie de esmalte negro de la puerta y el marco que la rodeaba tenían toda la pinta de ser de acero reforzado, probablemente incrustado en aquellos gruesos muros y lo bastante resistente como para detener un ariete de la policía. Por otra parte, hay que intentar aplicar fuerza a un ariete en lo alto de cuatro empinados escalones de piedra.

Incluso las relucientes manillas de latón de las puertas, la aldaba de gran tamaño y los herrajes parecían impresionantes. Sin duda, una onza de C-4 cuidadosamente colocada la abriría de golpe, pero eso podría derribar la pared frontal y dejar la puerta en pie.

Mirando hacia arriba mientras recorría el perímetro, vi focos exteriores y cámaras que cubrían todos los rincones del exterior. Incluso el cristal de la ventana del primer piso tenía un extraño brillo, lo que me indicaba que era a prueba de balas. Y con una compañía de tropas del Ejército al otro lado de la plaza, aunque del Ejército mexicano, los disparos o las explosiones tampoco funcionarían bien.

"Fantasma, ¿has tenido suerte?". Oí la voz de Ace susurrándome al oído desde el campanario, sacándome de mis propios pensamientos deprimentes.

"Nada todavía, a menos que cuentes la mala suerte", respondí, tratando de contener mi frustración. "Ese lugar está más cerrado que Fort Knox".

"Tal vez el dron de Tim nos dé algunas ideas arriba o atrás".

Sí, claro, pensé. Como si ella no hubiera pensado en eso también".

Tras otros dos circuitos alargados por la zona y la mansión en aquel calor de media tarde, decidí cambiar de suerte. Caminé hasta el centro del parque y tomé asiento en un banco bajo la sombra de un gran árbol. Me proporcionó una buena posición ventajosa para observar tranquilamente la fachada de la gran casa, sin llamar más la atención de la que ya había atraído.

Sentado allí, no podía evitar sentirme como un imbécil o un blanco fácil. Sonaban más o menos igual, y yo podría ser cualquiera de los dos tal y como iba esto. ¿En qué estaba pensando "Gran Cuchilla"? ¿En qué estaba pensando yo para escucharle a él o a Redmond? Diablos, ni siquiera sabía si Consuela realmente vivía aquí, o si había alguien en casa si lo hacía, mucho menos Linda. Era una broma, ¡una broma para mí!

Nadie había entrado ni salido por la puerta principal desde que llegué, lo que no hizo sino aumentar mis sospechas. ¿Quizá había otras entradas al edificio? ¿Puertas de sótano o túneles? Pero la fachada permanecía inquietantemente silenciosa, ni siquiera había un cartero o una furgoneta de reparto de Amazon a la vista. Echaba de menos a Ludmilla Kandarski y su furgoneta Amazon. Habría sido una buena distracción, mientras yo entraba, aunque dudaba que una furgoneta de reparto gris de Jeff Bezos hiciera mella en aquella fachada frontal si la golpeabas a toda velocidad.

Para rebajar mi posición ventajosa, me estiré en el banco y di mi mejor impresión de borracho del pueblo echándose una siesta vespertina. Por mucho que mirara fijamente, nuestras perspectivas no parecían mejorar hasta que vi abrirse la reluciente puerta negra de la mansión de Consuela.

"Fantasma", oí que me susurraba Ace en el auricular, "¿ves lo que yo veo?".

"Afirmativo", respondí, mientras mis ojos se clavaban en la figura que salía de la puerta principal de la casa. No era otro que Pierre Beauchamp, el "chef personal" de Consuela Ortega, como ella le llamaba. Estaba por lo menos a cien metros de distancia, pero lo reconocí de inmediato: quizá un poco mayor, pero seguía siendo el imbécil que recordaba de la hacienda siete años antes. Junto con Consuela y su "novia", Jennifer, eran las tres personas sobre las que José me advirtió aquella noche. Me dijo que cometía un error al soltar a cualquiera de ellas, y sospecho que tenía razón.

"Hombre, me encantaría acabar con ese pequeño bastardo", murmuró Ace, su voz apenas audible. "Un disparo."

"Yo también", estuve de acuerdo, "pero esto es reconocimiento. Mantén tu posición y la tentación".

Para mi sorpresa, Pierre bajó de un salto las escaleras de la mansión y entró en el parque con paso seguro, dirigiéndose directamente hacia mí con una sonrisa de satisfacción en el rostro. Evidentemente, cualquier elemento de sorpresa que pudiéramos haber creído tener había desaparecido. Y el irritante francesito parecía estar mirándome fijamente y sonriendo mientras se acercaba a mi banco. Dadas las circunstancias, renuncié a la treta y me levanté.

"¡Coronel Burke!", preguntó mientras su sonrisa se ensanchaba. ¿O ahora es señor Burke?"

"Cualquiera de las dos me vale", respondí, haciendo todo lo posible por mantener un comportamiento informal. "¿Cómo estás, Pierre? Tanto tiempo sin verte".

"Oh, lo estoy haciendo excepcionalmente bien, señor. Pero, ¿qué le trae a nuestro mísero rincón del mundo estos días, coronel? "

"Sólo estaba de paso y hacía de turista", respondí despreocupadamente, intentando reprimir la rabia que bullía en mi interior. "Quería ver la catedral".

"Qué bonito. Mary y Mike, lo llamamos los "locales". Una catedral con dos nombres, pero no hay necesidad de que se siente aquí con este calor, señor. Si desea una taza de café, un cóctel al final de la tarde o una cerveza fría, que he oído que los soldados americanos preferís, no dude en acercarse y llamar a la puerta. Estoy seguro de que a la Señora le encantaría volver a verle".

"Estoy seguro, aunque ha pasado tiempo. Pero, ¿se uniría mi esposa Linda al grupo?", pregunté, esperando sacarle de sus casillas.

"¿Tu mujer? Oh", fingió confusión. "¿Sra. Burke? Me temo que me has pillado. No sabía que estuviera por aquí", respondió Pierre, fingiendo ignorancia e inocencia.

"Claro que no, tonta de mí", respondí, forzando una sonrisa.

"Y por supuesto, trae a tus amigos contigo", dijo Pierre, echando un vistazo al campanario, claramente consciente de la presencia de Ace y Tim. Luego miró su reloj. "Madre mía, cómo pasa el tiempo. Me temo que debo irme. Tengo que comprar algunas cosas para la cena, pero estoy seguro de que al final nos veremos, ¿verdad, señor Burke?".

Vi cómo Pierre se daba la vuelta y se alejaba, dejando a su paso un rastro humeante de mi ira. Vinimos aquí para obtener más información antes de hacer ningún movimiento, pero este encuentro sólo había servido para avivar mi determinación de quemar aquel lugar hasta los cimientos. En cuanto estuvo fuera de mi alcance, oí la voz de Ace en mi oído. "Parece que nos han descubierto".

"¿Oíste todo eso? No estoy seguro de que lo tuviéramos", repliqué, mis ojos escudriñando las calles circundantes mientras luchaba por mantener la compostura. "Algo me dice que ese pequeño bastardo nos ha estado vigilando desde que aterrizamos".

"No me sorprendería, Cisco. ¿Tienes más conejos en ese sombrero?"

"No, está vacío. Vuelve al coche. Tú también, Tim. Tenemos que salir de aquí."

"Entendido, recibiendo".

Mientras regresábamos al coche detrás de la catedral, supe que Pierre se había metido en mi cabeza, y ésa era una sensación a la que no estaba acostumbrada. Yo me metía en la cabeza de los demás, no al revés. Pero aún sentía sus ojos clavados en mí, siguiendo mis movimientos como un buitre rodeando a su presa, sabiendo que tenía que sacudírmelo de encima y recuperar la confianza en mí misma. Cuando nos amontonamos en el coche, la tensión dentro del vehículo era palpable. Aceleré el motor y me adentré en el tráfico de la tarde, deseoso de poner distancia entre nosotros y la mansión de Consuela.

"Llama a Larry. Dile que encienda los motores. Nos vamos de aquí."

Pierre Beauchamp no fue al mercado como le había dicho a Burke que iba a hacer. Su mirada no se apartó de Burke hasta que el pequeño sedán coreano del americano se alejó a toda velocidad. Cuando se perdieron de vista, sin duda en dirección al aeropuerto, regresó a la casa y entró. Encontró a Consuela en su estudio con una pila de papeles y notas, repasando los libros del mes. Era una tarea que ella odiaba, así que, como él esperaba, estaría de mal humor.

"Está aquí o, mejor dicho, estuvo aquí", dijo Pierre despreocupadamente mientras se dirigía al aparador y le servía una taza de café caliente.

"¿Quién? ¿Quién está aquí?" Preguntó Consuela. "Sabes cómo detesto tus juegos de adivinanzas".

"Burke, por supuesto, tu amigo Delta americano", se rió Pierre suavemente, observando con satisfacción cómo ella se ponía en pie de un salto.

"¿Burke? ¿Qué?", gritó, con los ojos encendidos. "¿Cómo lo sabes? ¿Qué has hecho?"

"Nada. Hace una hora, mis fuentes en el aeropuerto informaron de que un pequeño avión había aterrizado con tres estadounidenses en él", explicó, con una sonrisa de suficiencia jugando en sus labios. "Más tarde, por casualidad, estuve revisando las cámaras y lo vi dando vueltas alrededor de la casa. Al final se sentó en un banco del parque, así que salí a saludarle, por supuesto. Pensé que era lo más educado. Al fin y al cabo, está haciendo precisamente lo que queríamos que hiciera, aunque un poco antes de lo previsto, ¿no?".

"Explícate", exigió enfadada, con las manos cerradas en puños apretados a los lados.

"Jefa, no tema, su marido no estaba con él. Si lo estuviera, ahora mismo estaría depositando los cuerpos de ambos sobre tu alfombra", continuó Pierre, con su arrogancia a juego con la ira de ella. "No piensas con claridad, querida. Quizás compartiste demasiado de ese vino español con su mujer, ¿no? Deberías estar muy contenta de que Burke haya venido a examinar tu casa por sí mismo. Que mire todo lo que quiera. Ese era *nuestro* plan, ¿recuerdas? Cuanto antes sepa que la casa es inexpugnable, antes irá a por José. Y cuando vuelvan aquí, los embolsaremos, ¿no?".

"Sí, sí, entiendo lo que quieres decir, pero deberías habérmelo dicho antes".

"No estaba seguro de que fuera realmente él, o de que viniera aquí a la plaza. No tiene sentido crear falsas esperanzas, ¿verdad?"

No dejaba de mirarle, pero poco a poco se fue calmando. Un día Pierre iría demasiado lejos y sería su cuerpo el que yaciera sobre la alfombra, había decidido hacía tiempo.

"Cuando vengan, señora", se acercó el francés y le movió un dedo, "recordará nuestro acuerdo, ¿verdad? Su marido, José, es suyo, pero el americano es todo mío".

"¿Para que sólo quede un 'maestro asesino' dando vueltas por ahí?", preguntó, curvando los labios en una sonrisa siniestra. "¿Como el último de los dinosaurios?".

"Algo así", asintió él, mientras ambos saboreaban la idea de la desaparición de su enemigo.

CAPÍTULO CUARENTA Y TRES

Tucson, Arizona

"**¿Estás loco?**" El General Jacobson respondió. "¿Quieres ir a hablar con José Ortega? ¿Entonces qué?"

"¿Entonces? No lo sé. De momento, sólo quiero hablar con él. No estoy seguro de que tenga todas las respuestas sobre quién se llevó a Linda y dónde, pero su mujer, Consuela, no está por la labor de contarme nada, y a mí se me acaban las ideas. ¿Puedes hacerme entrar?"

"¿No está en esa penitenciaría federal Super Max en las afueras de Denver?"

"No, lo trasladaron a una penitenciaría federal normal al sur de Tucson hace un par de años. La llaman prisión de 'alta seguridad', pero eso sólo significa que no hay balneario ni baño libre".

Era evidente que Jacobson se lo estaba pensando. Me gustaría culpar de nuestra repentina incapacidad para comunicarnos a la distancia, al enlace telefónico comercial aire-tierra del avión, o tal vez a que interrumpí su copa de sobremesa, pero no creí que fuera ninguna de esas cosas.

"¿Puedes hacerme entrar?" Pregunté de nuevo, sabiendo que las ruedas estaban girando.

"¿Sólo para hablar?", cedió.

"Sólo para hablar ... promesa."

"Hay un tipo que sirvió a mis órdenes en Irak y al que le explotó un artefacto explosivo improvisado al que ayudé a conseguir trabajo en la Oficina de Prisiones. Puedo golpearle la cabeza. ¿Cuándo quieres entrar?

Miré mi reloj. "¿Tal vez una hora?"

"¡Una hora! ¡Joder! ¿Dónde demonios estás?"

"En un jet rápido a 25.000 pies sobre el desierto de Sonora, en el norte de México, rumbo al aeropuerto de Tucson".

"No es uno de mis jets, ¿verdad?"

"No, no, señor", me reí, "puramente comercial esta vez, nada de transporte público".

"Bueno, eso es una cosa. Haré la llamada. Déjame que te llame. ¡Sólo no hagas nada estúpido!"

Entonces, sólo oí un tono de llamada y sonreí.

"Está bien que te deban un tres estrellas, pero una vez jugada esa carta..." Ace dijo.

"Te escucho, pero no tenías ninguna idea mejor, ¿verdad?

"Bueno, siempre podemos volver, agarrar a Pierre, y despellejarlo vivo hasta que hable."

"Esa era mi segunda opción. El problema es que lo disfrutaría demasiado".

"También lo hará José, en cuanto te vea entrar".

La Penitenciaría Federal de EE.UU. de Tucson, cariñosamente conocida como USP Tucson por sus empleados, amigos y exalumnos destacados, es una de las 16 Penitenciarías Federales de Alta Seguridad del país y la única de Arizona. Un escalón por debajo del Super Max, alberga a 1.300 presos muy peligrosos alojados en celdas de uno y dos internos, con un estricto control de movimientos. Está en el extremo sureste de la ciudad, en pleno desierto, a tres kilómetros al sureste del aeropuerto de Phoenix y a 80 kilómetros al norte de la frontera con México.

Mientras esperaba a que Jacobson me devolviera la llamada, me sentí afortunado y le dije a Larry que me dirigiera al Phoenix International, pero que buscara una excusa para rodear la zona al sureste del aeropuerto y así poder hacerme una mejor idea de cómo era el complejo penitenciario.

Ace y yo miramos por las ventanillas laterales del Citation X mientras Larry giraba y cruzaba la zona de la prisión varias veces. "Cielos, creí que habíamos salido de México", dijo, señalando el paisaje llano, árido, beige sobre beige de rocas, matorrales de chumberas y yucas. "Esto parece peor".

"¿Qué esperas cuando el único parque regional de la zona lleva el nombre de los cactus Saguaro? Es lo único que crecerá allí".

"El lugar perfecto para que hayan plantado un aeropuerto y una prisión".

El emplazamiento de la prisión era llano y los edificios también, bajos y planos, salvo las torres de vigilancia. Se extiende a lo largo de 600 acres y está rodeada por un desierto vacío de color beige grisáceo. Lo habían desbrozado, rastrillado y no habían dejado ni un cactus tras el que esconderse. Los edificios administrativos estaban fuera de la valla, y dentro había una docena de unidades residenciales triangulares.

Había dos edificios por unidad, con zonas de ejercicio valladas en medio. Todo el complejo "residencial" estaba rodeado por dos altas vallas de alambre de espino de al menos diez metros de altura y separadas por una distancia equivalente. La valla exterior rodeaba todo el complejo, dejando sólo dos entradas. Una era la "cortés" entrada administrativa y de visitantes, detrás del edificio de administración, en el lado norte del complejo. La otra era una gran entrada de servicio "industrial" con dos puertas altas, una caseta de vigilancia y un espacio muerto en medio.

Alrededor y dentro del recinto, conté siete altas torres de vigilancia, el doble de postes de la luz y un campo de fútbol, otro de béisbol, canchas de baloncesto, pistas de tenis y una pista de atletismo en el centro. Pero con el sol abrasador de aquella latitud, aquellos campos de atletismo eran una broma, construidos para marcar una casilla en la lista de control de algún burócrata. Ya sabes lo que dice la gente de ahí fuera: "¿Arizona? Pero si hace un calor seco". ¡Tonterías! Sol caliente en el desierto es sol caliente. En cualquier desierto. Pregúntale a un soldado de infantería.

¿Pero hablar del culo del país y de cosas no deseadas? Esa zona al sur de Tucson contiene la Penitenciaría Federal de Alta Seguridad, una Penitenciaría Estatal mucho más grande, una prisión federal de seguridad media, la Academia de Entrenamiento de la Policía Estatal, el Aeropuerto Internacional, el centro de reciclaje y vertedero del condado, el recinto ferial del condado, y suficiente arena y grava estéril por todas partes como para pavimentar todas las carreteras de EE.UU.. Pusieron a todos los "indeseables" en un solo lugar. No me pareció una mala idea. ¿Y desolados? Incluso vestido como una planta rodadora y detectado por los peores tiradores del personal de la prisión, un preso fugado no lograría atravesar más de treinta metros a través de aquel campo abierto y vacío.

Estábamos en tierra y en la terminal de alquiler de coches del aeropuerto cuando el general Jacobson volvió a llamarme. "Muy bien, Fantasma, te tengo dentro. Harry Farmer te estará esperando en el Centro de Visitantes. Sólo recuerda, sin contragolpes", y colgó antes de que pudiera decir "Sí, señor".

Con un viento fuerte a tu espalda, podías escupir desde el final de la pista de Phoenix hasta la valla de la penitenciaría, pero no podías llegar desde allí. Ace condujo, y salimos del aeropuerto hacia el norte, encontramos la autopista interestatal I-10 y condujimos hacia el este hasta la siguiente salida, Wilmot Road. La prisión estaba unos tres kilómetros más al sur.

Como todo lo demás, el camino de acceso de vuelta a la administración y el centro de visitantes estaba abierto, recto, y alrededor de un cuarto de milla de largo. Nada de acercarse sigilosamente a esta gente, y ni una sola razón para poner una curva. Incluso el aparcamiento de la Administración estaba yermo, con dieciséis postes de la luz y ni un arbusto que ver. Dejé a Ace en el coche de alquiler con el aire acondicionado encendido mientras bajaba por la acera y atravesaba las barreras de camiones suicidas hasta la puerta principal.

Me presenté a una alegre recepcionista de cara redonda, que me dijo que me sentara mientras llamaba a alguien. Llevaba todo el día sentada y, antes de que pudiera aprovechar su oferta, un moderno hombre de mediana edad con un traje azul a rayas de Penneys entró en el vestíbulo y me invitó a seguirle. El traje estaba bien, pensé. Dudo que aquí reciban tantas visitas como para justificar uno más caro.

"Coronel Burke, soy Harry Farmer, el Director Adjunto. El General Jacobson, mi antiguo CO, me pidió si le dejaba unos minutos con uno de nuestros residentes, José Ortega, con quien tengo entendido que ha tenido alguna experiencia previa."

"Sí", respondí, sin dar explicaciones, mientras me conducía de vuelta a través de una serie de puertas y pasarelas.

"El señor Ortega aún se está recuperando de varias heridas graves de arma blanca, como supongo que sabrá. No puedo decir que sea un prisionero modelo, pero hasta que eso explotó, no ha supuesto ningún problema para nosotros. Soy plenamente consciente de su antiguo y quizá actual papel en el cártel de Sinaloa, pero suele ser tranquilo y reservado. Lo llevan a una de nuestras salas de entrevistas para visitantes. Es una hora extraña, fuera de nuestro horario normal de visitas, así que ustedes serán los únicos que estarán allí, salvo los guardias. Diré que, aparte de su abogado, quizá sea usted la primera visita que ha tenido en los últimos dos años".

Sonreí a Farmer. "Bueno, ya conoces a Big Blade. El alma de la fiesta. ¿Hay alguna regla que deba conocer?". pregunté.

"No. Estaréis sentados en lados opuestos de plexiglás antibalas hablando por teléfono, así que no hace falta que os diga que no le toquéis y que no le paséis nada. No podrías aunque quisieras. Tenemos y hemos tenido nuestra cuota de tipos malos aquí, desde Larry Nassar, H. Rap Brown, Whitey Bulger, Brian David Mitchell, Keith Raniere, Esteban Ruiz, William Pickard, Tony Casso, una tonelada de mafiosos y jefes de cárteles, y más delincuentes de los que me gustaría pensar. Puede que el 75% sean delincuentes sexuales, así que tu chico no es un gran problema", se rió. "Y nadie es un problema en las salas de visitas".

"¿Supongo que alguien está escuchando y nuestra conversación está siendo grabada?" pregunté.

"Por supuesto, audio y vídeo. No por mí, pero nuestra gente de seguridad sintonizará", dijo mientras abría la puerta del Centro de Visitantes. "Segunda puerta abajo. Ortega está de camino. Tendrá media hora. Cuelgue el teléfono de su lado cuando quiera irse".

"Gracias", le dije. "¿Sin cadenas ni grilletes?" le pregunté.

"Para los presos violentos, sí. Para él, no. Los jefes de los cárteles hacen sus cosas a través de los demás y de sus abogados. ¿Pero escapar? Condujo hasta aquí, Bob. ¿A dónde iría?"

Cuando llegamos a la habitación 2, me abrió la puerta. Nos dimos la mano y le dije: "Gracias, le diré al general que fuiste de gran ayuda".

"Es un pistolero, ¿no? Pero me hizo un gran favor cuando lo necesitaba".

CAPÍTULO CUARENTA Y CUATRO

USP Tucson

La sala de visitas medía unos dos metros y medio por dos metros y medio, dividida por una gruesa lámina de plexiglás que iba del suelo al techo, un pequeño escritorio y una sola silla, lo que dejaba la sala a un metro y medio a cada lado. También había un teléfono colgado en la pared detrás de mí y dos cámaras de vídeo con cúpula negra en el techo, una a cada lado. Harry cerró la puerta tras de sí y me dejó sola, esperando y pensando. Tardé diez segundos en sentir la opresión del lugar como una tonelada de ladrillos.

Las prisiones no eran buenos lugares para ser claustrofóbico, eso estaba claro. Yo no lo era, pero no podía imaginarme aguantando esto veinticuatro horas al día, y Ortega llevaba aquí dos años. Dicen que el Super Max de Colorado era diez veces peor, y él estuvo allí cinco años antes de esto. No me extraña que me odiara a mí, a Consuela y a todos los demás.

Por fin se abrió la puerta al otro lado del grueso plexiglás. Dos guardias corpulentos se colocaron detrás de José Ortega, que dio un breve paso cojeando y se detuvo. Llevaba grilletes en las muñecas y los tobillos y una cadena en medio, y estaba claramente sorprendido de verme. Los guardias habían visto todas las porquerías que un preso podía echarles encima y no aguantaban mucho. Empujaron a José hacia dentro y lo sentaron en una silla de acero atornillada al suelo, luego ataron su cadena a un enorme cáncamo de la mesa que me pareció lo bastante fuerte como para amarrar el Titanic. Satisfechos, se marcharon y cerraron la puerta tras él. A diferencia de la mía, su puerta no tenía pomo por dentro, así que estuvo aquí tanto tiempo como yo quise quedarme.

Le eché un vistazo y me sorprendió ver que había perdido mucho peso, o al menos grasa. El tipo parecía musculado, incluso más joven, los brazos y los hombros musculosos, y los ojos un poco nerviosos, muy diferentes de la última vez que lo vi.

Ortega alargó la mano y cogió el teléfono de la pared, lo máximo que le permitía su cadena. Me miró de arriba abajo, despacio, comprobando que era real antes de decir por fin "Burke. ¿Estás en los barrios bajos?"

"José. Has perdido peso. Te queda bien".

"Sí, ayuda mucho ligar mujeres aquí, ya sabes. ¿Y tú? Pareces el mismo, un viejo gringo cansado de mediana edad, como los Hacks. ¿Qué estás haciendo aquí, de todos modos? "

"Tu abogado me llamó esta mañana. Fue idea suya. Pensé que lo sabías".

"No quería decir que esperara que vinieras aquí... o incluso que le escucharas".

"Bueno, lo hice. Ahora estoy de camino a casa".

¿"En casa"? ¿Dónde has estado, Gringo? En esa granja de Jensens Ford", preguntó con suspicacia.

"No, no", le sonreí. "Ya he pasado por eso. Hoy he estado en el tour gilipollas del suroeste. Vi tu antigua casa en Culiacán, e incluso tuve una agradable charla con tu antiguo cocinero, Pierre Beauchamp, y ahora estoy aquí mirándote."

"No te creo."

"¿Te refieres a hacer todo eso en un día? Ha sido muy largo".

"No, sobre hablar con Pierre. A menos que lo hicieras por teléfono, estarías muerto. Esa rana es un asesino a sangre fría con un cuchillo, y has estado en la parte superior de su lista durante mucho tiempo. "

"¿Estamos hablando del mismo Pierre? ¿Ese imbécil?"

Era el momento de Ortega de sonreír y reír. "¡Oh, Gringo! En Marsella dicen que es tan rápido que puede filetear una vaca entera antes de que caiga al suelo. Con ese estilete, es el mejor que he visto. Pero ¿de verdad estuviste allí? ¿En Culiacán?"

"Sentado en un banco del parque frente a tu antigua casa cuando salió por la puerta principal y se pasó por aquí".

"¿Pero no has visto a Consuela?", preguntó mientras se inclinaba hacia delante, ya sin bromas.

"No. Estábamos reconociendo la casa, como Redmond me dijo que hiciera, y siendo muy cuidadosos. Ni siquiera estaba seguro de que hubiera alguien en casa, hasta que Pierre salió marchando por la puerta principal y cruzó 'a saludar', como él dijo."

Ortega frunció el ceño, pensando en lo que le había dicho. "Eso es desconcertante, si me permite decirlo. Si Pierre no fue a por usted, es que ella le dijo que no lo hiciera, o que tiene otra cosa en mente. Supongo que tampoco vio allí a su mujer".

"No, ni ella, ni Consuela. Tal vez estaban dentro. No tengo ni idea".

"¿Y tampoco viste a la encantadora Jennifer?"

"No, pero no la estaba buscando".

"Menos mal que no, amigo mío. Esa mujer incluso me asusta a mí. También asusta a Pierre, y sé que asusta a Consuela".

"¿Jennifer? ¿Su entrenadora rubia tonta?"

José negó con la cabeza. "Pierre es un asesino, un sicario profesional de la mafia francesa, pero Jennifer es una psicópata casera. Él mata por dinero. Ella mata por pura diversión. No deberías dar la espalda a ninguno de los dos. Yo nunca lo hice".

"Entendido, pero eso no me ayuda mucho. Nunca confié en ninguno de los dos. Pero esa mansión suya es una fortaleza, y con ese cuartel del ejército mexicano y la comisaría central cerca..."

"¿Qué? ¿Demasiado desafío para el gran 'Fantasma' y sus Deltas?"

"Sí, francamente, lo es". Me quedé mirándole un momento antes de decir: "Nos enseñan a no ser estúpidos y a luchar en batallas que sólo podemos perder y a perder a muchos hombres buenos haciéndolo".

"Una respuesta sabia. Ese edificio es casi inexpugnable".

"¿Casi?"

"Sí, luego Consuela añadió todos los sensores, las luces y el cristal antibalas... pero sigue siendo sólo 'casi inexpugnable', Gringo. Donde hay voluntad, hay un camino".

Ahora tenía mi atención, y me senté.

"¿Conoces su historia? Muy pocos la conocen. *MI CASA,* no la hacienda de la que le gusta quejarse, data del Imperio Mexicano de 2nd y Maximiliano, el hermano menor de Francisco José de Austria, y un completo tonto. Sólo duró tres años, hasta 1867, cuando Benito Juárez lo ejecutó y tomó el poder. Pero mientras fue 'Emperador', Maximiliano nombró 'gobernadores reales' para todos los estados, incluyendo Sinaloa, y un 'gobernador real' necesita una casa real en la capital del estado."

"¿Como uno justo enfrente de la catedral y un cuartel del ejército?"

"Correcto. La Basílica del Arcángel se convirtió en la Catedral del Rosario cuando nombraron un obispo. Nosotros los herejes la llamamos Mike y María. Pero se construyó al mismo tiempo que el Imperio 2nd y se construía la casa del nuevo gobernador. El nuevo gobernador no era completamente estúpido. Nadie sabía cuánto duraría esto de Maximiliano, así que le dio dinero a la iglesia para terminar su construcción, pero había una trampa".

"¡Políticos! ¿No los odias?"

José sonrió, se inclinó hacia delante y dijo en voz baja: "Había una revolución. Emperadores y gobernadores fueron derrocados y fusilados. El pobre ni siquiera podía confiar en su propia milicia ni en las unidades del ejército".

"Así que el gobernador puso en marcha un plan de contingencia", terminé su pensamiento. "Algo que Consuela no sabe."

"¿Cómo lo haría?"

"Y no te importa compartir".

"¿Por qué debería? Ni siquiera somos amigos, ¿verdad, Gringo?"

Me quedé mirándole un momento. "Sabes, busqué en Google la penitenciaría mientras subía. No puedo creer todas las clases recreativas que hay aquí: tejer, ganchillo, origami, incluso un club de lectura".

"Siempre es muy popular entre los delincuentes sexuales. Les calma los nervios".

"Y tenis, fútbol y halterofilia".

"A los hermanos les gustan las pesas, y a mis compatriotas mexicanos les encantan el fútbol y el béisbol. Pero yo prefiero el tenis; o lo hacía, antes de mi pequeño 'accidente'. Lo retomé mientras Consuela y yo vivíamos en Los Ángeles. Juego muy temprano, a las 6 de la mañana o al amanecer, con un grupo de americanos. Son los únicos que lo juegan, pero tenemos cuatro pistas y una liga 'round-robin'. Deberías venir a vernos jugar alguna vez".

"Puede que lo haga, pero tengo un avión esperando y necesito volver a casa", le dije mientras me levantaba. "Encantado de hablar contigo, José. Nos veremos... puedes contar con ello".

"Sí, Gringo. Eso espero. Cuídate". Le oí decir mientras colgaba el teléfono.

CAPÍTULO CUARENTA Y CINCO

Tucson, Arizona

Ace no tuvo problemas para volver a la interestatal y conducir a través del escaso tráfico vespertino hasta Tucson. Los coches y la gente volvían a salir a la calle ahora que el calor de la tarde había desaparecido, pero no muchos.

"¿Te has dado cuenta de que a la gente de aquí le encanta decir: 'Pero si hace un calor seco'? Y una mierda". "Ya sea el desierto de Sonora aquí o en México, el Badiyat al-Sham en Siria, el Al-Ḥajarah en Irak, o las dunas de arena roja del Sistan en Afganistán, tú y yo hemos gateado, corrido y guiado a hombres a través de todos ellos. La arena es la arena, y el calor es el **calor**".

"No puedo discutir contigo, Bubba. Si no fuera por la autopista interestatal y el aire acondicionado central, Atlanta sería un punto ancho en la carretera de camino a Florida".

"Phoenix sería un puesto de limonada de camino a Los Ángeles, y no estoy seguro de qué serían Las Vegas o Tucson", dijo Ace, y los dos nos echamos a reír. "Vale, casi me da miedo preguntar, ¿pero aprendiste algo de Big Blade Ortega?".

"Demasiado y demasiado poco, y no te va a gustar".

Ace suspiró, pero no pareció sorprenderse. "No me lo esperaba. Vamos a sacar a Big Blade Ortega de la prisión federal, ¿verdad?"

"Ah, ¿estabas escuchando, Watson? Sin embargo, ¿lo adivinó, mi buen hombre?" pregunté mientras le enarcaba una ceja.

"No tuve que hacerlo, y nada de ese razonamiento deductivo, tampoco, Sherlock. Sólo soy un buen adivinador. Pero por tu expresión, supongo que hay un gran 'Quarf' en nuestro futuro". replicó Ace, empleando su término favorito para referirse al ruido de un ventilador al que le caen los plomos, o a cualquier operación que tenga muchas posibilidades de torcerse en un santiamén.

"Más de un monstruo", respondí, riéndome por lo acertado de su apreciación.

"¿Y supongo que podría ser complicado y peligroso?"

"Extremadamente", admití.

"¿Pero crees que podemos llevar a Linda y a Eddie de vuelta a casa?"

"Ese es el plan", confirmé, volviendo a ponerme serio.

"Entonces, ¿a qué esperamos?"

Aparcamos en la terminal del aeropuerto, cogí mi móvil y llamé a High Rider Carmody, en Carolina del Norte. Esperaba que tuviera respuestas para mí con respecto a una pieza importante de nuestro plan: un helicóptero. "¿John?" Le pregunté tan pronto como él contestó. "¿Dónde puedo comprar un helicóptero en

Tucson, Arizona?"

"Lo que tienes en mente, ¿es legal o ilegal?". preguntó Carmody sin perder un segundo.

"Oh, definitivamente ilegal."

"Entonces probablemente no puedas. Incluso tendrías problemas para alquilar uno. Con todas las bandas ilegales, los cárteles y el contrabando, si intentas conseguir uno en EE.UU., habría una pila de aprobaciones de la FAA y un rastro de papeleo tan alto como la pierna de Randall. No, si necesitas algo rápido, o en absoluto, tienes que conseguirlo en México. Allí no tendrías nada de esa mierda, no si pagas en efectivo y desapareces", aconsejó Carmody.

"¿Digamos que quiero un viejo Huey? ¿Cuánto costaría uno de esos?" le pregunté, tratando de calibrar el coste de esta parte de la operación.

Carmody se lo pensó mejor y dijo: "Bueno, en Estados Unidos, quizá 150.000 dólares si te fijas. ¿En México? Yo diría que el doble. Hay mucha competencia de los cárteles y de cualquier otro delincuente que intente aumentar sus fuerzas aéreas privadas."

"¿Puedes conseguirme uno esta noche?" Pregunté, yendo al grano.

"Holy Moly", ¿esta noche? Te gustan las mechas cortas, ¿verdad? Tendré que coger el teléfono y empezar a llamar por ahí. Es lo mejor que puedo hacer, y luego te aviso".

Sabía que el tiempo era esencial, y no teníamos nada que perder. "Paga lo que sea necesario. Llamaré a Sam Cunningham, mi jefe de seguridad, a Sherwood en cuanto bajemos. Sabe la combinación de la caja fuerte,y la última vez que miré teníamos al menos 375.000 dólares en efectivo. Dudo que Linda pudiera hacer mella en eso. Le diré a Sam que te lo meta todo en un maletín y que prepare una bolsa con otras cosas de nuestra sala de armas para que nos las traigas cuando vengas".

"¿Cuándo vengo? ¿Adónde vengo?"

"Por lo que dijiste, Nogales, México. Larry Hanratty aterrizará en Cross Creek en unas tres horas. Haré que dé la vuelta con su jet y te traiga a ti y a todo eso aquí. ¿Me copias?"

"Entendido. Lo haré y te veré... en siete u ocho horas".

"Cuando encuentres un vendedor, haz que el tipo entregue el Huey en Nogales, México, a más tardar a las 0500, nuestra hora, mañana por la mañana, con combustible y listo para partir".

"Vaya, es una agenda muy apretada", respondió Carmody, sonando ligeramente preocupada.

"Deberías poder llegar", le tranquilicé. "Dile que nos enfrentamos a un grave incendio forestal al este, en las montañas, y que necesitamos otro pájaro para que arroje productos químicos al fuego. Mantenme informado. Te veré en la pista a las

0500".

"Entendido", dijo High Rider. "Y mejor me voy corriendo", y se fue.

Mientras colgaba el teléfono, pude ver los engranajes girando en la cabeza de Ace. Cualquier duda que tuviera sobre nuestro plan, se la guardaba para sí por el momento. Ambos conocíamos los riesgos y lo mucho que nos jugábamos, pero no había vuelta atrás. Si queríamos traer a Linda y a Eddie a casa, tendríamos que jugárnoslo todo y esperar que nuestras habilidades, experiencia y un poco de suerte fueran suficientes.

Cuando guardé el móvil en el bolsillo, vi que habíamos llegado a la terminal de aviación general de Tucson. Salí del coche de alquiler y me acerqué al reluciente Citation X, sintiendo el calor que subía de la pista bajo mis pies. El amigo de Ace y nuestro piloto, Larry Hanratty, había repostado y estaba realizando una inspección final del avión antes de despegar y de su vuelo de regreso a Raleigh, Carolina del Norte.

"Hola, Larry", le dije. Levantó la vista de su portapapeles, entrecerrando los ojos contra el sol poniente, cuando le dije: "Ace y yo vamos a quedarnos aquí un día más o así. Tenemos más trabajo que hacer. Mientras tanto, necesito que vuelvas a Fayetteville, recojas a un piloto de helicóptero llamado High Rider Carmody en Cross Creek aviation y vuelvas aquí mañana a las 05.00. ¿Crees que puedes hacerlo? ¿Crees que puedes hacerlo?"

Larry miró su reloj, calculando el tiempo en su cabeza. "Sí, si Dios quiere y el arroyo no crece, tal vez", confirmó.

"Entonces ponte en marcha", dije, volviéndome hacia Tim Foster, que había estado esperando pacientemente cerca. "Tú quédate aquí con nosotros. No tiene sentido que te vayas con ellos y luego yo decida que pueden ser útiles y te traiga de vuelta".

Tim asintió, sacó su maleta de dron del maletero y estrechó la mano de Larry. "Iría contigo para hacerte compañía", le dijo Tim. "Pero, francamente, me vendría bien dormir un poco".

"Yo también", suspiró Larry y arrojó su portapapeles a la cabina. "Bueno, para eso hizo Dios el piloto automático. Hasta pronto, chicos". Subió los escalones y tiró de la escalera hacia arriba. Los motores del Citation X no tardaron en rugir. El pequeño jet era como un Maserati. Rodó hasta la pista y despegó con un rugido, desapareciendo rápidamente en el cielo del este.

"Muy bien, Tonto", murmuré, sobre todo para mí mismo, sintiendo que el peso de la responsabilidad por lo que estábamos a punto de hacer se asentaba pesadamente sobre mis hombros. "Esperemos que esto funcione", dije, mientras subíamos de nuevo al coche de alquiler. "Conduce hacia el sur hasta Nogales. Encontraremos un gran plato de tacos y tamales, y una habitación para al menos parte de la noche".

"¿Carburar y dormir? Se les da bien eso allí... Bueno, sobre todo lo de carburar", sonrió Ace. "La mayoría de las habitaciones de motel se alquilan por horas".

"Optimistas. ¿Pero crees que nos van a mirar cuando nos registremos juntos?".

"Oye, es México. Sólo si pedimos sábanas limpias e intentamos registrarnos con un burro y dos ovejas. Allá abajo ven de todo".

"Bien. Mientras conduces, te contaré el resto de mi plan".

"¡Ah, sí! ¿Quarfs y todo eso?", preguntó enarcando una ceja.

"Quarfs y todo eso", confirmé con una sonrisa sombría.

"Es más de lo que esperaba. Pensaba que íbamos a entrar a saco y esperar lo mejor".

"Parece que ya has leído el plan. Supongo que no necesitaré darte los detalles".

"Entonces, ¿qué te dijo Big Blade?" Preguntó Ace mientras nos metíamos en la I-19 y nos dirigíamos al sur hacia la frontera mexicana. "Debe haber sido bueno si nos tiene corriendo así y a High Rider buscando comprar un helicóptero".

"Primero, afirma que conoce una forma de entrar en la mansión de Consuela", empecé, observando su reacción.

Ace ladeó la cabeza y me miró. "Oh, esto debería ser bueno. ¿Uno de esos transportadores que usaban en *Star Trek*? ¿O una catapulta para lanzarte al tejado?"

"No tanto. Insinuó que hay un viejo túnel que va desde la cripta de la Catedral, bajo el parque, hasta el sótano de la casa de Consuela. Data de hace ciento cincuenta años o más, de la época colonial, cuando se construyeron ambas".

Ace me miró y asintió, bastante más impresionado. "No será el primer castillo o iglesia del que oigo hablar con una pequeña escotilla de escape por detrás. ¿La construyeron para que escapara el gobernador o para que los monjes metieran a las mujeres?".

"O ambas cosas, pero tenían una revolución en marcha y José afirmaba que era por el gobernador", respondí. "El tipo fue nombrado por el emperador Maximiliano, así que podría ver su motivación, si la historia es cierta. De momento no podemos probar nada, y podría ser una trampa".

"Al menos pasa la prueba del 'olfato'", dijo Ace. "Le concedo eso".

"Sí, la historia de Ortega es plausible, y es mejor que intentar forzar esas ventanas o la puerta principal. Pero tenemos que averiguar cómo evitar una trampa".

"Siempre optimista, ¿eh, Fantasma?". Ace soltó una risita, pero oí un deje de preocupación en su voz.

"Alguien tiene que serlo", respondí, forzando una sonrisa.

"¿Y cree que ahí es donde está Linda, en esa gran casa?"

"Eso es lo que él piensa, aunque en realidad tampoco lo sabe, Y no tengo muchas ganas de quedarme atrapado en un largo túnel con ese tipo. Mi preocupación es lo fácil que sería quedar atrapado en medio".

"Mientras no tengamos que entrar disparando, no me preocupa volver a salir disparando si tenemos a Linda con nosotros".

"¿Quién es el optimista ahora?" respondí. Y mientras los kilómetros desaparecían bajo nuestros neumáticos y el sol se hundía en el horizonte hacia el oeste, no pude evitar preguntarme si realmente estábamos conduciendo de cabeza hacia una trampa. Pero no había otra opción. Si Ortega mentía, ésta sería la última mentira que diría, y tal vez la última que oiríamos.

CAPÍTULO CUARENTA Y SEIS

Tucson

Sentí que el cansancio me envolvía como una manta gruesa y caliente. Aparte de un par de horas de sueño en el avión de vuelta, llevaba casi cuarenta y ocho horas trabajando duro, desde que empezamos a poner orden después de la fiesta en Sherwood, el secuestro de Linda y la incursión de Jensens Ford en la granja. Ace no había dormido más que yo, pero no era un buen momento para que ninguno de los dos nos pusiéramos al día.

"Oh, Big Blade también me dijo que no debíamos fiarnos ni de Pierre ni de Jennifer", le dije a Ace. "Tú y yo pensamos que es una especie de chef gourmet, un imbécil que Consuela trajo para divertirse, y probablemente lo sea. Pero José dice que es un sicario de la mafia francesa de Marsella. Dice que a Pierre le gusta usar el cuchillo y que Jennifer es una psicópata. Así que deberíamos tener cuidado".

Ace resopló. "Nunca he confiado en Gran Cuchilla, y nunca he confiado en ninguno de esos dos. Una sola mirada me lo dice todo. Diablos, Bob, normalmente ni siquiera confío en ti, así que ese gordo Jefe y su prima donna Jefa están fuera de discusión".

"Cuando veas a José, la broma será para ti. Tubby ha adelgazado y se ha pulido".

"Me alegra oír que la vida en la cárcel le está sentando bien al chico. Debe ser toda esa buena comida y los pervertidos sexuales persiguiendo su lindo y delgado trasero. En eso se especializa USP Tucson, ya sabes: grandes delincuentes sexuales, asesinos de alto perfil, jefes de cárteles y Whitey Bulger. No me extraña que haya perdido peso. Y me alegro de que le dijeras a High Rider que hiciera que Sam preparara una bolsa con cosas de la sala de armas. Le llamé después de que lo hicieras y añadí más cosas. Me he sentido positivamente desnudo con nada más que una pistola y un rifle ligero. Esto es definitivamente un 'juego de distancia', ¿sabes?"

"Lo sé, pero me acabas de recordar algo que quería decirle a Sam. Saqué mi móvil y marqué su número. "Oye Sam, tengo unas cuantas cosas más que añadir al dinero en efectivo y a las otras cosas que Ace te dijo que le dieras a High Rider. Colgados en el armario frente a la Sala de Armas, encontrarás algunos conjuntos 'ninja' negros: camisetas y pantalones de manga larga, con guantes y pasamontañas. Pon cuatro conjuntos de esos. Y también tenemos un par de "cuerdas rápidas" para rapelar desde un helicóptero. Necesito un par de esas, las cortas, de unos tres o cuatro metros".

"Entendido, jefe", respondió Sam.

"Gracias", dije mientras colgaba y me volvía hacia Ace. "Hay una llamada más que tengo que hacer antes de registrarme con los Geeks y algunos otros".

"¿General Jacobson?" Preguntó Ace, sabiendo leer mi mente.

"Sí, para empezar", dije, mientras podía oír cómo giraban los engranajes del cerebro de Ace.

"¿Vas a contarle tu plan para sacar a Big Blade Ortega de la cárcel federal?", preguntó Ace con una sonrisa de satisfacción.

"De alguna manera, no creo que quiera oír hablar de eso", dije mientras marcaba el número del teniente general Jacobson en Fort Bragg. Como de costumbre, no hubo mucha charla ni juegos preliminares con él. Contestó al primer timbrazo con un gruñido. Los oficiales de compañía y de campo como yo solemos mantener el saludo telefónico estándar de West Point, incluso después de retirarnos, pero cuando te conviertes en estrella, puede ser más unilateral.

"General...", empecé, pero me cortó.

"¿Cómo te fue en USP Tucson?" preguntó. "¿Entraste? Larry Farmer aún no me ha llamado para gritarme, ni he recibido ningún soplo de la Oficina de Prisiones".

"Bueno, todavía no", dije, entrando en materia.

"Estás tramando algo que no quiero saber, ¿verdad?", preguntó.

"He oído que algo podría explotar aquí mañana temprano, por decir algo".

"¿Así que podría ser un buen momento para salir a inspeccionar las zonas de lanzamiento y los campos de tiro?".

"¿Tal vez a las 09:00, tu hora? Podría ser. Pero no te preocupes, nadie nos va a reconocer, y le echarán la culpa a los cárteles de la droga".

"Entonces, ¿puedo hacer una de esas cosas de *Misión Imposible*?"

"¿Quieres decir que la agencia negará todo conocimiento? Sí, eso debería funcionar".

"¿Y Larry Farmer no podrá probar que fuiste tú?"

"Ni siquiera debería sospechar de mí, no a menos que nos maten a todos y pueda clavarme una estaca en el corazón y enviarte una foto desde su móvil".

El general se rió. "Sólo tengo otra pregunta. ¿Ayudará a traer a Linda de vuelta?"

"Eso espero", respondí.

"Entonces hazlo. Sólo no hagas que ningún personal de EE.UU. resulte herido mientras lo haces".

"Entendido, señor", respondí.

"Bien, mantenme informado", gruñó el general y colgó. Me guardé el móvil en el bolsillo, sintiendo que el peso de mis decisiones se hacía cada vez más pesado a medida que se acortaba el tiempo.

"¿Está Jacobson a bordo?" preguntó Ace mientras seguíamos conduciendo hacia Nogales. Sus ojos se dirigieron hacia mí, buscando cualquier indicio de vacilación.

"Sí, creo que realmente lo es. Él puede hablar de *Misión Imposible*, todo lo que quiera, pero él tiene su cuello pegado muy por ahí también", dije, tratando de sonar más confiado de lo que sentía. "Sabe que algo está pasando, pero no sabe exactamente qué".

"Suficientemente bueno, supongo", murmuró Ace, su mirada volviendo a la carretera. "¿Y Angus Bodine? Está encerrado en esa penitenciaría con Ortega, y es un hombre tan peligroso como el que tienen ahí dentro, Bob, sobre todo después de que dispararan a todos sus chicos en Carolina del Norte. Estoy seguro de que ya lo sabe".

"Probablemente. Y tienes razón. Angus parece tonto y habla más tonto, pero no lo es. Es demasiado tarde para que lo trasladen, así que está encerrado allí con José, Paco Gutiérrez y Joaquín Rodríguez mientras dure. Menudo grupo. Sólo les falta Consuela Ortega ahí dentro con ellos".

"Bueno, alguien le clavó un palo a ese pervertido de Larry Nasser hace un par de semanas, el tipo que estaba tonteando con todas esas chicas olímpicas. Casi lo mata. Intenté no llorar", dijo Ace. "Pero sirve para demostrar cómo la gente equivocada puede llegar a cualquiera en la cárcel, por mucho que el lugar se parezca a Fort Knox".

El sol se ocultaba en el horizonte, proyectando largas sombras sobre el paisaje desértico mientras recorríamos los kilómetros que nos quedaban hasta Nogales. La tensión en cada uno de nosotros era palpable, ambos perdidos en nuestros propios pensamientos mientras nos preparábamos para la peligrosa Op de la mañana.

Antes de salir de Tucson, dejamos a Tim en el hotel Doubletree, junto al aparcamiento adjunto al aeropuerto, y le conseguimos un asiento de primera clase en un vuelo con destino al este, a Dallas, a las 08.00 horas. Quería que tuviera su dron en el aire no más tarde de las 05.30 y sobrevolara la penitenciaría a las 05.50, comprobando las pistas de tenis y cualquier actividad inusual antes de que llegáramos allí. No haríamos ningún vuelo de práctica. Íbamos a por José en una sola toma, y necesitaba saber si nos esperaban problemas allí para poder abortar mucho antes de llegar.

Cuando llegáramos al centro penitenciario y estuviéramos a punto de salir, Tim podría recuperar el dron, desmontarlo y guardarlo en su maletín. Luego podría cruzar la calle hasta la terminal, comprobar la maleta, pasar con las manos vacías el control de seguridad e ir a su puerta de embarque, como todos los demás hombres de negocios. Su vuelo no sería tan lujoso, cómodo ni rápido como el de la

Mitación de Larry, pero tendría azafatas y bebidas y comida gratis.

El puesto de control de la frontera de EE.UU. con México estaba muy concurrido, pero más por los camiones y coches que se dirigían hacia el norte, que por los que se dirigían hacia el sur. Por otra parte, los que se dirigían al norte estaban llenos de cocaína e ilegales, mientras que los que se dirigían al sur estaban vacíos.

No sé por qué se molestaron en controlarnos. Con nuestros carnés de conducir y cartillas militares, pasamos en un par de minutos y condujimos hacia el sur de Nogales hasta que vimos un hotel Marriott Courtyard. Llamé rápidamente a su número 800 y nos consiguieron una habitación. Nada espectacular, pero limpia y alquilada por noches, no por horas. Serviría. La actividad en las aceras y las calles de la pequeña ciudad fronteriza parecía haber cobrado vida en cuanto se puso el sol y los buenos y los malos, y todos los demás, salieron a divertirse al amparo de la oscuridad.

Dentro de la habitación del hotel, extendí el mapa de Phoenix del coche de alquiler y abrí el ordenador, comprobando los mapas y las actualizaciones que teníamos, además de cualquier nueva aportación de los Geeks.

Llamé por teléfono a Ronald. Me puso en el altavoz y pude oír el cansado zumbido a su alrededor. Llevaban trabajando casi tanto tiempo como yo, pero tenía pocas novedades para mí.

"No hay actividad alguna en o alrededor de Culiacán o en línea con respecto a la Sra. B, Consuela, o sobre José, ni siquiera mucho en los luds telefónicos. Mi mejor suposición es que no es un tema de discusión dentro de los cárteles porque no están en ello. Y si Consuela tiene a Linda, nadie más lo sabe, y no la está moviendo de un lado a otro. Así que, usando la lógica inversa, tu teoría de que la señora B está encerrada en esa fortaleza de Culiacán tiene sentido.

"Vale, una cosa más", le dije. "Ponte tu sombrero español..."

"¿Mi qué?" dijo Ronald.

"Consigue uno de esos programas de traducción. Quiero que rebusques en los archivos del casco antiguo, sobre todo en los alrededores de la plaza, en relación con el diseño y la construcción de su edificio, el parque y la catedral, en particular su sótano y la cripta. Busca en los registros de la ciudad, sobre todo en los de ingeniería y obras públicas. Si ese túnel está ahí, seguro que es de hormigón. Tal vez encuentres algún problema que surgió con la construcción de tuberías de agua y alcantarillado más tarde. Tal vez alguien cavando un hoyo golpeó algo".

"¿Cripta? ¿Te refieres a una cripta tipo Drácula?" preguntó Jimmy.

"Exactamente. No encontrarás vampiros, pero creemos que hay un túnel subterráneo desde la cripta, bajo el parque, hasta el sótano de la mansión de Ortega.

"¡Estamos en ello, papá coronel!" Oí la voz decidida de Ellie en el fondo.

"¿Sigues levantado? Tu madre me va a matar".

"Bueno, ella tiene que estar aquí para hacer eso, ¿no?"

"No se preocupe, jefe. La niña tiene todos los deberes hechos", oí decir a Sasha. "La madre Kandarski recoge y entrega los deberes personalmente en la escuela con una nota de la señora Jefa -su servidor- diciendo que la niña linda está en casa con gripe. La madre incluso revisa los deberes de la niña. Así que no te preocupes. Todos colaboran. Lo tenemos cubierto".

"¿Tu madre revisa los deberes de Ellie? No creía que hablara inglés, ¿y las matemáticas?".

"¡No hay problema, jefe! Se lo leí en ruso, y obtuvo un título avanzado en matemáticas en la Universidad de Moscú. ¡Rah! Rah!"

La madre camionera, pensé. "¡Suena genial!" Le dije mientras sacudía la cabeza. "Dale las gracias de mi parte y de la Sra. B."

A sesenta millas al norte, Angus Bodine se vio sacudido repentinamente de su sueño por el traqueteo metálico de la cerradura electrónica de la puerta de su celda. Eran las diez y media de la noche y hacía media hora que se había apagado la luz. Se apresuró a apagar el cigarrillo contra la estructura metálica de la cama, se inclinó hacia delante y tiró la colilla al retrete del rincón justo cuando se abrió la puerta de la celda. Era Chen, el corpulento y hosco guardia chino de la enfermería, y su compinche Mohammid, que asomaban por la puerta detrás de él.

"¿Qué queréis? espetó Bodine, irritado por su intromisión en la poca intimidad que aún tenían los reclusos.

"¿Otra vez fumando?" preguntó Chen con una sonrisa burlona en la cara, pues sabía que incluso una infracción tan trivial como ésta podía causarle grandes problemas a un recluso si eso era lo que el Hack quería hacer.

"¿Por qué demonios te importa? Este no es tu calabozo", gruñó Bodine, incorporándose y apoyándose en la fría pared de hormigón, donde podría defenderse mejor si fuera necesario.

"Nuestro amigo Ortega ha tenido una gran visita esta noche", dijo Chen, bajando la voz a un susurro conspirativo. "Pensamos que querrías saberlo".

Bodine dejó que aquello diera vueltas dentro de su cabeza durante un momento, queriendo ignorarlos hasta que se dio cuenta de lo que acababan de decirle. "¿Ortega ha tenido visita?". Bodine se incorporó y los miró fijamente. "Nunca tiene visitas", sin acabar de creerse lo que decían y mucho menos por qué se lo decían.

"Bueno, esta noche ha tenido visita, el señor de la moto", continuó Chen. "Era un anglo, y fue escoltado a deshoras por el propio Farmer. Y no hay ninguna anotación en el registro de visitas".

Bodine se sentó más erguido, de repente mucho más alerta. "Eso podría ser interesante. ¿Alguna idea?"

"No, pero no nos gusta", admitió Chen, con los ojos entrecerrados. "Nos debe mucho dinero. Os debe mucho más *a vosotros*, ¿no? Y no confiamos en él. Estaría bien que siguiera aquí para devolvérnoslo, ¿no crees? Así que Mohammid y yo vamos a vigilarle muy de cerca. Creemos que tú también deberías".

¿"Un anglo"? No era ese abogado picapleitos suyo, ¿verdad? Porque me importa un bledo".

"No. Fue otra persona, alguien nuevo".

Se miraron fijamente durante unos instantes, ambos con ojos duros y fríos, mientras Bodine seguía pensando.

"Tal vez nos veamos por la mañana", dijo Chen. "Por la mañana temprano sería un buen momento para hablar con él, ¿no crees? Tal vez podamos jugar un poco al tenis con él, golpear su cabeza de un lado a otro de la red durante un rato". dijo Chen, mientras salía al pasillo y cerraba la puerta tras de sí con un tintineo siniestro.

Bodine no pudo evitar mirar fijamente la dura puerta de acero, con la mente acelerada. ¿Qué estaba pasando aquí? Si le estaban diciendo la verdad, Ortega nunca recibía visitas, y menos escoltado por el subdirector. Aquella historia no tenía sentido. Tampoco la repentina preocupación de aquellos dos Hacks por el dinero que Ortega les debía. Se rió entre dientes, sacudiendo la cabeza ante lo absurdo de todo aquello. Confiar en alguien dentro de este infierno era un juego de tontos y, sin embargo, aquellos guardias parecían realmente preocupados por sus propios intereses. Quizá había algo que sacar de su paranoia.

Finalmente, Bodine volvió a tumbarse y cerró los ojos. Pero a medida que avanzaba la noche y el sueño le era esquivo, Angus no podía evitar preguntarse quién era el inesperado visitante de Ortega y qué significaba. No confiaba en el mexicano más de lo que confiaba en aquellos dos guardias. Aquí cada uno iba a lo suyo. Entonces, ¿se trataba de un obstáculo o de dos aliados inesperados? ¿Un gringo sin avisar escoltado por el propio Subdirector?

Quienquiera que fuese, debía tener influencia y mucho peso. ¿Quién podría ser? Un nombre que seguía apareciendo en el fango de la cabeza de Angus Bodine era Burke, el marido de la mujer. Sí. Ahora tenía sentido. Burke vino a buscar algo. ¿Era información u Ortega?

CAPÍTULO CUARENTA Y SIETE

Culiacán

El sol de media tarde se filtraba por un estrecho hueco entre las cortinas de la ventana del medio, proyectando un resplandeciente rayo amarillo sobre Linda y Eddie, tumbados en la enorme cama. Él aún no se había despertado de la siesta, y ella podía pasar los dedos suavemente por sus suaves rizos sin que él le apartara la mano, como hacía siempre que estaba despierto.

Parecía tan contento y tranquilo dormido a su lado, inconsciente del peligroso juego en el que estaban atrapados. Pero, ¿por qué no iba a estar contento? Tenía tres años. Sus días estaban llenos de sus comidas favoritas, todos los juguetes de las tiendas del centro y la siempre atenta María, la enfermera mexicana que le habían asignado como niñera.

Era mucho mayor que Linda, más parecida a una tía o una abuela, pero parecía tener una fuente inagotable de energía cuando se trataba de jugar con él, que era la mayor parte del tiempo. Incluso había aprendido algunas palabras en español con ella. Y aunque le costara admitirlo, Linda se estaba poniendo celosa. Todo era demasiado bonito, demasiado dulce y demasiado fácil de acostumbrarse.

No era ninguna tonta. Las sonrisas de plástico de los rostros de sus captores - Pierre, Jennifer e incluso Consuela- nunca llegaron a sus ojos. Eran duros y fríos, y ella lo supo de inmediato. Pero, a primera vista, ¿qué podía no gustarle de esta Disneylandia mexicana? El hecho de que ella y Eddie fueran prisioneros, cebo para tres psicópatas que intentaban atraer a su padre a una trampa donde lo matarían, y probablemente matarían a Linda y Eddie una vez que hubieran cumplido su propósito, no era algo que oscureciera la mente de una niña de tres años.

Día tras día, Linda empezaba a sentirse indefensa. Era una trampa demasiado fácil en la que caer. Tenía que actuar y desbaratar sus planes de alguna manera. ¿Pero cómo iba a hacerlo? La casa parecía una fortaleza, con puertas y ventanas enrejadas y cámaras de vigilancia que cubrían todos los ángulos dentro, y suponía que fuera. Pero Eddie era su principal responsabilidad. Sabían que nunca intentaría escapar ni ir a ninguna parte sin él, y el único momento en que se le permitía salir del dormitorio era cuando tenían a su hijo.

"¡Piensa, Linda!", murmuró en voz baja, con la mente llena de posibilidades. Bob la haría "pedazos", como dicen los chicos, si la viera aquí compadeciéndose de sí misma y sin hacer nada. "Piensa tácticamente", le decía. "¡Mira y piensa!" Necesitaba encontrar un punto débil, cualquier pequeña grieta en sus defensas que pudiera explotar. Mientras sus pensamientos se agitaban, se permitió un momento para disfrutar del simple placer de estar cerca de su hijo y abrazarlo. Su respiración constante era un bálsamo tranquilizador en medio del caos del cautiverio.

Eddie se despertó por fin, abrió los ojos, levantó la vista y le sonrió somnoliento. Eso duró unos cinco segundos antes de que saltara de la cama y la bola de energía se desatara. Parecía tan felizmente inconsciente de la peligrosa situación en que se encontraban, y Linda sintió una punzada de envidia por su inocencia. Lo vio jugar a "Pito, Pito, Pito, Pito" antes de que sus ojos se posaran en unos camiones de juguete. Se abalanzó sobre ellos y empezó a hacerlos correr por el suelo; sus manitas los manejaban con destreza imitando el sonido de los motores.

"Muy bien", susurró para sí mientras se levantaba de la cama y se acercaba a la ventana. "Vamos a echar un vistazo a nuestra prisión". Descorrió las gruesas cortinas y miró al parque de enfrente. Era otra tarde preciosa. El sol pintaba los árboles y la hierba con tonos cálidos, invitándoles a salir y disfrutar de su luz, si pudieran. Como si nada, María entró en el dormitorio y se le iluminó la cara al ver a Eddie. Lo colmó de afecto, arrullándolo en español mientras él saltaba ansioso a sus brazos.

María era un encanto, pero siempre parecía saber cuándo terminaban las siestas de Eddie y cuándo estaba despierto. Quizá fuera ESP, pero Linda pensó que era más probable que tuvieran monitores para bebés o cámaras escondidas por la habitación. ¡Cámaras y micrófonos! Eso es lo que tenían aquí. Aún no los había encontrado, pero siempre parecían saber lo que ocurría aquí, y eso le daba escalofríos. Pero casi podía oír la voz de Bob. "Nunca subestimes a un enemigo", le estaría diciendo si estuviera aquí. Pero lo estaba. Y ella estaba sacando fuerzas de ese pensamiento.

Esta vez, cuando María entró en la habitación, Linda aprovechó la oportunidad. "María, me gustaría ver a Pierre... ¿Comprende? ¿Pierre?", preguntó, con voz vacilante pero sólo ligeramente.

"Sí, sí", respondió María. "Pierre", al parecer comprendió su petición. La mujer pulsó un botón de su teléfono móvil y pronunció unas palabras apresuradas en español.

Como por arte de magia, Pierre apareció de repente en la puerta, con un porte que recordaba al de un mayordomo inglés de una vieja película de los años treinta. "¿Me llamaba, señora?", preguntó con la cortesía habitual.

"Gracias por venir... tan rápido", contestó Linda, forzando una sonrisa cortés. "Hace un día precioso fuera, Pierre, y por muy bonito que sea nuestro alojamiento, tanto Eddie como yo nos estamos volviendo un poco locos por dentro".

"¿Loco de remate?" Pierre arqueó una ceja. "Pero eso implica que está en una prisión, Madame".

"Llámalo como quieras. ¿Podemos Eddie y yo salir al parque esta tarde?".
Linda fue directa al grano, preguntando lo más amablemente que pudo. "Está al
otro lado de la calle y el tiempo parece perfecto". El corazón le latía con fuerza
mientras esperaba su respuesta. "Además, ¿de verdad crees que intentaría huir? No
hablo el idioma, ¿y a qué velocidad puedo correr con un niño de nueve kilos en
brazos?".

Pierre consideró su petición antes de asentir. "Preguntaré a la Señora y te lo
haré saber".

"La mujer Burke tiene razón, señora", dijo Pierre con frialdad a Consuela, a la
que había encontrado sentada en la mesa de su despacho, estudiando
minuciosamente sus impresos y libros de contabilidad. "Queremos mantenerla
tranquila, y creo que comprende su situación... O pronto lo hará", añadió, después
de explicarle lo que Linda le pedía.

Consuela le miró y puso los ojos en blanco. Finalmente, dijo: "Está bien,
como has dicho, ¿qué puede hacer? Pero está en su cabeza. Si por mí fuera,
simplemente los habría encerrado en el sótano. ¿Qué más da?".

"Por supuesto, Madame, pero preferiría mantenerla tranquila cuando llegue
el momento, porque aún puede tener sus usos. Me llevaré a María y a Jennifer
conmigo. Mi esposa es como un guepardo en celo... como usted sabe. Nadie puede
correr más que ella, y le encantaría que la mujer Burke lo intentara".

Cuando Pierre regresó y les dio permiso para salir, Linda no pudo evitar sentir
un destello de esperanza.

"Gracias, Pierre", dijo ella, esbozando una sonrisa de agradecimiento tan
falsa como la suya.

"Excelente, Madame. Nos reuniremos con usted abajo en el vestíbulo cuando
esté lista".

Linda se cambió rápidamente de zapatos y puso a Eddie ropa de juego. Tuvo
que admitir que le sorprendió que Consuela accediera a dejarla salir tan pronto, la
primera vez que lo pedía, y se preguntó cuál sería su motivación. Pero cuando
Pierre abrió la puerta principal y dejó que Eddie y ella bajaran juntos las escaleras,
vio a María con Jennifer esperándola en la acera, vestidas con ropa de correr.

Bueno, ella pensó que tenían esa base cubierta. Pero Linda nunca fue una
corredora. Al salir de casa, recordó la clase rápida que Bob le había dado años
atrás sobre seguridad en edificios. En aquel momento, pensó que era una broma,
pero ahora ya lo sabía. Intentó parecer desinteresada mientras examinaba
despreocupadamente las cerraduras, las bisagras y el grosor de la puerta principal.
Una vez fuera, se estiró y miró las luces exteriores y las cámaras situadas a lo
largo de la fachada y en el parapeto. Junto con las rejas que había visto en las

ventanas, la "mansión de la señora" era una fortaleza. Quizá eso era lo que querían que viera. Aun así, se negó a perder la esperanza, porque era lo único que le quedaba, mientras tomaba notas mentales de todo lo que veía.

Eddie sabía que debía esperar en la acera. Se puso a su lado y le cogió de la mano antes de conducirle al otro lado de la calle. Parecía un parque precioso, sobre todo a la luz del sol, lleno de altos árboles verdes, paseos y parterres. Mientras que el interior de la casa era colorido, con sus tonos pastel apagados y sus adornos dorados, el parque era una sinfonía de verdes, dorados y rojos vibrantes.

Cuando se adentraron en el parque, ella le soltó la mano y dejó que Eddie se adelantara, llenando el aire con su risa mientras saltaba y daba volteretas por el césped. María resoplaba detrás de él, con la cara redonda enrojecida por el esfuerzo, pero sin dejar de sonreír.

"Mira cómo se va", dijo Linda en voz alta, con una mezcla de placer y preocupación agitándose en su interior. Cuanto más se adentraba en el parque, mejor era la vista de los edificios que lo rodeaban. Delante de ella estaba la fachada de la catedral, con sus dos altos campanarios. Obviamente, era la pieza central de la hermosa plaza.

A su izquierda, por primera vez, tuvo una visión clara de un edificio que apenas podía ver desde su ventana. Era grande y cuadrado, hecho de grandes bloques de piedra caliza con una puerta central, centinelas armados en las entradas y una gran bandera mexicana ondeando al viento en lo alto.

Linda reconocía un cuartel militar en cuanto lo veía, estuviera en el país que estuviera. Al otro lado de la plaza había otro edificio público de altos bloques de piedra caliza, con más ventanas en el exterior y sin centinelas. Supuso que sería el ayuntamiento o la biblioteca pública. No importaba. Su corazón se hundió al darse cuenta de que cualquier intento de escapar por aquí sería inútil sin ayuda. Estaba atrapada.

"¡Mami, mira!" La voz excitada de Eddie la sacó de aquellos pensamientos. Levantó una mariposa de colores posada en su dedo, con las alas revoloteando suavemente.

"Precioso, cariño", dijo Linda, forzando una sonrisa por su bien. "Disfrutemos del parque mientras podamos".

Miró a Pierre y Jennifer, que estaban cerca. Sus ojos no se apartaban de ella. La mirada de suficiencia del francés le dijo todo lo que necesitaba saber. ¿Querías salir? Mira a tu alrededor, parecía decirle. Mira todo lo que quieras, pero si intentas algo, haré que mi doberman te atropelle.

Estaban seguros de su control sobre ella, eso era seguro. Que se lo creyeran. Bob siempre le decía que podía jugar a la soga con el mejor de ellos. Pero nunca dejaría que quebraran su espíritu. Esperaría su momento y buscaría una oportunidad para contraatacar. Y cuando llegara, estaría preparada.

CAPÍTULO CUARENTA Y OCHO

Escapada de Tucson

A las 05.20, el aire en Nogales era sólo ligeramente más fresco que la noche anterior cuando llegamos en coche a la ciudad. Entonces, el sol ya se había puesto. Ahora era por la mañana, pero el sol aún no había salido. En ambos casos, no había mucha brisa.

Ace y yo estábamos de pie en la pista del pequeño aeropuerto de Nogales con un gran nombre: Aeroporto Regional Nogales, esperando a que Larry trajera el Citation X para aterrizar. Habíamos tenido noticias suyas varias veces, y no tardaría en llegar, pero no estaba. El aeropuerto era pequeño, con una pista corta y una pequeña terminal comercial. Era tan pequeño, de hecho, que ni siquiera tenía una terminal de aviación general, sólo una puerta lateral con una pequeña oficina y una valla alrededor de una caseta dura con una gran colección de caros aviones privados.

Al igual que en Culiacán, parecía que el negocio local era bueno. También, como en Culiacán, el negocio local, y el único negocio, era el contrabando de drogas y el tráfico de personas a través de la frontera sur de Estados Unidos. En realidad, no era contrabando. El contrabando implica que alguien intenta detenerte y tú intentas evitar que te cojan. Ninguno de los dos era el caso aquí. Se trataba más bien de transporte de drogas, paseos de personas y cobro de peajes... con armas, por supuesto.

Había una valla de alambre más larga alrededor de la terminal y la pista. Esa valla sólo tenía una puerta para camiones y vehículos de servicio cerca de la terminal. Por lo que pudimos ver, sólo había dos guardias en el aeropuerto. Uno estaba dentro, cerca de la puerta principal de la terminal, y el otro fuera, en una silla cerca de la puerta. El que estaba fuera llevaba un fusil, pero no pudimos ver qué llevaba el que estaba dentro, si es que llevaba algo.

Me pregunté si intercambiaban posiciones cada pocas horas y si tenían balas o compartían una. Seguro que, con la de tipos malos que hay por aquí, cualquier guardia de seguridad local sin formación y mal pagado se lo pensaría dos veces antes de levantar el rifle, cargado o descargado, contra nadie. Mucho mejor dejarlo caer y correr como alma que lleva el diablo. En un lugar como éste, tener un uniforme, y mucho menos un rifle y no saber usarlo, era una invitación a un funeral.

Al igual que Culiacán , éste era el país de los cárteles. Era un cártel diferente, el cártel de Caborca, mucho más pequeño que el de Sinaloa, pero no menos violento ni peligroso. Pero eran diferentes. Nogales era mucho más un punto de tránsito fronterizo que Culiacán, especializado en la fabricación de grandes cantidades de fentanilo. Eso hacía que Nogales fuera más propenso a las armas y a la delincuencia callejera, y Culiacán, irónicamente, era mucho más seguro.

El Huey que estábamos comprando había aterrizado diez minutos antes, parcialmente escondido en el lateral de la terminal con un piloto al mando y un hombre con un traje azul brillante sentado dentro. La terminal estaba a oscuras y sólo había un puñado de luces de seguridad en el exterior. Para nosotros, el aterrizaje sonaba brusco, al igual que el motor, pero no teníamos una buena visión. Ace puso los ojos en blanco, y yo no podía estar en desacuerdo. Con suerte, High Rider llegaría pronto.

Queríamos meter el coche dentro de la valla y aparcarlo lo más cerca posible de la Citación mientras lo descargábamos. El guardia no entendía una palabra de inglés y no quiso abrir la verja hasta que le ofrecí un billete de 100 dólares. Entonces, de repente se volvió bilingüe y cooperativo.

Larry volvió a llamarnos para decirnos que se estaba aproximando al sur de Arizona, pero seguíamos sin verle. Pero a las 05.30, oímos el agudo zumbido de su avión ejecutivo Citation X atravesar la oscuridad. Sus luces de posición aparecieron mientras giraba, entraba, aterrizaba, frenaba y se dirigía hacia nosotros.

"Ya era hora", murmuró Ace.

La noche era cada vez más clara y mis ojos volvieron a fijarse en la imponente silueta de aquel helicóptero Bell UH-1 Iroquois situado cerca de la puerta de embarque de Aviación General. Cuanto más veía, menos me gustaba. La generación de mi padre lo había llamado Huey. O quizá fuera la de mi abuelo. Delante del Huey había un mexicano mayor y nervioso, vestido con un traje azul brillante que no le sentaba bien y con un sombrero de fieltro en las manos. Sus ojos se movían de un lado a otro y le vi mover nerviosamente los dedos alrededor del ala del sombrero mientras esperaba de pie, claramente fuera de su elemento.

Larry detuvo el jet junto a nosotros. La puerta se abrió. Unas escaleras se desplegaron y tocaron el suelo, y High Rider salió rebotando, con un maletín en la mano. Larry lo siguió escaleras abajo, forcejeando con una pesada bolsa de lona hasta que Ace se apresuró a recogerla con facilidad. Lo llevó y eché un rápido vistazo al interior para comprobar que allí estaban los rifles, las pistolas y los trajes negros de "ninja" que había pedido.

"No quiero que te quedes por aquí, Larry. Es un touch-and-go. En cuanto High Rider dé el visto bueno al helicóptero, vuelves al aire". Grité en el avión. "¡Vuelve al espacio aéreo de EE.UU. y a Raleigh lo antes posible!"

"Entendido, Fantasma. respondió Larry, haciendo un rápido saludo antes de desaparecer en la cabina. "Repostaré en Albuquerque o Lubbock. Pero estaré vigilando por la ventanilla. Tú me das una señal alta de que el helicóptero está bien, y entonces es, 'Hasta la vista, baby,' ¡hasta luego!"

"Gracias, Arnold", me reí mientras le cogía el maletín, sin molestarme siquiera en comprobar lo que había dentro. Pero Carmody apenas nos dedicó una mirada ni a mí ni a los dos mexicanos. Estaba concentrado en el Huey. Hizo un gesto al piloto mexicano para que se acercara, se sentó en el asiento del piloto, echó un vistazo a los instrumentos y miró al tipo del traje azul.

"225,000? Señor Obregón, es un modelo de 1967, una porquería, y no lo que usted me dijo. Es un señuelo".

"Ah, pero se equivoca, señor Carmody", tartamudeó el mexicano, sacando a tientas unos papeles de su chaqueta. "Vea, aquí mismo", dijo, señalando el centro de la página. "1975, hecho, ¿ve?"

"No importa de qué año sea si no funciona", le dije a Ace, con la mandíbula apretada por la frustración.

"Esperemos que este cubo de óxido pueda llevarnos adonde tenemos que ir", dijo Ace, echándose la bolsa de lona al hombro. "Pero tenemos a High Rider en el palo. Si alguien puede volar esta cosa, es él".

Tal vez, pensé, pero no podía evitar preguntarme si comprar esto con prisas había sido un grave error. No había tiempo para dudas, pero tampoco quería arriesgar a los demás.

High Rider arrancó el motor. Chisporroteó y tosió varias veces mientras Carmody intentaba arrancarlo. "¿Esto volará?", le gritó a Obregón desde la puerta.

El mexicano se encogió de hombros y miró a un hombre vestido con un mono sucio que se había escondido entre las sombras del edificio, fumando un cigarrillo. "El capitán Guzmán es nuestro piloto jefe. Ha sido capaz de traerlo hasta aquí sin problemas, señor", se encogió de hombros Obregón, tratando de parecer seguro. "Por desgracia, también tengo malas noticias para usted. Los propietarios de esta magnífica aeronave, el Carrillo Land Trust, han recibido otras ofertas y no están dispuestos a desprenderse de ella por menos de 250.000 dólares."

Carmody volvió a fulminarle con la mirada. "Acordamos 225.000 dólares por un modelo de 1975. Este no vale más de 175.000 dólares, quizá 160.000".

"Señor Carmody, ya sabe que la inflación nos corroe a todos". El intento de Obregón de salir airoso de la situación no iba a funcionar conmigo.

"¿Quizás un paseo de prueba?" dije, acercándome rápidamente a Obregón. Lo agarré por el brazo izquierdo mientras Ace sonreía y lo izaba por el derecho.

"¡Una solución perfecta!" asintió Ace mientras levantábamos al mexicano del suelo, con los pies colgando en el aire, y lo depositábamos en el suelo de la mugrienta zona de carga trasera del Huey. Miré a mi alrededor en busca del capitán Guzmán, su piloto, pero de repente no se le veía por ninguna parte. Ace y yo nos dejamos caer en los asientos rotos y mugrientos frente a Obregón, y le dije a Carmody: "Súbelo a 3.000 metros".

Ace sacó su navaja multiusos de 20 cm y empezó a limpiarse las uñas. "Creo que deberíamos tirar la basura ya que estamos ahí arriba, ¿no crees?".

El helicóptero se estremeció y finalmente se elevó unos metros del suelo mientras Obregón gritaba: "¡No, no!", tartamudeó. "Me he expresado mal. Ahora lo recuerdo. Sí, mis superiores dijeron 225.000 dólares. Me equivoqué de número. Me equivoqué. Sí, así que volvemos a bajar ahora. "

Le miré y enarqué una ceja. "Creo que dijeron 175.000 dólares, ¿no era eso?"

"Sí, creo que tienes razón. 175.000 dólares", se apresuró a aceptar.

"Vale, bájala, John", le dije a High Rider. Cuando lo hizo, abrí el maletín, conté 180.000 dólares en fajos encuadernados de billetes verdes estadounidenses, los dejé caer sobre el regazo de Obregón y lo eché. Los zapatos del mexicano apenas tocaron el suelo mientras huía con los brazos en alto.

Miré el reloj: 05:40, aún estaba oscuro, pero casi no nos quedaba tiempo. Habíamos comprado un par de botes de pintura en aerosol negra mate en un 7-11 de Tucson y Ace y yo pintamos rápidamente los números de cola y los logotipos corporativos en el lateral del Huey, añadiendo otras manchas negras para que todo pareciera intencionado. Los tres nos pusimos nuestros trajes y pasamontañas negros cuando los primeros rayos del sol asomaban por el horizonte oriental.

"High Rider", dije, poniendo mi radio de auriculares. "¿Vamos a llegar a Tucson?"

"Oh, demonios, Ghost, pero he volado mucho peor que esto. Sujétate", dijo mientras el Huey despegaba, se inclinaba hacia el norte y cogía velocidad rápidamente.

"¿Crees que llegará a Culiacán?" pregunté, agarrándome al borde de mi asiento.

"Ni lo sueñes. Un Huey no lleva tanto combustible para empezar, así que tendremos que parar en Hermosillo, de todos modos. Deberíamos poder cargar combustible ahí y luego llegar a Culiacán... tal vez".

Para entonces, Tim Foster ya estaba en el último piso del aparcamiento del aeropuerto de Tucson y su dron ya estaba en marcha, pero estábamos volando a ciegas en una ruina volante y no pude evitar sentirme un poco inquieto por esta extraña aventura en la que nos había metido. Pero no había tiempo para dudas, no ahora. El reloj marcaba las 05:50.

Mientras Ace conectaba las cuerdas, pulsé el número del móvil de Tim, con la esperanza de que mi móvil conectara, ya que estaba de paso entre países. Lo hizo, y Tim contestó rápidamente. "Fantasma, tengo al pajarito en marcha. Debería alcanzar el objetivo en breve, y tengo el portátil abierto".

"Recibido, Tim, pero no lleves a Pajarito allí demasiado pronto. Llegaremos en cinco minutos, pero no quiero que los guardias se pongan nerviosos y activen las alarmas por un dron. Si eso ocurre, volverán a meter a Ortega y a los demás en sus celdas y estaremos jodidos. Nunca tendremos otra oportunidad como ésta".

"Recibido", respondió. "Voy a retroceder durante dos, a continuación, hacer otra carrera pulga Eso debería darte tiempo suficiente para abortar si veo algo, pero sin alarmar a nadie".

"Estupendo", respondí, tratando de mantener la voz tranquila y firme. "Avísame en cuanto veas algo. Con suerte, verás empezar un partido de tenis en esas pistas que hay en medio del recinto. Luego, cuando entremos, sal de ahí. Deberías tener tiempo de sobra para recuperar a Pajarillo, empaquetarlo y revisarlo antes de coger el avión y volver al este".

"Entendido, Fantasma", respondió Tim. "Me quedaré en la línea para no tener que volver a marcar. Por cierto, sabes que volar un dron sobre una instalación federal segura como una penitenciaría es un gran no-no."

"¿En serio?" Sonreí. "¿Cómo crees que llamarán a lo que estamos a punto de hacer con el Huey, Tim? Nos vemos en la granja".

CAPÍTULO CUARENTA Y NUEVE

USP Tucson

Si no fuera por los focos de los altos postes de la luz, fuera apenas habría luz suficiente para ver las redes de la pista de tenis, pensó José Ortega al cruzar la pesada puerta de acero del bloque 9-B. Se estiró y respiró hondo varias veces para despejarse. Se estiró y respiró hondo varias veces para despejarse, antes de saltar y hacer algunos estiramientos para tonificarse. Mirando hacia el este, se maravilló de lo bonitas que parecían incluso las espirales de alambre de espino en lo alto de las alambradas a la luz anaranjada de un amanecer desértico. Al igual que el resto de zonas deportivas al aire libre -béisbol, baloncesto y campos de fútbol-, las pistas de tenis estaban rodeadas de vallas de tres metros de altura y tenían una única puerta de seguridad.

Tenis, pensó. El aire seguía fresco con una ligera brisa, pero no duraría. A las nueve o diez de la mañana, a las once como muy tarde, el sol abrasador hacía imposible jugar. Vestido con una prístina ropa de tenis blanca, como los demás, observó las cuatro pistas de tenis de asfalto inmaculado, recién pintadas, con sus redes blancas. Parecían sacadas de un torneo televisado y se moría de ganas de jugar. Se le daba fatal. Los demás también, pero le permitía salir de su celda y seguir unas normas que no eran un invento de la Oficina de Prisiones de Estados Unidos para atormentarle. Y mientras no lo vieran en Culiacán o en otras ciudades del cártel vestido así, estaría bien.

"Vamos", murmuró a los siete gringos de piel clara que le seguían, todos vestidos de forma similar para un partido. El partido de hoy era algo más que un medio para matar el tiempo, como lo era para los demás. Para él, formaba parte de un plan que había estado urdiendo cuidadosamente durante sus años de aislamiento. "¡Tenis, quien sea!", gritó con una sonrisa.

Sin embargo, cuando miró hacia atrás, José Ortega se encontró casi cara a cara con Chen, el Hack de la enfermería. Estaba de pie con los brazos cruzados, bloqueando la puerta de los juzgados, y su mirada furiosa se clavó en José. Junto a Chen estaba Mohammid, su títere. Problemas, pensó, pero el mexicano devolvió la mirada a Chen, imperturbable ante su hostilidad.

"¿Qué pasa, amigos?" dijo José mientras cogía una raqueta Wilson nueva del perchero cercano. "¿Qué os trae por aquí, Chen? ¿Os ha echado Betty de vuestros acogedores trabajos en la enfermería?".

"Intercambiamos turnos con otros dos chicos", respondió Chen, con voz fría. "Ya sabes lo aburrida que puede llegar a ser la enfermería, con ella siempre rondando".

"Da igual", se encogió de hombros José, sin molestarse en ocultar su desprecio. "Tengo un juego que jugar, caballeros".

Pero antes de que la puerta del bloque de celdas pudiera cerrarse tras los tenistas, Angus Bodine, Paco Gutiérrez y Joaquín Ángel Rodríguez salieron detrás de ellos, todavía con sus monos naranjas de presos. Ninguno de los dos parecía más contento que Chen cuando éste abrió la puerta y todos siguieron a José al interior, a través de la pista de tenis y hasta la línea de fondo de la pista contraria. Cuanto más le seguían, más preocupado estaba Ortega.

Finalmente, se hartó. Miró hacia las torres de vigilancia, pero no vio ninguna ayuda. Si los Hacks estaban allí arriba, no estaban prestando ninguna atención. ¿El líder de la banda de moteros supremacistas blancos y los dos líderes del cártel mexicano? "¿Qué demonios están haciendo ustedes tres? ¿Pablo, Joaquín? ¡Aléjense de mí! Tengo un partido que jugar". Si fuera tan sencillo, pensó Ortega. Algo iba mal y estaban a punto de arruinar su plan.

José se dio la vuelta y balanceó su raqueta de un lado a otro como si estuviera calentando, pero sólo intentaba que retrocedieran.

"Bonito columpio", dijo Chen con sarcasmo, observando a José con ojo crítico. "Hemos oído que tuviste una visita secreta anoche. Apuesto a que fue Burke".

Bodine se acercó a Ortega, con ojos duros y furiosos. "¿Estás haciendo un trato con él, tío? ¿Es eso lo que pretendes? ¿Y dejarnos fuera?"

"No sé de qué me estás hablando, Rufus", replicó Ortega y golpeó con la raqueta, esquivando la nariz del motorista por un pelo. "Estáis locos los tres. Ahora alejaos de mí; tengo un partido que jugar".

"No irás a ninguna parte, no sin nosotros, compadre", se agolparon y amenazaron Paco Gutiérrez y Joaquín Rodríguez. "Y aquí Chen tampoco piensa mucho en lo que estás haciendo. A lo mejor te gustaría que él y Mohammid te llevaran a la enfermería algún día que no esté Betty. He oído que Chen es un mago con la aguja hipodérmica y el bisturí. Te tendrá cantando como soprano en el coro en un santiamén".

"Será mejor que tenga cuidado, Jefe", gruñó Chen a Ortega, nariz con nariz.

"Siempre lo hago, amigo", dijo José, con la voz cargada de falsa sinceridad. Se volvió hacia la pista, pero sus ojos estaban en el cielo, mirando a su alrededor y desesperándose ahora. "Piérdete. ¿De verdad quieres que los otros Hacks y el Sistema empiecen a preguntar qué hacemos aquí abajo?". ¿Verdad, Chen?" le dijo Ortega. "Estás empezando a irritarme a mí y a mis amigos".

"¿Te refieres a tus amigos gringos, como estos tontos que juegan al tenis, o a Burke?", respondió enfadado el motorista, hasta que apartó la mirada, distraído por un extraño zumbido que oyó. ¿Una gran avispa negra o algo así? En el norte, justo por encima de la valla de la prisión, juró haber visto algo negro que se balanceaba arriba y abajo, pero decidió que no era una maldita avispa ni un abejorro. Era mucho más grande que eso, ya que de repente saltó por encima de la alambrada y entró en el patio de la prisión, voló por encima de la valla y zumbó alrededor de las pistas de tenis, volando finalmente hacia ellos. "¡Qué demonios!" Bodine frunció el ceño y luego se rió. "¡Eh, chicos, mirad esa maldita cosa!".

Puede que Bodine se riera, pero Chen no. Tampoco Ortega. "Es un dron, y aquí no se permiten drones", dijo el Hack chino mientras volvía sus ojos furiosos hacia José y lo agarraba por la parte delantera de la camisa. Lo acercó, nariz con nariz. "Nos debes dinero, José. Mucho maldito dinero. ¿Entiendes?" Pero para su sorpresa, a pesar de la mirada más dura y malhumorada que se le pudo ocurrir, aquel maldito mexicano no le estaba escuchando, y tampoco estaba mirando a aquel zángano malhumorado. Ortega parecía excitado, casi feliz. Sus ojos buscaban frenéticamente el desierto hacia el sur. Entonces lo oyeron todos.

Bajo el silbido agudo y enmascarador del pequeño zángano, se oía un débil y sordo golpeteo. Bodine también lo oyó y, de repente, volvió la cabeza y miró también hacia el sur, por encima de las vallas, donde no había más que un descampado abierto. Entonces el débil susurro se hizo más fuerte. Golpe, golpe, golpe.

Ortega lo vio primero, luego Bodine. Era un pequeño punto negro que corría hacia ellos por el desierto, a través de la luz del sol más brillante, creciendo a medida que se acercaba. "¿Qué demonios? gritó Bodine mientras volvía los ojos hacia Ortega. "¡Cabrón! Eso de ahí fuera es un maldito helicóptero, ¿no? Es Burke. Te está sacando de aquí, ¿no?".

"¿De qué estás hablando, Angus? Eso es una avioneta fumigadora. Cualquier tonto puede verlo. Tienes a ese maldito gringo en el cerebro".

Entonces todos le echaron un buen vistazo. ¿"Plumero"? Plumero, una mierda. ¿No vuelan fumigadoras por aquí? ¿Verdad, Chen?" Bodine se volvió y miró a Ortega, y tenía razón. A medida que el objeto se hacía más ruidoso y se acercaba más deprisa, todos vieron que era un helicóptero que volaba muy bajo por el desierto, sólo unos metros por encima de la arena y las rocas, casi saltando por encima de los setos mientras corría directo hacia la prisión.

Tim Foster cogió su móvil, pero sus ojos no se apartaron de la pantalla de su portátil. "Fantasma, aquí Pajarito", dijo. "No veo nada raro ahí abajo. Hay un pequeño grupo de diez o doce tipos en las pistas de tenis, algunos de ellos agrupados en el centro. Eso es todo. Pero ahora puedo verlos en la pantalla, bajando por el desierto".

"¿No hay más guardias agolpados?". pregunté rápidamente, intentando oír por encima del rugido del motor. "¿Nada en el aparcamiento? ¿Ni autobuses ni coches patrulla?"

"Negativo. Hay guardias en las torres de vigilancia, quizá dos en cada una", dijo Tim mientras dejaba que la cámara del dron escaneara la más cercana. Antes no hacían nada, pero ahora me vigilan y no parecen muy contentos".

"Suena bien. Vamos a entrar, así que sal de ahí y vuelve al aeropuerto. Al final, alguien va a estar buscando ese dron y a quien lo puso".

"Entendido. Me voy", dijo Tim mientras daba la vuelta al dron, aumentaba su velocidad y lo enviaba de vuelta volando por encima de las vallas, directo al norte y a casa de mamá.

Cuando el sonido del helicóptero se hizo más fuerte, los ojos de Bodine se abrieron de par en par con una mezcla de rabia e incredulidad al apartar la vista del helicóptero y mirar a Chen, Paco Gutiérrez y Joaquín Rodríguez. Seguían observando el helicóptero, casi hipnotizados por él, pero el cerebro criminal de Bodine les llevaba años luz de ventaja.

"Deja de mentirnos. Es Burke, ¿verdad, comadreja?"

"¡Estás loco, Angus! Has chocado demasiadas motos sin casco. Tienes ese americano en el cerebro, tío. No sé quién es", respondió Ortega, maldiciendo para sus adentros, consciente de que sus planes acababan de complicarse infinitamente. Intentó mantener un aire de despreocupación mientras miraba el helicóptero. Gruñó, pero ya no podía negar la realidad que se desplegaba ante sus ojos.

El helicóptero parecía que iba a estrellarse contra las altas vallas del perímetro de la Penitenciaría, pero en el último momento se elevó y salió disparado por encima de ellas. Manteniéndose a la altura de las vallas, pasó por encima de la valla de la pista de tenis e hizo una acrobática parada rápida con autorrotación de 180 grados por encima del atónito grupo de presos, pasando de la máxima velocidad a una parada en seco a tres metros por encima de la cabeza de Ortega.

Era un viejo Huey del ejército estadounidense con sus marcas y números cubiertos de manchas de negro mate, si es que alguna vez las tuvo. Cuando pasó por encima de ellos, el grupo de prisioneros y guardias se vio atrapado en la poderosa corriente descendente bajo sus aspas, azotado por ensordecedoras ráfagas de arena y viento seco y caliente. Cuando se detuvo sobre ellos, un hombre vestido de negro de pies a cabeza dejó caer una gruesa cuerda por la puerta lateral abierta del helicóptero y descendió en rappel, aterrizando con precisión junto a José Ortega.

Apartó a Bodine de una patada en el pecho y empujó a Chen en el descenso, sin perder tiempo en asegurar un arnés alrededor de la cintura de Ortega. A continuación, la misteriosa figura aseguró su propia muñeca a través de un lazo de la cuerda por encima de la cabeza de Ortega e hizo una señal al piloto, que encendió de nuevo el motor. Sin embargo, en lugar de acelerar y remontar el vuelo, el viejo Huey tosió y chisporroteó de repente, arrojando nubes de humo negro al aire circundante, calándose en el aire y dejando a Ortega y al hombre de negro literalmente colgados.

CAPÍTULO CINCUENTA

A la frontera mexicana

Había seis torres de vigilancia alrededor del perímetro de la penitenciaría, fuera de las altas vallas dobles con arena y grava inmaculadamente niveladas y rastrilladas más allá, sin que nada más alto que una margarita creciera en aquel páramo yermo. No era muy diferente dentro de las vallas, donde había una torre de vigilancia adicional en el centro, lo que la situaba lo bastante cerca de las "unidades residenciales", como las llamaban educadamente los altos directivos, o bloques de celdas para los negros de clase trabajadora atrapados dentro. Pero esa torre también estaba en el centro de los campos de recreo, donde empezaban muchas de las peleas entre presos.

Tengo que reconocer el mérito de los arquitectos e ingenieros. Las torres eran de mampostería, resistentes a la intemperie, similares a las de los aeropuertos. El nivel superior era el puesto de observación, acristalado por todos lados y con una estrecha pasarela que lo rodeaba por debajo de un tejado protector. Sin duda, desde allí arriba se podían ver cincuenta kilómetros en cada dirección.

Tenían unos seis metros cuadrados y una altura mínima de doce metros, muy por encima de las vallas, y habían calculado las distancias y los ángulos como el culo de un mosquito, colocando aquella torre central equidistante entre las unidades residenciales, los campos de recreo y las seis torres del perímetro.

Pero por muy impresionantes que parecieran las torres de vigilancia desde fuera, todas tenían un gran problema. Hacían mal su trabajo. La torre era el primer trabajo de los novatos, que solían ser veteranos militares o antiguos empleados de otros organismos públicos, como Correos, la TSA o la policía local, que habían acumulado suficientes puntos de funcionario o veterano para saltarse la cola y tenían la brillante idea de que el trabajo en la cárcel sería más interesante que su último empleo.

Adivinaron de nuevo. Pronto aprendieron que era un trabajo increíblemente aburrido y mal pagado. Todo lo que hacía un funcionario de prisiones era pasearse por las puertas de los pasillos con los ojos en la nuca o sentarse en una torre y engordar por comer demasiado y no hacer ningún ejercicio, salvo la subida y bajada diaria de las torres.

La mitad de las veces, una vez que subían a lo alto de la torre para su turno, o el aire acondicionado no funcionaba, o la fontanería no tenía suficiente presión de agua para llegar tan alto. Luego, tras un turno terrible como aquel, en el que contaban cada minuto, durante dos o tres horas cada mañana, se ponían a ver a esqueletos mimados en pantalones cortos blancos golpear una pelota en las pistas de tenis. Por definición, eran contables de la mafia o malversadores. Los guardias sabían que esos ricos bastardos tenían millones escondidos en las Islas Caimán y estaban esperando a salir.

Cuando las pelotas de tenis dejaban de volar, los guardias veían a los hermanos golpear la pelota de baloncesto contra el asfalto o lanzar las pesas. Después de eso, no había nada que ver durante veintiuna horas, hasta el amanecer del día siguiente, salvo las reuniones tribales de los moteros, los mexicanos y los pervertidos en torno a sus mesas de picnic de hormigón prefabricado. Por eso la mayoría de los Hacks llevaban una pinta de algo en el bolsillo trasero y pasaban sus turnos en las torres discutiendo de deportes o de política, o durmiendo. A ninguno le preocupaba que lo pillaran, porque ninguno de los supervisores subía nunca a la plataforma de observación. Si lo hacían, Hacks les oía resoplar por las escaleras.

Aquella mañana, en la torre más cercana fuera de la alambrada, el dron de Tim Foster ya había visto a un guardia de pie con las manos en la ventana, mirando hacia las pistas de tenis, bostezando y estirándose mientras sorbía café caliente de su termo. La temporada de ciervos empezaba en una semana y su compañero estaba de espaldas al Patio.

Estaba escudriñando el campo fuera de la valla con sus prismáticos, buscando un lugar decente para montar un escondite para ciervos. En lo alto de la torre central, un guardia estaba recostado en su silla, profundamente dormido, mientras que el otro había desmontado su rifle y las piezas estaban sobre una toalla esperando a ser limpiadas.

Una mañana más en el paraíso, pensó el Hack desde la ventana de la torre, hasta que un Huey pintado de negro entró por encima de la valla y se desató el infierno.

En la pista de tenis, José Ortega volvió la cara como los demás, tosiendo y con arcadas por el polvo que levantaba el helicóptero cuando se acercaba, pero su corazón se aceleró cuando una gran inyección de adrenalina corrió por sus venas. Después de siete años, había llegado su gran oportunidad de liberarse de este infierno carcelario que poco a poco se lo estaba comiendo vivo. Era ese gringo Burke con un helicóptero, venido para salvarle y sacarle de aquí.

La verdad es que Ortega nunca pensó que fuera a ocurrir, ni siquiera después de secuestrar a la mujer de Burke, y de que Consuela se abalanzara sobre él y se la arrebatara. Aún así, él o Consuela, nunca pensó que Burke pudiera lograrlo. Pero ahora, en su momento de triunfo, Bodine, Gutiérrez, Rodríguez y ese maldito Hack Chen tenían que aparecer, y estaban proyectando una larga y oscura sombra sobre su, por lo demás, perfecto plan de fuga.

El helicóptero se elevó de repente, con el morro hacia arriba y la cola hacia abajo, hasta que sus puntales quedaron a sólo metro y medio de la pista. De repente, una cuerda se descolgó por la puerta y un hombre, completamente vestido de negro, con la cara cubierta por un pasamontañas negro o algo así, se descolgó por la puerta y aterrizó justo a su lado. Ortega no necesitó verle la cara. Sabía que era Burke tras aquel antifaz negro.

El hombre que lo llevaba no era grande, medía mucho menos de metro ochenta y era más delgado que Ortega, pero había visto a Burke con pasamontañas una vez. Lo había visto moverse, aunque hacía años, en su dormitorio principal de la hacienda, nunca se olvida una cosa así. La imagen del hombre del pasamontañas negro con aquella semiautomática en la mano estaba grabada a fuego en la parte posterior del cerebro de José como una gran película en un autocine. Se había ido a dormir cada noche de los últimos siete años recordando aquel momento.

Los compañeros de tenis de Ortega, con sus trajes blancos, estaban de pie alrededor de la pista y congelados por el ruido y las sacudidas de la corriente descendente del helicóptero. Su piel estaba salpicada de arena y gravilla cuando se agachaban, caían al suelo o huían como cucarachas cuando se encendía la luz.

Ortega se sorprendió al ver lo rápido que se movía Burke. En cuestión de segundos, descendió por la cuerda, pateó a Bodine con un pie y lo lanzó contra la red de tenis, al tiempo que empujaba a Chen en otra dirección. Gutiérrez se quedó con la boca abierta. Antes de que Burke aterrizara en el suelo con ambos pies, ya había agarrado a José, le había dado la vuelta y le había puesto un cinturón ancho y acolchado alrededor de la cintura. Lo ajustó con fuerza y metió su propia muñeca por un lazo de la cuerda por encima de la cabeza de José Ortega. Unos segundos después de aterrizar, hizo un rápido movimiento circular sobre su cabeza, indicando al piloto que despegara.

José estaba aturdido e impotente para ayudar u obstaculizar a Burke, pero se sintió extasiado al darse cuenta de lo que estaba ocurriendo. Pero entonces, cuando llegó su momento de triunfo supremo, todo se vino abajo. El helicóptero tosió y chisporroteó, sacudiéndose y arrojando nubes de humo negro y aceitoso por el tubo de escape. Rugió, traqueteó e hizo todo lo que un helicóptero debería hacer, excepto despegar. En lugar de eso, se quedó suspendido en el aire como un gran pato negro moribundo.

Puede que el helicóptero tuviera problemas, pero Angus Bodine no, y no había terminado. José oyó la voz de Bodine por encima del ensordecedor rugido del helicóptero gritando: "¡Burke, sé que eres tú, cabrón! Si crees que puedes llevarte a Ortega y dejarme aquí pudriéndome, te equivocas". Saltó y se agarró al puntal de aterrizaje izquierdo del helicóptero, que ahora estaba a sólo dos metros del suelo, y se levantó. Rodeó la pata de apoyo con ambos brazos, pasó la pierna por encima de la barra y se agarró. Era un hombre corpulento, y el repentino cambio de peso hizo que el helicóptero se inclinara y se balanceara.

"¡Maldito tonto, suelta eso!" Le grité a Bodine, pero no tenía intención de soltarme.

Peor aún, al ver lo que había hecho Bodine, los ojos de Paco Gutiérrez se entrecerraron con una furiosa determinación. "Yo también. Vamos contigo, os guste o no a ti y a Ortega", gritó también y se agarró al puntal de aterrizaje derecho. Peor aún, Chen se le unió. Joaquín Rodríguez también miró hacia el puntal, saltó y se agarró a él con una mano, pero lo soltó. Pesaba demasiado para seguir con aquella locura y retrocedió. Pero con tres pesados cuerpos colgando debajo de él, dos de ellos a un lado, el helicóptero se inclinó rápidamente, se hundió y se balanceó de un lado a otro aún peor que antes, su motor chisporroteó y tosió aún más, mientras High Rider trabajaba con el acelerador y el cíclico para conseguir que despegara con poca suerte.

"High Rider", le llamé a través del micrófono de mis auriculares. "Si tienes una solución rápida para esto, ahora sería un buen momento para usarla".

"Trabajando en ello, Fantasma, trabajando en ello. Estoy usando toda mi magia para subir las revoluciones, pero no quiere escucharme mucho", dijo mientras lo intentaba una vez más. Esta vez fue un éxito, y el motor rugió a la vida. No como un Huey recién sacado de la caja, pero lo suficiente para aumentar las revoluciones del motor y hacer que las aspas girasen más deprisa, agarrando el fino aire del desierto.

Cuando el dron sobrevoló la valla exterior, los hackers de las torres perimetrales y de la torre central dejaron de hacer lo que estaban haciendo, se giraron, lo señalaron y le hicieron señas para que se alejara. El dron era sin duda lo más interesante que habían visto en semanas, y acaparó toda su atención. Uno de los hackers cogió inmediatamente el teléfono administrativo y llamó a su supervisor de turno, mientras que los dos hackers de la torre central salieron a su pasarela, riendo y saludando al dron, intentando llamar su atención para espantarlo de allí.

Entonces, se desató el infierno cuando aquel helicóptero Huey irrumpió de repente en el desierto y sobrevoló la alta valla exterior sin previo aviso. Descendió y se posó sobre las pistas de tenis, provocando que los guardias corrieran de un lado a otro dentro de sus torres, cada uno intentando hacer algo diferente mientras se peleaban y reaccionaban ante esta inesperada intrusión.

"¡Jesucristo!" gritó el Hack que había estado buscando ciervos mientras se daba la vuelta y tanteaba con su radio táctica de mano. "¡Base, base, tenemos un maldito helicóptero que se acerca rápido y en caliente!". Alguien en su torre tuvo el suficiente sentido común como para pulsar el botón de la sirena de emergencia, y el estridente sonido de algo parecido a una sirena antiaérea de la Segunda Guerra Mundial atravesó de repente el aire de la penitenciaría, sacudiendo a los guardias de las torres restantes de su complacencia, y a todo el mundo en el interior de los edificios.

Imbuidos de una nueva sensación de urgencia, y temerosos de no ser los acusados de meter la pata, supieron intuitivamente que la mejor solución era empezar a disparar a cualquier cosa, y a menudo, así que se apresuraron a coger sus armas. Las pistolas se desenfundaron y los fusiles automáticos se sacaron de sus estuches y se cargaron rápidamente.

"¡Abrid fuego!", gritó un guardia mientras apuntaba al Huey, pensando: "¡Maldita sea! ¡Esto es lo más divertido que hemos hecho en semanas!".

Una cacofonía de disparos estalló, balas zumbando por el aire, chocando contra varios edificios dentro del complejo, mientras apuntaban al helicóptero en fuga. Los norvietnamitas probablemente habían hecho más daño a este helicóptero en su día que esos Hacks. La mayoría de los disparos de los guardias no dieron en el blanco. Varios dieron en el helicóptero y perforaron nuevos agujeros en los delgados paneles de aluminio de la carrocería del Huey, pero otros más dieron en las otras torres de vigilancia, haciéndoles creer que habían recibido fuego del helicóptero, lo que hizo que los guardias corrieran a ponerse a cubierto.

Mientras el helicóptero se esforzaba por acelerar y elevarse lo suficiente para saltar la valla de la pista de tenis y entrar en el patio de recreo general, se acercó momentáneamente a la torre de vigilancia central. Por mala suerte, una bala 30-06 del rifle de un guardia alcanzó a Chen en el cuello, abriéndose paso de lado a lado. La sangre brotó a borbotones. Atrapada por la corriente descendente del helicóptero, la sangre voló por todas partes, salpicando de rojo vivo los bajos del Huey, el uniforme blanco de Chen y el resto de sus compañeros. Chen se agarró la garganta con ambas manos, intentando detener la hemorragia. Tal vez no lo supiera, pero ya estaba muerto y no tardó en caer de espaldas sobre el alambre de espino de la valla de la pista de tenis.

Bodine y Gutierez lo vieron caer, pero se quedaron congelados, aferrándose tenazmente a los puntales del helicóptero mientras el motor finalmente rugía y éste ganaba más altitud. High Rider pudo por fin bajar el morro y levantar la cola lo suficiente para que el viejo Huey entrara en su característica configuración de ataque "escorpión de combate". Aún funcionaba áspero y caliente, quemaba aceite y emitía oscuras nubes de gases de escape, pero salió disparado por encima de la última de las vallas, pasando a duras penas la alambrada de espino de la parte superior con la basura de los bajos fondos colgando bajo ella para salvar la vida.

Dentro del Huey, Ace sacó su Glock de la cintura, se arrastró hasta la puerta y apuntó a la cabeza de Gutierez. "Quédate donde estás, Sport. Aguanta, pero no te tambalees y no te pongas guapo".

El gran jefe del cártel mexicano miró nervioso el terreno rocoso que pasaba a toda velocidad por debajo y asintió rápidamente.

Ace se asomó más y miró hacia atrás por la parte inferior, donde me vio con mi Sig presionado contra la frente de Rufus Bodine, transmitiendo un mensaje similar.

Ace alargó la mano y agarró mi cuerda, tirando de ella lo suficiente para que yo pudiera agarrarme al marco de la puerta y para que él me ayudara a meterme dentro del Huey, de modo que yo pudiera meter a José detrás de mí y tirarlo al suelo. Vi cómo movía los labios mientras yacía en el suelo del helicóptero mirando al techo del compartimento, preguntándome cuántos Ave Marías murmuraría antes de que cruzáramos la frontera, pero supongo que podría entenderlo.

Maldita sea, espero que todo esto no formara parte de tu plan, ¿verdad, Fantasma? ¿Qué vamos a hacer con esos dos?", preguntó, señalando a los dos polizones que colgaban de los patines.

"Tendremos que lidiar con esos payasos una vez que estemos a salvo al otro lado de la frontera, y podamos bajarla", respondí, "si es que cruzamos la frontera".

"Si ... Pero todavía tengo el petate lleno de equipo y su maletín aquí a mis pies. Eso debería ayudar. Si vamos a caer, voy a hacer estallar estos dos antes de que nos estrellemos ".

"Hacer el mundo seguro para... ¿Seguro? No se puede discutir con eso".

Cuando el helicóptero se alejó cojeando de la prisión, el sonido de los disparos se desvaneció en la distancia. Llamé a High Rider por la radio del escuadrón. "Tenemos mucho equipaje extra aquí abajo, John, y estamos echando humo como un baño de instituto. ¿Crees que lo lograremos?"

Hubo una pausa, y luego la voz de High Rider crepitó en su auricular. "Tenemos demasiado peso, eso seguro, y estamos quemando mucho aceite, pero de momento estamos bien. ¿Podremos llegar hasta Hermosillo? Nunca sucederá, Fantasma. Pero creo que puedo pasar la frontera. Son tal vez sesenta millas. Hay muchos lugares donde podemos deshacernos de esta cosa. "

"Entendido. Llévanos tan al sur de la frontera como puedas, y nosotros resolveremos el resto".

"Entendido", respondió High Rider. "Por cierto, todavía nos quedan cuarenta millas por recorrer antes de entrar en tacolandia y las Fuerzas Aéreas tienen F-16 volando por toda la frontera. Esperemos que estén en un tramo de salida, entonces deberíamos estar sobre la frontera antes de que puedan alcanzarnos".

"Esperemos que sí", respondí. "Es un largo camino por recorrer".

CAPÍTULO CINCUENTA Y UNO

Nogales, México

Como dice el viejo refrán, cuando llegan los problemas, vienen en bandadas, como palomas sobre tu parabrisas. Esta bandada en particular se nos echaba encima mientras High Rider intentaba navegar con nuestro chisporroteante Huey por el desierto abierto de Sonora más allá de la valla de la penitenciaría. High Rider tenía tan poca altitud que José Ortega perdió su zapato derecho en la alambrada y tuve que tirar de él aún más alto. Mientras tanto, el helicóptero recibía disparos de dos de las torres de vigilancia entre las que volábamos.

"¡Maldita sea!" murmuré en voz baja, viendo a los guardias disparar contra nosotros. Pero, afortunadamente, su puntería dejaba mucho que desear. Supuse que el Sindicato de Guardias de Prisiones tenía reglas. Al igual que los "trofeos de participación" en el fútbol infantil, la no calificación en la escuela y las admisiones abiertas, uno no quiere hacer sentir mal a los demás guardias por hacerlo bien. Si nadie puede golpear nada, entonces todos son promedio. Tiene sentido para mí. Probablemente les darían una paliza si le daban a demasiados blancos en el campo de tiro. Una cosa era segura, esta tripulación nunca había aprendido la diferencia entre una "emboscada en forma de L" y lo que llamábamos un "pelotón de fusilamiento mexicano". Eso era cuando tenías dos líneas paralelas de fusileros y ponías un blanco en el medio.

Los guardias de USP Tucson acabaron recibiendo más impactos en sus propias torres que en las nuestras. Naturalmente, escribieron todo como una ráfaga de disparos desde el helicóptero y entregaron medallas a los heroicos supervivientes de las torres que en realidad se habían estado disparando unos a otros, pero afortunadamente no habían acertado a casi nada.

High Rider se balanceó y zigzagueó en su camino hacia el desierto rocoso, pero no sin que el viejo Huey recibiera algunos impactos. Las balas atravesaron la fina capa exterior de aluminio y chocaron contra los soportes y el motor, mientras Bodine y Gutiérrez se agarraban a los puntales e intentaban parecer pequeños. Mientras les miraba, tomé nota mentalmente de comprobar sus pantalones antes de dejar que se sentaran cerca de mí.

"¡Hijo de puta! ¡Te voy a matar! *¡Hijo de puta! Te voy a matar!"* Ortega finalmente se rindió a los avemarías y me gritó mientras yacía en el suelo de la cabina haciendo inventario de sus piezas móviles, como si todo esto no hubiera sido idea suya para empezar. Cuando por fin me harté de él, le grité: "¡Cállate! Ni siquiera me oigo pensar". Prefirió no escuchar, así que le di un derechazo rápido en la barbilla y lo dejé fuera de combate. El silencio valió la pena, al menos por el momento.

Decir que esto no iba exactamente según lo planeado, que era el eufemismo del año, pero al menos el Huey seguía en el aire. Dadas las circunstancias, eso era realmente asombroso. Respiré hondo y me quité el pasamontañas para poder ver y respirar mejor.

Bodine, colgado del puntal debajo de mí, gritó de repente: "¡Lo sabía! Lo sabía. Sabía que habías sido tú, Burke, cabrón".

Al igual que Ortega, ya no podía aguantarle más. Así que saqué mi Sig-Sauer y le apunté. Eso lo hizo callar. Desgraciadamente, eso no hizo callar a High Rider. "Fantasma", volvió a llamarme por la radio del escuadrón. "¿Recuerdas los F-16 de la Fuerza Aérea que mencioné? Bueno, tengo a dos de ellos llegando a mi Seis", oí su voz crepitando en mi auricular.

Me di la vuelta y escudriñé el cielo hasta que divisé dos puntos negros con estelas de condensación blancas que se acercaban rápidamente detrás de nosotros. "No creí que esta cosa tuviera radar", le dije.

"No tiene. Tampoco tiene mucho más - ni contramedidas electrónicas, ni bengalas, ni misiles aire-aire, ni siquiera una maldita radio - pero tengo ojos de piloto y un sexto sentido para problemas serios. Además, mi Golden retriever podría seguir el rastro negro de los gases de escape que estamos dejando".

"¿Cuánto falta para la frontera?" pregunté, concentrándome en la tarea que tenía entre manos.

"Tal vez cinco millas". High Rider respondió.

"¿Pueden seguirnos a través de la frontera con México?" Pregunté, tratando de averiguar nuestro próximo movimiento.

"Normalmente no, no a menos que el NORAD les dé autorización, y eso puede llevar un tiempo".

"Tengo mi Barrett aquí atrás", dijo Ace. "¿Quieres que haga algunos disparos y les avise?"

"¡Dios, no!" contestó enfáticamente High Rider. "Eso sería todo lo que necesitarían para volarnos del cielo. Diablos, si incluso hacen un sobrevuelo, cerca y rápido, probablemente derribarán esta cosa. Si podemos cruzar la frontera, tal vez podamos perderlos en las colinas cuando den la vuelta. Lo bueno de este viejo trasto es que tampoco tiene mucho metal o electrónica a la que puedan agarrarse".

Los F-16 nos alcanzaron rápidamente. Uno de ellos pasó zumbando lo suficientemente cerca como para hacernos saber que estaban allí, haciéndonos balancear y rebotar, por si no nos habíamos dado cuenta. Su copiloto se acercó a continuación para hacerse una foto y ver mejor los cuerpos que colgaban por debajo. Dudo que hubiera visto algo así en los entrenamientos o en sus procedimientos operativos. Lo mejor que pudo hacer fue hacer gestos con las manos y señalar hacia abajo para decirle a High Rider que pusiera el Huey en tierra. High Rider se hizo el tonto mientras pasaba el F-16. No había forma de que el tipo pudiera frenar a nuestra velocidad, y no había forma de que hubiera pensado bien esto.

A la velocidad a la que se movía, ese F-16 pasaría a nuestro lado hiciera lo que hiciera su piloto, lo que le quitaba cualquier posibilidad de disparar con armas o misiles hasta que él o su copiloto dieran la vuelta. Le saludé con la mano, pero dudaba que le hiciera mucha gracia. Aun así, todo esto era demasiado fácil, pensé. Seguramente la prisión ya se había puesto en contacto con ellos, y me pregunté por qué los dos jets no nos habían volado ya por los aires.

"Algo no cuadra aquí", murmuré en voz baja por la radio del escuadrón a los demás.

"¿Un caballo regalado?" Ace preguntó. Pero estábamos atrapados en un juego de gato y ratón con un par de gatos muy grandes.

El motor del Huey empezó a chisporrotear y a toser de nuevo cuando High Rider se inclinó a la izquierda y nos puso en la cubierta sobre la US I-15 Sur. Volábamos lo suficientemente bajo como para que nuestras señales de radar probablemente se confundieran con la fila de coches y camiones que circulaban a toda velocidad por la autopista. Pero incluso cuando pasamos por encima del puesto de control fronterizo de EE.UU., supe que seguíamos dentro de Arizona. Entonces divisé las luces y los tejados de Nogales. Por fin habíamos salido del espacio aéreo estadounidense. Aun así, era demasiado pronto para celebrarlo, ya que miré detrás de nosotros y vi que los dos F-16 reaparecían a mayor altitud, aparentemente siguiéndonos. Pero cuando no dispararon ni se acercaron más, le dije a High Rider: "¿No te parece raro?".

"Tal vez venir a baja altura sobre la ciudad y todo ese tráfico por debajo de nosotros ayuda". Comentó mientras disminuía las revoluciones para reducir la velocidad y el penacho de gases de escape.

"O quizá los mexicanos no les dejarían", sugirió Ace. "Piensa en todo el trabajo que tendrían sustituyendo a esos tres capos de la droga. Todas esas solicitudes que revisar".

Resoplé. "Tienen pistoleros haciendo cola para esos trabajos".

"O tal vez nos quieren para ellos", contraatacó Ace.

Seguimos volando bajo sobre la ciudad y luego a lo largo de su continuación como carretera federal mexicana 15, una de las carreteras más largas de su sistema. Fue entonces cuando por fin vi a los F-16 despegarse al sur de Nogales y regresar a El Norte. No había jets de la Fuerza Aérea Mexicana para tomar su lugar, así que High Rider aceleró y cojeó el Huey otras veinte millas antes de decir: "Fantasma, esta cosa está casi harta. La temperatura del motor ha bajado y el aceite se está agotando. Es hora de abandonar el Huey".

Asentí mientras escudriñábamos el paisaje en busca de un lugar adecuado para esconderlo. "Quizá un cañón o un pequeño valle alejado de la autopista. Pero será mejor que les digas a esos dos payasos colgados de los patines que salten antes de que toquemos tierra. Esta cosa los aplastará".

No todo sería malo si eso ocurriera, pensé, pero observé cómo High Rider guiaba el Huey hacia una zona de colinas escarpadas en el lado oeste de la autopista, buscando un barranco para dejar el decrépito helicóptero de una vez por todas.

"¡Preparaos para saltar!" grité a Bodine, Paco Gutiérrez y los demás. Ninguno de los dos parecía contento con la perspectiva de saltar a la zanja rocosa, así que añadí: "Cuando lleguemos lo bastante bajo, dejaos caer y apartaos o vais a quedar aplastados bajo esta cosa".

Finalmente, parecieron escuchar, aunque no me importaba si lo hacían o no.

El barranco que High Rider encontró era lo mejor que podíamos esperar, dada nuestra situación. Las colinas cubiertas de matorrales y los cactus que lo rodeaban nos sirvieron de cobertura mientras él se cernía para dejarnos bajar y despejarnos. Ace cogió la bolsa de lona y el maletín mientras yo ayudaba a José Ortega y dejaba que Bodine y Gutiérrez se alejaran a trompicones mientras High Rider la dejaba bastante plana sobre el suelo rocoso. Mientras Ace sacaba su Glock y los vigilaba, me apresuré a bajar al barranco para ayudar a High Rider a apagar el Huey muerto.

"¿Podemos esconder el helicóptero ahí abajo?". pregunté, echando un vistazo a la escasa vegetación y la poca cobertura.

"No lo parece", respondió High Rider. "Tampoco podemos quemarlo. Habría demasiado humo y llamaría la atención. Nuestra mejor opción es inutilizar el motor y dejarlo inservible".

Asentí con la cabeza, saqué mi cuchillo táctico de 9 pulgadas y empecé a cortar mangueras y cables eléctricos e hidráulicos alrededor del motor y la transmisión, dejando que los fluidos se drenaran. High Rider se unió a mí en la destrucción, utilizando una gran roca para romper las piezas pequeñas con una mirada de sombría determinación. No era bonito, pero mantendría al Huey aquí hasta que llegaran los carroñeros y recogieran lo que quedaba de sus huesos.

Cuando volvimos a subir hasta donde estaban sentados los demás, Ace ya se había quitado su equipo ninja negro y nos había tendido nuestra ropa normal. Me puse unos vaqueros y una camisa de franela, me metí la Sig-Sauer en la cintura y rebusqué en el fondo de la bolsa aquel machete viejo, rayado y astillado con cinta aislante negra por mango. A José se le iluminaron los ojos, pero no dijo nada.

"¿Reconoces esto, José? Estás aquí para ayudarme a recuperar a mi mujer. Y punto. Si lo haces, puede que recuperes tu machete. Si no lo haces, lo usaré para cortarte en pedacitos. Pero vosotros dos -dije, volviendo mi ira hacia Bodine y Gutiérrez-, no me servís ninguno de los dos. Si no hubierais subido a bordo, ahora estaríamos a medio camino de Hermosillo. Así que no creáis que no os soltaría a los dos aquí y ahora".

"Espere un momento", protestó Bodine, tratando claramente de salvar su pellejo. "Sólo me llevé a tu mujer y a tu hijo porque Ortega me pagó para hacerlo. Fuimos puramente profesionales. No me meto así con las mujeres. Fue esa maldita Consuela la que causó todos los problemas y nos la arrebató".

"¿Por qué?" pregunté.

"Simple, Gringo", lanzó José sus dos centavos. "Bodine sabe como yo, y Gutiérrez también, que es Consuela la que agarró a tu mujer. ¿Verdad?" Los otros dos asintieron rápidamente. "Y aunque fue Consuela la que dio las órdenes de matar a sus moteros allá en Carolina del Norte, fueron sus dos pistoleros, Pierre y Jennifer, los que apretaron los gatillos. A ellos es a quienes Bodine quiere muertos, y tú también deberías".

"De acuerdo", concedí, no queriendo perder el tiempo discutiendo. "Pero no os metáis en mi camino. Ninguno de vosotros, ¿entendido? Ahora vámonos", dije mientras guardaba el machete en una vaina de lona con dos correas y me la echaba a la espalda.

Atravesamos el desierto en dirección a la autopista, con un grupo que parecía sacado de una mala película del oeste. "Estad atentos", advertí a Ace y a High Rider mientras llevábamos las armas ocultas bajo la camisa pero fácilmente accesibles, con el aspecto de un grupo de matones a los que habían echado de un bar por iniciar demasiadas peleas.

"¿Crees que podemos hacer autostop hasta Culiacán?" bromeó Ace.

"¿Seis hombres anglosajones que se parecen a nosotros en una carretera abierta? Eso no va a funcionar, Bubba", respondí con una pequeña sonrisa. "Pero si conseguimos llegar a un pueblo, tenemos dinero de sobra para comprar un coche o un pequeño camión. Aquí abajo todo está en venta, ya lo sabes".

Llegamos al borde de la carretera, con la cara empapada de sudor y la ropa empapada de sudor por el sol agobiante. Nos esforzamos por no parecer amenazadores, sacando los pulgares cada vez que pasaba un coche, una camioneta o incluso un camión. Los conductores nos echaban un vistazo, se apartaban y aceleraban sin mirarnos un segundo.

"Vamos, alguien tiene que apiadarse de nosotros", murmuró High Rider en voz baja, mientras sus ojos oteaban el horizonte.

Justo cuando iba a sugerir que empezáramos a caminar hacia el sur, divisé dos camionetas que bajaban por la carretera. Se hicieron a un lado, se acercaron lentamente y se detuvieron. Salieron cinco hombres, sin incluir a los conductores, y formaron una fila delante de los coches. Su líder se adelantó por fin, un mexicano bajito y engreído que vestía vaqueros azules, botas vaqueras, sombrero vaquero blanco y gafas de sol oscuras de aviador. Un palillo bailaba entre sus dientes y un revólver cromado colgaba de su mano junto a su pierna mientras nos miraba a nosotros, la bolsa de viaje y el maletín.

"Bueno, bueno, ¿qué es esto? Parece que tenemos gringos con un problema, tío", dijo con una amplia sonrisa falsa, mirándonos de arriba abajo. "Pero ahora tenéis un montón de problemas", añadió mientras hacía una señal a sus hombres, que levantaron más pistolas y rifles, apuntándonos directamente.

"Tranquilo", le dije mientras me ponía las manos en la cintura en un gesto apaciguador. "Sólo buscamos que nos lleven, compadre. Sin problemas".

"Bueno, problemas es lo que tienes, amigo", se mofó el líder. "Tú y tus amigos vais a tener que hacer algo realmente convincente si queréis salir de esta, y podemos empezar con lo que tengáis en esa bolsa, en ese maletín y en vuestros bolsillos".

Me volví y miré a José Ortega y Paco Gutiérrez, pensando que quizá podrían convencer a estos pistoleros vaqueros de que no hicieran algo estúpido de lo que se iban a arrepentir. Por desgracia, mis dos jefes de los cárteles de la droga mexicanos pertenecían a los cárteles equivocados y, obviamente, no tenían ninguna influencia sobre estos tipos.

Miré a Ace y a High Rider, observando sus ojos entre nuestros captores y entre ellos. Sabía que estaban preparados para reaccionar si las cosas se ponían feas.

"Mira", empecé, intentando mantener la voz firme. "No venimos a causarle problemas a nadie. Sólo necesitamos que nos lleven a Culiacán, o al menos a Hermosillo, eso es todo, y podemos pagarles por las molestias."

El líder pareció considerar mi oferta un momento antes de responder. "Oh, nos vas a pagar bien, gringo. Ahora tira esas bolsas aquí y vacía tus bolsillos".

"¿Insignias? No necesitamos apestosas insignias", oí decir a Ace mientras me miraba y se reía. "Creo que ya hemos visto esta película. Cuando quieras".

CAPÍTULO CINCUENTA Y DOS

Estado de Sonora, México

El sol de la mañana enviaba las primeras olas de calor que se reflejaban en la carretera mientras yo estaba en el arcén, intercambiando miradas machistas con el jefe de la banda mexicana. Los demás parecían más viejos y desaliñados, probablemente por los años que llevaban haciendo largas horas de trabajo manual en las granjas locales, pero él obtuvo la designación de Jefe de su banda de siete hombres por ser más joven, más agresivo y más estúpido que los demás. Aun así, no parecía tener más de veinte años. Lástima, pensé; el chico estaba destinado a una breve carrera.

Gotas de sudor resbalaban por mi frente mientras se mofaba de Ace y escupía sus palabras como veneno. "¿Qué me dices, gringo? ¿Qué quieres decir con placas?" Frunció el ceño y levantó aquel gran revólver cromado. "¿Crees que te burlas de mí? Te vas a arrepentir".

Dio un paso adelante, con la intención de encararse con Ace, pero lo único que consiguió fue colocarse entre nosotros y sus pistoleros. Llevaban una mezcla de rifles de caza, dos pistolas más y una escopeta, la mayoría apuntando al suelo, pero él estaba ahora en su línea de tiro si lo intentaban. También sonreían de oreja a oreja, siguiendo el ejemplo de su joven jefe. Pero por la forma en que manejaban sus armas, ninguno de los miembros de aquel grupo tenía ni idea de lo que estaban haciendo.

Hoy en día, la estupidez no es ni bonita ni divertida. Tiene consecuencias, y yo no tenía tiempo ni ganas de perder el tiempo con esos tipos. Teníamos sitios a los que ir y cosas que hacer, pero hasta el aficionado más tonto puede tener suerte y hacer que te maten. Por lo tanto, tenía la intención de terminar esto rápidamente. Cualquier simpatía que tuviera por este chico o sus antecedentes se había desvanecido cuando salió su pistola. Normalmente, una sorpresa rápida y violenta era la mejor manera de hacerlo. Citando al General Nathan Bedford Forrest, quieres "Llegar el primero con la mayoría". Siempre es un buen consejo.

Estos hombres pensaron que habían encontrado un golpe fácil esta mañana, y rápidamente les arruiné el día. Tengo manos rápidas y movimientos de apariencia perezosa pero engañosamente rápidos. Mi navaja multiusos de nueve pulgadas apareció de repente en mi mano derecha, siempre afilada como una cuchilla. Con un movimiento rápido, la blandí hacia atrás y apareció en el centro del pecho de su líder, enterrada hasta la empuñadura. Sus ojos se abrieron de par en par al mirar hacia abajo y ver lo que acababa de ocurrir. Aquella pesada pistola cromada de la que estaba tan orgulloso repiqueteó en la grava del arcén de la carretera, y los dedos se le fueron al pecho. Y para agravar sus problemas, no sólo se interponía entre ellos y nosotros, sino que su tripulación cometió el grave error de apartar la vista de Ace y de mí para mirarle a él, con los ojos muy abiertos y atónitos.

Estábamos en suelo extranjero enfrentándonos a seis bandidos armados con "alevosía de intenciones", como se conocía al sargento Klein. Ace y yo teníamos años de experiencia tratando con payasos mucho mejor preparados que ellos, y no había nada que él y yo tuviéramos que señalar o hablar. Después de lanzar el cuchillo, seguí girando, saqué mi Sig Sauer de la cintura trasera, apunté y disparé al tipo que sostenía la escopeta.

Con su alcance, esa escopeta era nuestra peor amenaza. El tipo que la sujetaba debió de cerrar los dedos en torno al gatillo, porque la escopeta se disparó. Sus furiosos perdigones del calibre 20 hicieron un agujero en la grava en vez de a nosotros y salpicaron a sus amigos, distrayéndolos aún más. Entonces, él y la escopeta cayeron de espaldas, muertos, y dejaron de ser una amenaza para nadie. Al mismo tiempo, Ace dejó caer al más peligroso de los dos hombres con un rifle en la mano.

"Tres menos y faltan dos, más los conductores", murmuré en voz baja, sintiendo la descarga de adrenalina correr por mis venas. Arranqué el machete de su funda a la espalda y cargué contra los dos restantes armados, agitando el machete sobre mi cabeza y gritándoles como un loco. Eso fue más que suficiente para detener cualquier derramamiento de sangre. Soltaron las armas, se dieron la vuelta y echaron a correr por la carretera hacia Nogales tan rápido como les permitían sus pies, lo cual me pareció bien.

Ace se inclinó hacia delante, con las manos en las rodillas, y no pudo parar de reír. High Rider tampoco necesitó instrucciones. Corrió hacia la primera camioneta y metió su Glock por la ventanilla abierta en la cara del conductor. Enseguida levantó las manos tan rápido que hizo dos abolladuras en el techo. El conductor de la segunda camioneta no esperó a que las cosas llegaran tan lejos. Saltó de la cabina e intentó alcanzar a los demás que corrían carretera arriba.

"Buen trabajo, High Rider", dije, mientras nos reagrupábamos rápidamente. "Envíalo a él también", le dije, y me hizo un gesto para que el conductor se uniera a los demás, cosa que hizo. Luego hice que John eligiera el peor de los dos camiones. Volviéndome hacia nuestros tres prisioneros, Ortega, Gutiérrez y Bodine. "Tirad esos cuerpos a la cama trasera", les ladré, señalando hacia la camioneta. El sol estaba subiendo y no tenía ni idea de quién podría ser el siguiente en venir a por nosotros.

Ortega murmuró algo en voz baja, obviamente disgustado con la tarea que tenía entre manos, pero no se atrevió a desafiarme después de la exhibición que acabábamos de hacer. Vieron de lo que éramos capaces Ace y yo, y los tres se acercaron a toda prisa, cogieron los cuerpos sin vida por los brazos y las piernas y los metieron en la parte trasera del camión. Ace se acercó con uno de los sombreros blancos de vaquero de los bandidos en la cabeza y la gorra de los Redskins relegada a la cintura. Me pasó uno de los otros y dijo: "Nuestro nuevo look, ¿qué te parece, Fantasma?".

"Tengo que admitir que eres tú", me reí, viendo cómo Ortega y Gutiérrez forcejeaban con el cadáver del jefe. Ace los interceptó, señalando el palillo que aún colgaba de los labios del muerto. "¿Veis de lo que os acabamos de salvar? El Jefe Junior estaba probándose para vuestros puestos. Tenía la fanfarronería adecuada, pero le faltaba cerebro y ejecución".

Saqué el cuchillo del pecho del chico, le limpié la hoja en la camisa y me puse las gafas de sol y el sombrero blanco de vaquero. Ace asintió y dijo: "No hay duda. Ese eres tú, hijo".

Dejé a Ace supervisando a nuestros tres prisioneros. Con los tres cadáveres en la caja del camión, subí a la cabina con High Rider y le dije que volviera al barranco, donde había dejado el Huey muerto. No tardé mucho. El barranco se extendía bajo nosotros, con el helicóptero destrozado en el fondo, justo debajo del borde.

"Muy bien, High Rider, tú eres mi experto en geometría y trayectoria", dije. "Si apuntamos bien este camión y ponemos una piedra en el acelerador, ¿crees que podemos enviarlo volando por el borde y aterrizar encima del Huey?".

Los ojos de High Rider recorrieron la zona, frunciendo el ceño mientras se concentraba. Alineó el camión, se bajó y se frotó nerviosamente las perneras del pantalón con las palmas de las manos. "Menos mal que tiene transmisión automática", dijo. "Si fuera de marchas, ni hablar".

"Aun así", advertí, "cuando lo pongas en marcha, será mejor que salgas de ahí rápido".

"Sí", estuvo de acuerdo. "Eres rápido, Fantasma, pero yo no soy precisamente lento". Con eso, metió la mano dentro del camión, lo puso en punto muerto y pisó el acelerador con los dedos para hacer rugir el motor. Luego cogió una piedra muy grande y la puso en equilibrio junto al acelerador. Agarró la palanca de cambios con la otra mano y, con un movimiento rápido y coordinado, soltó la piedra, metió la palanca automática en marcha y salió de la cabina hacia atrás.

El motor del camión rugió y salió disparado hacia el barranco. Se precipitó por el borde y se estrelló sobre la carcasa del viejo Huey con un crujido satisfactorio. High Rider se puso en pie, con los ojos muy abiertos y una sonrisa de oreja a oreja mientras se sacudía el polvo del asiento de los pantalones.

"Casi te pasas con él, ¿verdad?". Me reí entre dientes. "¡Pero usted es un mago, señor!"

"Ah, pan comido, Fantasma", respondió rápidamente cuando vimos el primer parpadeo de las llamas bajo el camión. Sabíamos que crecerían y consumirían rápidamente ambas máquinas. Yo no quería las llamas, ni el humo, ni la atención que inevitablemente atraerían, pero en el campo, para entonces ya nos habríamos ido. El lado positivo era que el fuego dejaría el helicóptero irreconocible. Nadie sabría quiénes eran los cuerpos durante días, posiblemente pensando que éramos nosotros, u Ortega, Bodine y Gutiérrez. Los pistoleros que huyeron lo sabrían, pero no hablarían, ni tampoco sus compatriotas de Nogales. Y sin ADN con el que contrastar sus restos, el gobierno nunca lo resolvería todo.

"Vámonos de aquí", le dije a High Rider. Corrimos de vuelta al otro camión y le dije a Ace que viajara atrás con Ortega, Gutiérrez y Bodine. "No intentarán nada contigo ahí sentado vigilándolos".

"Estaría bien que lo hicieran", sonrió, con un brillo travieso en los ojos. Pero no lo hicieron. Los tres se acurrucaron en la parte trasera del camión, lo más lejos posible de él.

"Tiraré la bolsa con las armas y el maletín aquí detrás del asiento delantero y que High Rider conduzca mientras yo navego".

"Entendido", dijo Ace, mientras saltaba por encima de la pared lateral del camión y se acomodaba con la espalda contra la pared trasera de la cabina.

Nos alejamos a toda velocidad por la Ruta 15 hacia el sur, rumbo a Hermosillo y Culiacán. Sabía que estaban muy lejos, así que saqué el móvil y encendí Google Maps. Me pareció que tardaríamos unas dos horas y media sólo en llegar a Hermosillo, incluso conduciendo rápido, pero el siguiente tramo hasta Culiacán requeriría otras siete horas. El tiempo no estaba de nuestro lado y diez horas se nos hacían imposiblemente largas. Aun así, no veía muchas más opciones.

Fue entonces cuando sentí el zumbido vibrante de una llamada entrante. Pulsé el logotipo verde del teléfono y vi un solo nombre: "Jacobson". Eso era todo lo que necesitaba. "Señor..." Empecé, pero él me cortó rápidamente, como solía hacer.

"¿En qué código de área estás?", preguntó. "No reconozco este".

"Yo tampoco lo sé, señor, no tengo ni idea". Miré a High Rider, que se encogió de hombros.

"No lo creía", continuó Jacobson. "Bueno, mi fuente me dice que hiciste lo que pensaba que ibas a hacer esta mañana, pero con algunos resultados mixtos".

"Sí, señor."

"¿Dice que 'sacaste' a tu objetivo, pero que otros tres decidieron colarse en tu fiesta y también vinieron de paseo?".

"Entendido", respondí. "Pero todos salimos de allí de una pieza y no hubo ningún muerto en combate local, salvo un guardia corrupto".

"Yo también lo he oído", responde Jacobson. "Pero después de 'una agonizante reevaluación', mi contacto y sus supervisores han analizado la situación y han hecho saber que el suceso de esta mañana fue 'un ejercicio de entrenamiento de preparación no anunciado', con una baja accidental. Me parece que necesitaban las dos cosas, y a la larga les has hecho un gran favor".

"Por cierto, señor, también nos topamos con un 'ejercicio de entrenamiento de preparación' del NORAD mientras cruzábamos la frontera y tuve una reacción realmente extraña por parte de un piloto de F-16", le dije, recordando los educados saludos que intercambiamos ese piloto y yo.

"Sí, eso podría haber sido un problema", dijo, "pero llegué a ellos justo a tiempo después de que se bloquearan. ¿Qué demonios estabas volando, de todos modos? No sonaba como ningún equipo del gobierno del que haya oído hablar".

"Definitivamente no lo era", respondí. "Era un oldie but a goodie de 'back in the day', muy atrás en el tiempo, pero resultó ser una compra privada de muy baja calidad a un vendedor extranjero".

"¡Demonios, nuestra propia gente en DC hace eso todos los días!"

"Era un antiguo avión estadounidense desguazado que puede datar de su primera guerra".

"Ah, ahora todo tiene sentido", reflexionó Jacobson. "¿En qué estás ahora?"

"Estamos todos apiñados en una pequeña camioneta Toyota blanca que se dirige al sur por la I-15", le dije, "y al menos a diez horas de nuestro objetivo. Pero si por casualidad tienes..."

"¿Dónde? Dame un nombre de lugar", interrumpió.

"Espera uno", contesté rápidamente mientras echaba un vistazo a Google Maps y buscaba aeropuertos en el Estado de Sonora. "Tengo un lugar", le dije. "Hay un pequeño pueblo en medio de unas grandes granjas llamado Tasicuri, y tiene una pista de aterrizaje, a una milla al norte de la I-15 mexicana".

"Entendido. Puedo hacer que un Uber te recoja en treinta minutos. ¿Puedes hacerlo?"

"¡Entendido! Y muchas gracias".

"Esperemos que puedan encontrarte. Debe haber un millón de Toyotas blancos en México. Pero espera uno. Esos dos 'huéspedes no invitados' que vinieron contigo, ¿quieres que envíe a algunos diputados para que los devuelvan a Tucson? Eso podría ayudar mucho a aplacar a ciertas partes de allí".

"Me parece una idea excelente, señor, y además resolverá algunos otros problemas, como vigilarlos. Incluso te enviaré una captura de pantalla de sus caras de enfado cuando les pongas las esposas, para que puedas enviársela por SMS a tu amigo".

Le oí reír, pero antes de que pudiera añadir nada más, el general había colgado.

El gran reloj digital de la oficina del Comandante General en el último piso del Cuartel General del JSOC en Fort Bragg tenía cinco juegos de números rojos brillantes. Estaban etiquetados como "XI Jinping", "Putin", "Príncipe Harry", "Hollywood" y "DC", todas ellas personas y lugares que menos le gustaban. Fort Bragg tenía la misma hora que Washington y marcaba las 1207. Pasaban siete minutos de su hora de comer, que era el otro número que le importaba. Los camareros de la mesa de la esquina del general en el comedor de oficiales, cuatro pisos más abajo, ya estarían echando un vistazo a sus relojes, preguntándose qué le había pasado. ¿Se había declarado la guerra? ¿Nadie les había informado? Era la única razón que se les ocurría para que llegara tarde. Hasta su estómago le decía que sí, pero había estado ocupado.

El general Jacobson colgó el móvil y se volvió hacia su jefe de Planes y Operaciones, el coronel Bill Jeffers. "No sé cómo demonios lo hace, Bill. ¿Y tú?" preguntó Jacobson, con algo más que una pizca de admiración en su voz.

"No, señor", respondió Bill, sacudiendo la cabeza. "Nunca lo he hecho, pero lleva haciéndolo desde que salió de la Academia y es una bola de demolición de un solo hombre".

"Concedido, y el Fantasma es demasiado condenadamente valioso como para no apoyarlo cuando lo necesita", dijo Jacobson, con los ojos llenos de determinación. "No sé cómo demonios el Ejército dejó ir a ese chico, no con su historial y pedigrí".

"Yo tampoco", replicó Bill, reflejando la resolución del general, "pero hay momentos como éste en que puede ser condenadamente útil en el exterior".

"Eso es porque él no tiene que soportar toda la BS y mala Intel como nosotros. Ponme con el comandante del batallón de esa unidad de aviación en Fort Huachuca. Ghost necesita un Uber para llegar a Culiacán, y el tiempo corre. Shiela Fitzsimmons tendrá mi trasero en un asador si algo le pasa a esa esposa suya".

"Buena decisión, señor", asintió Jeffers. "Cada minuto cuenta en una situación como esta".

"Por supuesto", Jacobson estuvo de acuerdo. "Y ponme con el NORAD y el embajador mexicano. Presiento que otra 'operación de entrenamiento conjunto de ayuda mutua' está en su futuro muy cercano".

"Entendido, señor", sonrió Jeffers. El rango es poder y tres estrellas son como una bomba nuclear.

CAPÍTULO CINCUENTA Y TRES

Culiacán

Era de madrugada cuando Pierre subió con confianza la escalera central, recorrió el largo pasillo alfombrado y llamó con firmeza a la puerta del dormitorio de Consuela, haciendo todo el ruido que pudo. La moqueta era gruesa, pero después de tantos años, sabía cómo hacer el ruido adecuado cuando lo necesitaba. Le pareció oír algo dentro, tal vez incluso una respuesta, pero lo ignoró.

Una sonrisa socarrona cruzó sus labios al darse cuenta de que Consuela probablemente seguía entreteniendo a aquel joven oficial de la guarnición del ejército de al lado, o tal vez era la hora de descanso del jardinero, o el hombre de la lavandería china de la calle de arriba había hecho una entrega. Por lo que él sabía, podía ser cualquiera de esas cosas o una nueva. Pero para cerciorarse de sus sospechas, llamó una vez más, esta vez con más fuerza, antes de girar el pomo y abrir la puerta unos treinta centímetros, lo suficiente para ser grosero sin poder ver realmente lo que ocurría dentro.

"¿Señora?", gritó con voz firme, haciendo todo lo posible por reprimir su diversión por la situación.

"¿Qué quieres?" le espetó Consuela, su irritación evidente en su voz airada. "¿No ves que estoy ocupada?"

Pierre permaneció de pie en el pasillo, justo fuera de la habitación, balanceándose sobre sus talones, fingiendo inocencia. "Bueno, tal vez 'ocupado', pero yo no lo llamaría exactamente 'ocupado'. Y le aseguro que no *VEO* nada, Madame".

"¡Qué desgracia para ti! Podrías aprender algo, Pierre", replicó ella, con un tono cargado de sarcasmo. "Ahora, dime lo que quieres y déjame en paz".

Hizo una pausa para crear un efecto dramático, sabiendo muy bien que lo que estaba a punto de decir captaría su atención. "Parece que ha habido cierta actividad en Tucson", empezó Pierre, oyendo de repente cuerpos moverse dentro de la habitación. "Mis fuentes me informan de que un helicóptero sin matrícula aterrizó dentro de la valla de la penitenciaría esta mañana al amanecer y se marchó con José, Paco Gutiérrez y Angus Bodine colgando debajo de él con una figura enmascarada que iba vestida de negro".

Cuando las palabras salieron de sus labios, Pierre sintió que la mente de Consuela se aceleraba, procesando las implicaciones de la noticia. Casi pudo oír el silencio que siguió, pesado y cargado de tensión.

La puerta de su habitación se abrió de golpe y Consuela se encontró frente a él a la luz del pasillo. Estaba completamente desnuda y las maravillosas curvas de su cuerpo brillaban de sudor mientras encendía un cigarrillo.

"¿Y?", preguntó enfadada.

"Y escaparon, Madame", respondió él, con el rostro de piedra mientras miraba a su lado, fingiendo no darse cuenta. "Hubo una ráfaga de disparos de los guardias, pero el helicóptero despegó, superó la valla, a duras penas, y desapareció en el desierto hacia el sur".

Ella le miró fijamente. "¿José? ¿Dices que se ha escapado?", preguntó por fin, con la voz apenas por encima de un susurro. "¿Con Gutiérrez y Bodine?"

"Efectivamente", respondió Pierre, con tono serio. "Dicen que era un helicóptero americano, pero uno viejo que voló desde México. Los hombres que iban dentro también iban vestidos de negro. Nadie reconoció a ninguno de ellos y nadie les oyó hablar. ¿Quizá era el cártel de Tijuana de Gutiérrez? ¿O los moteros de Bodine? ¿O los Zetas?"

"¿O tal vez fue una bandada de ninjas japoneses que volaron desde Hollywood?". espetó Consuela, claramente no divertida por los intentos de humor de Pierre. "¿Y Joaquín Rodríguez? También está ahí dentro. ¿No se fue con ellos?"

"Aparentemente no, Madame. Me dijeron que él también estaba allí, pero mis fuentes no pudieron saber si se subió o se cayó. En cualquier caso, no superó la valla en ese helicóptero".

"¿Un importante jefe de cártel? No pareces saber mucho, Pierre, ¿verdad?"

"Hay otras fuentes que dicen que los hombres del helicóptero eran amigos que se rumora que José tiene aquí, dentro de Sinaloa, dentro del mismo Culiacán, Madame", sugirió, tratando de mantener una conducta seria. "Por otra parte, pudo haber sido el gringo Burke. Estaban enmascarados y me temo que no hay forma de saberlo hasta que los atrapen".

Pierre no pudo evitar una leve sonrisa al imaginar los engranajes que giraban en su cabeza después de que él interrumpiera su sesión de sexo. Sabía que estaba calculando sus próximos movimientos y sopesando sus opciones. Eso era lo que más admiraba de ella, su capacidad para ir varios pasos por delante y superar a sus enemigos. Lástima que él fuera el más listo de los dos y estuviera siempre varios pasos por delante de ella. Este trabajo era cómodo, ciertamente más cómodo que trabajar con sus propios compatriotas en Marsella, y el dinero era muy bueno para los golpes ocasionales que él y Jennifer realizaban para ella. Sin embargo, ella se estaba volviendo descuidada, y un día, todo esto llegaría a su fin. Ella tenía sus planes y él los suyos.

"Malditos sean", murmuró, dando otra calada a su cigarrillo. "No me importa especialmente ese cerdo, Bodine, pero si José está libre y trabajando con Gutiérrez en el exterior, eso lo cambia todo".

Pierre sabía que no debía dar consejos no solicitados, pero no pudo evitarlo.

"Muy cierto, Madame. Su alianza podría amenazar su posición en el cártel".

Consuela le lanzó una mirada que podría haber derretido el acero. "Soy muy consciente de lo que está en juego, Pierre", espetó. El humo del cigarrillo le envolvió la cara mientras miraba fijamente a Pierre, con los ojos entrecerrados y calculadores. "Pierre, podrías haberme llamado por teléfono y contarme estas cosas, en lugar de llamar a mi puerta e interrumpirme", dijo acusadora.

"Bueno, quería estar seguro de que había entendido mis palabras, Madame", respondió con frialdad, con una sonrisa en los labios.

"No, creo que disfrutas interrumpiendo mis pequeños placeres con otros hombres", dijo ella, sus palabras teñidas de veneno. "Siempre podrías disfrutarlos tú, lo sabes, pero no. Eres tú quien elige no hacerlo".

"Oh, eso sería muy imprudente, Madame", replicó Pierre, ocultando cualquier atisbo de vulnerabilidad tras su suave fachada.

"¿De verdad? ¿De quién tienes miedo? ¿De Jennifer? ¿Por qué no dejas que yo me ocupe de ella?", dijo Consuela con su propia sonrisa y un tono cargado de falsa dulzura. "¿No? Entonces déjame en paz. Tengo que pensar".

"Por supuesto, Madame, por supuesto, piense", asintió Pierre al oír que alguien más se movía en la cama. Cerró la puerta en silencio, dejando que Consuela pensara o hiciera lo que quisiera. Volvió por el pasillo con el mismo paso mesurado y la misma sonrisa de satisfacción que antes.

Al otro lado del pasillo, Linda se había levantado de la cama en cuanto oyó a Pierre caminar por el pasillo la primera vez. Ya conocía el sonido de los pasos de todo el mundo y reconoció inmediatamente los suyos. Pegó la oreja a la puerta, tratando de oír lo más posible de su conversación. Eddie jugaba tranquilamente en un rincón y, al oír los pasos de Pierre, se acercó corriendo y saltó sobre ella, golpeándose la cabeza contra la puerta.

"Calla", susurró Linda, esperando que Pierre no hubiera oído el ruido, pero un escalofrío le recorrió la espalda. Si entendía lo que habían dicho, su marido se había escapado con otros de la prisión de Tucson. Ninguno de los dos parecía saber qué pensar, pero ella sí. Su marido estaba de camino, el Fantasma estaba de camino, como ella sabía que estaría. Advirtió a los motoristas en el centro comercial de Fayetteville de que no sabían en qué lío se habían metido.

No le hicieron caso, y eso que fue él quien la liberó de aquella granja. Pero esta vez venía. La confirmación de Pierre a Consuela era todo lo que necesitaba. Ahora estaba en el aire. Podía sentirlo bajo sus pies, como los primeros débiles temblores de un terremoto. Si fuera una buena persona, podría advertir a esta gente también, pero esos días habían pasado. Como dijo antes, no tenían ni idea.

Pero en cuanto a su relación: Consuela, Pierre y Jennifer, incluso antes de la llegada de Bob, estaban jugando con dinamita. Las únicas preguntas eran, ¿quién era más peligroso y cómo podría usar ese conocimiento contra ellos?

Cuando llegó a las escaleras y bajó alegremente, Pierre volvió a sonreír. Oyó el ruido dentro de la habitación de la mujer Burke y supo que estaba escuchando. ¿Qué interesante? ¿Tres mujeres bajo el mismo techo? Eso nunca acaba muy bien.

CAPÍTULO CINCUENTA Y CUATRO

Tasicuri, México

Si quieres saber de dónde vienen tus tomates, chiles y mangos, es de todas esas docenas y docenas de exuberantes campos e invernaderos bellamente irrigados que bordean los valles de los ríos en el centro y oeste de México, rodeados por todo ese horrible desierto seco como un hueso, rocoso y beige. Cuando salimos de la carretera mexicana I-15 en el pueblecito de Tasicuri, nos vimos rodeados de campos de hortalizas, trigo, caña de azúcar, plátanos, agave y café que se extendían hasta donde alcanzaba la vista. El lugar apestaba a gran agroindustria mecanizada. Dudaba que hubiera más de cien personas viviendo en lo que era literalmente un amplio punto en la carretera, pero estaba limpio, bien cuidado y era próspero.

Encontré fácilmente el aeropuerto en una búsqueda en el mapa de Google. El símbolo se situaba justo al norte de la ciudad, y así era. ¿Pero un aeropuerto? Una pista de aterrizaje o una autopista abandonada eran descripciones más precisas, e incluso eso era una exageración. Era una única franja de hormigón que discurría tan recta y llana como una carretera comarcal de Iowa a lo largo de unos tres cuartos de milla.

Algún cartógrafo cómico la etiquetó como pista de aterrizaje para poder llamarla aeropuerto. Aparte de los últimos desconchones de pintura que antaño marcaban sus dos extremos, lo único que diferenciaba aquella franja de hormigón muy desgastado de cualquier carretera secundaria del Iowa rural eran una pequeña cabaña sin personal con un letrero que ponía "Oficina", un retrete de un solo agujero situado a su lado, una manga de viento roja que ondeaba en un poste junto a ella y un pequeño cartel que decía "Aeroporto". Sin duda era otro de esos lugares donde la gente no hacía preguntas y se metía en sus asuntos, sobre todo cuando se trataba de avionetas y helicópteros pintados de negro.

"¿Estamos en el lugar correcto, Fantasma? Se parece al aeropuerto internacional de Jackass Flats, en Texas", murmuró High Rider desde el asiento del conductor, haciéndose eco exactamente de mis sentimientos.

Aparqué a la sombra de la "torre" y nos sentamos a esperar algo, o quizá nada. Cinco minutos más tarde, vimos aparecer tres puntos en el cielo, al fondo del valle. Aumentaron de tamaño y se transformaron en dos Black Hawk y un helicóptero de ataque Apache AH-64D Longbow, que descendían por el valle desde el norte. Los dos Black Hawk rodearon la oficina y aterrizaron junto a nosotros con precisión militar sincronizada. El Apache avanzó por la pista, dio la vuelta y aterrizó a doscientos metros de distancia con sus miniarmas, cañones y cohetes aéreos apuntándonos.

"Parece que ha llegado nuestro Uber", dijo High Rider. Uno de los Black Hawks y el Apache tenían marcas del Ejército de EE.UU. del 2nd Batallón del 13th Regimiento de Aviación en Fort Huachuca, donde tomamos prestados los helicópteros para volar a Culiacán siete años antes.

"¿Crees que alguno de ellos nos reconocerá?" Ace me preguntó.

"No, éramos más guapos entonces. Pero podrían reconocer a Ortega".

"Estaba desnudo cuando lo trajimos de vuelta, si mal no recuerdo".

"Sí. Ahora que podrían recordar".

El segundo Black Hawk se había pintado de negro y llevaba marcas mexicanas con un gran logotipo dorado y el nombre de la Policía Federal Ministerial, pintado en grandes letras blancas a cada lado del fuselaje y la cola. La PFM era como nuestro FBI, y sólo los cárteles, mucho mejor armados, se metían con ellos. A diferencia de los dos helicópteros estadounidenses, sobre todo el Apache, llevaba un mini cañón en el morro, pero no cañones, vainas de cohetes ni otro armamento exterior importante.

"Vamos a conocer a nuestros nuevos amigos", le dije a High Rider mientras bajábamos del camión. "Ace, quédate aquí y vigila a nuestros invitados de atrás", dije, refiriéndome a José Ortega, Paco Gutiérrez y Angus Bodine. No me fiaba ni un pelo de ninguno de ellos, y con razón.

Cuando nos acercamos a los dos Black Hawks, las puertas de sus cabinas se abrieron y salieron de ellas una mujer y un hombre vestidos con trajes de vuelo Nomex del ejército estadounidense, gafas de sol de aviador y fundas en los hombros. Por su expresión, ninguno de los dos parecía estar muy seguro de lo que estaban haciendo. No importa, pensé, nosotros tampoco. La mujer llevaba las hojas doradas de comandante del ejército y el hombre, las barras de capitán.

El mayor habló primero: "Nos dijeron...".

High Rider no la dejó terminar. "¿Es el Mayor Cummings? John Carmody, aquí. ¿Y el Capitán Boyle detrás de las gafas de sol? Creo que les di a ambos sus últimos chequeos en Alabama el año pasado".

Eso rompió el hielo que había que romper y los pilotos esbozaron sonrisas amistosas. "Culpable de los cargos", dijo ella. "Me alegro de volver a verle, jefe", añadió, y luego se volvió y me miró. "Y éste debe de ser 'El Fantasma', del que todos hemos oído hablar, sobre todo en los viejos tiempos en la unidad. A decir verdad, no teníamos ni idea de lo que nos íbamos a encontrar aquí abajo, por eso trajimos las 'armas'", dijo, señalando el helicóptero Apache fuertemente armado que había aparcado cerca. "Encantada de conocerles. ¿Cuál es el plan, caballeros?"

"Tenemos que llegar a Culiacán lo más rápido que podamos. Ese es el plan", le dije".

"Entendido. Por eso nos dijeron que te trajéramos el helicóptero del narco mexicano. Ni siquiera estamos seguros de que los federales recuerden que lo dejaron en el Fuerte después de uno de los ejercicios de entrenamiento, así que podrías usarlo. Es un Black Hawk bastante nuevo y debería darte cobertura volando hasta allí". Se dio la vuelta, chasqueó los dedos y cuatro policías militares saltaron de su Black Hawk, llevando una caja de agua, una caja de barritas energéticas y una caja de MREs. "Pensé que necesitaríais combustible para el viaje. Y alguien nos ha dicho que tienes algo de basura para que te la llevemos".

Pensando que era una jugada bastante buena, me volví hacia Ace y chasqueé los dedos. Puso los ojos en blanco, pero ya se acercaba con Bodine y Gutiérrez, empujándolos por detrás. Les había puesto unas esposas flexibles y se agarraban a cada paso que daban. Ortega se había dado cuenta de lo que pasaba y se quedó detrás de Ace.

Hice un gesto con la cabeza a los cuatro policías militares del ejército de EE.UU., que enseguida colocaron las esposas en las muñecas de los dos prisioneros y los condujeron hacia el Black Hawk. Gutiérrez miraba hacia atrás por encima del hombro, charlando airadamente con Ortega, pero no estaba especialmente sorprendido por este giro de los acontecimientos.

Angus Bodine, por su parte, tenía la cara roja y estaba furioso mientras me miraba directamente. "No puedes hacer esto, Burke. Teníamos un trato; ¡teníamos un trato!"

"No tenía ningún trato contigo, Angus, y no quiero uno. No te prometí nada, y nunca hiciste una maldita cosa para ayudarme. Si crees que secuestrar a mi esposa contó, ella te pateará el trasero cuando quede libre. No, no has sido más que un polizón inútil desde el momento en que te subiste al helicóptero, y no veo cómo puedes ayudarme en México. Ni siquiera es tu territorio".

"No, no lo es", le espetó. "¡Pero Carolina del Norte sí que lo es! Tengo gente allí, y tú aún tienes familia. No hemos terminado contigo".

Hice una pausa y sacudí la cabeza. "Angus, no eres la tachuela más afilada del cajón, ¿verdad?"

"¿Qué? ¿Qué me estás llamando?" Volvió a su modo paleto cuando la presión empezó a afectarle.

"Tal y como están las cosas ahora, Angus, Paco y tú vais a volver gratis al norte, cortesía del ejército de los EE.UU. Me han dicho que la Oficina de Prisiones está preparada para devolverte a tu antigua celda en el USP Tucson y cerrar la puerta. Oh, puede que añadan unos años a tu condena por principios generales, pero no veo que eso te importe mucho, ¿verdad? Así que, a menos que presionemos desde nuestro lado, han decidido "no hay daño, no hay falta". No se puede culpar a un tipo por intentarlo cuando un helicóptero aterriza justo a su lado y, en un momento de debilidad, se agarra. ¿No es así de grande, Angus?"

Por la expresión de la cara del paleto tonto, no acababa de atar todos los cabos.

"Pero ahora tengo algo de peso con ellos", continué. "Si vuelves a ponerte estúpido y envías a tu gente de vuelta a Carolina del Norte para irritarme, después de que los mate a todos, haré la llamada y la Oficina de Prisiones enviará tu culo al Super Max de Colorado durante el resto de tu condena. Pregúntale a José qué significa eso. Aislamiento veinticuatro siete 365 en una celda de 6 x 9. Nunca salió. Nunca tuvo que hablar con nadie. Nunca pudo hacer nada. Sin televisión. Ni radio".

Hice una pausa para mirarle a los ojos. "¿Puedes hacer tiempo así, Angus? ¿Durante el resto de tu vida? Es el tiempo más duro que existe. Vuelve loco a un hombre. Si puedes hacerlo, adelante, hazme enojar de nuevo. Pero francamente, creo que te hice un gran favor si todo lo que van a hacer es enviarte de vuelta a Tucson, pero eso puede cambiar en un santiamén."

Bodine me fulminó con la mirada, pero no dijo nada más mientras los policías militares se lo llevaban al helicóptero.

El comandante Cummings le vio marchar y soltó una risita. "Por curiosidad, ¿a dónde vas con ese puesto de tacos Federales voladores?".

"Con suerte, a Culiacán ," respondí cabizbajo. "Tenemos una lucha seria entre manos".

"¿Y tienes al suboficial Carmody en el palo?"

"Entendido", respondí.

"Bueno, él es tan bueno como vienen. Pero te voy a dar mi número de móvil. Si necesitas volar con ese pájaro de vuelta al norte cuando termines, llámame y pensaremos en cómo repostar o en algún tipo de apoyo sin cabrear al NORAD. Si terminas dejando ese pájaro PFM allí, llámame y encontraremos una manera de recuperarlo. Parece que tienes amigos en las altas esferas, así que haremos lo que podamos".

"Suena bien, Mayor."

"Ah, por cierto, si necesitas combustible más adelante, que lo necesitarás, aterriza en cualquier aeropuerto, mira fijamente al personal de tierra y diles que lo llenen. En ese pájaro no te harán preguntas. Reconocen a los Federales PFM cuando los ven. Y cuando termines, sólo garabatea, 'Andrés Manuel López Obrador,' o AMLO en la carga. Él es el Presidente de México. Luego regresa a tu asiento y vuela lejos. Eso hacen los federales y nadie lo cuestiona".

"¿Crees que funcionará con mi camioneta en Carolina del Norte?" Preguntó Ace.

"No hay nada malo en intentarlo", se rió el mayor.

"Una pregunta rápida", le pregunté. "Culiacán es la sede del cártel de Sinaloa. Cuando intentemos aterrizar en el aeropuerto de allí, ¿debemos avisarles con antelación o algo, o simplemente entrar?".

Fue entonces cuando José Ortega se unió al grupo y dijo: "Gringo, parece que has olvidado por qué me has traído. Sólo aterriza la maldita cosa. La PFM es tan corrupta como todo lo demás en la Ciudad de México. Entran y salen de Culiacán todo el tiempo para recoger su dinero. Pero como te dije, tengo amigos. Aterrizar allí en un helicóptero del PFM sin avisar a la gente de Consuela es una cosa. Entrar en la ciudad sin que ella se entere es otra. Y entrar en su "palacio" es algo totalmente distinto. Pero yo puedo hacer todas esas cosas por nosotros. ¿Me vas a dejar?"

Le miré y no dije nada. Sabía que me odiaba, y que la odiaba a ella, probablemente más, pero es una diferencia sin distinción. José salió a José, y no creí ni una palabra de lo que dijo.

"¿Qué? ¿Quieres decir que no confías en mí, Gringo, ¿después de todos estos años?", se rió. "Olvidas que estamos juntos en esto, y yo quiero a esa mujer muerta incluso peor que tú".

"Entonces, supongo que ya veremos, ¿no?"

Me volví hacia la mayor y asentí. Ella y sus nuevos prisioneros se dirigieron a su Black Hawk, y nosotros al helicóptero negro de la Policía Federal. Ace señaló hacia la camioneta que les quitamos a los bandidos y preguntó: "¿Y el Toyota blanco?".

"Deja las llaves en el asiento delantero. ¡Hará muy feliz a algún vaquero de por aquí!"

Ace soltó una risita y sacudió la cabeza divertido.

High Rider no tuvo ningún problema con los controles, independientemente del idioma en que estuvieran rotulados. En menos de un minuto, estábamos en el aire rumbo al sur, y los dos helicópteros estadounidenses ya corrían de vuelta por el valle hacia el norte a la altura de las copas de los árboles, pero no pude evitar pensar en lo que nos esperaba.

Confiar en Ortega era una gran apuesta, pero también lo era todo en esta operación. Lo único que quería era recuperar a Linda y a Eddie. Pero si Ortega tenía razón sobre Culiacán, eso también asestaría un golpe a Consuela Ortega y al cártel de Sinaloa del que quizá nunca se recuperasen.

Ortega se inclinó hacia delante desde el asiento trasero y me llamó la atención. "Te preocupas demasiado, Gringo", dijo con una sonrisa socarrona. "Sacaremos a tu mujer, ya verás. Y mandaremos a la mía al infierno, ya lo verás también".

Su confianza me inquietaba, pero no podía negar que conocía los entresijos del mundo de los cárteles mucho mejor que yo. Me gustara o no, pronto estaríamos en su territorio y mi éxito dependía de sus conocimientos y contactos.

"Esperemos que sí, José", volví los ojos hacia él, lo que me han dicho que puede ser como mirar a las puertas de un alto horno. "Por su bien, pero sobre todo por el tuyo".

Me miró y vi cómo se le borraba la sonrisa al captar el mensaje. Nada de bromas. Nada de sonrisas, le gustara o no. Su vida pendía de hacer lo que había dicho que haría. Si Linda y Eddie no salían de Culiacán, ni él ni Consuela lo harían. No habría celdas esperándoles en Tucson, sólo dos tumbas nuevas en el cementerio Jardines del Humaya, a las afueras de Culiacán, donde los funerales de los cárteles eran tan extravagantes como los de Nueva Orleans.

CAPÍTULO CINCUENTA Y CINCO

Culiacán, México

Volamos a Culiacán desde el noroeste, bajando por la llanura costera, manteniéndonos a baja altura y en paralelo a la carretera mexicana I-5. Diez millas más allá, High Rider hizo girar el helicóptero negro de los Federales hacia el oeste, llevándonos al aeropuerto desde el sureste sobre tierras de cultivo abiertas para evitar cualquier mirada indiscreta en la ciudad. Mientras lo hacíamos, José se inclinó hacia delante y me tocó el hombro. "Amigo, necesito que me prestes tu móvil".

"Por qué, y no soy tu amigo, simplemente un aliado temporal. Parece que sigues olvidándolo", le dije. Como dice el refrán, no me fiaba de ese escurridizo gángster ni un pelo. En aquel momento, eso significaba salir por la puerta del helicóptero.

"¿Para qué necesito tu teléfono?", preguntó. "Para hacer una llamada, claro". Mostró su característica sonrisa dentada, que siempre me recordaba al tanque de tiburones del acuario de Miami a la hora de comer, y añadió: "Lo necesito para organizar nuestro transporte a la ciudad, por supuesto, Gringo. ¿Para qué si no iba a necesitar tu teléfono?".

De mala gana, le pasé el teléfono. "Si intentas algún truco, Ace se lo tomará como algo personal, ¿no?". Me volví hacia Ace, que se cernía sobre Ortega en el asiento trasero.

"Recuerda", continué, "habla español y nunca le has caído bien". José miró a Ace, que era mucho más grande y musculoso que él, mientras Ace señalaba el tatuaje de su bíceps izquierdo. Decía: "Mátalos a todos y que Dios lo resuelva".

Ace se inclinó hacia Ortega y le dijo: "No susurres. Habla lo suficientemente alto para que pueda oír cada maldita palabra... Y ponlo en altavoz".

José intentó poner distancia entre él y el corpulento sargento mayor, pero enseguida se quedó sin asiento. Con expresión nerviosa y un ojo puesto en el sargento mayor, tecleó un número en mi móvil. El ruido del motor del helicóptero y el viento del exterior eran fuertes, pero oímos que alguien contestaba al cabo de unos timbres. José empezó a hablar bruscamente en español, dando órdenes a la otra persona con una serie de palabras y órdenes tajantes. Sólo pasó un minuto antes de que José dijera: "Gracias. Eso es todo... por ahora. ¡Hazlo! *Eso es todo... por ahora. Hazlo!*" Y se fue.

Volví a mirar a Ortega y me reí. "Apuesto a que a tus hombres les encanta trabajar para ti, ¿verdad?".

"¿Yo? Es un placer trabajar para mí, Burke. Mis hombres me adoran y son intensamente leales. Deberías oír cómo los llama Consuela. ¡Su lenguaje avergonzaría a un proxeneta de Tijuana! Y viniendo de una mujer a la que ahora deben obedecer, es muy humillante. Ella nunca lo entendió. Siempre fue una diva y pensó que podía simplemente intervenir y sustituirme, pero yo soy el hijo de mi padre y ella nunca podrá sustituir la cultura".

Ace me sonrió y le oí murmurar: "El Don está semiretirado y Mike se encarga ahora del negocio familiar".

Hace falta ser un hombre de verdad para recordar todas esas frases del Padrino, pensé, intentando no reírme.

Ortega le miró y luego me miró a mí, confuso, pero no podía culparle. Dada la situación a la que nos dirigíamos, en realidad esperaba que El Jefe tuviera razón esta vez y que su encantadora esposa hubiera patinado en medio del estanque sobre hielo muy fino y no lo supiera. Aun así, no pude evitar reírme de su retorcido sentido del humor, su dominación masculina y su total arrogancia. Duraría unos cinco minutos si Linda le pusiera las manos encima. Pero de momento tenía sus usos. Lo usaría por el momento, pero nunca confiaría en él y se avecinaba una venganza masiva. Puede que él no lo recuerde, pero yo sí.

Pero tenía que dejar todo eso a un lado. Lo que me preocupaba era la hora siguiente. "Muy bien, ¿de qué se trataba esa llamada?" pregunté.

"Estaba organizando nuestro viaje en 'taxi' a la ciudad, por supuesto", se rió entre dientes.

"Por supuesto", respondí, pero no me reía. A medida que nos adentrábamos en Culiacán, mi antena táctica se elevaba y los pequeños radares afinados de mi cabeza giraban a toda velocidad. Como la mayoría de los veteranos de combate, ciertamente cualquiera de los que hicieron lo que yo hice, una vez que entras en modo de combate, nunca quitas el pie del acelerador, nunca retrocedes, y siempre te mantienes alerta hasta que se dispara la última bala, y se acabó.

Nos dirigíamos a un país extranjero peligroso, con gente peligrosa, y me refería al país de los cárteles, no a México. Si me descuidaba y pasaba algo por alto, otras personas pagarían el precio. Sabía que Consuela era más astuta y despiadada que José, y probablemente más lista. Con ella dirigiendo el cártel y los dos intentando matarse mutuamente, este Op se había vuelto cada vez más impredecible.

Miré a Ace. Él también lo sabía, y me encontré diciendo: "Es un viejo hábito. Me paso la vida intentando no ser descuidado". Fue el único que lo oyó por encima del rugido del motor del helicóptero. O quizá me leyó los labios, pero también se rió. Nada como las viejas citas del Padrino para dejar clara una cosa y romper la tensión.

Me volví hacia José y le dije: "Esperemos que este servicio de 'taxi' tuyo nos lleve adonde tenemos que ir". Saqué mi pistola Sig-Sauer de 9 milímetros de la riñonera trasera y comprobé la carga.

"Seguro que sí, señor, y lo mejor es que no tiene que dar propina al conductor". respondió José, intentando otra ofensiva de encanto, mientras me devolvía el teléfono. "¿Ves cómo puedo ayudarte?".

Le miré fijamente, con los ojos entrecerrados. "Todo depende de a quién estuvieras llamando".

"Ah, un punto excelente, coronel", sonrió José mientras se sentaba e intentaba parecer relajado.

"Ahora, por favor dígale a su piloto que aterrice en el Aeropuerto de Culiacán, pero de este lado de la pequeña estación roja de bomberos que verá en este extremo de la pista. Ahí seremos menos visibles. Y ahí nos recogerá nuestro 'taxi'".

Le miré, escéptico, pero le dije a High Rider que siguiera las instrucciones de José. "Sólo prepárate para un despegue de emergencia si las cosas se tuercen... espero que mejor que cuando intentamos salir de aquella pista de tenis en Tucson". Se rió y asintió, completamente comprensivo.

Cuando entramos por la valla del extremo sur, vi el pequeño parque de bomberos rojo al que se refería Ortega. Era una incongruente salpicadura de rojo en medio de los árboles y la hierba verdes y la pista y la calle de rodaje grises. High Rider colocó el helicóptero negro en el lado sur del pequeño edificio, donde vi que no se nos veía desde la terminal. No es mala idea, reconocí mientras asentía a Ortega mientras Ace abría la bolsa de viaje. Me entregó una de las dos carabinas M-4 plegables.

"Uno para ti y yo imagino que uno para High Rider", dijo Ace.
"Buena idea", respondí. "Voy a hacer que se quede aquí con el helicóptero, así que la M-4 podría resultar útil si alguien siente curiosidad por el helicóptero".

"Puede sacar algo de volumen con eso, y yo me llevo uno de los Barret", dijo mientras enroscaba el supresor de ruido en el cañón del rifle. "No estoy seguro de que tengamos tiros largos, pero me siento desnudo sin uno".

"Entendido. Y dame el machete".

Ace rebuscó en el petate y sacó el machete, aún en su funda de lona verde. Me lo entregó y no pude evitar pensar en la ironía de empuñar un arma que había pertenecido a Big Blade. Por muy hábiles o preparados que estuviéramos, siempre teníamos la sensación de caminar por la cuerda floja, haciendo equilibrios entre la confianza y la traición.

Luego metió la mano en el fondo de la bolsa y sacó tres granadas de mano de fragmentación de alto poder explosivo M-67 de fabricación estadounidense. Hizo malabarismos con ellas en el aire como un artista de circo, me lanzó una a mí, otra a High Rider y se quedó con la tercera. Parecían manzanas de color verde oscuro, con una cuchara pegada a un lado. Perfectamente seguras en ese momento, tras un retardo de cuatro segundos, eran muy potentes si sacabas la cuchara.

"En caso de que alguien se entrometa", le dije a High Rider. "Esto echará un cubo de agua fría sobre su curiosidad. Y, tienes el M4".

"Entendido", se rió mientras se colgaba el M-4 del cuello y palmeaba la granada, que colocó cuidadosamente en la consola que tenía al lado.

Muy bien, veamos qué clase de viaje nos ha preparado José, pensé mientras me echaba el machete a la espalda, sintiendo su peso tranquilizador sobre los hombros. Los rotores del helicóptero se detuvieron y, tras aquel largo vuelo, el silencio me pareció ensordecedor.

"¿Qué me dan? Podría ser peligroso ahí fuera", preguntó José mientras le tendía la mano.

"¿Tú? Tendrás el machete cuando recupere a mi esposa. Y lo tendrás mucho antes si nos metemos en problemas o si esto es una trampa. Puedo cortarte un montón de partes del cuerpo antes de que te alejes dos pasos de mí, José".

"Pero Gringo..." Me miró con la misma sonrisa esperanzada e inocente.

"Ni lo intentes, José", le contesté mientras nos preparábamos para desembarcar. "Si esto es una trampa o una trampa, serás el primero en morir. Así de sencillo".

"Oh, Coronel Burke, debe aprender a confiar en la gente", respondió. "Sé que es mejor no cruzarse con usted o con su gran amigo aquí". El tono confiado de su voz me pareció desarmante, pero en este peligroso juego nunca se es demasiado cauto.

Me di la vuelta y miré por el parabrisas delantero, buscando en el aeropuerto el taxi que había llamado, pero no vi nada que se le pareciera. Entonces vi que una ambulancia de color rojo brillante salía de repente de entre el denso tráfico y venía corriendo calle abajo hacia nosotros, al otro lado de la valla. Tenía los intermitentes encendidos y la sirena a todo volumen mientras giraba bruscamente a la derecha sobre dos ruedas por la entrada de vehículos del aeropuerto. Pasó a toda velocidad por delante de la pequeña terminal y giró aún más bruscamente a la izquierda para entrar en la pista de rodaje.

"¿Una ambulancia?" dije, girándome en mi asiento para mirar fijamente a José, que sonreía de oreja a oreja. "Tiene que ser una broma", le dije.

"Ah, te estás resbalando, Gringo, resbalando", me contestó con una gran sonrisa. "Con esas luces rojas brillantes y esa sirena, ¿se te ocurre una forma mejor de llegar al centro sin que nadie nos note? Y además rápido, ¿eh?".

No pude evitar reírme de lo absurdo de todo aquello, pero tuve que advertirle: "Recuerda lo que te dije, José".

La ambulancia giró a la izquierda en el parque de bomberos y se detuvo junto a nosotros dando tumbos. El conductor dio marcha atrás hasta la puerta lateral del helicóptero, se detuvo y alguien de dentro abrió las dos puertas traseras. José se inclinó hacia delante y miró a través del parabrisas delantero. Sus ojos recorrieron la terminal como los de un halcón que busca presas en el paisaje. "Creo que estamos a salvo", dijo, aparentemente satisfecho con su propia valoración. Puede que estemos "bajo el radar", como os gusta decir a los militares, ¿eh? Vámonos".

Asentí a Ace. No podía discutir su lógica, así que saltamos con los rifles colgados del cuello y las pistolas en la mano, nos mantuvimos agachados y saltamos rápidamente por las puertas traseras al compartimento trasero de la ambulancia. Había dos auxiliares en la parte trasera, pero apenas se inmutaron ante nuestra presencia fuertemente armada, quizá un testimonio de la influencia de José, o simplemente otro signo de los tiempos y de la forma de actuar de la gente en el país de los cárteles.

Cuando las puertas de la ambulancia se cerraron tras nosotros, no pude evitar sentir una punzada de inquietud. Esta misión ya había tenido un comienzo poco convencional, y era imposible saber qué otras sorpresas nos tenían reservadas José. Se me revolvían las tripas con expectación y temor a partes iguales.

Agachado, José se agachó rápidamente a través de la ambulancia hasta la pequeña ventanilla delantera que daba a la cabina, y ladró instrucciones al conductor. "Llévanos a la Catedral, la entrada trasera del estacionamiento. Rápido". Mi español estaba oxidado, pero sabía lo suficiente como para saber que les había dicho que nos llevaran a la Catedral, la entrada trasera del aparcamiento. Y que lo hicieran rápido.

Los asistentes cerraron las puertas traseras. El conductor pisó el acelerador a fondo y el motor rugió. Lo envió a toda velocidad por la pista de rodaje hacia la salida del aeropuerto con aquella maldita sirena chirriando. Pero miré a mi alrededor y no vi a nadie que se diera cuenta, como si aquello fuera algo cotidiano. Tal vez José tuviera razón. Pero en el compartimento trasero todo era menos normal, ya que íbamos rebotando de un lado a otro. Los dos asistentes que viajaban atrás con nosotros habían hecho esto antes y ya se habían agarrado a los asideros más seguros.

Mientras corríamos hacia el norte por uno de los bulevares principales, José se volvió hacia Ace y hacia mí con una sonrisa sarcástica dibujada en el rostro. "Como estoy seguro de que vuestro hombre tradujo, le dije al conductor que nos llevara a la Catedral, a la entrada trasera del aparcamiento, ¡y que fuera rápido!".

"Sí", respondió Ace. "¡Pero no te oí decirle que se suicide!"

"Es México, Señor, conducir mal es una parte esencial del disfraz".

Aun así, no podía ignorar la sensación de que José se estaba pasando de listo, como si supiera algo que nosotros ignorábamos. Con una sorprendente agilidad, saltó de nuevo a la ventanilla del taxi y gritó al conductor: "¡Ir! ¡Ir!" ¡Vamos! Go! riendo aún más fuerte mientras aceleraba aún más, como un murciélago del infierno.

"¡Si nos matan, te mataré a ti!" Ace le dijo.

"Gracias, Yogui", tuve que reír mientras me agarraba a una de las asas metálicas atornilladas a la pared y me colgaba. Había demasiado en juego para no hacerlo. Aun así, el plan de José me pareció demasiado conveniente, como una trampa bien tendida a la espera de ser desencadenada. En este juego de altas apuestas que estábamos jugando, no había segundas oportunidades.

CAPÍTULO CINCUENTA Y SEIS

Bajo la Catedral

La ambulancia chirrió al doblar una esquina, evitando por los pelos una colisión con un destartalado carro de tacos de dos ruedas mientras el conductor lo llevaba al límite de la suspensión del vehículo, balanceándose y zigzagueando entre el congestionado tráfico del mediodía a una velocidad de vértigo. Nos agarramos a lo que pudimos en el interior, esquivando cajas de vendas y una camilla.

"Maldita sea", murmuró Ace, secándose el sudor de la frente. "Este tipo tiene ganas de morir".

"¡Gringo!" Oímos a José reírse de nosotros desde el asiento delantero. "Bienvenidos a la hora punta en México".

"Pero esto no es hora punta", les espetó Ace.

"No, Señor, pero es México, ¿eh? Y esto no es nada, sólo una pequeña ciudad. Debería probar a conducir en Ciudad de México, Tijuana o Guadalajara, si le gusta la diversión. Pero ya ve, realmente no es peligroso, porque todo el mundo conduce así, así que todas las piezas encajan."

Estoy seguro de que había alguna lógica en alguna parte, pero después de quince minutos que parecieron una eternidad, la ambulancia se desvió bruscamente hacia el aparcamiento de la catedral de San Miguel Arcángel, lanzándonos a la derecha, y luego volviéndonos a lanzar a la izquierda mientras aceleraba a través del aparcamiento y se detenía derrapando cerca de una pequeña puerta trasera donde el crucero de la gran catedral se unía con el pasillo.

"Gringo, por fin hemos llegado". cacareó José, saltando por la puerta trasera de la ambulancia con una amplia sonrisa en la cara. "Vámonos. Si todavía estás ansioso por ver a mi encantadora esposa, Consuela, sígueme, y que Dios te ayude". Corrió hacia la pesada puerta lateral de madera, la abrió de un tirón y asomó la cabeza para echar un vistazo. Aparentemente satisfecho, nos indicó que le siguiéramos y desapareció en el oscuro interior. Ace y yo intercambiamos miradas y salimos corriendo por la puerta de la catedral, intentando alcanzarlo.

Cuando entramos, el repentino cambio de temperatura fue como una suave bofetada en la cara. El silencio fresco y resonante del interior de la catedral contrastaba tanto con el calor sofocante, la humedad y la cacofonía del exterior que no pude evitar preguntarme si estos grandes edificios eclesiásticos no habrán contribuido a la popularidad de la Iglesia católica en América Central y del Sur durante trescientos años. Y entonces llegó el aire acondicionado centralizado y las máquinas de hielo, y miren lo que pasó.

"¿Por dónde ahora?" pregunté cuando alcancé a José en la oscuridad cavernosa y susurré: "El reloj está en marcha".

"Amigo mío, no hace falta que susurres. Aquí no hay nadie", dijo José con voz normal. "Esta iglesia ni siquiera celebra misas por la tarde. Incluso por las mañanas está casi vacía, sólo los viejos. Personalmente, sospecho que es porque el cura pasa la mayor parte del tiempo con su novia y con su vino. Creo que los quiere demasiado a ambos".

Miré a José y fruncí el ceño.

"¿Qué? ¿Crees que sólo estoy adivinando?". Ortega se mostró sorprendido, casi dolido. "Oh, no, coronel, el cura es mi hermanastro, Luis... hermanastro, porque mi padre creía que un hombre debía tratar de mantenerse ocupado, y siempre fue capaz de conseguirnos trabajo", Ortega se rió y luego se encogió de hombros. "¿Qué puedo decir? El cura es mi hermano. Es verdad, lo juro".

"Muy bien, ¿por qué nos has traído aquí?". le pregunté y eché un vistazo a mi reloj.

"Ah, siempre el impaciente, ¿eh?", murmuró antes de indicarnos a Ace y a mí que le siguiéramos al interior de la catedral. Recorrimos el deambulatorio semicircular y el ábside hasta llegar al lado del altar elevado. Mientras subíamos las escaleras hasta la gran mesa de caballete de mármol, no pude evitar mirar hacia la nave de la catedral. Dos ancianas se arrodillaban en oración a un lado, mientras un anciano se sentaba al otro, dormido o completamente desinteresado por los tres extraños armados que se abrían paso en su iglesia. A pesar de mis razones y mi urgencia, sentí una punzada de culpabilidad por inmiscuirme en su santuario.

Detrás del altar había una gruesa alfombra. Ortega se agachó y la desenrolló para descubrir una gran losa de granito de unos cuatro pies de ancho y seis de largo. El color y el dibujo de la losa coincidían perfectamente con los del suelo, lo que significaba que debía de ser original. Pero cuando miramos más de cerca, vimos que había una estrecha banda de acero alrededor del borde de la losa y un viejo anillo de hierro engarzado en ella, a ras del suelo.

"Esta es la entrada a la antigua cripta de la iglesia", explicó Ortega. "Solían bajar los ataúdes por aquí", dijo mientras se esforzaba por subir el anillo. Finalmente, lo rodeó con la mano y nos miró a Ace y a mí. "¿Y bien?", preguntó indignado. "¿Tengo que hacerlo yo todo? Una mano o dos estarían bien". Incluso con seis manos alrededor del anillo y el borde de la losa, era una carga. Levantamos ese extremo quince centímetros, lo suficiente para que un contrapeso de algún tipo entrara en juego debajo, y un niño podría levantarlo el resto del camino.

"Tío", dijo Ace, frotándose la mano. "Cuando metieron a la gente ahí abajo, seguro que no querían que volvieran a subir, ¿verdad?".

"Basta de cháchara, sargento mayor", le cortó José y nos hizo un gesto para que bajáramos. "El coronel dice que tenemos trabajo que hacer, ¿no?".

Las escaleras eran estrechas, talladas en el granito autóctono, y las bajamos con cuidado, peldaño a peldaño, hacia la oscuridad. Ortega retiró la alfombra y bajó la losa hasta su lugar. Estábamos a oscuras en la escalera hasta que Ortega encontró un viejo interruptor en la pared. Lo accionó y se encendió una hilera de pequeñas lámparas de una sola bombilla. Colgaban de un viejo cableado abierto, como si Thomas Edison lo hubiera colgado él mismo. Las bombillas de cristal transparente no podían tener más de 25 vatios y estaban muy espaciadas, lo justo para mostrar el camino por las escaleras.

"Vamos, vamos", se rió Ortega mientras nos adelantaba y bajaba el resto del camino, donde el aire se volvió aún más frío, mohoso y húmedo. "Tú eras el impaciente, ¿no? Pero ahora ten cuidado", advirtió José mientras bajábamos por la tosca escalera. "Estas escaleras son muy antiguas. Entonces la gente tenía los pies pequeños y andaba descalza. Sería una pena que tropezaras y te perdieras ahora, Gringo".

Cuando llegamos al final de la escalera, nos detuvimos. Ortega extendió la mano y encendió otra cadena de luces que corría por el centro del techo. Miramos a nuestro alrededor y vimos que estábamos en una gran sala cavernosa excavada en la roca. Calculé que estábamos a unos seis metros bajo el suelo de la catedral, debajo de la nave, que era la sección central de la iglesia original. Probablemente databa de la década de 1840, o incluso antes.

A cada lado de la caverna había una docena o más de grandes sarcófagos de piedra o tumbas elevadas, aparentemente de granito u hormigón, que llevaban letras talladas, a veces en oro, con cruces y otras tallas y ornamentaciones católicas.

"Seguro que has visto enterramientos así en las ciudades antiguas de Europa, ¿eh, Burke?". preguntó José. "Esta es la cripta de la catedral, donde está enterrada una corta lista de ancianos de la iglesia, obispos, arzobispos y ricos sinvergüenzas de la zona, la mayoría del siglo pasado, aunque ninguno reciente. Ningún Ortegas. Todos mis antepasados están enterrados en el gran cementerio de las afueras de la ciudad.

Y una vez que las facciones anticlericales se apoderaron del país en los años veinte y treinta, la gente se olvidó de que la catedral estaba aquí, y mucho menos de quién estaba enterrado bajo ella. ¿Ha oído hablar del Día de los Muertos? ¿Sabes cuánto nos gusta a los mexicanos celebrar a nuestros antepasados muertos? Pues bien, mis hermanos y yo solíamos saber los nombres de cada uno de estos ataúdes, porque nos colábamos aquí y jugábamos todo el tiempo. Vengan, les voy a enseñar cómo entramos".

José atravesó las hileras paralelas de sarcófagos de piedra elevados hasta llegar al último, situado a la derecha, en la parte trasera de la cripta. Parecía viejo y robusto como los demás, con una gran y pesada tapa de hormigón. José sonrió mientras metía un dedo por debajo del borde y soltaba un pestillo oculto. Oímos un ¡Click! y la tapa se abrió lentamente para revelar... Nada. No había ningún ataúd dentro, simplemente un agujero abierto.

José se agachó, metió la mano y encendió otro interruptor. "Sígueme, Gringo", dijo. "Pero no te preocupes, ya hemos terminado con las tumbas y los esqueletos". Se rió. "Si los niños de ocho años pueden hacer esto, tú también puedes".

Ortega trepó por el lateral y bajó por una escalera de madera alta y desvencijada que conducía a un nivel mucho más bajo bajo la iglesia. As y yo nos miramos y le seguimos rápidamente. Al final de la escalera, nos encontramos de nuevo en un estrecho túnel con pequeñas bombillas colgando a los lados. José ya las había encendido y nos llevaba tanta ventaja que tuvimos que correr para alcanzarle.

"Ahora estamos frente a la catedral, debajo de la calle", explicó. "Pronto estaremos debajo del parque, así que intentad mantener el ritmo".

"Mi familia compró la casa en los años veinte, mucho después de que murieran sus propietarios originales. La catedral fue lo primero. Tardaron muchos años en construirla. A veces se construía, a veces no, pero en tiempos de Maximiliano, su primer Gobernador Real para esta zona construyó la gran casa que ahora poseemos enfrente. O, digamos, construyó la primera versión de ella. Se ha ampliado y remodelado varias veces, y desde entonces se ha añadido la tercera planta. Pero los hombres lo bastante listos como para ser nombrados gobernadores en una época difícil como aquella, con revoluciones en marcha, rara vez son tontos. Decidió que podría necesitar una escotilla de escape, por si acaso, así que se construyó este túnel. Era un gran secreto, pero nada permanecía en secreto durante mucho tiempo para un grupo de chicos jóvenes que nunca hacían nada de lo que se les ordenaba y a los que les encantaba jugar en sótanos y otros lugares espeluznantes, como viejos túneles y criptas de iglesias. La casa está llena de viejos secretos como esos: escaleras, puertas y cajas fuertes ocultas. Sospecho que la iglesia, el cuartel del Ejército e incluso el Ayuntamiento también tienen sus secretos. Así se hacían las cosas entonces. De hecho, mi padre fue quien encontró el túnel cuando era niño. Pero con el negocio que tenía, a medida que crecía, se aseguró de que lo supiéramos, por si acaso".

Al igual que la cripta de la iglesia, el estrecho túnel estaba débilmente iluminado por una ristra de pequeñas bombillas colocadas muy separadas a lo largo de la línea central del techo. José continuó a paso ligero. "Ahora estamos debajo del parque, más o menos a mitad de camino", nos informó. "No es un paseo corto, así que intentad mantener el ritmo".

"Confía en mí, José", respondí apretando los dientes mientras trotábamos tras él, "te pisaré los talones en todo momento".

"Bien", respondió, su tono sugería que estaba disfrutando de nuestra incomodidad. "No me gustaría que os perdierais aquí abajo", se rió. "Una entrada, una salida y recto como una flecha. Incluso un americano como tú puede encontrar su camino, ¿eh, Burke?"

Mientras José contaba la historia del túnel, no pude evitar sentirme impresionado por el ingenio y la determinación de las personas que lo construyeron. "Menuda historia", admití, jadeando ligeramente.

"Por supuesto, coronel", respondió José, deseoso de adentrarnos aún más en la oscuridad.

Continuamos lo que nos pareció una eternidad, caminando deprisa por el largo y recto pasadizo. Finalmente, llegamos a una pared que marcaba el final del túnel y a otra escalera estrecha y empinada que ascendía hacia la oscuridad. José se detuvo y se volvió hacia mí con expresión seria.

"Coronel Burke, amigo mío", comenzó, tratando de sonar cortés. "Usted y yo hemos tenido nuestros momentos, pero aquí es donde las cosas se ponen realmente peligrosas. Estas escaleras nos llevan a una puerta secreta, bien escondida, en la parte trasera de la bodega, en el sótano inferior de la casa. Esta es la parte menos utilizada. Tal vez Pierre Beauchamp podría haberla encontrado, si hubiera estado buscando cierta botella de vino, pero Pierre nunca fue de los que se ensucian los dedos, y no me dijo nada al respecto. Así que lo dudo. Aún así, hay gente ahí fuera que me mataría nada más verme. Supongo que no me prestarás una pistola... por si acaso". Ortega sonrió y le tendió la mano. "¿Aunque te prometa no apuntarte a ti ni a tu amigo?".

"Ni hablar, José", me reí. "Pero no te preocupes, Ace te ha convertido en su proyecto favorito. Nadie te hará daño hasta que lo hagamos. Ahora sube las escaleras".

CAPÍTULO CINCUENTA Y SIETE

La Mansión, Segunda Planta

El gimnasio resonaba con el tintineo de metal contra metal mientras Jennifer Hurley, la rubia, alta y musculosa esposa de Pierre, se sentaba en el extremo del banco frente al espejo, ejercitándose duramente con una mancuerna de cuarenta libras, alternando los brazos en cada serie de diez. Con la lengua fuera, la espalda recta y los músculos temblorosos, las gotas de sudor le resbalaban por las sienes y la frente, trazando caminos por la nariz y los pómulos antes de caer en un charco cada vez más grande bajo ella, en el suelo. Y con cada flexión estricta, admiraba la definición de sus bíceps en el espejo del suelo al techo. Su postura era perfecta y su respiración acompasada, reflejo de su ardiente determinación.

"... diez", gruñó, respirando hondo antes de cambiar de mano para ejercitar el otro brazo, sin dejar de mover la mancuerna.

Fue entonces cuando Pierre entró enérgicamente en la habitación y sus ojos se clavaron en ella. "Creo que es hora de que nos vayamos de aquí, mi amor". Fue inmediatamente al grano, su voz sonaba urgente, casi tensa.

"¿Irse?" Jennifer levantó la vista. "¿Quieres decir ... para el almuerzo?" Sus ojos se desviaron hacia su reloj de pulsera, la confusión nublando sus rasgos.

"Non, mon amour, desgraciadamente, quiero decir que tenemos que 'marcharnos', como marcharnos permanentemente. Ahora, por favor, intenta concentrarte en la tarea que tenemos entre manos". Pierre la fulminó con la mirada, exasperado por su confusión.

"¡Estoy 'centrado'! No me hables como si pensaras que soy estúpida, Pierre". Jennifer respondió, su mirada tan caliente como la de él. "¿Por qué? ¿Por qué deberíamos irnos de aquí? Me gusta estar aquí".

"Porque", suspiró, pasándose una mano por el pelo, "mis fuentes en el aeropuerto me dicen que por fin ha llegado el americano Burke, nada menos que con José y unos cuantos más, volando en un helicóptero negro de los Federales PFM. Por eso".

Jennifer dejó la mancuerna en el suelo a sus pies. "¿Te refieres a la policía gubernamental? ¿No crees que...?"

"No, es probable que se trate de una treta de algún tipo, una 'falsificación profunda', como dicen tan acertadamente los americanos". Pierre sacudió la cabeza, con la mandíbula resuelta.

"De acuerdo", dijo, "¿pero no es eso lo que queríamos? ¿Que vinieran aquí? ¿Para que podamos matarlos en nuestro terreno? Y si vienen juntos, ¿no es algo bueno? Podemos matarlos a los dos... ¿no?".

Pierre apartó la mirada mientras consideraba sus opciones. Su mente se agitaba con los innumerables escenarios que podían presentarse, cada uno más peligroso que el anterior. Por mucho que le gustara la idea de eliminar a sus enemigos de un solo golpe, sabía que había fuerzas mayores en juego que ellos dos solos.

"Claro que podemos matarlos, querida", empezó Pierre, con voz tan suave y segura como siempre. "Esa nunca ha sido la cuestión. No son rivales para ti y para mí. No hay dos simples mortales que lo sean". Señaló los tonificados brazos de Jennifer, aún brillantes por el sudor de su entrenamiento. "Pero me temo que Consuela está perdiendo el control, Jennifer", explicó Pierre, con sus ojos oscuros llenos de preocupación.

"Pasa más tiempo en la cama con su ridícula retahíla de amantes que entra y sale a escondidas que atendiendo los asuntos de la familia, del cártel. Sus subjefes y los jefes de los otros cárteles están cada vez más inquietos. Hablan entre ellos. En una palabra, la Señora se ha convertido en un lastre. La sustituirán por José, si pueden hacer las paces con él, o por cualquier otro. Inevitablemente, se moverán en ella y debe ser muy pronto ahora. Cuando lo hagan, tú y yo seremos los primeros en sentir su ira. No creo que sea prudente para nosotros ser atrapados en el extremo corto de eso. Así que es hora de que "cobremos", como dirían nuestros amigos del casino de Montecarlo".

Jennifer se mordió el labio, asimilando el peso de las palabras de Pierre. Recorrió la habitación con la mirada, contemplando la opulencia a la que se había acostumbrado. Era difícil imaginar dejarlo todo atrás, pero la lógica de Pierre era sólida. De mala gana, asintió. "Muy bien, entonces, ¿cuál es nuestro siguiente paso? ¿Y José? ¿Crees que podríamos llegar a un acuerdo con él? Creo que le seríamos útiles, ¿no crees?"

Pierre sacudió la cabeza ante la sugerencia. "No, no, Jennifer. Es demasiado tarde para eso. José siempre nos ha odiado, incluso antes de que se lo llevaran los americanos. Seríamos los primeros en su lista en cuanto se hiciera con el control y trajera a algunos pistoleros. Rápidamente arreglará las cosas con los otros cárteles y luego nos eliminará".

"¡Está bien, está bien!" Jennifer suspiró con tristeza, sus dedos nerviosos jugando con el dobladillo de su camisa de entrenamiento. "Entonces, debemos irnos. ¿Cómo debemos hacerlo? ¿Adónde vamos, Pierre? Tú eres el pensador, el planificador, el que siempre toma las decisiones".

"Creo que España, o quizá Portugal, esta vez. Y podría ser divertido, si podemos llevarnos fondos suficientes", respondió, con la voz llena de emoción. En su mente, ya podía imaginarse a los dos empezando de nuevo en las soleadas calles del sur de Europa. Cuando miró a Pierre a los ojos, la determinación brilló en su interior, alimentada por la promesa de un nuevo comienzo, lejos del traicionero mundo en el que vivían. Con un último gesto de asentimiento, apretó los puños, dispuesta a afrontar cualquier desafío que se le presentara.

"¿Pero ¿qué pasa con la Ama?", preguntó.

Hizo un gesto despectivo con la mano. "Le daré tus saludos cuando haga la oportuna retirada de su caja fuerte. Ahora vístete. Llevaremos a la mujer Burke con nosotros. Eso mantendrá a raya al americano y alejará a José".

Las palabras de Pierre avivaron el fuego dentro de Jennifer. Sus ojos se iluminaron, brillando de expectación. "¡Bien!", exclamó. "He estado esperando para meterle una bala a esa mujer desde que salimos de la granja aquella noche".

"No, no, querida", Pierre le movió un dedo cortésmente, pero su voz era afilada como un cuchillo. "Puedes tenerla más tarde para hacer con ella lo que quieras, pero por ahora, podemos necesitar a la mujer americana y a su hijo como moneda de cambio si llega el caso".

Jennifer apretó la mandíbula, tragándose su frustración. Comprendía la importancia de hacer palanca, aunque eso significara retrasar su propia venganza.

"Cámbiese de ropa y suba a la azotea", ordenó Pierre, con tono firme pero tranquilizador. "Está llegando un helicóptero que he fletado. Quiero que te asegures de que se queda aquí por si hay algún tiroteo. Puedo pilotarlo en cuanto suba, así que haz lo que quieras con el piloto si no quiere cooperar. Pero no quiero que despegue y nos deje varados aquí. Te asegurarás de que eso no ocurra. ¿Entendido?"

"Sí, sí, entendido", asintió Jennifer, con la mente ya concentrada en las tareas que tenía entre manos.

Pierre esboza una sonrisa socarrona. "Bien. Voy a subir a pedirle a la señora que nos dé algo de dinero para el viaje. Creo que, después de todos estos años, no está de más una pequeña pero apropiada indemnización, ¿no crees? No debería tardar mucho, y me reuniré rápidamente contigo en el tejado, querida... con la mujer Burke... Luego nos dirigiremos a la costa".

Jennifer asintió rápidamente, reconociendo el plan de Pierre. Cuando él se marchó, se cambió de ropa y cambió su equipo de entrenamiento por algo más táctico. Sus pensamientos se agitaban con el torbellino de emociones que acompañaba a su inminente huida. La inquietud de dejar atrás la vida cómoda que conocían se mezclaba con la euforia de un nuevo comienzo. Ya les tocaba. ¿España? ¿Portugal? Esas perspectivas sonaban bien por el momento.

Mientras Jennifer se subía la cremallera de la chaqueta, se guardó la pistola en el bolsillo. Pierre adoraba su pequeña navaja de fabricación italiana, y ella adoraba su pequeña **pistola semiautomática Walther WMP 15 del calibre 22, de fabricación alemana.** Hacía unos agujeros tan bonitos en la gente, pequeños pero devastadores, como era ella. Sacó el cargador, comprobó la carga y sonrió. Con su

Walther y el estilete de Pierre, nadie se interpondría en su camino, ni Consuela, ni José, ni ese americano, nadie.

Mientras seguía a José Ortega por las desnudas escaleras de hormigón del pasadizo secreto a la mansión, llegamos a una pequeña puerta en la parte superior. Cuando llegamos a ella, José se llevó el dedo a los labios y luego levantó la mano en señal de que nos detuviéramos detrás de él. Pasó la punta de los dedos por el borde de la puerta varias veces hasta que sintió un pequeño pestillo empotrado.

"No he usado esto desde que era adolescente. Solíamos bajar a las chicas de la cripta desde la catedral y hacer fiestas con el vino de mi padre", se rió entre dientes. "Un buen vino y sexo encima de un frío sarcófago de piedra en verano, te lo aseguro. Ah, volver a ser joven y estúpido, ¿eh Burke?".

Luego apagó las luces de la puerta del pasillo y de la escalera, dejándonos en la más absoluta oscuridad. Sólo entonces levantó el pestillo y empujó lentamente la puerta para abrirla.

Me fijé bien y vi que la pesada puerta de madera tenía una fina chapa de piedra tallada pegada al otro lado, con un alto y casi vacío estante de botellas de vino adosado, de modo que la puerta se confundía con el resto del sótano. José se escurrió por el borde y entró en la bodega poco iluminada que había más allá. Ace y yo le seguimos de cerca. Vi dos ventanas cortas en lo alto de una pared lateral. Tenían barrotes en el exterior que dejaban pasar dos finas rendijas de luz, revelando una lujosa bodega con estanterías que parecían estar llenas hasta la mitad de botellas de vino polvorientas, cientos de ellas. "Aquí abajo no hay tantas botellas como cuando vivía mi padre. Consuela sólo bebe vinos españoles, así que el personal se sirve algunas de las otras añadas".

Se detuvo y escuchó un momento. "¡Shh!" dijo José mientras se llevaba un dedo a los labios en señal de que guardáramos silencio. Finalmente dijo, con voz apenas por encima de un susurro: "Esta colección de vinos era el orgullo de mi padre. Pero debo admitir que las botellas están algo desordenadas y polvorientas. Otra razón para abofetear a ese fraude, Pierre".

Eché un vistazo a las descuidadas hileras de botellas, pero mi impaciencia pudo conmigo. "¡Me importa un bledo tu vino, José! ¿Dónde está Linda? ¿Dónde la tienen?"

"Ah, mis disculpas, Gringo", respondió José, sus astutos ojos se encontraron con los míos. "Me olvidé de mí mismo, pero quería asegurarme de que estábamos solos aquí abajo. Supongo que a su mujer la tienen en el tercer piso. Consuelo ha cambiado la casa desde que me fui, pero me han dicho que vive allí, donde están su dormitorio y su despacho. Tendría a su mujer y a su hijo en una de las habitaciones cercanas, donde podría vigilarlos. Venga."

Mientras nos dirigíamos a las escaleras del sótano por el otro lado, sentí una repentina vibración en el bolsillo. Lo último que necesitaba ahora mismo era una maldita llamada telefónica. Era una distracción que definitivamente no necesitaba, pero tampoco podía ignorarla. Lo saqué del bolsillo y miré la pantalla. La llamada era de Ellie, de todas las personas. "¡Caramba! Vaya momento", murmuré para mis adentros. "Espera uno", susurré a Ace y Ortega mientras me desviaba hacia una esquina y contestaba a la llamada.

"Ellie, este es un momento *REALMENTE* malo", susurré. "¡Tengo que irme!"

"Lo sé, lo sé", susurró de vuelta, sonando igual que yo, su voz tensa también. "Papá, un pequeño helicóptero acaba de aterrizar en el techo de esa casa que nos dijiste que vigiláramos en **Culiacán**".

"¿Un helicóptero pequeño?" le respondí.

"Sí, y Sasha dice que es un pequeño cuatro plazas de Cicare, como él lo llamaba, fabricado allí mismo, en México", volvió a susurrar.

"Gracias, gran trabajo, pero tengo que irme", dije, terminando la llamada y volviéndome hacia Ace. "Los Geeks dicen que un pequeño helicóptero acaba de aterrizar en el tejado".

"¡Alguien se está largando de aquí!" dijo Ace, con los ojos entrecerrados.

"De acuerdo", le dije a Ace. "Tú dirígete al tejado y asegúrate de que el helicóptero no va a ninguna parte. Mientras tanto, José y yo iremos a buscar al tercer piso".

"Entendido", respondió Ace.

Entonces me volví hacia José con un nuevo tono de urgencia en mi voz. "Vale, ¿cómo demonios se suben al tejado?".

"Ah, sí", contestó José, sus ojos recorriendo la habitación mientras recordaba la distribución de la casa. "Cuando salgamos de la bodega al sótano, subiremos todos por la escalera de servicio hasta la cocina, que ahora está encima de nosotros. Debería estar vacía. El Sargento Mayor deberá continuar por esas mismas escaleras hasta el rellano del tercer piso. Allí, encontrará una escalera, en realidad, un conjunto de peldaños en la pared detrás de una cortina. En la parte superior, hay una escotilla en el techo que da al tejado, detrás del equipo mecánico. Al lado está el helipuerto. Ésa es la forma trasera de subir al tejado, la que debes seguir y la más rápida".

Se puso en marcha, pero Ortega le tocó el brazo. "Tienes que saber que también está la escalera de incendios normal que sale de la gran escalera central de la casa y que baja hasta la puerta principal. Es una escalera, detrás de una pequeña puerta en la esquina del rellano del tercer piso. Esas escaleras suben al "ático", que tiene una puerta que da al tejado. Por ahí subirían Consuela, Pierre y cualquier otra persona. Muy poca gente conoce las escaleras de servicio y la escalera que suben desde la cocina, adonde te envío. ¿Entiendes?"

"Sí, entendido", dijo Ace, anotando mentalmente las indicaciones mientras subía las escaleras.

"Muy bien, Ace detendrá el helicóptero. ¿Y el resto? ¿Y Linda y Eddie?" le pregunté a Ortega, sintiendo que mi ira crecía. "¿Cómo subimos al tercer piso?"

"Tú y yo subiremos por esas escaleras principales. Así sabremos que no han llegado detrás de nosotros. Así, cuando lleguemos a la cocina, seguiremos por el pasillo hasta el vestíbulo del primer piso y luego subiremos. Pierre y Jennifer viven en el segundo piso, con la piscina y el gimnasio. El dormitorio y el despacho de Consuela están en la tercera planta, con dos habitaciones para invitados, que es donde supongo que tendría a su mujer. Por cierto, Gringo, Pierre es piloto. Otra de las muchas habilidades de ese diablo".

"Tenemos que movernos ahora, pero yo no me preocuparía por el 'piloto' francés. No va a pasar Ace, y tampoco ese helicóptero. No va a ninguna parte."

CAPÍTULO CINCUENTA Y OCHO

Dormitorio de Consuela

Los labios de Pierre Beauchamp habían esbozado una fina sonrisa sádica, que se ensanchó lentamente mientras subía las escaleras del tercer piso de dos en dos. No hizo ningún esfuerzo por mantener en silencio sus relucientes zapatos de vestir negros mientras recorría el pasillo enmoquetado hasta el enorme dormitorio de Consuela, que ocupaba la mayor parte del lado opuesto de la planta. Se acercó a su puerta con la confianza de un hombre que sabe exactamente lo que está haciendo y lo que está pasando detrás de su puerta. Pensó que disfrutaría. La liberación era... ¡tan liberadora!

Sin vacilar, Pierre giró el pomo y abrió la puerta de par en par, sin molestarse en llamar o anunciar su presencia, como se le había exigido cada día durante los últimos ocho años. A pesar de lo avanzado de la mañana, sus gruesas cortinas estaban cerradas. El dormitorio estaba envuelto en la oscuridad, excepto por la luz parpadeante de dos docenas de velas perfumadas y titilantes que se encontraban en las mesillas, las cómodas y el tocador, proyectando sombras inquietantes sobre las paredes. Le hizo detenerse un instante, preguntándose cómo demonios podía pensar aquella mujer que aquello era romántico.

Para mostrar su total desdén, Pierre entró y dejó la puerta del pasillo abierta de par en par tras de sí, llenando la oscura habitación con luz suficiente para avivar aún más su humillación.

"¿Quién? ... ¿Cómo te atreves?". Consuela miró hacia atrás por encima del hombro y gritó a quien acababa de interrumpirla, su voz goteaba ira. Esta vez estaba en el centro de su cama de matrimonio con su entrenador de tenis. Le había vendado los ojos con un largo pañuelo de raso negro alrededor de la cabeza, le había puesto una mordaza en la boca y le había atado las muñecas al cabecero con dos cuerdas negras. Sus ojos oscuros brillaron de rabia cuando levantó la vista y vio que era Pierre Beauchamp, que estaba de pie a contraluz en la puerta, detrás de ella.

"Dígame, Madame", se rió finalmente de ella. "¿Es ese *VERDADERAMENTE* tu 'elixir de la vida'? ¿Stupear a tu amante con los ojos vendados a media tarde? ¿Quién es esta vez? ¿El profesor de baile, el jardinero o uno de los policías? En el cuartel de la Legión solían decir: 'Si tuviera tantos clavos fuera como dentro, parecería un puercoespín'. Es mucho más poético en francés, por supuesto, como la mayoría de las cosas; pero no quiero avergonzar al pobre chico. Probablemente piense que es el primero".

"¡Pequeño imbécil! ¿Cómo te atreves? Estás despedida", le espetó; su furia no disminuyó hasta que vio que Pierre tenía en la mano una pistola Walther PPK de color azul bronceado. "¿Una pistola? Qué impropio de ti, Pierre. Creía que siempre las rechazabas en favor de la espada".

"Todo tiene su utilidad, Madame", respondió el francés mientras alzaba la pistola. "Es una calibre 38, no pequeña, como esa cosita que usa Jennifer. Te hará un agujero mucho más grande, créeme".

Se deleitó con el poder que tenía sobre Consuela en ese momento. Había tardado mucho en llegar. Esta mujer, que de alguna manera había mantenido su posición como jefa del cártel de Sinaloa, le había insultado y degradado todos los días desde que empezó a trabajar para ella. Ahora le miraba con miedo en los ojos, y a él le resultaba embriagador.

"Ah, Madame", dijo Pierre, con su acento francés cargado de desprecio. "Siempre es un placer verla, aunque sea en esas... ridículas posturas comprometidas en las que tanto parece gustarle meterse. ¿A qué jugamos hoy? ¿Al encuentro del Zorro? ¿O es *The Cisco Kid Rides into the Sunset*? Qué pena que no estés filmando esto. Te darían algo que ver en tu vejez, que llegará antes de lo que crees".

"¡Ve al grano, Pierre, que te has vuelto muy cansino!". Consuela echó humo, tratando de recuperar una apariencia de control a pesar de la pistola en su mano, y a pesar de la presencia de su entrenador de tenis retorciéndose a su lado, con la cara enrojecida mientras luchaba por quitarse la venda de los ojos y las ataduras de las muñecas.

"Muy bien", respondió Pierre, dando un paso adelante y bajando la pistola. "Algunas noticias. Vienen visitas. En realidad, puede que ya estén aquí y, como buena anfitriona, deberías prepararte para ellos".

"¿Visitantes? ¿De qué estás hablando?" Consuela frunció el ceño, confundida. "Te refieres a ese helicóptero que oí aterrizar en el tejado hace unos minutos, cuando estaba... Supuse que era... Muy bien, ¿son esos los visitantes a los que te refieres?".

Pierre se rió al verla esforzarse por entender lo que estaba tramando. "Oh, Madame es siempre tan rápida, ¿verdad? Pero no, el helicóptero que has oído es para Jennifer y para mí. Hice que el aeropuerto lo enviara a recogernos".

"¿Para recoger a Jennifer y a ti?", se burló. "Qué insubordinada. ¿Adónde vas? ¿Crees que puedes largarte cuando quieras por aquí? Esos son *MIS* helicópteros, y tú no eres más que un sirviente, Pierre. *MI sirviente*".

"Afortunadamente, ya no, Madame", respondió, con voz fría como el hielo. "Me temo que le estamos avisando. Me doy cuenta de que el aviso es algo corto, pero como he dicho, vienen invitados, y tengo que hacer algunos preparativos."

Pierre miró hacia la cama y vio que su invitado se había quitado la venda de los ojos, y que era su entrenador de tenis el que luchaba bajo ella para liberar sus brazos, aún atados a los postes de la cama. "Oh, Madame, qué vergüenza. Otra vez *ÉL* no. ¿El entrenador de tenis? ¿En serio?", suspiró, poniendo los ojos en blanco. "¿No tienes orgullo? ¿Por qué? ¿Estaba toda la guarnición del ejército fuera de maniobras? ¿No tenías a nadie más a quien pudieras escabullirte cuando te daban esos pequeños impulsos?".

La cara de Consuela enrojeció mientras se deslizaba de su joven amante, con la ira a flor de piel. "Tuviste tu oportunidad, Pierre. Si no recuerdo mal, te di muchas oportunidades, así que no te quejes. No es propio de ti". Cruzó los brazos sobre el pecho, tratando de reafirmar su dignidad. "¡Muy bien! Dime lo que quieres. ¿Y por qué tanto dramatismo con la pistola?".

Por desgracia, lo que quedaba de su dignidad se vio socavado por el continuo sonido del entrenador de tenis gruñendo y forcejeando sobre la cama, maldiciendo en español mientras intentaba liberar sus muñecas en un vano intento de zafarse.

Pierre sonrió complacido por el caos que había creado. "Y sus visitantes no llegaron aquí en helicóptero. Creo que llegaron por el viejo túnel de la iglesia".

"¿Qué? ¿De qué estás hablando? ¿Qué túnel?", le gritó.

"Madame", se rió Pierre, disfrutando del cambio de poder. "Mientras José seguía en la residencia y usted lo tenía en varias... posiciones comprometidas como ésta, debería haberse esforzado más por sonsacarle información, como los secretos de esta vieja casa. Obviamente hay muchas cosas que tú no sabes... y cosas que yo sí".

Los ojos de Consuela ardían de furia, pero Pierre permaneció imperturbable. Sabía que las tornas habían cambiado y que ella no podía hacer nada al respecto. Sus fríos ojos la observaron como un halcón mientras se acercaba a un gran óleo con un marco dorado que colgaba de la pared entre su cama y el cuarto de baño. La vacilante luz de las velas proyectaba sombras inquietantes sobre su rostro mientras él le sonreía. Extendió la mano y tiró de uno de los lados del cuadro, que tenía una bisagra. Se abrió y dejó al descubierto una gran caja fuerte oculta en la pared, detrás del cuadro.

Eso fue demasiado para Consuela. Saltó de la cama y su rabia se convirtió en miedo. "¡Aléjate de esa caja fuerte! ¿Qué crees que estás haciendo? Gritó mientras avanzaba hacia él, pero se detuvo en seco cuando Pierre levantó su pistola Walther PPK y le apuntó a la cara. "Otro secretito del edificio que creías que no sabía, ¿eh?".

"Pensé que eras un hombre de cuchillos, Pierre."

"Eso también, Madame. Ahora vuelve a sentarte antes de que te dé una buena corrida facial", le ordenó con una voz de mando que ella nunca había oído antes". Consuela obedeció rápidamente, retirándose al borde de la cama, pero sus ojos nunca abandonaron el cañón de la pistola. "¡No!", dijo él, "te he dicho que te sientes, ahora apóyate hasta el fondo en la cama". Mientras ella lo hacía, los dedos de él danzaban sobre el dial de la caja fuerte, girándolo con pericia a pesar de la tenue luz de las velas.

Cuando terminó de marcar y tiró de la manilla hacia abajo, oyó el clic de la cerradura de la caja fuerte y le vio abrir la puerta. Consuela no pudo contener su asombro. "¿Cómo? ¿Cómo lo has hecho? ¿Cómo sabes la combinación de mi caja fuerte? ¿Acaso José...?"

"No, señora", interrumpió Pierre, con voz condescendiente. "Soy una persona muy observadora, sé escuchar y soy tan educado y callado que la gente a menudo se olvida de que estoy en la habitación. Y mi primo es el mejor hombre seguro de Marsella". Hizo una pausa dramática, sonriéndole. "¡Ahora cállate!"

La rabia bullía en el interior de Consuela, pero se dio cuenta de que necesitaba recuperar el control de la situación. Le había subestimado. Era un error que no podía volver a cometer.

Pierre sacó de la caja fuerte un fino maletín de cuero negro de veinte centímetros de ancho y se volvió hacia ella. Al hacerlo, sintió que las puertas del infierno se abrían repentinamente bajo sus pies.

"Ah, tu maletín negro, tu 'dinero de viaje', oí que lo llamabas". Pierre sonrió satisfecho. Levantó la rodilla derecha, apoyó el maletín en ella y accionó los cierres. La tapa se abrió y él miró dentro, mirando con despreocupación las bolsas de terciopelo negro con diamantes y los montones de euros y bonos al portador que llenaban el maletín. "Desgraciadamente, cuando el barco empieza a hundirse, Madame, cada uno se las arregla como puede, ¿no es así?

"¿Qué barco se hunde, arrogante ...” le gritó Consuela, con la voz temblorosa por la furia?

"¡Tu barco! ¿Querías que el gringo y José vinieran aquí?" preguntó Pierre, su tono goteaba condescendencia. "Creo que ya están aquí, y no queda nadie para protegerte... excepto tú, Madame. Los otros cárteles quieren eliminarte, y quién puede culparles. Se ha convertido en una vergüenza, pero peor que eso, se ha vuelto ineficaz. Usted ha perdido su ventaja, y ya no está produciendo los beneficios o el producto que demandan. Así que la única pregunta ahora es si te reemplazarán con José o con alguien más de dentro de Sinaloa, o de alguna de las otras familias. Es ESE barco el que se hunde, señora, y usted misma lo hundió".

Mientras Consuela se esforzaba por entender las palabras de Pierre, el tenista profesional que estaba a su lado por fin tenía los ojos vendados y podía ver lo que pasaba mientras gruñía y hacía fuerza contra las cuerdas que le ataban las muñecas.

"¿Cuánto crees que hay aquí?" Pierre preguntó. "¿10 millones de dólares? ¿20 millones?" Señaló hacia el maletín lleno de bolsas de terciopelo negro repletas de diamantes, euros y una gruesa pila de bonos al portador. "No. No creo que te levantes de la cama por 20 millones de dólares. Supongo que más bien por 50 millones. ¿Está más cerca de la marca? ¿O ni siquiera lo sabes?"

Mientras ella tenía los ojos clavados en el maletín, con un rápido movimiento sacó el estilete, abrió la hoja y avanzó hacia ella, apuntándole al ojo izquierdo con la inquebrantable punta del cuchillo. La respiración se le entrecortó en la garganta cuando se acercó más y más a su cara antes de caer de espaldas sobre la cama. Pero en lugar de rebanarla con él, Pierre se volvió, alargó la mano y le cortó el cuello de oreja a oreja a la tenista profesional.

Con las manos atadas, el tipo no podía llegar hasta su garganta, ya que su sangre salpicó de repente toda la cama y a toda ella. Intentó apartarlo, pero sólo consiguió que le manchara más sangre en las manos y los brazos. Sin embargo, a medida que la espantosa escena se desarrollaba ante ella, no podía apartar los ojos del cuerpo sin vida de su amante.

Pierre se inclinó cortésmente y le dijo: "Bueno, si no hay nada más, Madame, mis mejores deseos para una tarde encantadora. Que tenga un buen día".

"¡Pagarás por esto, Pierre, pagarás por esto!" susurró ella.

"Ah, Madame", respondió, con tono burlón. "No me gustaría que fuera de otra manera". Se dio la vuelta y salió dando un portazo, dejando a Consuela sola en la cama con su tenista muerto.

"¡Maldito seas, Pierre! ¡Maldito seas!", gritó cuando la puerta se cerró tras él. "¡Te mataré, te mataré!"

En el dormitorio de al lado, el corazón de Linda Burke se aceleró mientras se arrodillaba en el suelo, con un vaso de agua pegado a la puerta, escuchándolo todo. La puerta estaba abierta de par en par y se estaban gritando, así que no se perdió gran cosa. Su mente intentaba recomponer el caos que acababa de oír. ¿Qué había hecho Pierre? ¿Y qué podía significar para ella y su hijo?

Oyó que la puerta de la habitación de Consuela se cerraba de golpe y volvió a oír pasos en el pasillo, esta vez en su dirección, así que se puso rápidamente en pie y retrocedió para alejarse de la puerta, pero demasiado tarde. Una llave sonó en la cerradura y la puerta se abrió de repente. Era Pierre, con un maletín en una mano y una pistola en la otra.

El francés parecía extremadamente tranquilo y agradable mientras le hacía señas. "Señora Burke, ¿sería tan amable de acompañarme? Y, por favor, traiga a su hijo", dijo con su habitual sonrisa plástica y un gesto de la mano. "Ahora."

"Está bien, está bien, sí", respondió Linda, con voz firme a pesar de los gritos que oía desde el otro lado del pasillo. "Haré lo que quieras, pero si le haces daño a un solo pelo de su cabeza, voy a ..."

"Ah, Sra. Burke, Sra. Burke. ¡Qué espíritu!" Pierre se burló, su sonrisa plástica nunca vaciló. "Pero tenga la seguridad de que no tengo intención de hacerle daño ni a usted ni al niño. Así que, por favor, acompáñeme. No me obligue a enfadarme con usted".

CAPÍTULO CINCUENTA Y NUEVE

En el tejado

Ace Randall subió corriendo la escalera de emergencia, tomándolas de dos en dos sin esfuerzo, como un toro de carga, sosteniendo su rifle Barrett de calibre .50 cruzado sobre el pecho a babor. Cuando llegó al pequeño rellano del tercer piso, donde estaba la escalera que conducía al tejado, apenas respiraba con dificultad. Aunque medía 1,90 m y pesaba los mismos 120 kilos, era el mismo peso que llevaba en su último año de instituto, cuando era un "All-State tight end" en los campos de trigo del este de Washington. De eso hacía ya veinte años, pero Ace se sentía ahora en mejor forma y mucho más inteligente. Bob Burke, sus aventuras con los Merry Men y un ardiente orgullo personal mantenían así todas las piezas en movimiento.

Se detuvo un momento para mirar la escalera y la trampilla del techo que conducía al tejado. Nada extraño, pensó, ni alarmas ni cerraduras. Se echó el fusil a la espalda y subió los peldaños metálicos como un mono. Cuando llegó a lo alto de la escalera, la primera gota de sudor le resbaló por la nariz y se detuvo, con la parte superior de la cabeza rozando el techo, mientras examinaba la trampilla empotrada, pero no vio cables ni alarmas, ni cerradura, sólo un panel de madera de un metro cuadrado colocado en un marco de madera, que necesitaba urgentemente pintura fresca.

Con una mano en el peldaño y los dedos de la otra en el panel de madera, lo empujó lentamente hacia arriba, sin encontrar especial resistencia. Lo empujó más arriba, lo suficiente para poder mirar hacia el tejado pero sin alertar a nadie de su presencia. Después de haber estado en el largo y oscuro túnel bajo el parque y ahora en el sótano y la escalera trasera, el brillante sol del mediodía era cegador y el calor que desprendía el techo de asfalto negro era como para freír un huevo, pensó. Además, se oía el ruido del motor y la corriente descendente del rotor del pequeño helicóptero situado a menos de doce metros. La corriente descendente a través de aquel tejado al rojo vivo le golpeó como una bofetada en la cara.

Como siempre, la loca de Sasha tenía razón. El helicóptero era un Cicere nuevo, rojo y blanco, de cuatro plazas, con los distintivos de una compañía de vuelos chárter mexicana. Era uno de esos modernos diseños europeos destinados a hacer una ostentosa declaración de riqueza, no algo que quisieras llevar a una operación. Estaba en el helipuerto de la azotea con el motor aún en marcha. Puede que el piloto hubiera aterrizado y que las palas del rotor estuvieran frenando, pero no lo había apagado.

Estando los precios del combustible como están, la única razón para hacerlo era si esperabas un pasajero momentáneamente y esperabas volver a despegar enseguida. Lo siento, Charlie, Ace sonrió, pero eso no va a suceder.

A través de la luz pulsante y las sombras de los rotores, vio al piloto sentado en su asiento y a Jennifer Hurley de pie junto a su ventanilla. Ella se inclinó para discutir con él, cara a cara, mientras su pelo rubio se agitaba alrededor de su cara con la corriente descendente. Ace vio cómo sus ojos verdes brillaban de rabia mientras clavaba un dedo en el hombro del piloto. Ace no pudo oír sus palabras, pero se dio cuenta de que Jennifer estaba enfadada.

Como estaban "ocupados", supo que era el momento perfecto y se subió al tejado, permaneciendo agachado bajo las aspas arremolinadas. Jennifer estaba en la cara del piloto y bloqueaba su visión del tejado, así que ninguno de los dos lo vio venir.

Pero a medida que lo hacía, su discusión subía de tono. El piloto pareció hartarse de ella y encendió el motor como si se fuera. El motor rugió y las palas del rotor aceleraron, aumentando la corriente descendente y levantando más polvo y suciedad por el techo. Ace no podía oír lo que decían, pero su lenguaje corporal lo decía todo. Ace sabía que era su oportunidad. Se quitó la Barrett de la espalda y la volvió a poner frente a él, a babor. Agachado, corrió hacia el helicóptero.

Fue entonces cuando Jennifer le gritó algo al piloto y de repente sacó una automática de pequeño calibre de su bolsillo trasero. Antes de que el piloto pudiera reaccionar, ella le disparó dos tiros en la cara. Bueno, pensó Ace, no era muy persuasivo, pero era una forma de ganar una discusión.

Jennifer volvió a guardarse la pistola en el bolsillo y abrió la puerta de la cabina. Era una mujer poderosa. Con una sonrisa cruel, introdujo una mano en el interior, agarró al piloto sin vida por el cuello de su traje de vuelo y lo sacó del asiento, sin inmutarse en absoluto por la sangre.

Cuando dio un paso atrás para sacar al piloto del patín y alejarlo de la puerta, vio que Ace venía detrás de ella. Tenía en sus manos aquel monstruoso rifle Barrett del calibre 50, con el cañón apuntando en su dirección. Un destello de sorpresa cruzó sus gélidos ojos verdes, pero nada parecía inmutarla. Pierre le decía a menudo que "no siempre era la bombilla más brillante de la manada" y que "le faltaba un ladrillo para estar a tope", o que parecía que "le faltaban unos cuantos pisos emocionales arriba", pero también le decía que eso la convertía en una perfecta máquina de matar. Cuando se sentía amenazada, ponía el piloto automático: brazos, manos, pies y cualquier otra cosa que tuviera se ponían en modo ataque como un misil térmico.

"¡Alto ahí, niñita!" le dijo Ace mientras levantaba ligeramente el cañón para que apuntara al centro de su pecho. "Una bala del calibre 50 puede hacerte la tarde imposible".

¿Una niña? Jennifer le oyó decir, pero su cerebro no la escuchaba. Con un movimiento rápido y fluido, se agachó y giró a la izquierda, sacando una navaja multiusos de hoja curva, aparentemente de la nada. Pasó como un rayo, apuntando a su garganta, pero no era la primera vez que Ace se enfrentaba a un cuchillo. La apartó en el último segundo con el cañón del arma y se inclinó unos centímetros hacia atrás cuando la hoja no le alcanzó por poco. Pero no había terminado. Con la misma rapidez, giró la hoja hacia el otro lado y él sintió un dolor punzante en el hombro. Se dio cuenta de que tenía buenos reflejos, casi demasiado tarde. De hecho, no recordaba la última vez que había visto a alguien más rápido o mejor, excepto al Fantasma y la última vez que Ace practicó sus propios movimientos con el cuchillo delante de un espejo.

Volvió a atacarle, sin parar, con las manos y los brazos en movimiento, tratando de distraerle. La hoja curvada volvió a la carga, pero Ace la estaba cronometrando, y cuando ella la atravesó con el cuchillo, él dio un paso adelante y blandió la culata de fibra de vidrio del pesado rifle diagonalmente hacia arriba. La alcanzó en la mejilla y en el costado de la cabeza con un repugnante ¡¡Thunk!

Los ojos se le pusieron en blanco. El cuchillo se le resbaló de la mano y cayó al tejado, donde se desplomó, inconsciente.

"Supongo que ahora estamos en paz", murmuró mientras recogía su navaja y sacaba la pistola del bolsillo trasero, observando que era una pequeña pero potente Walther Magnum del calibre 22. Era buena exactamente para lo que ella había utilizado: disparos a la cabeza de cerca. Servía exactamente para lo que ella la había utilizado: disparos a la cabeza de cerca.

Era algo que usaría un asesino a sueldo o una asesina a sueldo, según el caso. ¿El cuchillo y la pequeña "pistola asesina"? Ace se detuvo y se acercó al cuerpo del piloto, le dio la vuelta y le miró la cara. ¿Dos pequeñas heridas de entrada en la frente? Ace se quedó mirándolas, dándose cuenta de que ya había visto heridas así antes, "Double Taps", las llamaban, en el sótano de aquella vieja casa de Carolina del Norte.

"¡Perra!", dijo mientras se guardaba el cuchillo y la pistola en los bolsillos. Ace rara vez subestimaba a un enemigo, pero tenía que admitir que casi subestimó a ésta, con consecuencias fatales. Era una rubia asesina y no volvería a cometer ese error. Apuesto a que podemos encontrar un "aquelarre" en el este de Tennessee al que le encantaría invitarte a cenar, pensó. Voy a hablarlo con el jefe.

Ace metió la mano en la cabina y sacó las llaves del contacto, guardándolas también en el bolsillo trasero junto con el cuchillo y la pistola. Al hacerlo, sintió un flujo constante de sangre que le corría por el brazo y por el dorso de la mano. Al mirarse el hombro, vio que el corte de la navaja era mucho más profundo de lo que pensaba, pero aún manejable. Después le pondría una venda y le daría una docena de puntos. Con eso bastaría. La herida del cuchillo no era suficiente para detenerlo. Como su personaje favorito de la película, Blain dijo en *Depredador*, "¡No tengo tiempo para sangrar!"

Con un gruñido silencioso, Ace levantó la Barrett por encima de su hombro herido, cogió a Jennifer con el otro brazo y se la echó por encima del hombro sano. De todos modos, no se despertaría en mucho tiempo. Cuando lo hiciera, él lo sentiría y lo oiría, y no le importaría volver a apagarla. Hasta entonces: "Dulces sueños, princesa", le susurró al oído. "Tengo planes para ti".

Ace se volvió y se detuvo un segundo. Podía ir al pequeño ático de ladrillo y bajar por la escalera de incendios, pero eso le situaría en el centro de las dos alas de la casa, en la escalera principal, y no sabía dónde estaba Pierre. En lugar de meterse de lleno en una situación incontrolada, optó por utilizar la trampilla del tejado y bajar por la escalera.

CAPÍTULO SESENTA

Pasillo del tercer piso

Incluso con su propio peso y la carga que llevaba, las botas de Ace bajaron ligera y silenciosamente por los peldaños metálicos de la escalera de emergencia hasta detenerse en el pequeño rellano inferior. El sudor resbalaba por las sienes de Ace, más por el calor que hacía en el tejado que por el esfuerzo físico o la tensión nerviosa que acababa de experimentar. Se acercó a la puerta que daba al pasillo del tercer piso y se detuvo a escuchar, pero no oyó nada al otro lado de la puerta. Con cautela, alargó la mano y la abrió lo suficiente para echar un vistazo.

Ace se encontró mirando un pasillo ancho, alfombrado y bellamente decorado, que rivalizaría con los mejores hoteles, y se sintió aliviado al verlo vacío. Habría preferido ver al Fantasma e incluso a José Ortega, pero como no tenía ni idea de dónde estaban Consuela, Pierre o cualquiera de sus otros secuaces, le bastaba con que estuviera vacío.

Miró rápidamente a Jennifer. Tenía los ojos vidriosos y la cara flácida. Estaba inconsciente, subida a su hombro como aquel primer ciervo que mató y ató sobre el parachoques delantero de su vieja y oxidada camioneta el primer día de la temporada de caza, cuando tenía dieciséis años, cerca de Colville, en el este de Washington. Disecó y montó aquella cabeza. Al mirarla de nuevo, pensó que quizá no fuera tan mala idea. Mirándola a los ojos, se preguntó qué aspecto tendría su cabeza disecada y montada en la pared de la cueva de Bob en Sherwood. Bueno, quizá no tan bien después de que los Discípulos del Diablo acabaran con ella.

Jennifer ocupaba su hombro bueno, así que la cogió y la acercó al que le había cortado en el tejado. Ese brazo y esa mano estaban ahora cubiertos de sangre y sus dedos se estaban entumeciendo ligeramente. La Barrett colgaba de una correa, así que la giró para poder dispararla con la mano buena. Estaba cerrada y cargada con un nuevo cargador de diez cartuchos y ahora tenía el dedo firme en el gatillo.

Con cada paso cauteloso que daba por el pasillo, dejaba que el cañón del rifle se moviera de una pared a otra. Sería una maldita lástima que las cosas se torcieran y tuvieran que redecorar todas estas hermosas paredes y parchear un montón de agujeros de bala, pensó, admirando la intrincada carpintería y la lujosa decoración del pasillo. Una maldita lástima.

Ace se mantuvo en el centro del pasillo, deteniéndose brevemente en cada puerta que cruzaba para asomar la cabeza y echar un vistazo. Probablemente eran habitaciones de invitados, pensó, demasiado bien decoradas para el personal de la casa de Consuela. No con su monstruoso ego. Las puertas estaban abiertas. Las camas estaban hechas. Pero no vio ropa ni maletas tiradas, y no había nadie dentro. Era bueno saberlo al pasar. Nunca quieres dejar problemas escondidos en tu Seis, y él tenía las cicatrices para demostrarlo.

Cuando Ace se acercaba a la mitad de su ala, a medio camino de la escalera central, una puerta se abrió de repente en el extremo opuesto del pasillo. Se detuvo en seco, giró la Barrett hacia la derecha para que cubriera la puerta y esperó, listo para atacar al objetivo. Pero esos pensamientos se desvanecieron cuando vio salir a Linda, que llevaba al pequeño Eddie en brazos y empezó a caminar en su dirección.

Detrás de ella, por desgracia, vio a Pierre Beauchamp. Entró en el pasillo cargado con un gran maletín y miró primero a su derecha, por el extremo opuesto del pasillo. Había dado dos pasos en el pasillo cuando su cabeza se volvió y sus ojos oscuros y depredadores vieron a Ace de pie a mitad de camino en el otro extremo del pasillo.

Los dos hombres se reconocieron al instante de aquella noche de siete años atrás. No fue un encuentro que ninguno de los dos se hubiera tomado a la ligera ni olvidado fácilmente. Ahora, Ace sabía exactamente quién era Pierre, el guardaespaldas de Consuela, sicario y compañero de Jennifer. Pierre también sabía exactamente quién era el gran ex soldado americano. Ambos hombres venían con un largo historial como sargentos en las fuerzas de combate más elitistas del mundo: Pierre en el famoso Tercer Regimiento de Infantería de la Legión Extranjera Francesa, casi aniquilado por los norvietnamitas en la guerra de Indochina francesa, y Ace como uno de los operadores de la Fuerza Delta de Burke de nivel 1.

Pierre aún tenía la pistola Walther PPK colgando a su lado y la habría levantado de no haber visto a Jennifer colgada del hombro del americano, sin fuerzas. "Merde", murmuró en voz baja. Peor aún, se encontró mirando fijamente el largo cañón de aquel maldito rifle Barrett calibre 50, que la firme mano del gran americano había apuntado hacia él. Evidentemente, se trataba de un hombre muy hábil. ¿Qué dijo Flaubert? "Se puede calcular el valor de un hombre por el número de sus enemigos." Según ese criterio, los dos eran ricos, pensó mientras se movía unos centímetros más detrás de Linda y levantaba lentamente su Walther PPK. Había estado colgada discretamente a su lado para no molestar a la mujer. Ahora apuntaba hacia el pasillo en dirección al americano, amenazador, pero sin obligarle a actuar.

"Tanto tiempo sin verte, Pierre. ¿Cómo está mi hombre en Dien Bien Phu?" preguntó Ace, con una voz cargada de sarcasmo.

"Mucho antes de que yo naciera, Randall, pero gracias por preguntar".

"¿Todavía trabajas aquí, como cocinero de Consuela?", le volvió a preguntar sutilmente.

"Lamentablemente, Jennifer y yo entregamos nuestros avisos esta mañana", respondió Pierre, sus fríos ojos se clavaron en los de Ace, devolviéndole la mirada. "Así que me temo que el Ama tendrá que encontrar una nueva... cocinera". Se quedaron así un momento, como dos pistoleros del salvaje oeste en el cine, con los recuerdos de su encuentro siete años atrás frescos en sus mentes, reproduciéndose como carretes de película desde dos ángulos diferentes.

Cada uno de ellos se encontraba a medio camino de las alas opuestas del pasillo, a menos de 30 metros de distancia. No era una buena posición táctica, pensó Ace. Lo único que había entre ellos, su única cobertura, eran las dos mujeres. Ace levantó su Barrett uno o dos centímetros más y mantuvo la mano muy firme para asegurarse de que Pierre supiera que le apuntaba al pecho, pero Ace también era muy consciente de que podía golpear a Linda o a Eddie si alguno de ellos se movía.

Pierre vio la sangre en el brazo de Ace debajo de Jennifer, goteando de los dedos de Ace a la alfombra. "¿La sangre?", preguntó. "¿Tuya o de ella?"

"Oh, la mía", respondió Ace. "Se me acercó con un cuchillo y me descuidé".

"Sí, puede ser engañosamente rápida. ¿Todavía llevas las maletas de Burke?" preguntó Pierre. "Fue sargento suyo, si no me falla la memoria".

"Érase una vez, pero los dos estamos jubilados, como deberías estarlo tú. Pero te aseguro que sus maletas pesan mucho menos que ella", aconsejó Ace, con la forma inconsciente de Jennifer pesando sobre su hombro dañado.

Pierre se rió. "Tendré que decírselo. No le gustará tu humor. Pero parece que usted y yo estamos en un callejón sin salida", dijo finalmente Pierre, observando a Ace en busca de algún signo de debilidad, pero no vio ninguno. El hombretón mantenía una compostura exasperante, con su pesado rifle inquebrantable. "Entonces, ¿qué hacemos? preguntó finalmente Pierre, con la mirada fija en Ace, Linda y Jennifer. "Soy un excelente tirador con pistola", le dijo Pierre.

"No, no lo sabía", respondió Ace. "Había oído que eras un cuchillero criado en las cunetas de Marsella. Pero, ¿qué es esa cosita que llevas en la mano? ¿Es una de esas PPK de James Bond, de calibre 32? ¿O quizá del 38?".

"Soy muchas cosas, Randall, pero siempre he preferido el modelo de calibre 38. Cuando disparo a alguien, me gusta que se quede en el suelo".

"¿No como el juguete de Jennifer?" Ace le dio un codazo a la rubia inconsciente que tenía sobre el hombro.

"Pequeño, pero apenas un juguete".

"Lo sé. Inspeccioné su trabajo en el sótano de esa casa en Carolina".

"Sí, a la señora le dan placer cosas así".

"Y el calibre no importa. Para que lo sepas, me han disparado antes. Tendrás que darme dos o tres veces con esa cosa para hacerme mella. Pero con esta Barret calibre 50, si te doy en cualquier parte, vas a caer por la cuenta, y no fallo por más de una pulgada o dos a mil yardas, probablemente en el centro a esta distancia."

Pierre miró la boca del cañón calibre 50 que llevaba el americano y luego a los ojos del americano y sintió que una gota de sudor le rodaba por el centro de la espalda.

"Puedes pensar que esconderte detrás de Linda te da cierta protección", dijo Ace. "Pero no es así. Dame uno o dos centímetros y te arrancaré un brazo o una pierna... o la cabeza. ¿Verdad, Linda?"

"Tiene razón, Pierre. Después de mi marido, Ace es el mejor tirador que he visto. Y no me preocupa que me pegue".

Pierre se colocó unos centímetros más atrás y apoyó la pistola en la cabeza de Linda. "Yo también tengo buena puntería, Randall, sobre todo desde esta distancia. Desde aquí tampoco fallo nunca. Tú también serviste en un buen regimiento, los Deltas, como yo, en el Tercio de Infantería de la Legión. Así que no nos precipitemos".

Pierre era muy lógico. Eso era lo que siempre decía Jennifer. Por desgracia, el gran americano la tenía y no parecía que fuera a dejarla marchar sin dificultades. Y el francés necesitaba llegar al helicóptero que estaba en el tejado. Así de sencillo. A Pierre le gustaría mucho recuperar a Jennifer, pero si no salía de aquí pronto, estaría acabado.

Por lo tanto, su objetivo era llegar al tejado y al helicóptero de una pieza con el dinero de Consuela, ésa era su prioridad número uno. Si no lo hacía, todo lo demás estaría perdido. Liberar a Jennifer - desafortunadamente para ella, se convirtió en la prioridad #2. Lo haría si podía, pero si no podía... bueno, eso sería muy desafortunado para Jennifer. La próxima vez, tendría más cuidado de que no la atraparan, ¿no?

"Muy bien, mon ami", le dijo Pierre con una amplia sonrisa. "Aquí estamos: un francés y un yanqui atrapados en un enfrentamiento mexicano. ¿Qué te parecería si te propusiera un rápido intercambio de prisioneros? Tú te quedas con Linda y el niño, yo con Jennifer y cada uno por su lado. ¿Qué te parece? Nadie gana y nadie pierde".

Fue entonces cuando Bob Burke apareció de repente en la cabecera de la escalera, con el rostro convertido en una máscara de fría determinación, al ver a Linda con una pistola apoyada en la cabeza. Llevaba un fusil automático M-4 colgado del cuello, su Sig Sauer en la mano y a José Ortega siguiéndole de cerca.

"¿He oído a alguien decir algo sobre un enfrentamiento mexicano?" Burke preguntó. "Creo que las probabilidades acaban de cambiar, Pierre, ¿no crees?"

CAPÍTULO SESENTA Y UNO

Pasillo del tercer piso

La puerta del dormitorio de Consuela se abrió de golpe y se estrelló contra la pared interior. Estaba en el lado opuesto del pasillo, a medio camino entre la puerta del dormitorio de invitados de Linda y la escalera central, donde yo me encontraba. Todos vimos, atónitos, cómo Consuela salía al pasillo hecha una furia. Sólo llevaba un delgado encubrimiento manchado de sangre y su infaltable *peineta* esmaltada de negro clavada en el pelo. Sus ojos desorbitados se movían frenéticamente entre nosotros mientras levantaba las manos manchadas de sangre y gritaba. Su mirada se clavó en Pierre y se abalanzó sobre él como un animal rabioso, con las uñas desnudas.

"Atrás, Consuela", advirtió mientras daba un paso atrás, tirando de Linda con él, pero apartando su pistola de la cabeza de Linda y apuntando a la de Consuela. "Te dejaré tirada si no lo haces".

"¡Ha matado a Roberto!", chilló, con la voz quebrada por la histeria. "¡Mi profesor de tenis! Está en mi cama, su cuerpo está en mi cama, mirando al techo. Pierre le cortó la garganta como un carnicero. No puedes dejarle escapar. ¡Matadle! ¡Mátalo!"

"Nadie va a matar a nadie hasta que yo lo haga. Ahora cálmate", intenté razonar con ella y controlar la situación. La tensión en la habitación era palpable, un polvorín a punto de estallar.

"¡Y se llevó mi maletín!" continuó Consuela; su rostro se retorcía de rabia. "¡Mi dinero! Se llevó todo mi dinero. Ahí". Señaló el maletín de cuero negro que llevaba Pierre. "Lo ha robado de mi caja fuerte. Lo ha robado de mi caja fuerte; ¡es un ladrón!".

"¿Tu dinero? ¿Tu dinero?" José salió al pasillo del tercer piso y se unió a la acalorada discusión. Le rugió, su ira igualaba a la de ella en intensidad mientras movía el brazo gesticulando con la mano. ¿"*TUYO*"? Es *MI* dinero, *MI* caja fuerte, *MI* casa y *MI* cártel. Tú eres la ladrona y una puta".

"¡Si soy una puta, José, me has convertido en una!", le espetó, con los ojos encendidos de odio hacia todos. "Es *MI* dinero. Yo armé este cártel y luché contra los otros; ¡me gané cada peso!".

"¡No! Nunca tuviste dinero; es mío, de mi padre, y nos lo robaste, ¡puta... de Hollywood!". le gritó José, con la cara roja de rabia.

Mientras observaba su venenoso intercambio, me di cuenta de que José y Consuela eran enemigos de sangre y sólo uno de ellos iba a sobrevivir a su enemistad. Como un gato callejero y un pitbull, o una mangosta y una cobra, todo acabaría con la muerte de uno de los dos, y la verdad es que me daba igual cuál de los dos fuera, o los dos. Lo que sí me importaba era que interrumpieran el serio asunto que tenía con Pierre.

"¡Basta!" Intenté recuperar el control de la situación sin dispararles a los dos, cosa que me habría encantado hacer. Pero antes de que me diera cuenta, habían arremetido el uno contra el otro como dos toros, completamente consumidos por su odio. José corrió hacia Consuela, que se volvió y cargó contra él con las manos en alto y los dedos extendidos como una arpía con garras. Su túnica manchada de sangre se abrió al abalanzarse sobre él.

José la atacó con sus puños, que se balanceaban en salvajes puñetazos redondos mientras intentaba conectar en cualquier lugar y en todas partes y fallaba casi todo. Era fuerte y tenía músculos bien desarrollados, pero era lento. Consuela era más rápida y se agachaba para esquivar sus puñetazos, yendo a por su cara y sus ojos con sus afiladas uñas. En pocos segundos, cayeron juntos al suelo, agitándose, pataleando, mordiéndose y revolcándose en una violenta maraña de miembros.

Ace sacudió la cabeza, riéndose de ellos. "Fantasma, o los detienes o vendes entradas".

Su diversión era contagiosa. No pude evitar una risita ante su comentario, pero le contesté: "Claro que no. No voy a meterme en medio de eso. Déjalos que se golpeen y se den puñetazos. Pronto se les acabará la gasolina. Además, cuando acabe este asunto, tengo la forma perfecta de que lo arreglen".

El forcejeo y la lucha se ralentizaron pronto y se convirtieron en jadeos y gemidos furiosos y dolorosos. Cuando Consuela y José no pudieron hacer otra cosa que quedarse tumbados sin poder hacer nada, intervine y me hice cargo de la situación. Los puse boca abajo, les tiré de las muñecas a la espalda y utilicé esposas flexibles para inmovilizarlos a ambos, muñecas y tobillos, cerrando la bata de Consuela antes de asegurarle los brazos. Cualquier atractivo que tuviera aquel cuerpo se había perdido ahora en sudor, sangre y moratones.

Giró la cabeza y me escupió maldiciones, en más idiomas de los que podía reconocer y mucho menos entender, pero estaba tan agotada que sus palabras carecían de veneno y finalmente dejó caer la cabeza al suelo junto a la de José, exhausta. Después de abrocharles el último juego de esposas flexibles, les advertí a ambos que se quedaran allí tumbados, que se callaran y que no se les ocurriera nada más, pero se negaron a escucharme y volvieron a gritarse. Así que entré en su dormitorio, encontré un par de sus calcetines blancos de gimnasia en el suelo, junto a sus zapatillas, y les metí un calcetín en la boca a cada una. Ya está. pensé. Así se solucionaría el problema, al menos por un tiempo.

Es hora de volver a problemas más serios como Pierre y Linda.

Me levanté, desenfundé mi Sig-Sauer y apunté directamente a la cabeza de Pierre. Estaba de pie a sólo seis metros cuando di una serie de pasos lentos hacia él, acortando la distancia a la mitad antes de detenerme. Ace arrojó a Jennifer sin ceremonias sobre el suelo alfombrado. Se oyó un fuerte "¡golpe!" cuando cayó inconsciente en el centro del pasillo, pero él no le prestó atención. En lugar de eso, levantó la Barrett hasta el hombro y apuntó a Pierre en una postura de disparo practicada "a mano alzada". Luego avanzó hacia Pierre a lo largo de la pared opuesta, ampliando el ángulo entre los dos, convirtiéndolo en un blanco en medio del fuego cruzado. La posición de Pierre se hizo tácticamente insostenible, lo que el francés reconoció de inmediato.

"¡Coronel Burke!" gritó Pierre, fingiendo alegría. "No creo que nos hayan presentado formalmente aquella noche en las colinas de la hacienda de los Ortega. Pero me permito disentir un poco con usted. En efecto, es un empate, mon ami, pero a menos que tenga una esposa de repuesto sentada en la hacienda de Carolina del Norte, recuerde que mi pistola está apuntando a la cabeza de la señora Burke."

"Supongo que es un enfrentamiento mexicano, ¿no?". respondí mientras Pierre se movía aún más detrás de Linda, apretando con más fuerza su Walther PPK contra su sien. Sus ojos se encontraron con los míos y pude ver miedo por primera vez en mucho tiempo, pero era por Eddie, no por ella misma. Era una luchadora y la quería por ello.

Y el bastardo tenía razón. Lo teníamos en un fuego cruzado mortal, pero tenía a Linda, lo cortáramos como lo cortáramos. Sin embargo, no tenía intención de dejar escapar a ese canalla, ni a José, ni a Consuela, ni a él. Todos estaban implicados en el secuestro de Linda y Eddie, y la venganza iba a ser muy dura.

Finalmente, bajé mi Sig unos centímetros, para que no apuntara directamente a su cara y le dije: "Muy bien, Pierre. Si crees que es un empate, entonces tengo un trato para ti".

Su cabeza se inclinó hacia un lado, picándole la curiosidad. "Soy todo oídos, Coronel".

"En primer lugar, por lo que he oído de tu reputación, ¿qué demonios haces con esa popgun?". pregunté insultantemente, señalando la PPK que Linda tenía contra la cabeza.

¿"Popgun"? Consuela me ha preguntado lo mismo, pero más amablemente", se enfadó Pierre, y su fingida amabilidad se desvaneció. "Esta, señor, es una Walther PPK, la mejor semiautomática pequeña que han fabricado los alemanes".

"Se lo concedo", acepté rápidamente, "pero usted es un hombre de hoja, señor, según se dice, un experto con el cuchillo o el estilete. ¿Recurrir a una pistola? Eso está muy por debajo de usted".

Por un momento, Pierre vaciló. En ese breve segundo, capté un destello de orgullo en sus ojos antes de que se diera cuenta de que le estaba tomando el pelo.

Pero bajó la mirada hacia el arma que tenía en la mano y luego me miró a mí, frunciendo el ceño mientras intentaba averiguar qué pretendía.

"Muy bien, coronel", dijo finalmente, soltando a Linda y dando un paso atrás. "Voy a conceder el punto. En efecto, soy un hombre de 'hoja'. Entonces, ¿qué propone? ¿Espadas? ¿Duelo de pistolas? ¿A caballo con escudos y lanzas?"

"No, no, pero quiero ser justo contigo. ¿Qué te parece un pequeño mano a mano, solos tú y yo, con cuchillas, por supuesto?".

"¿Cuchillas?" preguntó Pierre con una fina sonrisa.

"Sí. Tú usa tu cuchillo y yo usaré el mío". Su curiosidad se había despertado y sabía que tenía toda su atención.

"¿Y qué nos jugamos en este partido?"

"Muy simple. Si ganas, coges a Jennifer y el maletín y vuelas hacia el atardecer en tu helicóptero en la azotea".

Me miró, desconfiado y sopesando sus opciones. "¿Y si ganas?"

"Eso no importará mucho, porque estarás muerto... Oh, ¿no te he dicho que será a muerte? Creo que es la única forma apropiada de que dos estimados caballeros como tú y yo resolvamos un desacuerdo como éste, ¿no te parece?". Y al ver que su sonrisa se ensanchaba, supe que lo tenía enganchado.

"Pero a mí me importa. ¿Qué pasa con él: ¿tu gran sargento ahí de pie, el que tiene el rifle Barrett apuntándome?".

¿"Ace"? No interferirá, ni durante ni después. Para hacerlo oficial para ti, es una orden, Ace. ¿Entendido?"

"Entendido, señor". Ace se encogió de hombros mientras bajaba el rifle. "Si gana, se va".

Pierre miró a uno y otro lado, aún inseguro. "Que sean cuchillas una para cada uno de nosotros, ¿y eso es todo?"

"Dado que este concurso será entre dos caballeros, si algo más aparece, o cualquiera de las partes rompe las reglas, entonces Ace está autorizado a disparar grandes agujeros en la parte infractora. ¿De acuerdo?"

Pierre dudó un momento, luego asintió y apartó la pistola de la cabeza de Linda.

"¡Burke! ¿Qué crees que estás haciendo?" Linda se acercó y me fulminó con la mirada.

"Linda, llévate a Eddie junto a la pared", le dije, siendo firme pero suave y tranquilizadora.

"¿En serio?", respondió, con sus ojos azules brillando de ira y miedo a la vez. "He visto esto...", pero le puse los dedos en los labios y no la dejé terminar.

"¿Recuerdas a tu profesor de Sociología ex-marine con el cuchillo K-Bar que te secuestró la última vez? ¿Y al abuelo Benson en el tejado del casino de Atlantic City, que se creía más rápido que yo con la navaja? ¿O tu amigo, el doctor

Lawrence Greenway? Me encanta enfrentarme a tipos con grandes egos, y a ti también".

Sacudió la cabeza, exasperada. "¡Lo sé, un hombre tiene que hacer lo que un hombre tiene que hacer!". No estaba de acuerdo, pero me di cuenta de que lo entendía. "¿Sí? Bueno, si te mata, ¡ya conoces mi amenaza!"

"¿Que nunca volverás a hablarme?"

"No, que te enterraré en uno de mis vestidos con maquillaje, perlas alrededor del cuello y tacones altos, y me aseguraré de que sea un ataúd abierto en la capilla de Fort Bragg".

"¡Ooh! La mujer se está poniendo seria, Fantasma", rió Ace desde una distancia segura, con el rifle bajado a la cintura, pero todavía apuntando a Pierre y preparado. "No te metas con este tipo como hiciste con los otros dos. Es problemático. Y si ella sirve de indicación, creo que él es mucho mejor que esos otros dos; así que hazlo".

Le devolví la mirada. "Estoy mirando la sangre que corre por tu brazo, supongo que de tu novia Jennifer, ¿y eres tú el que me dice que tenga cuidado?".

"¡Ese es su punto, tonto!" Linda miró a Jennifer, que por fin empezaba a moverse. "Como Ace acaba de decir, no jodas con ese tipo. Llevo tres días con él y es problemático".

"De acuerdo", dije mientras me volvía hacia el francés. Me quité las correas del arnés del machete de los hombros, lo dejé caer junto a la pared cerca de Linda y saqué el maltrecho machete de José. Lo giré varias veces alrededor de mi cabeza y dije: "Cuando quieras, Pierre. Yo tengo el mío. ¿Dónde está el tuyo?"

Pierre se quedó con la boca abierta. "¡Oh, no, no, Coronel, usted dijo una lucha justa! No puede..."

"Sólo bromeaba, Pierre, como diría mi hija de once años", me reí, tiré el machete al suelo sobre su arnés y saqué del bolsillo mi navaja TAC de doble filo y hoja fija. Entonces empecé a caminar hacia él, sin sonrisa y con los ojos clavados en los suyos, cada paso medido y deliberado mientras empezaba a rodearlo. "Pero ya no estoy bromeando".

El francés asintió mientras se quitaba lentamente la chaqueta y la dejaba ordenadamente sobre el maletín, en la alfombra junto a la pared. Luego sacó el estilete y lo abrió con una experta floritura mientras se volvía hacia mí con aquella sonrisa de confianza en los labios.

CAPÍTULO SESENTA Y DOS

Pasillo del tercer piso

Una pelea con cuchillos no era algo que se resolvía hablando. No era un juego de caballos en la entrada de casa con la pelota de baloncesto y un par de cervezas. Era rápido, violento y sangriento, y requería toda tu concentración. Especialmente cuando el otro tipo podía ser tan bueno en el juego como tú. Nada de refunfuñar, nada de murmurar, nada de hablar mal, sólo acero frío y una muerte rápida.

Empezamos a un metro de distancia, uno enfrente del otro, con las rodillas flexionadas, la cintura ligeramente inclinada hacia delante, mirándonos a los ojos en posiciones de combate defensivo perfectamente equilibradas, para poder observar los reflejos y los movimientos del otro. Pierre tenía las manos extendidas hacia delante, con las palmas hacia abajo, y su fino estilete en la mano derecha. Sin dramatismo. Nada de lanzar el cuchillo de un lado a otro entre las dos manos. Todo eso era para aficionados y muertos, y ambos lo sabíamos.

Debía de parecerle exactamente lo mismo, imágenes especulares preparadas para contrarrestar cualquier movimiento del otro. Era exactamente lo que esperaba de un viejo profesional con su reputación, y exactamente lo que yo estaba haciendo también, con los ojos clavados en los reflejos del otro y en cada uno de sus movimientos, intentando anticiparme, porque eso determinaría quién ganaría y quién moriría. Y para mí, luchar con un cuchillo era una extensión, literal y figurada, de tu mano y de las demás artes marciales.

Así como hay muchas escuelas nacionales, desde la japonesa a la coreana, pasando por la china, la tailandesa, la filipina, la brasileña, la indonesia, la israelí y otras; hay diez veces ese número de estilos diferentes, desde el kárate al judo, el taekwondo, el kung fu, el aikido, el jujitsu, el kickboxing, el kendo y mi favorito actual, el krav magá, el estilo israelí de asalto total.

No hay escuelas de lucha con cuchillos, aparte de las que puedan enseñarte los militares, porque es muy individual y no la verás en televisión. Pero al igual que las demás artes marciales, depende de si prefieres el ataque o la defensa para crear la acción o reaccionar ante ella.

Había estudiado y luchado con muchos de ellos, sobre todo los orientales. Entre mis favoritos estaban el kárate, el taekwondo, el aikido y el muay thai, hasta el kick boxing. Algunas eran buenas para hacer ejercicio. Algunas eran buenas para el combate o las maniobras sigilosas, pero ninguna servía para todo. Siempre escogía los movimientos específicos que me iban bien. Sin embargo, en los últimos años me he decantado casi exclusivamente por el Krav Maga, el estilo de lucha israelí. No era defensa personal, ni mucho menos, ni un arte marcial, ni ningún otro tipo de arte. Era un estilo brutal, de ataque total, con movimientos destinados a mutilar, destruir y matar rápidamente a un enemigo. Porque cuando la lucha era de verdad, eso era lo único que tenía sentido para mí.

No pude evitar sonreír. Mi ventaja habitual era ser más bajo, más ligero, con más práctica y más rápido que el otro tipo. Esta vez no. Me sentía como si estuviera luchando contra mi gemelo o haciendo boxeo de sombra contra mí mismo delante de un espejo. Ace y Linda tenían razón; este tipo era mejor que los otros dos con los que había luchado y matado recientemente, pero yo también lo era.

La técnica de libro de texto, la que enseñaban todos los militares, consistía en moverse y zigzaguear, dar de vez en cuando un empujón rápido y permanecer en el perímetro de la defensa, justo fuera del alcance del otro, como un lobo hambriento en busca de un hueco. Al final, le cansabas y cometía un error. Grande o pequeño, eso era todo lo que hacía falta. Sólo había que esperar a que ocurriera. Eso era lo que decía el libro de texto.

Una cosa diferente con Pierre, sin embargo, era esa sonrisa en su cara. Aún no había dicho ni hecho nada, pero su exceso de confianza sería su perdición. Podía verlo en su forma de comportarse y en su actitud. Era un depredador arrogante que había engordado a base de oponentes indignos.

"¿Algunas últimas palabras para la galería, mon ami?" preguntó Pierre con esa típica sorna, tratando de ponerme nervioso.

"Sólo uno", respondí, con tono ligero pero sin apartar los ojos de los suyos. "Les dije que te enterraran en un sitio bonito donde pudiera pasarme y mear en tu tumba cuando quisiera".

Vi que la sonrisa vacilaba sólo un instante en los bordes, pero lo hizo, confirmando que había tocado un punto débil y que un gusano de duda acababa de entrar. Fue entonces cuando supe que lo tenía.

Cuando comenzó la danza mortal, nuestras espadas chocaron con el agudo sonido del metal raspándose contra el metal, y cada parada y estocada se movía a la perfección de una a otra mientras cada uno buscaba una apertura. Y como en una partida de ajedrez internacional de alto nivel, ambos planeábamos nuestros movimientos, fintas y contragolpes con cinco y seis movimientos de antelación.

Mientras intercambiábamos los primeros tajos y paradas, sentí que volvía el viejo ritmo. Se aceleraba con cada segundo que pasaba, pues ambos sabíamos que bastaría un error, un paso en falso o un golpe mal calculado, una estocada ligeramente desviada, y todo habría terminado. Con lo buenos que éramos cada uno con el cuchillo, eso era todo lo que haría falta. Sin embargo, dada su reputación en Marsella y en la mafia francesa, sabía que yo era mejor luchador que ese arrogante francés, y si me mantenía paciente y presionaba, le derribaría.

Dando vueltas el uno alrededor del otro, empecé a presionar la acción un poco más cada vez. En algunos movimientos, yo era un pelo más rápido que él, así que seguí presionándole, siempre presionándole, para ponerle a la defensiva y mantenerle ahí. Sentía que la frustración de Pierre crecía con cada segundo que pasaba. Estaba acostumbrado a ser el depredador, el agresor. Esa era su fuerza. No estaba acostumbrado a estar a la defensiva. Esa era su debilidad, y empezaba a ponerle nervioso a medida que pasaban los segundos y eso hacía mella en sus reacciones.

Con un repentino estallido de velocidad, me lancé en una fulminante serie de estocadas y ataques, trasladando mis amplios conocimientos de Krav Maga a la hoja del cuchillo para asestar una implacable andanada de golpes destinados a abrumar e incapacitar a mi oponente. Pierre se las arregló para parar y esquivar, pero estaba claro que no era rival para la fría y despiadada eficacia de mi ataque.

Con un cuchillo, normalmente prefería bailar ligeramente sobre las puntas de los pies, doblado sólo ligeramente por la cintura para poder hacer una serie de amagos con las manos y la cabeza, para medir su velocidad y alcance y cansarle. Pero los brazos de Pierre eran ligeramente más largos que los míos y, mientras dábamos vueltas, de repente amagó con el estilete hacia la derecha.

Cuando reaccioné al amago, por sólo un instante, se giró y me asestó un tajo, su fina hoja atravesó mi hombro derecho y mi pecho. La herida no era profunda ni grave, pero había hecho sangre por primera vez. Sabía que el estilete era una excelente arma de empuje con una punta afilada, pero no esperaba que llevara también un filo de doble cara, una modificación que él debía de haber hecho. Fue una lección dolorosa, pero no volvería a cometer ese error.

Jennifer Hurley debió despertarse detrás de mí, se puso en pie y nos observaba, porque oí su voz chillona gritando: "¡Mátalo, Pierre, mátalo!".

Entonces oí a Ace decirle: "Cállate y deja que terminen esto o te daré otro".

"Ah, parece que nuestro público va en aumento, coronel Burke", dijo Pierre. "¿Le he pillado desprevenido con esto último?", preguntó, su voz goteaba con la vieja satisfacción engreída. Fue entonces cuando supe que lo tenía. Tal vez pensó que estaba más herido de lo que estaba, pero rápidamente volvió a atacarme, a matar.

Intuí la estocada más que la vi, pero esperaba un movimiento agresivo por su parte, con suerte demasiado agresivo. Fingió a la derecha y luego clavó su espada directamente hacia delante, extendiendo el brazo y el estilete hasta el final, apuntando su afilada punta a mi corazón. Intentando acabar con él. Pero me deslicé ligeramente hacia mi derecha y giré, haciendo que la punta de su estilete pasara junto a mi pecho, sólo por unos centímetros, pero suficientes.

Con su brazo completamente extendido, estaba desequilibrado y yo ya había comenzado mi contraataque. Llevé mi cuchillo TAC hacia arriba en un arco corto y despiadado que apenas le rozó las costillas, pero que le alcanzó el antebrazo derecho, cortando profundamente los músculos y tendones para extraer mucha sangre. Luego retrocedí y me reagrupé mientras lo estudiaba durante un segundo.

Sabía que era el momento crucial, la fracción de segundo en la que todo podía cambiar. Su brazo derecho era su brazo dominante. Ahora estaba inutilizado y sangraba mucho. Sin embargo, de algún modo, había cambiado el cuchillo a la mano izquierda y había vuelto a ponerse en cuclillas de combate invertido dirigiendo con el brazo izquierdo. Era lo mismo, pero no lo era, y el cambio completo de postura supuso un comodín en las técnicas de ambos. Para él, significaba pensar en lugar de atacar y reaccionar instintivamente, y eso sería fatal.

Pierre estaba desesperado. Esa sonrisa confiada había desaparecido. Y una mirada a sus ojos me dijo que estaba improvisando. Además de la pérdida de sangre, pronto se distraería por el dolor. Ese sería el final. Yo lo sabía, y él lo sabía. Y yo sabía que no tenía otra opción que atacar por última vez e intentar ganar con una estocada mortal en el cuello o en el pecho. Era su única esperanza.

El libro de texto decía que debía mantenerme a la defensiva y esperar a que su pérdida de sangre le debilitara y contrarrestar el ataque que sabía que iba a producirse. Entonces podría entrar a matar cuando cometiera un error o se sobrepasara de nuevo.

Un buen tipo habría decidido que la pelea ya no era justa porque estaba herido y se habría echado atrás y le habría dejado vivir. Pero yo no era un buen tipo. Había secuestrado a mi mujer y había visto su obra en el sótano de aquella vieja granja de Carolina del Norte. Estaba seguro de que eso era sólo una pequeña proporción de las cosas que había hecho. No, se trataba de un tipo al que había que matar.

Sabía que Pierre atacaría de nuevo. Era la única opción que tenía ahora. Dio un rápido y corto empujón para alejarme de él, pero yo sabía que ése no era su movimiento final. Contaba con ello, y Pierre no me decepcionó. Igual de rápido, hizo ese último gran empujón. Saltó hacia él tan rápido y tan lejos como pudo, con el brazo y el cuchillo completamente extendidos, apuntando a mi corazón. Pero yo estaba preparado para él. Pivoté, y en lugar de encontrar carne y hueso, lo único que hizo su hoja fue abrir un agujero en el aire vacío. Peor aún, ese cambio de peso sobre su pierna izquierda lo dejó momentáneamente abierto de par en par. No esperé.

Como un matador, dejé pasar el brazo y luego lo aparté, desequilibrándolo aún más. Esa era mi oportunidad. Me deslicé detrás de él. Desdeñando el cuchillo, le agarré por la barbilla y la nuca, y les di un rápido giro, partiéndole el cuello.

Era lo último que esperaba y lo último que sentía. Lentamente, bajé su cadáver sobre el suelo enmoquetado del pasillo.

"¡Bueno, ya has tardado bastante!" gritó Ace detrás de mí.

Críticos, pensé mientras sacudía la cabeza. Hay trolls por todas partes.

CAPÍTULO SESENTA Y TRES

Pasillo del tercer piso

Abracé a Linda y Eddie por primera vez en demasiados días. Ace estaba detrás de mí sonriendo, apoyado en el cañón de su rifle Barrett. Y Consuela y José Ortega seguían tumbados en la alfombra, con las cabezas separadas apenas un palmo, pero podía ver el veneno que brotaba de sus ojos. Era palpable. Sus labios se movían, aunque sus bocas estaban amordazadas por los calcetines sucios de gimnasia de ella. Tuve que señalarlos y reírme. Seguían insultándose, aunque en murmullos apenas audibles.

Jennifer Hurley estaba de pie en el centro del pasillo. Desde la primera vez que la vi, la marqué como peligrosa e impredecible, y no me equivocaba. Era difícil sentir simpatía por dos psicópatas como ellos. Después de todo lo que habían hecho, estaba bastante seguro de que Jennifer había visto la mayor parte de la pelea con cuchillos, o al menos el final de la misma. Fue entonces cuando la oí gritarle a Pierre que me matara. Desafortunadamente para ella, no fue así. Ahora, lo mejor que podía hacer era tambalearse de un lado a otro sobre piernas temblorosas como un solitario ciervo recién nacido.

No estaba seguro de hasta qué punto lo entendía. Probablemente tenía una gran conmoción cerebral por el fuerte golpe que se había llevado con la culata del rifle de Ace mientras Pierre y yo intercambiábamos cuchilladas. Y con él muerto en el suelo frente a ella, era difícil decir cuánto era consciente ahora. Sus ojos seguían vidriosos y desenfocados. Diré algo a favor de Ace: cuando sale a batear, no lo hace a medias. El lado de la cabeza donde había golpeado la culata del rifle se estaba hinchando, y ese ojo se estaba cerrando. Y tenía un monstruoso ojo morado y moratones que florecían en profundos morados y rojos en la mejilla.

Su visión se había aclarado justo a tiempo para presenciar la muerte de su marido, amante y compañero sicario, Pierre. "Qué pena, qué triste", le dije con voz sarcástica.

Mientras celebrábamos nuestra tan esperada reunión familiar, Eddie duró en mis brazos los veinte segundos habituales antes de empezar a retorcerse y a buscar a su madre. Mientras lo hacía, sus ojos inocentes miraban alrededor de la habitación. Ya tenía tres años, pero al no tener ningún marco de referencia, parecía no inmutarse por lo que había ocurrido aquí arriba. Eso era bueno.

"¡Mami!", chilló mientras yo lo sujetaba, sin soltarlo, mientras Linda le hacía cosquillas en los costados.

"¿Estás bien, hombrecito?", preguntó, con la voz cargada de emoción.

"Muy bien, tortolitos", intervino Ace, rompiendo el momento. "Terminemos con esto y salgamos de aquí".

"Entendido", acepté, sin separarme aún de Linda y Eddie.

"Bob, por favor, dime que hemos acabado con estos psicópatas, con todos ellos", suplicó Linda, con los ojos desviados entre los dos Ortegas atados y Jennifer.

"Casi. Sólo un par de detallitos de los que ocuparme", le aseguré, mirando a Consuela y José tumbados en el suelo. Mi mente ya iba a toda velocidad.

Fue entonces cuando oí el grito angustiado de Jennifer detrás de mí.

"¿Pierre? ¡Pierre!", gimió, con la voz entrecortada por la angustia detrás de mí. "¡Lo mataste, lo mataste!"

Al girarme, vi que sus ojos enloquecidos recorrían la habitación antes de fijarse en Consuela. Dio dos pasos hacia su jefa, se agachó y arrancó del pelo de Consuela aquel peine negro de peineta española. Sacó la parte superior decorativa del peine de los dientes, revelando un conjunto de cuchillas largas y afiladas ocultas en su interior. Con un chillido como el de una banshee, Jennifer se volvió hacia mí y cargó con aquellas malvadas cuchillas dirigidas directamente a mi espalda.

"¡Bob...!" gritó Linda, tratando de advertirme. Nos empujó a Eddie y a mí a un lado con sorprendente fuerza mientras se agachaba y agarraba lo único que tenía cerca: El viejo y abollado machete de José, donde lo dejé caer encima de su arnés de hombro antes de que empezara la pelea de cuchillos. Jennifer se acercó rápidamente a nosotros, con los ojos desorbitados y gritando, levantando la garra del peluquín sobre su cabeza con ambas manos, con el objetivo de clavármela.

Durante una fracción de segundo, vi la misma rabia grabada en la cara de Linda mientras giraba el machete por encima de su cabeza y lo golpeaba en la parte superior del corte central de Jennifer. Aquella vieja hoja de acero había cortado mucha caña de azúcar en su día. Estaba astillada y arañada, pero en la mano decidida de Linda, se enterró a quince centímetros de profundidad en la parte superior de la cabeza de Jennifer como si fuera un melón fresco en el departamento de productos en Safeway. Jennifer se detuvo en seco.

"¡Aléjate de él, perra!" Linda le gritó.

A Jennifer le flaquearon las piernas y se desplomó como si la hubieran estrellado contra el suelo. Acabó sentada frente a nosotros, erguida, con los ojos muy abiertos y muy muerta. Desde el secuestro, Linda no había podido aguantar más a aquel psicópata. Se agachó y le gritó a Jennifer en la cara: "¡Muere, muere!".

Me agaché y tiré de ella. Linda parpadeó un par de veces y luego me miró y dijo: "¡Dios mío, Burke! Mira lo que me has hecho hacer".

Ace sonrió: "Sí, lástima que sólo puedas matarla una vez".

Rápidamente le di a Linda otro gran abrazo reconfortante. "Relájate, ustedes dos tuvieron una historia últimamente, ¿no? Se lo merecía".

Linda entrecerró los ojos y me miró. "¿Historia? Eso es decir poco, Burke".

"Una pregunta, sin embargo", preguntó Ace. "El 'Aléjate de él, zorra', eso es casi Sigourney Weaver en Aliens, casi, pero ¿de dónde demonios has sacado lo de '¡Muere, muere! ¿Quizá podamos encontrar ese en Netflix?".

Vi la expresión de Linda y puse los ojos en blanco ante Ace. "Menos mal que ya no tiene ese machete, Pancho. No se sabe qué partes podría decidir cortarte".

Entonces me agaché y cogí el peine español negro adornado que estaba en el suelo cerca de Jennifer y lo miré más de cerca. Las hojas tenían quince centímetros de largo con puntas afiladas y bordes afilados como cuchillas, como el estilete de Pierre. "¡Qué mono!" dije. "¿Pero cómo demonios sabía ella de esta cosa?".

"El primer día que estuve aquí, Consuela me lo contó", contestó Linda, secándose el sudor nervioso de la frente. "Lo olvidé por completo, pero desde que Jennifer trabaja aquí, debe haberlo visto cientos de veces".

"Bueno, menos mal que lo hiciste, o estaríamos teniendo una conversación muy diferente". Hice una pausa, mirando el cuerpo sin vida de Jennifer en el suelo. "O no tendríamos ninguna."

Fue Eddie quien lo resolvió. "Mamá", murmuró, su vocecita apenas audible por encima del caos nervioso que nos rodeaba.

"¿Sí, cariño?" contestó Linda rápidamente, mientras lo envolvía en sus brazos.

"¿Se ha ido la señora mala?", preguntó. Obviamente, también se había hartado de Jennifer y Pierre en los últimos días.

"Sí, Eddie. La señora mala se ha ido."

No dijo nada. Se acurrucó en su hombro y volvió la cara.

"Fantasma", dijo Ace, haciendo un balance de la situación. "Limpieza en el pasillo n° 6. Parece que nos queda trabajo".

"Recibido", dije. "Hora de llamar a ese Uber". Sacando mi móvil, marqué High Rider Carmody en el aeropuerto. "John", le dije cuando contestó al primer timbrazo. "¿Todo sigue copacetic allí?"

"Entendido, Fantasma", respondió. "He recibido algunas miradas extrañas. ¿Saldremos pronto de aquí?"

"¿Recuerdas esa gran mansión en el centro frente a la gran catedral de dos torres?" le pregunté.

"Entendido. Estaré allí en diez minutos", respondió High Rider.

Me volví hacia Ace y le pregunté: "¿Crees que hay espacio suficiente en el techo para que aterrice el Black Hawk, con el otro pájaro sentado ahí arriba?".

Ace consideró la situación por un momento y dijo: "Sí, dile que lo traiga. Si no cree que quepa el Black Hawk, empujaremos el otro por el lateral".

"Me parece un buen plan", acepté, y le dije a High Rider que subiera el Black Hawk.

Fue entonces cuando vi que se abría otra puerta al final del pasillo, al otro lado de la escalera. Instintivamente, eché mano de mi Sig, preguntándome quién demonios vendría ahora a por nosotros, sólo para darme cuenta de que mi pistola seguía en el suelo, donde la dejé con mi carabina M-4. Me agarré con fuerza a Eddie y le susurré a Linda: "¡Ponte detrás de mí! Agarré con fuerza a Eddie y le susurré a Linda: "¡Ponte detrás de mí!", sin arriesgarme.

Afortunadamente, esta nueva amenaza resultó ser una mujer mexicana regordeta, de mediana edad, vestida con un traje blanco de enfermera y con el pelo negro recogido en un moño. Entró cautelosamente en el pasillo, con los ojos muy abiertos y confusa, mirándonos, claramente sorprendida por los gritos y la carnicería en nuestro extremo del pasillo.

"¿Señora Linda?", dijo por fin, con voz temblorosa por la incertidumbre.

"¡Oh, eres tú María!" Linda respiró hondo y me miró. "Es Maria, Bob. Es la niñera-enfermera que Consuela trajo para ayudar con Eddie. Todo va bien, María". Linda sonrió y la saludó con la mano, tratando de tranquilizarla a pesar de la sombría escena. "Ven aquí."

María vaciló antes de avanzar por el pasillo, sorteando con cuidado los cadáveres que yacían en el suelo, tanto vivos como muertos. Sus ojos iban de un lado a otro, probablemente preguntándose si se estaba metiendo en otra situación peligrosa. No podía culparla; diablos, yo también sería escéptico si estuviera en su lugar.

Antes de que pudiera decir nada más, Eddie alargó la mano y casi saltó a sus brazos. Ella tiró de él y lo abrazó mientras intentaba consolarlo en medio del caos, parloteando en un español reconfortante.

Linda la miró con Eddie e inmediatamente preguntó: "María, ¿te gustaría un trabajo?".

La mexicana la miró fijamente, preguntándose si había entendido bien. "¿Un trabajo? ¿Contigo?" *¿Un trabajo? ¿Contigo?* preguntó María mientras miraba a Consuela y José atados en el suelo y a Pierre y Jennifer tan muertos como pavos de fiesta y asintió. "¿En América?" *¿En América?* "¡Si! Si!" respondió mientras apretaba a Eddie con más fuerza, su emoción evidente.

Tosí y le dije a Linda: "Sabes, no hablas ni una palabra de español".

"¿Alguna vez te ha detenido algo así?", preguntó. "A mí no, pero a Ellie sí. ¿Lo sabías?" Me miró con las manos en la masa y una chispa de irritación. "Y ahora también habla ruso, gracias a Sasha y a su madre, y un poco de chino. No tengo ni idea de dónde ha salido eso, pero me imagino que tú y los frikis sí", dijo Linda, cruzando los brazos sobre el pecho, desafiándome. "Y todo es culpa tuya, ¿sabes?".

"Por supuesto", respondí rápidamente, sabiendo que siempre era más fácil asumir la culpa que discutir con ella. Asumir la culpa no le dejaba ningún sitio a donde ir. Pero era hora de cambiar de tema antes que arriesgarse a otra discusión. "María necesitará papeles, ¿sabes? No podemos..."

"La misma respuesta", me cortó Linda, sonriendo levemente. "Olvidas que nuestra hija tiene amigos en puestos muy altos. Si no, dudo que los ordenadores del Departamento de Estado le causen el menor problema al 'Maestro Hacker'".

Asentí, sabiendo que tenía razón en todo. "Muy bien, entonces María tiene que empaquetar sus cosas. Me volví hacia la sonriente mexicana y le dije: "¿Tu maleta? Haz la maleta, María".

Linda se quedó con la boca abierta. "¿Hablas español? ¿Y me estabas dando la lata? ¿Cuándo ocurrió eso?"

"Un poco, *sólo un poco*", respondí. "West Point, mis peores notas en cuatro años. Pero casi el veinte por ciento del Ejército es hispano ahora, mucho más en las armas de combate, así que no era opcional."

María no tardó en volver con una maleta barata y una gran sonrisa.

"Bien", le dije a Linda y me volví hacia Ace. "Ahora, ayúdame a poner de pie a estas dos gallinas atadas", dije, señalando a Consuela y José, que seguían amordazados. "Tenemos algunos asuntos que terminar con ellos".

CAPÍTULO SESENTA Y CUATRO

El Comedor de Culiacán

"**Basta ya,** coronel Burke", me miró José y refunfuñó después de que le sacara de la boca el sucio calcetín blanco de atletismo de Consuela. "Es impropio de un oficial con su fino pedigrí", escupió varias veces sobre la alfombra.

"¿Te vas a callar o tengo que volver a ponerte el calcetín?".

"No, no, pero debes ser justo conmigo y dejarme subir", exigió indignado. "Ya tienes a tu mujer de vuelta -gracias enteramente a mí, por supuesto- ahora desátame, para que pueda matar a la mía". Me reí mientras Consuela empezaba a gritar en el calcetín, a mover las piernas arriba y abajo y a quejarse.

Me agaché y la miré directamente a los ojos. "No hay nada que puedas decir que yo quiera oír ahora mismo, así que si no te callas, voy a meterle el segundo calcetín con el primero. ¿Entendido?" Eso funcionó por un tiempo, de todos modos.

Entonces me giré y volví a mirar a José a esos grandes ojos oscuros. Cualquier reserva de buena voluntad y humor que tuviera había desaparecido por completo para entonces. "Si no recuerdo mal, 'Gran Cuchilla', fuiste tú quien hizo que tu colega Angus Bodine secuestrara a mi mujer y empezara todo esto en primer lugar. ¿Recuerdas?"

"Un mero tecnicismo, coronel", replicó, mirando con desprecio a Consuela. "Ella también lo hizo. También secuestró a tu encantadora esposa, y mira lo que su gente les hizo a esos pobres moteros, ¿eh?".

"¿Pobres moteros?" Oí reír a Ace detrás de mí. "Bueno, seguro que no lo volverán a hacer, ninguno de ellos".

"¡Gracias a Dios, no! Gracias a Dios. Pero no puedes echarme toda la culpa a mí. Después de todo, yo estaba en prisión en ese momento".

Tuve que masticarlo un segundo. "Espera un momento. He oído hablar de la carta 'Salir de la cárcel', pero ¿estás intentando jugar la carta 'Soy inocente porque estuve en la cárcel'? Realmente tienes un par, ¿no es así, José?"

"Cierto, muy cierto, amigo, pero ¿por qué me persigues así a mí y no a ella?".

"¡Oh, voy a perseguirla mucho en unos minutos, pero ese es exactamente mi punto, José! Lo que tenemos aquí es otro enfrentamiento mexicano entre dos personas que se merecen la una a la otra. Así que, después de pensar profundamente durante varios días, se me ocurrió la solución perfecta para ustedes dos. En los viejos tiempos, quizá durante la Inquisición, os habrían arrojado a los dos al foso, pensando que el que saliera a flote después había dicho la verdad. Pero tengo una solución mejor".

Los ojos de José se entrecerraron, sospechando claramente de mis intenciones, mientras Consuela permanecía en silencio, con la mirada fija en mí como una serpiente enroscada a la espera de atacar.

Miré a Ace. "Tú coge el grande, Tonto, si te parece bien el hombro bueno", dije señalando a José mientras cogía mi Sig y me la metía en la cintura trasera.

"¡Oh, estará muy bien para esto!"

Me eché la M-4 al hombro, cogí a Consuela y me la eché al otro. La hice rebotar un par de veces, la miré a los ojos e hice una pausa. "Sabes, podrías perder unos kilos", le dije. "Por supuesto, vas a necesitar un nuevo entrenador personal y un nuevo cocinero, así que tal vez puedas conseguir uno que haga comidas bajas en calorías... sólo digo".

Volvió a gritarme, incluso con más saña que antes, así que le enseñé el segundo calcetín y ni siquiera esa asquerosa idea la hizo callar. Su rostro se torció en una mueca tan desagradable como para cuajar la leche. Decidí que era tan vil como su marido; dos guisantes en una vaina retorcida y despreciable. La única diferencia era que él trataba de ocultarlo. Así que la idea de que intentaran matarse el uno al otro casi me hizo reír. Pero era increíble lo eficaz que podía ser aquel viejo calcetín. Miré a Linda por un momento y sonreí, pensando que podría probar uno de esos en casa; pero abandoné rápidamente esa idea, decidiendo que era demasiado joven para morir.

"¿A dónde los llevas, Burke?" preguntó Linda con suspicacia.

"El comedor. Puedes venir también, si quieres, ya que fuiste la 'Víctima Principal Designada' aquí".

"¡Oh, ya voy!" respondió ella, sin vacilar. "No podrías mantenerme alejada".

"Bien", dije. Con unas pocas palabras más de mi español del año Plebe y algunos movimientos de mano, convencí a María para que se quedara en el rellano del tercer piso con Eddie. Ace echó a José sobre su hombro bueno, refunfuñando y quejándose en voz alta de nuevo, y dejó que Linda llevara a su Barrett. Mientras nuestra pequeña procesión bajaba rebotando por la escalera principal, María llevó a Eddie hasta la barandilla, charlando y saludándonos mientras llevábamos a nuestros dos anfitriones hasta el primer piso.

La casa tenía un enorme comedor formal que se abría al vestíbulo, con el salón formal en el lado opuesto, ninguno de los cuales parecía tener mucho uso estos días. Abrí las grandes puertas dobles de caoba del comedor. Eran la única entrada al salón, y entré. En el centro de la larga sala rectangular había una magnífica mesa de banquete de caoba, de al menos diez metros de largo por cuatro de ancho.

"Caray", dijo Linda, "¡podría aterrizar un 747 en esa cosa!".

"Casi", dije. Había diez sillas de caoba tallada a cada lado, una imponente silla de capitán en cada extremo y una espectacular araña de cristal colgando sobre el centro de la mesa. El comedor tenía un conjunto de altas ventanas en un extremo, con gruesas cortinas y visillos cerrados, que permitían que la suave luz del sol de la tarde cayera en la habitación. Con un gran aparador de caoba en el otro extremo, tres altas vitrinas a juego en la pared del fondo para el cristal, los cubiertos de porcelana y las piezas de servicio, y apliques decorativos por todas partes, era todo un salón.

"¿Cenabas aquí a menudo con la Señora?" Le pregunté a Linda. "¿Cómo eran las cenas aquí? ¿Bien atendidas?"

"¿Yo?" Linda soltó una carcajada mientras miraba el mobiliario con los ojos muy abiertos. "Nunca vi esta habitación, ni el resto de la casa. Pierre trajo una bandeja a la habitación. Pero no me malinterpretes". Se volvió y me miró. "La comida que preparaba era excepcional. Puede que fuera un completo imbécil, pero ese tío sabía cocinar de verdad".

Dejé caer a Consuela en la silla del capitán, en un extremo de la mesa, mientras Ace depositaba sin contemplaciones a José en la silla correspondiente, en el otro extremo.

"¿Cómodo?" pregunté mientras miraba a ambos de un lado a otro. "Ya que ambos secuestraron a mi esposa, aunque en distintos momentos, voy a ser justo y dejar que lo resuelvan entre ustedes con un pequeño duelo o una especie de tiroteo. Y vamos a combinarlo con una búsqueda del tesoro. ¿Alguna vez jugaste a ese juego de niño, José? ¿Tal vez una búsqueda del tesoro del cártel? ¿O una búsqueda del huevo de Pascua? ¿Como ir a buscar el Fentanyl? ¿Encontrar los detonadores de C-4?"

"No tiene usted gracia, señor", frunció el ceño José.

"Gajes del oficio, me temo. ¿Y tú, Consuela?" Me acerqué a su extremo y finalmente le saqué el viejo calcetín de la boca. "¿Alguna vez has jugado a esconder el estilete de Pierre a ver si lo encontraba? ¿O a esconder el entrenador de tenis en el dormitorio?" Me miró con esos mismos ojos furiosos y entrecerrados mientras yo sacaba mi cuchillo y le cortaba las esposas flexibles de las muñecas y los tobillos. Le hice un gesto con la cabeza a Ace y él también cortó las ataduras de José. Ace le quitó la Barrett a Linda, retrocedió hasta la puerta y los cubrió a ambos con el rifle.

Consuela se frotó las muñecas y me sonrió, tratando de parecer agradable. "Pero coronel Burke", alegó con su voz más dulce y sexy. "Nunca maltraté a su esposa, Linda. Sí, envié a Pierre y a Jennifer a Carolina del Norte para liberarla de ese horrible grupo de moteros que mi marido contrató para secuestrarla. Y sí, la trajimos a ella y al niño de vuelta aquí, pero ha sido tratada como una reina desde que llegó. Pregúntaselo a ella".

"¡¿Una reina?!" Los ojos de Linda se desorbitaron. "¿Así es como me tratas?", replicó. "Déjame ir a buscar el machete, Bob. Acabaré con esto".

"No, no", me reí mientras volvía a mirar a Consuela. "Parece que el testigo de la acusación tiene una historia ligeramente distinta que contar. Lo que hiciste, Consuela, fue enviar a tus dos sicarios a Carolina del Norte para secuestrarla y masacrar a la docena de motoristas que José envió para secuestrarla en primer lugar. El tribunal dictamina que es una distinción sin mérito. Ambos secuestraron a mi esposa y a mi hijo, así que voy a ser justo y dejar que ustedes dos resuelvan el castigo entre ustedes".

Mientras hablaba, caminé lentamente hacia el centro de la mesa del comedor y me detuve de espaldas a las puertas dobles de salida. Saqué mi pistola semiautomática Sig-Sauer y tendí la mano para que Ace me diera su Glock 17. Como no era novato con ninguno de los dos modelos, podría haberlos desarmado con los ojos vendados, bajo el agua o colgado boca abajo. Nada de eso era necesario en ese momento.

Saqué los cargadores, retiré las correderas y expulsé los cartuchos de las recámaras hacia mi mano, y pacientemente fui sacando los otros cartuchos de los cargadores, uno a uno, hasta que estuve seguro de que ambos estaban vacíos. Para entonces, tanto José como Consuela me observaban absortos, como si fuera un mago de Las Vegas haciendo trucos de cartas. Volví a comprobar la recámara y el cargador de cada pistola y les mostré una brillante bala de 9 milímetros. Luego la volví a introducir en el cargador. Levanté cada pistola, introduje el cargador en la empuñadura, lo golpeé contra la palma de la mano para asegurarme de que estaba bien colocado, tiré de la corredera hacia atrás y metí el cartucho nuevo en la recámara de cada una.

"Como acaban de ver", dije, mirando a cada una de ellas, "las pistolas están cargadas con una bala cada una y listas para disparar". Entonces dejé las dos pistolas sobre la mesa, una al lado de la otra.

"Así es como va a funcionar nuestro pequeño juego, chicos y chicas", dije mientras me giraba hacia el interruptor de la luz y encendía aquella maravillosa lámpara de araña, que iluminaba la habitación con la luz de docenas de velas artificiales, cada una con una pequeña bombilla que simulaba una llama de vela real y parpadeante. "Precioso. Me imagino el aspecto que tendría esta habitación por la noche, con todos los sitios puestos y el cristal fuera".

Coloqué la Sig sobre la mesa en la que estaba y luego me acerqué a las ventanas y cerré del todo las gruesas cortinas, asegurándome de que no entrara luz por los bordes. Luego caminé detrás de Consuela y coloqué con cuidado la Glock de Ace al otro lado, exactamente a la misma distancia de los extremos.

"¿No son las falsas velas parpadeantes un bonito toque?" Pregunté. "Creo que será divertido. Por supuesto *NOSOTROS* no estaremos aquí. Sólo estaréis vosotros dos encerrados dentro, pero es un juego en el que dos asesinos a sangre fría como vosotros deberíais sobresalir."

"Pero señor Burke, yo soy cualquier cosa menos fría como todo el mundo debería saber ya". Consuela sonrió mientras se inclinaba hacia delante con las manos extendidas, suplicante. "Esas armas sobre la mesa. No sé nada de esas cosas. José, sí, pero yo soy..."

"¡Oh, para, Consuela!" Fue mi turno de reír. "Olvidas que aquella noche en la hacienda te vi ponerte en esa perfecta postura de tiro a dos manos del FBI con tu gran revólver cromado Colt 44-Magnum 'Harry el Sucio'".

"Señor, yo era una actriz de cine. Olvida que sólo estaba interpretando un papel".

"Interpretabas bien el papel, pero si creías que sólo miraba tu cuerpo, estabas muy equivocada. Puede que tus directores te hayan enseñado bien, pero sabías lo que hacías".

José se rió de ella desde el otro extremo de la mesa. "Sí, Gringo, esa bruja nunca es fría, pero créeme, siempre sabe lo que hace".

"Bien, ahora sabemos que será una pelea justa. Ganar es simple. Voy a colocar las pistolas en el centro de la mesa, una a cada lado. Todo lo que tienes que hacer es llegar a una de ellas y disparar al otro concursante antes de que llegue a la otra pistola y te dispare. Muy fácil".

Vi cómo se quedaban boquiabiertos. "Pero coronel...", intentó interponer José.

"Sin peros, José. Es 'Jungle Rules'. Eso significa que no hay reglas. Y a juzgar por cómo os peleasteis arriba -golpes, mordiscos, patadas, tirones de pelo- las reglas nunca os importan a vosotros dos, de todos modos. ¿Verdad? Y el ganador es el que sale caminando o arrastrándose por la puerta después".

Los miré fijamente, midiendo al otro con rabia.

"Como sois nuevos en el juego, antes de que os suelte", dije, "tenéis que pensar en una estrategia. ¿Saltáis e intentáis alcanzar una de las pistolas primero? ¿O esperáis a que el otro haga un movimiento y luego vais a por la otra? ¿O a por la misma? Porque no puedes ir a por las dos, la mesa es demasiado ancha. Entonces, ¿por dónde vas a ir? ¿A la izquierda? ¿A la derecha? ¿O esperar? ¿Quién es más rápido? Y José, no has disparado una pistola en ¿cuánto? ¿Ocho años? ¿Ha estado practicando?"

"Estás disfrutando con esto, ¿verdad, Gringo?", me gruñó José '. "Te arrepentirás".

"No lo creo, José. Yo gano pierda quien pierda. Y veo que vuelvo a ser 'el Gringo'. ¿No más 'Coronel'? Oh bueno, hay dos complicaciones menores más para que pienses antes de empezar".

Abrí las dos puertas del vestíbulo a mi espalda y me acerqué al interruptor de la pared junto a la puerta. Llevaba el fusil de asalto M-4 colgado de la correa a la espalda. Lo giré, levanté la culata y lo estrellé contra el interruptor de la luz, aplastándolo y provocando un cortocircuito en la lámpara de araña. Con las gruesas cortinas cerradas sobre las ventanas, el comedor habría quedado totalmente a oscuras de no ser por la luz que entraba por las puertas del pasillo, detrás de mí.

"Interesante, ¿eh?" les pregunté con una amplia sonrisa en la cara mientras empezaban a moverse en sus sillas. "¡Pero no os mováis todavía, no hasta que se cierren las puertas, o este juego terminará antes de lo que me había imaginado!

"Creía que habías dicho que nada de reglas, Gringo", refunfuñó José.

"No hay reglas después de que me vaya y cierre las puertas. Hasta entonces, son mis reglas, y la primera es que puedo disparar a quien quiera aquí dentro. ¿Entendido? Ahora, cuando cierre esas puertas, estarás a oscuras aquí dentro. Esa es tu primera complicación. ¿Cuánto tardarán tus ojos en adaptarse? ¿Cuánto tardará tu oponente? Algo en lo que pensar cuando intentas apuntar con una 9 milímetros, porque lo último que quieres es coger el arma primero y luego fallar".

Hice una pausa para mirar a mi alrededor, observando cómo me fulminaban con la mirada, aún sin creerse que fuera a hacer esto. "Y la segunda y última complicación es que sólo hay una forma de salir de aquí: esas puertas dobles. Ace se quedará fuera, en el vestíbulo, con ese cañón suyo de calibre cincuenta. El ganador será el que salga por ellas y se quede allí sosteniendo ambas pistolas sobre su cabeza. Entonces obtendrá el pase libre y podrá salir de aquí. Pero si alguno de ustedes sale corriendo sin pistola, o con una sola, su trabajo es poner fin a su participación en el juego... y acabar con ustedes. ¿Entendido?"

Me miraron fijamente, parpadeando, y finalmente asintieron.

"Yo lo haría, o dejaría que Linda lo hiciera, pero Ace disfruta tanto haciendo grandes agujeros a la gente mala que no queríamos estropearle la diversión".

Hice un gesto a Linda y Ace para que salieran de la habitación detrás de mí, y eché una larga y última mirada a José y Consuela. "Ha sido un verdadero placer conoceros. Pero recuerden, cuando se cierren esas puertas, el ganador se lo lleva todo. Igual que arriba con Pierre. Eso significa que es 'a muerte', que es exactamente lo que ustedes dos dijeron que querían. Como dijo ese viejo filósofo griego: "Ten cuidado con lo que deseas". "

Detrás de mí, les oí suplicar: "Pero señor..." y "Pero mi querido coronel...".

Mientras retrocedía por las puertas con mi M-4 apuntando de un lado a otro entre ellas, dije: "Una última advertencia. *NO se* muevan de esas sillas hasta que esta puerta esté cerrada, o será la última".

Una vez completamente fuera, en el vestíbulo, cerré ambas puertas tras de mí. "¡Que comience el juego!" Grité.

CAPÍTULO SESENTA Y CINCO

Culiacán y zonas del norte

Con las puertas cerradas, tiré de los demás hasta el pie de la escalera y susurré: "Larguémonos de aquí antes de que descubran la forma de trabajar juntos. No creo que eso ocurra nunca, pero tienen dos pistolas de 9 milímetros y dos balas, así que ¿para qué arriesgarse? Así que, ustedes suban las escaleras, rápido y en silencio, mientras yo espero aquí un minuto".

Empujé a Linda escaleras arriba y le dije a Ace que se fuera con ella. Ella no podía estar más contenta de salir de este lugar, de Culiacán y de México, y él se fue con ella, aunque no le gustó. "No te preocupes", le dije. No tardarán mucho, y yo tampoco".

Me quedé de pie en el vestíbulo, al pie de las escaleras, con mi M-4 apuntando a las puertas dobles del comedor, esperando. Me gustara o no, me encontré contando para mis adentros, como cronometrando los disparos de artillería salientes. Uno mil, dos mil, tres mil... cuando llegué al seis, oí el primer disparo, el inconfundible y nítido ¡bang! de una pistola de 9 milímetros al dispararse en una habitación cerrada. Contuve la respiración, esperando a que se abrieran las puertas, pero nunca lo hicieron.

Tres segundos después, oí el segundo disparo, que sonó casi idéntico al primero. Conocía mis pistolas y había disparado de todo, pero me avergüenza decir que estaba lo suficientemente tenso como para no poder distinguir esos dos disparos a puerta cerrada. Me quedé allí un minuto entero más, quizá dos, esperando, cerrado y cargado, pero aquellas puertas del comedor nunca se abrieron. Y tampoco bajé a mirar dentro.

Con eso me bastaba. Me di la vuelta y subí las escaleras a toda velocidad, de dos en dos, tan rápido como me permitían mis piernas.

Cuando llegué al rellano del segundo piso, saqué el móvil y marqué el número de High Rider. "¿Ya has subido?" Pregunté.

"Entendido. Listo y esperando".

"Deberían salir por la puerta de incendios ahora mismo".

"Ya estoy aquí, Fantasma, estoy avivando las calderas. ¿Dónde estás?", respondió.

"Un minuto más", le dije y colgué.

Cuando llegué al rellano del tercer piso, me detuve y volví a mirar hacia abajo. Las puertas dobles del comedor estaban inclinadas desde donde yo estaba. Podía verlas con suficiente claridad. Todavía estaban cerradas, y todo dentro de mi cabeza me decía que siguiera adelante, pero no podía, no del todo todavía, observando y esperando un par de segundos más, pero eso fue suficiente para mí.

Me di la vuelta y me dirigí hacia la puerta de la escalera de incendios cuando vi los cuerpos de Pierre y Jennifer tendidos en el pasillo. En cuanto lo hice, supe que había una cosa más que tenía que hacer. Jennifer seguía sentada en posición vertical con el machete de José Ortega partiéndole limpiamente la parte superior de la cabeza, tan muerta como un armadillo en medio de una autopista de Texas. Pero ella no iba a conservar esa hoja, no esa, ¡no mientras yo estuviera cerca!

Como no había nadie más, o al menos nadie a quien le importara, me acerqué, le puse el pie en el hombro y le arranqué el machete. Jennifer cayó convenientemente de lado, así que le limpié la hoja en la parte de atrás de la camisa. La funda de lona del machete estaba en el suelo, cerca de la pared donde se me había caído. La recogí, guardé la hoja y me la eché al hombro.

Fue entonces cuando me fijé también en la chaqueta Savile Row de Pierre, cuidadosamente doblada encima de aquel maletín de cuero negro por el que tanto gritaban los Ortega. La chaqueta era de un precioso tweed, así que eché un vistazo a su interior. Había muchas cosas que no me gustaban de Pierre, pero no se podía discutir que el tipo no tenía buen gusto. Miré la etiqueta y me lo puse. Era casi de mi talla, así que me lo quedé, pensando que podría mejorar un poco mi imagen.

Yo también miré el maletín, recordando a los Ortega discutiendo sobre de quién era el dinero. No tenía ni idea de cuánto había dentro, pero ahora era mío. No veía ninguna buena razón para dejarlo allí para la fiesta de Navidad del Departamento de Policía de Culiacán. Este viaje ya nos había salido bastante caro, y algo de dinero de Ortega sería un gran reembolso sin culpa para el Fondo de Operaciones Benéficas de la Fundación Merry Men, de vuelta en Carolina del Norte, y algunas bonificaciones para todos los participantes. Así que yo también cogí el maletín, sin tener ni idea de cuánto había dentro.

¿Y los propios Ortegas? Bueno, podrían freírse en el infierno. Ese fue el único sentimiento que se me ocurrió, y el único que encajaba.

Pero se estaba haciendo tarde y había gente ansiosa esperándome, así que corrí hacia la puerta de incendios y subí las escaleras hasta la azotea. Ace ya estaba dentro, en la parte de atrás, mirándome expectante mientras supervisaba cómo Linda, María y Eddie se abrochaban los arneses de los asientos. Linda parecía preocupada, pendiente de mí. María tenía los ojos muy abiertos, aterrorizada, probablemente por no haber montado nunca en un helicóptero.

Y Eddie se lo estaba pasando como nunca. El helicóptero podía hacer loopings y giros cerrados, pero nadie iba a caerse de uno de ellos. Ace miró hacia atrás por encima de su hombro y vio la funda del machete y el maletín negro en mis manos y la chaqueta deportiva tan a la moda que llevaba ahora y frunció el ceño, así que le levanté el pulgar con una gran sonrisa.

Metí la cabeza por detrás y grité: "¿Todo el mundo listo para salir?
"¿Bob?" Linda extendió la mano y me tocó el brazo. "¿Están los dos...?"
"No importa", le grité. "Están acabados, los dos. No iba a ejecutarlos, ni a
uno ni a otro, por mucho que se lo merecieran. Yo no hago eso. ¿Pero *si se matan
entre ellos*? Me parece bien. Incluso si uno vive, los otros cárteles van a por ellos,
¿no?". Era una dura verdad, pero ese es el problema con las verdades. En el mundo
mortal en el que Ace y yo vivíamos, no había lugar para dudas ni
arrepentimientos. Y en el mundo mortal que ocupaban los Ortega, no había lugar
para los errores.

Salté al asiento del copiloto en la parte delantera, le hice un gesto con el
pulgar a High Rider, que despegó de inmediato, metí la cabeza en la parte trasera y
grité por encima del rugido de los motores al resto: "¡Aguantad todos, que aún no
estamos en casa!".

Me sentí bien al volver a los confines familiares de un helicóptero Black
Hawk, aunque fuera un pájaro de los federales mexicanos, pintado de negro y sin
marcas. Aun así, era de fabricación estadounidense y probablemente estaba
ansioso por volver a casa con mamá. Lo mismo para nosotros.

La mansión Ortega, con toda su retorcida opulencia y sus secretos, había sido
una prisión para mi mujer y, en muchos sentidos, para mí. Era el centro de los
retorcidos juegos de poder del cártel de Sinaloa, y todos ellos se habían venido
abajo. ¡Buen viaje! Y si el general Stansky seguía por aquí y tenía otra caja de C-4
con la que no sabía qué hacer, volaría esta casa por los aires como la anterior.

Pero lo único que conseguirían los acontecimientos de hoy es dejar un gran
problema y una gran oportunidad en manos de media docena de otros grandes
cárteles de la droga mexicanos. Con la desaparición de los dos Ortega, pronto
estallaría una gran lucha por el poder. El imperio del cártel de Sinaloa era el mayor
y más rico de todos los cárteles gracias a su producción de fentanilo. Y con el duro
equilibrio de poder que existía entre los otros cárteles, ninguno de ellos querría
que los otros lo tuvieran.

Mi suposición era que habría sangre en las calles de Culiacán y de todas las
grandes ciudades del norte y centro de México en poco tiempo, mientras los
cárteles se peleaban. De nuevo, el ganador se lo lleva todo, y a muerte.

Sería una lucha de bandas a la vieja usanza, como en los años 30 en Chicago.
Si el gobierno mexicano o el estadounidense fueran fuertes y tuvieran liderazgo, si
tuvieran un Eliot Ness, ésta sería su oportunidad generacional de acabar con los
cárteles para siempre, pero ninguno de los dos lo era y no lo hicieron. Eran
débiles. Así que sería, "Mismo circo, diferentes payasos" otra vez.

"Nunca pensaste que saldríamos de allí, ¿verdad?" Oí la voz de High Rider
en mis auriculares. "¡Bueno, adiós, México!" dijo.

"¿Has oído hablar de Nathan Bedford Forrest?" Le pregunté.

"¿Ese general de caballería confederado?"

"¡Y uno excelente! Pero un completo loco racista después de la guerra. Sin embargo, tenía grandes citas, una de las cuales era: 'Si un camino llevara al infierno y el otro a México, me daría igual cuál tomar'. "

High Rider se partió de risa conmigo. "El bueno de Nathan, siempre bueno para una risa."

"Una mirada a la cara en esas viejas fotos te lo dice. Oye, tengo que hacer una llamada", le dije mientras sacaba mi móvil y la tarjeta de visita, ahora perruna, que el comandante Cummings, del 2º del 13º Batallón de Aviación de Fort Huachuca, me dio al bajar. Marqué su número y contestó al primer timbrazo, como todos a los que había llamado últimamente.

"Mayor, esto es ..."

"Coronel Burke", interrumpió suavemente. "Estoy sentado en el TOC, nuestro Centro de Operaciones Tácticas. NORAD nos hizo poner un GPS en ese pájaro en el que está montando, y hemos estado monitoreando su tráfico de radio y rastreando el Black Hawk desde que el señor Carmody despegó del aeropuerto."

"Uh, sí señora", dije, sorprendido. "Nos dirigimos de nuevo a su granero, y ..."

"Recibido, Coronel. Pero tenga en cuenta que el NORAD envió un vuelo de cuatro F-16 desde Fort Worth en cuanto High Rider despegó. Están haciendo un vuelo de entrenamiento conjunto hacia su área con un par de jets de la Fuerza Aérea Mexicana, así que no se preocupe cuando los vea girando detrás de usted en unos tres 'mikes'. Se están moviendo rápido con los quemadores encendidos, viniendo del noreste practicando interdicción. Pura coincidencia, como comprenderán. Se reunirán con dos aviones cisterna y también practicarán el reabastecimiento en vuelo. Como su Black Hawk es parte del ejercicio oficial, High Rider está autorizado a tomar un gran trago de uno de ellos si quiere".

"Pura coincidencia, estoy seguro".

"Puramente. Y como no tienen otra cosa que hacer, puede que te acompañen de vuelta aquí a Tucson, por coincidencia, claro".

"Las coincidencias parecen ser lo mío estos días", reflexioné en voz alta.

"Debe de tener muchos amigos, coronel", continuó, con la voz llena de curiosidad. "Si se pasa por aquí, le invitaré a una cerveza en el O-Club cuando llegue. Quizá pueda contármelo todo".

"Trato hecho", respondí, deseando ya esa infusión fría. "Le tomo la palabra, Mayor. Hasta pronto".

"Entendido, Coronel. Y como estoy seguro de que usted sabe, hay un JSOC Gulfstream G5 en camino aquí para su vuelo de regreso, para usted y su gente. Así que, manténgase a salvo... y helado".

"High Rider", le dije por los auriculares, "Tenemos compañía en camino. F-

16s, cortesía de NORAD".

"Lo sé. Oí lo que dijo a través de tu micrófono de barbilla. Supongo que debemos haber hecho algo bien, o al menos tú lo hiciste. Pero no he recibido tanta atención desde que volé con el General Stansky. ¿Crees que puedo quedarme con esto?", preguntó. "El Mayor dijo que los mexicanos probablemente olvidaron que estaba ahí arriba".

"Sería divertido, ¿verdad?". Me reí. "Pero piensa en tu factura de combustible".

"Sí, es eso, ¿no?", suspiró. "Bueno, no te olvides de mí la próxima vez que salgas. Eres lo más divertido que tengo estos días".

CAPÍTULO SESENTA Y SEIS

Bosque de Sherwood

De camino a casa desde Tucson, decidí que lo que necesitábamos era una fiesta de bienvenida a casa para Linda y una celebración general para el resto de nosotros para dejar atrás todo este asunto mexicano de la mejor manera que se me ocurrió. Ella y Eddie estaban enloquecidos en el lujoso dormitorio principal, en la popa del avión, y María, High Rider y Ace dormían en esos maravillosos y mullidos sillones reclinables que van a cada lado del pasillo, dejándome a mí pensando.

Pensé que era el momento perfecto para hacer unas llamadas y preparar todo para cuando volviéramos a Sherwood. Se trataba de un vuelo civilizado, de baja prioridad y no urgente, en el nuevo avión ejecutivo Gulfstream G5 del general Jacobson, que era de lo más lujoso que había. Así que los pilotos enfriaron sus reactores, literalmente, y disfrutaron del viaje. Volamos de vuelta al aeródromo de Pope a una velocidad de crucero muy moderada y eficiente en cuanto al consumo de combustible, e incluso hicimos una parada para repostar.

Ace es el único tipo que conozco, excepto yo, que puede estar profundamente dormido y no dormir en absoluto al mismo tiempo, sobre todo cuando hay una llamada telefónica de por medio. Ni que decir tiene que cuando empecé a hacer llamadas para organizar la fiesta, Ace se acercó y se deslizó hasta el asiento de al lado.

"Esto no tiene por qué ser un reventón bimensual de Merry Men en toda regla", dijo.

"Oh, lo sé, no hay forma de que podamos montar las tiendas y la parrilla, avisar a toda la gente de fuera de la ciudad y todo lo demás en unas pocas horas. Voy a invitar a todos los de la casa, a todos los Geeks y a los de Seguridad que no estén trabajando, a la gente del JSOC, por supuesto, a los pilotos, y a todos los de Bragg que salieron con nosotros cuando atacamos aquella granja. Con los cónyuges, creo que son ochenta personas, quizá incluso más, y me llevó cuatro llamadas ponerlo en marcha. Ellie y los Geeks se están encargando de todo".

"Vaya. Tengo mi camión en Pope Field", dijo Ace. "Dame una lista y pasaré por el economato y la tienda de clase VI de camino a casa".

"No hace falta. Ahora hacen una entrega tipo Uber y hacen catering aparte. Ya les he llamado y el material estará allí en dos horas con barra, cocineros, catering, todo el rollo".

Me miró y dijo. "¿Qué? ¿Me estás dejando obsoleto?"

"No, sólo estoy empezando a hacer algunos ajustes muy necesarios que tú y yo tenemos que reconocer y hacer para el siglo XXI".

Me miró y dijo: "Vaya, otra vez", luego miró la chaqueta que llevaba puesta. "Por cierto, me gusta mucho el nuevo look que le has comprado a Pierre. Te queda muy bien. Menos mal que no te manchaste de sangre, pero ¿con qué lo van a enterrar? ¿Te lo has preguntado alguna vez?".

"Ni una sola vez. Lo vi, me gustó, hice una votación entre todos los de la tercera planta que eran físicamente capaces de votar y gané. Así que me la quedé". Entonces abrí la chaqueta y le enseñé la etiqueta. "Oí hablar de este sitio una o dos veces en susurros muy bajos. Está en Savile Row, en Londres. No hay letrero en la puerta, ni escaparates, ni maniquíes, ni precios. Sólo una estrecha escalera hasta una sala de corte en el segundo piso. Tengo entendido que hay que conocer a alguien muy importante para que baje y abra la puerta, y mucho menos para conseguir una cita para que alguien te eche un vistazo y se burle. Así de exclusivo es".

"¿Cómo consiguió conexiones así ese pequeño imbécil de Pierre?"

"Si matas a la gente adecuada, todo es posible".

"Creo que tienes razón. Muy bien, siguiente pregunta, ¿qué hay en el maletín?"

"Caray, he estado tan ocupado que ni siquiera he mirado".

Puso los ojos en blanco, lo recogió de la cubierta y lo puso sobre la mesa, entre los dos. "No creerás que esta cosa está cableada, ¿verdad? Si andaba por Londres, recuerdo aquellas películas de James Bond en las que Q le enseñaba que los maletines tenían todas esas formas ingeniosas de girar y apretar los botones. ¿Recuerdas todo eso?"

"Sí, pero nunca averiguaremos todo eso. Si está cableado, nunca lo sabremos tampoco. La cosa simplemente explotará".

Cogió el maletín y miró detenidamente los bordes y las cerraduras. "Recuerdo que Pierre acababa de salir de la habitación de Linda, y antes había estado en la de Consuela, donde estaba la caja fuerte y empezó la discusión. Estoy seguro de que la habría revisado antes de cogerla, así que supongo que es segura."

Me miró y yo le miré y él pulsó los botones de las cerraduras hacia los lados y... no pasó nada. Las cerraduras se abrieron y Ace levantó la tapa. El maletín tenía veinte centímetros de profundidad. Miramos dentro y dejamos de respirar. Encima había ocho bolsas de terciopelo negro. Cada uno de nosotros cogió una, abrió los cordones y vertió una pequeña parte de la bolsa en las palmas de las manos.

¡Diamantes! De verdad. Como la verdad o un buen disparo de rifle, los reconoces cuando los ves. Cada piedra estaba bellamente tallada, las facetas destellaban bajo la brillante luz que entraba por la ventana. Y sólo habíamos visto una parte del alijo. Volvimos a meterlas en las bolsas y profundizamos en el maletín.

"No hay oro", dijo Ace. "Si este era su dinero de 'viaje', te imaginarías que tendría oro".

"¿Por qué?" Respondí. "El oro pesa mucho. Una bolsa de diamantes pesaría menos que todo un maletín lleno de oro, y te lo puedes meter en el bolsillo y no mirar atrás".

A un lado, bajo las otras bolsas de terciopelo, había al menos diez centímetros de bonos al portador de diez mil euros, bellamente impresos, de lo que vimos que eran bancos suizos. Ace y yo nos miramos, boquiabiertos y con los ojos muy abiertos. Como sabe cualquiera que vea alguna película, se supone que son las inversiones más "sin preguntas" y fácilmente negociables que se pueden comprar. Y al otro lado había montones bien envueltos de billetes de euro de gran denominación, no menos negociables.

Volvimos a meterlo todo en el maletín, cerramos la tapa y nos quedamos mirándonos durante varios largos minutos.

"Eso es un montón de cosas ahí", dijo Ace. "¿Diamantes, bonos y monedas extranjeras como esas? No sabría ni contarlo, pero aumentará significativamente las cuentas de explotación de los Merry Men".

"Y aumentar significativamente nuestras donaciones benéficas del año. Pero un hombre tiene que saber lo que no sabe", le dije. "Y vamos a necesitar ayuda con esto".

"Alguien en quien confiamos, que sabe todo sobre cosas deshonestas como esta".

"¡Sasha!" dijimos los dos al mismo tiempo.

Cuando llegamos a la casa, era de noche en la Costa Este, no sé muy bien cómo lo hizo, pero todos los frikis señalaban a Ellie, que había corrido la voz, supervisado la decoración e incluso había encendido fuegos artificiales en el campo de al lado de la casa cuando entramos por la puerta principal. Para colmo, había un gran cartel de "Bienvenida a casa, Linda" colgado sobre la puerta principal, con cintas y globos en las ventanas y más globos llenando el vestíbulo.

Los servicios de catering ya estaban preparados, se habían apoderado de la cocina, la terraza trasera y el patio trasero, y las líneas de comida y las tres barras funcionaban a pleno rendimiento.

Como eran más de las 17.00, la mayoría de los chicos ya habían llegado. Vi a los Geeks, Dorothy, la mujer de Ace, Patsy, Slava, Koz, Chester, The Batman, Kraut, Popcorn, the Prez y Taco Bell, además de Jefferson Adkins, Henry Zhang, Tim Foster, High Rider Carmody, nuestros chicos de seguridad, todos aparecieron con sus mujeres. También vi a Sharmayne Phillips, del CID, a Pat O'Connor y al comandante Jim Caruthers, ayudante del general Jacobson en el JSOC, y a sus esposas, algunos de los cuales no conocíamos. Y Harry Van Zandt, George

Greenfield de la FPD y Veronica Sanders, la nueva agente del FBI en la ciudad. No vi al general Jacobson ni a Bill Jeffers, pero era de esperar. Sabía que estarían muy ocupados.

Para cuando aparecimos, la historia de lo que le ocurrió a Linda, menos el final de México y algunos detalles menores, como el allanamiento de prisiones federales y el asalto a la sede de un cártel de la droga en México, había corrido por la comunidad militar y de seguridad de los alrededores de Fort Bragg y Fayetteville como la pólvora. Por eso todos nuestros amigos estaban de pie en el círculo delante de la casa cuando llegaron Linda y Eddie. Cuando Ellie gritó: "¡Bienvenida a casa, mamá!", toda la multitud rompió a aplaudir.

Linda se quedó allí de pie llorando y luego recorrió lentamente la multitud y dio las gracias a todo el mundo mientras la fiesta se abría paso a través de la comida en la cocina hasta la cubierta trasera y las sillas y mesas en el césped trasero.

Cuando por fin llegamos a la cubierta trasera, Linda me apartó y me abrazó mientras empezaba a llorar de nuevo. "Gracias. Esto es maravilloso, Robert. ¿Cómo has podido montar esto tan rápido?"

"Tres o cuatro llamadas y tu hija. No me mires a mí".

"¡Bueno, es genial! ... ¿Y se acabó?"

"Para nosotros, sí, lo es, porque lo que sea que estuvieran haciendo esos dos que nos arrastraron a ese lío se acabó, está muerto y enterrado, y creo que ellos también. Así que lo mejor que puedes hacer ahora es olvidar. Esta noche, disfrutemos de nuestros amigos".

Fue entonces cuando Ace se acercó y nos hizo señas a los dos para que le siguiéramos. Volvimos a las escaleras y subimos al estudio del segundo piso, donde encontré a Sasha sentado a la mesa con su madre Ludmilla y su novio Nikoloz "de Mtskheta", lo que demonios fuera eso.

Ace cerró la puerta tras nosotros. El maletín de cuero negro que cogí de los Ortega, que Linda había visto, pero en el que no había reparado realmente, estaba sentado en medio de la mesa. Ludmilla tenía una de esas fundas de goma para los dedos que utilizan los cajeros de los bancos para contar el dinero.

Estaba contando a toda velocidad la pila de diez centímetros de magníficos bonos al portador con bordes dorados. Nikoloz, su novio georgiano, exsacerdote ortodoxo y camionero, tenía una lupa de joyero en el ojo y estaba examinando un diamante de la pila que tenía delante. Al parecer, acababa de empezar con la segunda de las ocho bolsas. Mientras tanto, Sasha contaba las pilas de euros y llevaba la cuenta en la calculadora de su móvil.

Linda se detuvo a medio camino de la habitación y preguntó: "¡Bob! ¿Qué demonios...?"

"El maletín de Pierre, o más apropiadamente, el dinero de 'viaje' de

Consuela. Lo cogí".

"¿Para la Fundación, por supuesto?"

"Por supuesto".

"Sr. Jefe, Sra. Jefa, 'His Ace-ness' le preguntó al pobre Sasha cuánto... es esto", dijo Sasha mientras pasaba las manos por la mesa. "¿Robaste un banco, Jefe? ¿Limpiaste a la gran mafia de Nueva York sin ayuda de Sasha y Geeks?"

"No, pero ¿cuánto crees que hay?"

"Iz más allá de lo que Sasha sabe. Así que, pensando que no te importaría, Sasha pide ayuda a Madre y Nikoloz. Ella comerciaba con valores y bonos para estafadores en Bryansk y luego en Moscú, entre trabajos de camionera y la crianza de imbéciles como Sasha. Nikoloz fue joyero en Tiflis y Alepo antes de convertirse en camionero y sacerdote. Sasha sabe de Red Bull, pero Nikoloz sabe de diamantes".

"Muy bien, ¿qué tenemos?" Pregunté, tratando de no sonar ansioso.

"Vale, Jefe, algunas fáciles de decir, otras muy difíciles. Euro Fácil. Sasha cuenta cuatro millones en billetes limpios y crujientes en envoltorios", dijo Sasha, luego charló de un lado a otro con Ludmilla. "Ella dice, veinte millones en bonos al portador de cinco bancos suizos. Fácil, como el euro, pero vas a Berna o Zúrich y ves a tiburones suizos sonrientes para cobrar los bonos".

"¿Y los diamantes?"

Nikoloz charlaba con Sasha, que finalmente refunfuñó: "No entiendo a estos georgianos, jefe. Nikoloz dice que puede tardar una semana o dos en conseguir un buen número, pero todos son impecables o con las mejores notas. Buen material".

"¿Qué tal una suposición salvaje?" Preguntó Ace.

"¡Adivina! Sí", Nikoloz rugió de risa. "¡Me gusta este tipo!"

"¡No alienten a Monk!" nos espetó la madre Kandarski.

"Hokay, Hokay", Nikoloz se hundió en su silla y volvió a ponerse la lupa en el ojo. "Algo salvaje entonces. Ocho bolsas. ¡Miro a la mitad de una bolsa y mirar muy, muy rápido! Sin una buena escala, eez 400 quilates, más o menos. Tal vez toda la bolsa es de 800 quilates, ¿entiendes? Entonces, ¿ocho bolsas? Tal vez 6.400 quilates ".

"¿Como las zanahorias de Bugs Bunny, Nikoloz?" preguntó Linda. "Estoy cansada. ¿Qué es una zanahoria?"

Esta vez, el monje se partió de risa y se golpeó la rodilla. "¡A Nikoloz también le gusta! ¿Bugs Bunny? Sí, Bugs Bunny. Pero estos quilates de diamantes, señora, no Bugs Bunny. Una media de 4.000 dólares por cada quilate, en el mercado abierto, etcétera, etcétera".

Todos miraron a Sasha, que tecleaba números en su teléfono. "Son veinticinco millones más 'cambio'. Pero como él dice, es una suposición media. Podría ser la mitad o el doble. Así que, "¿Qué pasa Doc? Cuatro millones en euros, veinte millones en bonos, y tal vez veinticinco millones en diamantes ... digamos, cuarenta y nueve millones ... Como también dicen en Moscú, 'lo suficientemente cerca para el trabajo del gobierno, ¿eh?' "

Todos nos miramos, atónitos. "Ace, llama a Sam Cunningham de Seguridad. Tenemos que cerrar este caso. La gran caja fuerte de la Sala de Armas", dije. Luego me volví hacia el montón de diamantes que Nikoloz estaba volviendo a meter en las bolsas. Le detuve, extendí la mano y cogí los tres más grandes que vi, y entregué uno a Sasha, otro a Ludmilla y otro a Nikoloz.

"¡No es necesario, Jefe!" Sasha me regañó y sacudió la cabeza.

"Sí, lo es", respondí, "por su ayuda, su amistad y su confidencialidad. Ahora entiendo cómo liquidaríamos los bonos, pero ¿qué hacemos con los diamantes?".

Nikoloz me miró y me dijo: "Lo haces muy despacio, en pequeños grupos, quizá diez. Pero primero cuentas y clasificas cada piedra y haces inventario. Luego las llevas a la gente adecuada en Ámsterdam, Tel Aviv, Nueva York y Bombay. ¿Tantas piedras? Quizá tardes un año, y sólo trates con la gente adecuada. Eso es lo que haces".

"No planees ningún viaje en camión durante un tiempo, Nikoloz", le dije. "Vamos a hablar contigo".

CAPÍTULO SESENTA Y SIETE

Sherwood, el estudio

Como todas nuestras fiestas, ésta se prolongó hasta altas horas de la noche. La cosa se calmó a partir de las 22.00 porque era entre semana y muchos de nuestros invitados tenían que trabajar al día siguiente. Linda me dijo que estaba agotada y se disculpó a las 22.30 horas. La acompañé al dormitorio, donde se desplomó, profundamente dormida, así que volví a bajar e hice la ronda de nuevo.

A las 23.15, cuando quedaba más o menos la mitad del grupo, los más fiesteros, me quedé dormido en mi silla Adirondack con una cerveza. Cuando uno puede dormirse en una silla Adirondack, sabe que es hora de irse a la cama, y pronto. Fue entonces cuando recibí un mensaje de texto de mi supervisor de seguridad informándome de que dos coches del ejército habían atravesado la verja y se detenían en la puerta principal.

Abandoné la cubierta y atravesé la casa para encontrarme con el teniente general Jacobson y Bill Jeffers en el vestíbulo. "Caballeros", les dije, "me alegro de volver a verlos".

"Siento no haber podido venir antes, pero..."

"Entiendo. Linda se ha ido a la cama, pero ..."

"Está bien. Es a ti a quien vinimos a ver, Bob. ¿Tienes algún sitio donde podamos hablar?"

"¿"Otra vez mi estudio del segundo piso?" Empecé a subir las escaleras cuando Ace salió de la cocina y nos vio. Al verle, Jeffers miró al general, que se encogió de hombros. "También podría meter a Tonto. Vamos, Randall, estás tan metido en esto como el resto de nosotros".

Los cuatro nos sentamos en el sofá en forma de L del estudio, y Jacobson no esperó para empezar.

"Hemos estado en una serie de videoconferencias la mayor parte de la tarde y la noche con la DEA, el FBI, la Oficina de Prisiones, la CIA, el Estado, NORAD, lo que sea".

¿"Ortega y la fuga de la cárcel"? Perdonad. No quería causaros problemas".

"No hay problema, Bob", se rió Jacobson. "Puedo encargarme de todo eso. Además, no hicimos nada que no fuera lo correcto, y nadie está en desacuerdo con eso. Nadie lo hizo".

Jeffers dijo: "Para ir al grano, Bob, hoy temprano, un 'conocido' de Consuela

Ortega, aparentemente un senador mexicano de 'muy alto rango' fue a visitarla. Después de llamar a su puerta varias veces y de que ella no respondiera a sus llamadas, se enfadó, fue a la puerta trasera y rompió una ventana para entrar. Sin que él lo supiera, eso activó el sistema de alarma silenciosa de la casa".

"¡Esto se pone divertido!" Jacobson no pudo evitar reírse. "Al parecer, algunos de los circuitos de luz estaban en cortocircuito dentro de la casa. El tipo sube directamente al tercer piso, que al parecer es una parada habitual para él, y se desviste mientras sube. Las luces de su dormitorio están apagadas, pero ve a alguien tumbado en su cama. Así que se mete en la cama con "ella" y empieza a besarse cuando siente algo muy raro, caliente, pegajoso y húmedo. Fue entonces cuando medio departamento de policía irrumpió por la puerta principal y se abrió en abanico dentro de la casa. Esta es la casa de los Ortega, ¿verdad? Primero, la encuentran, semidesnuda y muerta como la caballa de ayer, asesinada a tiros en el comedor. Para entonces, un montón de policías llegan al tercer piso, justo cuando la senadora sale corriendo de su dormitorio, completamente desnuda, cubierta de sangre, gritando como una loca".

Jeffers dijo: "Nadie reconoció al pobre desgraciado, y ocho o diez policías abren fuego contra él, ¡haciéndolo saltar por los aires! Es entonces cuando empiezan a encontrar cadáveres por toda la casa: el profesional del tenis en su cama, ensangrentado por todas partes, con la garganta cortada. En el pasillo del tercer piso, encuentran a un francés con el cuello roto y a una americana con la cabeza abierta, como por un hacha. Ambos figuran en las listas de buscados de la Interpol. Y en el tejado, encuentran a un piloto de helicóptero comercial local con dos disparos en la cabeza. Y en su dormitorio, su gran caja fuerte está abierta de par en par, llena de libros de contabilidad de toda su operación, y un sistema de copia de seguridad del disco duro del ordenador. Ni que decir tiene que la policía local, la regional de Sinaloa y los nacionales están como locos, gritándose unos a otros, ¡y ni siquiera han mirado aún los libros de contabilidad!".

"¡No es genial!" rugió Jacobson, riendo. "Nadie tiene ni idea. Nada apunta a ti ni a nosotros. Los cárteles se están 'yendo a los colchones'. Y *NADIE* contesta a los teléfonos del gobierno en Ciudad de México".

"Pero hay un problema", dije, sacudiendo lentamente la cabeza. "No hay 'Gran Cuchilla'. "

"Correcto, sin Big Blade". Jacobson confirmó. "¿Pero cómo demonios lo sabías?"

"Porque no lideraste con él".

"No me malinterpretes", continuó Jacobson. "Encontraron otra sangre en el comedor, pero no pueden identificarla, al menos todavía no. Pero nadie lo está buscando. Los mexicanos no saben que no está en Tucson y ni siquiera tienen idea de que estuvo en Culiacán, y así seguimos. Su historia oficial es que tienen un senador muerto que se volvió loco. Ellos están contentos, nosotros estamos contentos, incluso los cárteles parecen estar contentos. No más Ortegas".

"¿Pero ¿qué tenemos?" preguntó Ace.

Se miraron y se encogieron de hombros. "Ése es el problema, ¿no?". contestó Bill.

"Nosotros tampoco tenemos ni idea, pero pensamos que debería saberlo", dijo Jacobson.

"No estarás sugiriendo sutilmente que vayamos allí e intentemos averiguarlo, ¿verdad?". pregunté.

"¡Oh, Dios, ¡no!" respondió inmediatamente Jacobson. "¿Para hacer qué? Dondequiera que esté, está en el viento, tal vez herido, tal vez muerto, sin duda en la carrera y la clandestinidad. Pero no hay una maldita cosa que podamos hacer al respecto. Muy pronto, la Oficina de Prisiones anunciará que murió en la cárcel. Eso es lo mejor que podemos hacer. Entonces se lavarán las manos, y todas sus conexiones y poder desaparecerán mientras los cárteles luchan por repartirse el territorio. Si sale a la superficie, los otros cárteles acabarán con él, seguro".

"Nadie quiere al 'Fantasma de Marley' de vuelta, repiqueteando por los pasillos. Nadie". dijo Bill.

"Entonces, vamos a mantener todo esto entre nosotros pollos, y esperamos no volver a oír el nombre de ese bastardo, ¿de acuerdo?"

"Y voy a aumentar mi seguridad por un tiempo", dije.

"Eso sería lo más prudente", dijo el General. "Pero incluso si todavía está vivo, sólo está tratando de mantenerse con vida, y tú tienes que ser la menor de sus preocupaciones".

"Entendido", acepté, casi convencido.

CAPÍTULO SESENTA Y OCHO

Culiacán, México

Estaba oscuro. Le dolía todo cuando se despertó. El dolor era sordo, no agudo como cuando le acuchillaron en la parte baja de la espalda. Tenía calor, sudaba, ardía, pero sintió unas manos sobre él, que le limpiaban la frente y la cara, unas manos tiernas.

"Consuela... Consuela, ¿eres tú?", intentó preguntar, pero sólo salió un ronco susurro.

"No, esta es Teresa... la amiga del padre Luis, Teresa".

"Debes descansar, José", oyó que le decía una voz cálida y amable. "Este es Luis, tu hermano Luis. Ya conoces a Teresa, es... mi amiga, y enfermera del hospital. Te has hecho mucho daño y te estamos cuidando".

Ortega abrió los ojos, sólo un poco, pero seguía a oscuras. Vio velas a su alrededor, pero no luces brillantes ni techos de baldosas acústicas. Sólo piedra vieja y tosca. "Dónde..."

"En el túnel bajo la cripta. Yo... me acerqué a la casa después de que todos los policías se marcharan para coger un poco de vino. Fue entonces cuando te encontré", dijo Luis. "Sabía que la policía robaría todo el vino de papá, así que... Bueno, de todos modos, volví a la iglesia y busqué a Teresa. Ella y yo te trasladamos a este extremo del túnel, más cerca de la iglesia, pero no nos atrevimos a subir las escaleras, no con tu herida. Ella fue a buscar medicinas y te hemos estado cuidando aquí abajo".

"¿Mi herida?"

"Sí, te dispararon en el estómago, en las tripas, muy mal. Tenías que ir al hospital, pero no nos atrevimos, no con toda la policía y el Ejército por todas partes".

"Le he limpiado la herida y le he puesto puntos lo mejor que he podido, señor", le dijo Teresa. "Y le hemos dado antibióticos y calmantes que me llevé del hospital. Estaba mal. Me preocupaban las infecciones, pero ya estás mejor. Le ha bajado un poco la fiebre".

"¿Cuánto tiempo he...?"

"Cinco días ya", le dijo Luis.

"¿Me han estado buscando?"

"No, José. Nadie te ha mencionado. Sólo hablan de ese senador loco y de toda la gente de la casa que dicen que mató: Consuela, esos dos extranjeros, y el amigo de Consuela que fue degollado, y el piloto del helicóptero. Creen que sigues en la cárcel, en el norte".

"¿Consuela? ¿Mi Consuela? ¿Está muerta?"

"Sí, José . La ciudad celebró un gran funeral por ella, aquí en la catedral y en el cementerio. Media ciudad acudió, lo juro. Flores por todas partes. Oí a un hombre decir que mucha gente vino a ver si realmente estaba muerta", se rió entre dientes, pero estaban todos allí. "Lo siento, José. Pero, ¿quién te ha hecho esto? ¿Fue ese senador? ¿O el amigo de Consuela, Philippe?".

"No, fue el Gringo. El Gringo".

"Bueno, ahora tienes que descansar. Cuidaremos de ti, Teresa y yo".

"Lo mataré".

"Claro que sí, pero antes debes descansar", dijo Luis, con voz tranquila y reconfortante.

XXX

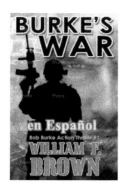

Y como bonificación especial, aquí tiene un avance de La guerra de Burke, libro nº 1.

de la serie de acción y aventuras del autor Bob Burke

CAPÍTULO UNO

Chicago

Como millones de viajeros de negocios antes que él, Bob Burke se encontró mirando distraídamente por la ventanilla de un 767 cuando aterrizaba en el aeropuerto O'Hare de Chicago. Sin embargo, a diferencia de todos los demás, mientras los edificios suburbanos pasaban por debajo de él, vio cómo un hombre asesinaba a una mujer en uno de los tejados. Nadie le creyó, por supuesto, pero eso no importaba. Él sabía lo que había visto, y Bob Burke no era el tipo de persona que dejaba reposar algo así.

Regresaba a Chicago de un rápido viaje de negocios a Washington, D.C., en un vuelo de United Airlines, sentado en un asiento de ventanilla en primera clase. Era el final de la tarde. El tiempo era perfecto y la visibilidad ilimitada. El 767 estaba en la aproximación final y él disfrutaba de una vista de pájaro del mar de casas, tiendas y oficinas que componían los suburbios del oeste de Chicago. Es difícil no mirar hacia abajo mientras el mundo pasa. Hace que uno se sienta un poco como Dios, pensó, o como un voyeur a 200 millas por hora. En los segundos siguientes, su vida cambió para siempre.

El tejado era el de un gran edificio comercial, quizá una oficina o un almacén de algún tipo. Era grande, plano y estaba cubierto de la gravilla marrón claro que los techadores utilizan como lastre. Ya sea en un tejado como éste, en la jungla, en un desierto árido o en un sendero de alta montaña, lo primero que llama la atención de un soldado de infantería es el movimiento.

En este caso, la puerta de la escalera de emergencia del edificio se abrió de repente y una mujer morena corrió hacia el tejado, como si los perros del infierno le pisaran los talones. Llevaba un vestido blanco delgado y suave que ondeaba a su alrededor. Justo detrás de ella venía un hombre alto con un traje oscuro, corriendo aún más rápido. Ella parecía pálida y menuda, casi delicada, y el hombre la doblaba en tamaño. La mujer se volvió y le señaló, gritando y claramente aterrorizada, mientras él se acercaba riendo. Después de todo, podía correr tan rápido como quisiera, pero el tejado era literalmente un callejón sin salida para ella.

Dio unos pasos más, tropezó y cayó. Eso fue todo lo que el hombre necesitó. Su vestido blanco, sus brazos, sus piernas y la grava salieron volando en todas direcciones cuando él saltó encima, se sentó a horcajadas sobre ella y le rodeó el cuello con los dedos. Eran largos y finos, y Burke pensó que podrían rodearle el cuello dos o tres veces. Ella se defendió con feroz determinación, luchando por zafarse y, finalmente, por respirar; pero él era demasiado grande y demasiado poderoso para ella. Aterrorizada, abrió la boca e intentó gritar, pero él se inclinó hacia delante con todo su peso, presionándole la garganta, exprimiéndole lentamente la vida. Además, con el rugido del gran avión que pasaba por encima de ella, podría haber gritado a pleno pulmón y nadie la habría oído de todos modos.

Fue entonces cuando la mujer giró la cabeza. Levantó la vista y vio la cara de Bob Burke en la ventanilla del avión. Durante ese breve instante, él debió de ofrecerle algún rayo de esperanza, y ella se movió, emitió un sonido o hizo algo para alertar al hombre del traje oscuro, porque él también levantó la vista y vio a Burke mirándole fijamente. Por su expresión, el hombre no parecía preocupado en absoluto. No se detuvo, ni siquiera hizo una pausa. En lugar de eso, apretó aún más fuerte y le estranguló la vida mientras Burke observaba. ¿Frío? ¿Cruel? No había ni una pizca de alarma o pánico en los ojos del bastardo y parecía estar disfrutando. ¿Y por qué no? El hombre del avión no podía hacer nada para detenerlo.

A lo largo de los años, Bob Burke había visto morir a mucha gente. Probablemente incluso había matado a más de la que le correspondía; pero eso fue durante dos guerras, y esto no era Irak ni Afganistán. Volaba en un 767 sobre los suburbios de Chicago, y por un segundo olvidó dónde estaba. Se desabrochó el cinturón, se levantó y gritó: "Dios mío, ese tipo la está matando", y señaló por la ventanilla.

Su vicepresidente de Finanzas, Charlie Newcomb, se sentó a su lado en el pasillo. Burke agarró a Charlie del brazo e intentó acercarlo a la ventanilla para que mirara, pero Charlie tenía cuarenta libras de sobrepeso. Su amplio trasero estaba encogido en el asiento con el cinturón de seguridad bien abrochado, así que no había forma de que Charlie pudiera moverse lo suficientemente rápido como para ver algo en el suelo antes de que se perdiera de vista. Como último recurso, Burke se asomó al pasillo, llamó la atención de la azafata en su asiento de la galera y le gritó que viniera a mirar, pero aquello resultó ser una idea aún peor.

Había sido una hermosa tarde de primavera en Washington DC cuando Charlie y él tomaron un taxi a la salida del Pentágono y se dirigieron a Dulles con el rabo entre las piernas. En el aire se percibía el aroma de los cerezos en flor y las azaleas, y las habituales tormentas de última hora de la tarde ya se estaban formando sobre el Potomac, al noroeste. En Chicago, el aire parecería fresco y fresco, pero los dos hombres pensaban en muchas más cosas que en el tiempo. Su corporación acababa de recibir un golpe demoledor, cortesía de los burócratas del Departamento de Defensa de EE.UU. y del viejo "paso a dos" político de Washington.

Bob Burke, desplomado en su asiento de primera clase, intentaba no pensar en ello. Ya iba por su segundo whisky de cortesía, una de las pocas ventajas que aún ofrecía un billete de primera clase. El piloto estaba terminando una serie de largos giros en bucle hacia el norte y el este hasta que el gran avión apuntó a las ciudades suburbanas de Wheaton, Glen Ellyn, Addison, Indian Hills y, finalmente, a la pista L-110 de O'Hare.

Veinte millas más allá, los campos de maíz fueron sustituidos por fairways verde esmeralda, trampas de arena blanca, grandes subdivisiones, calles curvas, callejones sin salida, casas en expansión, garajes para tres coches, césped recién cortado y piscinas con altas vallas. Las carreteras rurales de dos carriles se ampliaron a cuatro e incluso seis carriles, y en los cruces, cada vez más frecuentes, aparecieron gasolineras, sucursales bancarias y centros comerciales.

Estaba terminando su primer año como Presidente de Toler TeleCom, una pequeña empresa de telecomunicaciones y consultoría de software de alta tecnología situada en los suburbios de Chicago. Charlie y él estaban en la ciudad para presentar lo que se suponía que iba a ser una renovación rutinaria de su contrato con el Departamento de Defensa para diseñar y construir dispositivos de encriptación y grabación para el Departamento de Defensa, sólo para que les dijeran que los gnomos de adquisiciones del Departamento de Defensa habían decidido repentinamente "ir en otra dirección", como ellos tan agradablemente dijeron. Con una sonrisa socarrona y el rasguño de un bolígrafo, Toler TeleCom perdió su mayor contrato en favor de Summit Symbiotics, una empresa de la que

ni siquiera habían oído hablar. "Perdido" era una forma generosa de decirlo.
"Robado" era más exacto.

Después de West Point y doce años desempeñando las misiones más duras de
infantería, operaciones especiales y Delta Force que ofrecía el ejército
estadounidense, Bob Burke sabía leer a la gente como un halcón de caza y sus
instintos de supervivencia estaban afilados hasta el filo de la navaja. Después de
todo, por eso le contrató Ed Toler. Pero cuando ocurre un desastre como este, los
hombres reaccionan de forma diferente.

Bob prefirió mirar por la ventanilla del avión y repetir la reunión del
Departamento de Defensa una y otra vez en su mente, tratando de encontrar
cualquier sutil matiz o "señal" que pudiera haber pasado por alto la primera vez;
Charlie pasó el vuelo inclinado sobre su ordenador portátil con los ojos bailando a
través de las hojas de cálculo de la oferta ganadora de Summit, desesperado por
encontrar algún débil rayo de esperanza. ¿Por qué? Charlie era un contable.

Aún creía que las respuestas podían encontrarse en sus ordenadas filas y
columnas. Bob lo sabía mejor. La decisión del Departamento de Defensa apestaba
a política y mierda, no a números. En ese terreno, las respuestas estaban en lo que
Burke veía en los ojos de un hombre, lo que oía en su voz y lo que sentía en su
apretón de manos. Por eso supo que estaban jodidos en cuanto oyó al equipo de
adquisiciones del Departamento de Defensa decir que aceptaban la propuesta de
Summit Symbiotics en lugar de la de Toler TeleCom.

Era una trampa, por supuesto. O a los sonrientes responsables de compras del
Departamento de Defensa les habían dicho cuál iba a ser su decisión los peces
gordos del anillo interior del Pentágono, o Summit dejó un maletín lleno de dinero
o una oferta de trabajo en la mesa de alguien. Llámenlo contribución a la campaña,
soborno, "participación en los beneficios antes de la jubilación" o un soborno a la
antigua usanza, pero Summit presentó una oferta imposiblemente baja. En
retrospectiva, probablemente fueron las cuatro cosas.

Todo el mundo sabía que Summit compensaría con creces la pérdida
mediante una serie de órdenes de cambio posteriores. Pues bien, vergüenza para el
Departamento de Defensa, y vergüenza para un comandante de combate y táctico
del Ejército de primera categoría como Bob Burke por no prever una trampa,
dejarse sorprender por una táctica tan obvia y no estar preparado con sus propios
contraataques. Fue una dolorosa lección más de que la guerra burocrática en el
Potomac podía ser tan desagradable y a muerte como los numerosos tiroteos en los
que participó durante sus cuatro misiones en Irak y Afganistán. En el "desierto",

los malos llevaban AK-47 y RPG, pero el ejército estadounidense le dio su propia arma y le permitió responder a los disparos.

"Tío, esto es *tan* falso", siguió refunfuñando Charlie, sobre todo para sí mismo, acerca de la propuesta de Summit. "Esta cosa ni siquiera cumple la mitad de las especificaciones".

"Por supuesto que no", respondió Bob con bastante calma.

"Nos jodieron, Bobby, simple y llanamente. ¿Cómo pueden ser tan estúpidos los federales? Puedo mostrarte las cosas que se quedaron fuera de su oferta. Volverán corriendo con sobrecostes y órdenes de cambio antes de primavera y los federales tendrán que aceptarlos, porque nunca podrán admitir que cometieron un error tan grave. Mira tú. De ninguna manera se va a mantener. ¡Esos cabrones!"

"Es Washington, Charlie. Ahora todo gira en torno a la política y los sobornos, no a la competencia", respondió Bob mientras apuraba su vaso de whisky y lo levantaba para que la azafata de la cocina pudiera ver su cara sonriente. "Pero eso ya lo sabíamos hace tiempo, ¿no? Nuestro error fue ir tras el negocio del Departamento de Defensa en primer lugar".

"Eso no es culpa tuya, Bobby. Intentar meter nuestros hocicos en el comedero federal fue la gran idea de Ed Toler. Era un gran tipo, pero heredaste su desastre".

"Charlie, Ed lleva ya dos años bajo tierra. Si algo me enseñó el Ejército es que no puedes seguir echándole la culpa a tu predecesor, no si tuviste tiempo suficiente para cambiar las cosas. Lo único que lamento es que le va a costar el puesto a mucha gente buena".

La azafata, Sabrina Fowler, se acercó por fin con otro whisky doble en la mano, pero no estaba muy contenta. Miró su reloj y dijo: "Aterrizamos en quince minutos, y ustedes dos están en bucle".

"Él no". Bob miró a Charlie con una sonrisa agradable y anestesiada. "Él está bien".

"Vaya, qué gracioso", respondió ella, inexpresiva, pues ya había oído demasiadas veces ese acto sofocante. "Mira, he estado de pie desde las 6:00 de la mañana, y no necesito otro cómico. ¿Quién de vosotros conduce?"

"El Grinch a mi lado", mintió Bob. "Nos comportaremos, de verdad."

"Vale", dijo mientras entrecerraba los ojos y dejaba el vaso nuevo en el reposabrazos. "Pero si me lo reprochan, será mejor que no vuelvas a mi vuelo. ¿Entendido?"

"Sí, señora", respondió Bob con una sonrisa ganadora. Detestaba el innecesario gasto de negocios que suponía volar en primera clase, pero de vez en cuando había ventajas.

Mientras la azafata se alejaba, Bob cogió el whisky recién hecho y se bebió la mitad. Oyó el gemido y el chirrido del tren de aterrizaje del 767 al bajar y se volvió hacia la ventanilla. Abajo, el gran avión atravesaba un verde campo de golf suburbano, y vio a un tipo dar un golpe de salida en el bosque, mientras sus amigos le daban a la "chica de la cerveza" en el carrito de bebidas. En el siguiente green, un cuarteto con sobrepeso embocaba sus malos putts.

En rápida sucesión, las grandes casas y los campos de golf dieron paso a casas más pequeñas, apartamentos, edificios de oficinas de dos plantas, almacenes de poca altura y grandes centros de distribución, a medida que el avión descendía. Eran los cascarones desechables del comercio moderno estadounidense: los edificios polivalentes alquilados que albergaban la inmensa mayoría de las empresas suburbanas actuales. Nadie disfrutaba viviendo en una casa o jugando al golf bajo un 767 volando bajo, pero no molestaría a un tipo manejando una ruidosa carretilla elevadora o a un oficinista sentado en un cubículo bajo un grueso techo de tejas acústicas aisladas, razón por la cual edificios como esos se agolpaban alrededor de un ruidoso aeropuerto como O'Hare.

Sin embargo, la mayoría tenían en común un gran tejado rectangular. Podía ser blanco, negro o de diferentes tonos de marrón, dependiendo de si estaba hecho de uno de los nuevos materiales plásticos de alta tecnología o de capas de brea de alquitrán y papel negro. Si el tejado era marrón claro, solía estar "lastrado" con uno o dos centímetros de grava redonda suelta para protegerlo.

Bob dejó que sus ojos recorrieran los edificios de abajo, mientras Charlie seguía despotricando sobre la propuesta de Symbiotics. Bob trató de ignorarlo, pero entonces Charlie tocó un botón caliente. "Angie se va a cagar cuando se entere de que hemos perdido el contrato, ¿verdad?".

"No te preocupes por Angie. Es a mí a quien va a machacar, no a ti", respondió rápidamente.

Charlie le miró. "Oh, no te ves peor por el desgaste, Bob."

"Créeme, esa mujer sabe cómo dejar moratones y cicatrices donde no se ven", respondió con una sonrisa cómplice. Angie era la volátil y pronto ex-esposa de Bob Burke. Era la única hija de Ed Toler. Cuando Ed fundó Toler TeleCom, nombró a Angie su vicepresidenta a cargo de absolutamente nada, con un gran sueldo y una cuenta de gastos mayor. Sin embargo, en cuanto conoció a Bob, Ed se dio cuenta de que su nuevo yerno sería un sucesor infinitamente mejor que Angie.

Empezó a trabajar con Bob para que abandonara su carrera en el ejército y se uniera a Toler TeleCom como Vicepresidente de Operaciones, un trabajo real con responsabilidades reales. Al principio, Bob se lo tomó a risa, pero la cruda realidad era que estaba agotado por el combate casi continuo y estresante en un país del Tercer Mundo tras otro. Uno es lo que es y es lo que hace, lo sabía muy bien. Así que, al final, aceptó. Estaba más que preparado para el cambio y se lanzó a su nueva carrera sin reservas. Fue más o menos al mismo tiempo que Ed Toler alcanzó el brillante anillo de bronce del Departamento de Defensa.

Dos años más tarde, cuando Ed enfermó e ingresó en el hospital para no volver a salir, nombró a Bob nuevo Presidente de la empresa por encima de su hasta entonces heredera y sucesora, Angie. Su matrimonio, normalmente incendiario, había estallado meses antes, pero cuando el Viejo puso a Bob al mando en lugar de a ella, se acabó. Todos los directivos de Ed, los sindicatos y los bancos aceptaron rápidamente la elección de Ed, pero Angie nunca lo haría.

"¿Crees que nos va a demandar de nuevo?" Charlie preguntó.

"Probablemente. Esa chica siempre ha tenido más abogados que cerebro".

"Y el sentido del humor de un gato escaldado".

Bob sonrió agradablemente, sabiendo que Charlie no podía saber ni la mitad, y volvió a su whisky y a la ventana. El gran avión de línea descendía cada vez más, pero él seguía pensando en otra cosa. A fin de cuentas, se estaba dando cuenta de que su decisión de abandonar el Ejército podía haber sido un error. Es cierto que las Operaciones Especiales eran un mundo salvaje y sin límites, pero eran importantes y estimulantes, y él era excepcionalmente hábil en ellas. Amaba a los hombres con los que luchaba. Era un tópico, pero eran hermanos y ese vínculo nunca se rompería. Y después de un día como hoy, preferiría estar luchando en el río Amu Darya en Afganistán que en el Potomac. Tristemente, incluso podría ser más seguro.

Abajo, decenas y decenas de edificios comerciales, de oficinas y de industria ligera se extendían hacia el horizonte. A su izquierda, vio un alto depósito municipal de agua de color blanco. En su lateral, pintado en verde brillante, se veía el perfil de un jefe indio con un completo gorro de guerra. Casi directamente hacia abajo, entre el avión y el depósito de agua, había un edificio de oficinas de tres plantas y cristal azul. Fue entonces cuando vio a la mujer del vestido blanco salir corriendo hacia el tejado.

Nunca olvidaría su imagen corriendo, tropezando con la gravilla suelta, ni la del hombre de traje azul oscuro que la perseguía. Parecía mayor, con las sienes encanecidas, una camisa blanca y una corbata de ricas rayas rojas. Parecía casi digno, como un político en un telediario dominical, uno de esos predicadores de Carolina del Sur de la televisión por cable o un gato salvaje al acecho, tranquilo y bajo control mientras la acorralaba. En ese instante, cuando ella levantó la vista hacia el avión y hacia Burke, el hombre del traje oscuro también la levantó hacia él; sus ojos se clavaron el uno en el otro y su expresión sádica se grabó a fuego en el cerebro de Burke. Luego, tan rápido como aparecieron las dos figuras de abajo, desaparecieron de su vista.

Desesperado por evitar que la matara, Burke se desabrochó el cinturón de seguridad, se levantó e intentó pasar por encima de Charlie para llegar al pasillo, pero no consiguió nada. Sabrina Fowler, la azafata, saltó de su asiento en la cocina y corrió por el pasillo hasta su fila.

"Sr. Burke, vuelva a su asiento. Ahora", le ordenó. Como una buena defensa, le cortó el paso y le acorraló. Tenía las rodillas flexionadas, el peso distribuido uniformemente sobre las puntas de los pies y estaba en una posición atlética de "triple amenaza" perfecta para detenerle en seco. Le puso la palma de la mano en el pecho y lo empujó hacia su asiento antes de que pudiera poner un pie en el pasillo. Dondequiera que pensara que iba, no iba a llegar.

"Me dijiste que te comportarías". Le miró con desprecio.

"Ven aquí y mira". Se dio la vuelta y señaló por la ventana, con sus ojos negros centelleantes. "¡Están matando a una mujer ahí abajo!"

"¡No lo creo, ahora abróchate el cinturón!"

"Lo digo en serio. Ven aquí y mira", intentó convencerla.

Agotada su paciencia, dijo: "¡*Sabía* que no debía haberte dado ese tercer trago!".

"Pero la está estrangulando".

Se inclinó hacia delante y le miró a la cara. "Abróchate el cinturón o haré que te arresten cuando aterricemos. ¿Entendido?"

Finalmente, obedeció y encajó el cinturón, pero siguió discutiendo con Charlie y con ella. "La viste, ¿verdad, Charlie?"

"Bob, estaba aquí con la nariz en una hoja de cálculo. No vi..."

De mala gana, Burke se volvió hacia la azafata. "Mire, pregunte al capitán y al resto de la tripulación en la cabina. Deben de haber estado mirando ahí fuera también. O pregunte a los otros pasajeros de este lado del avión. Alguien más debe haberlo visto".

"No voy a preguntar nada a nadie hasta después de aterrizar".

"Vale, pero quiero hablar con la policía en cuanto lo hagamos".

"Oh, eso no será un problema, Sr. Burke", respondió sarcástica. "Estoy segura de que también querrán hablar con usted. Ahora siéntese y cállese".

XXX

<u>Si le ha gustado este capítulo preliminar de **BURKE'S WAR**, en Español</u> mi novela de suspense <u>contemporáneo</u> más vendida, puede obtener un ejemplar en el
Página del libro Kindle AQUÍ

Respuesta después Burke's War …

<u>TODOS MIS LIBROS ESTÁN DISPONIBLES EN KINDLE UNLIMITED</u>

Y SI HAS LEÍDO MI SERIE DE BOB BURKE, ECHA UN VISTAZO A MIS OTROS THRILLERS DE ACCIÓN Y AVENTURAS, TODOS EN KINDLE Y KINDLE UNLIMITED, EN TAPA BLANDA Y TAPA DURA DE AMAZON, Y DISPONIBLES EN MUCHOS SITIOS DE AUDIOLIBROS.

LA MACHETE DE BURKE: Libro 7 Bob Burke y sus Hombres Alegres se enfrentan a los cárteles mexicanos de la droga Fentanilo en el soleado México, ¡y no es por los Tacos y la Cerveza! Voló su cuartel general y metió a su Hefe en la cárcel. Ahora, le han arrebatado el suyo. Viene por ellos. Y no viene solo.

4,5 estrellas en 168 opiniones de Amazon

Aquí está la página de Kindle

EL RESCATE DE BURKE: Libro 6

Bob Burke y los Merry Men se enfrentan a los cárteles mexicanos del fentanilo en el soleado México, ¡y no es por los tacos y la cerveza! Voló su cuartel general y metió a su Hefa en la cárcel. Ahora, le han arrebatado a su esposa. Viene por ellos. Y no viene solo.

4,6 estrellas en 263 opiniones de Amazon

COMPRUÉBELO EN KINDLE AQUÍ

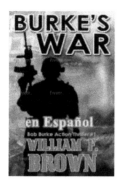

LA GUERRA DE BURKE #Nº 1 de la
**emocionante serie de acción y aventuras de Bob
Burke, que actualmente cuenta con cinco libros y un
sexto en camino.** Un ex comandante de la Fuerza Delta
del Ejército y francotirador maestro, cuando ve cómo
asesinan a una mujer, no es el tipo de persona que lo deja
descansar. ¡La venganza es una pasada!

4,4 estrellas en 1,584 críticas en US Amazon

COMPRUÉBELO EN KINDLE AQUÍ

BURKE'S GAMBLE, nº 2 de la serie de Bob
Burke, en la que Bob y los Merry Men se enfrentan a la
mafia de Nueva York. Cuando alguien tira a uno de sus
antiguos sargentos por la ventana de un piso 5th en un
casino de Atlantic City, ¡la venganza va a ser de órdago!

4,5 estrellas en 927 críticas en US Amazon

Aquí está la página de Kindle

Y puede que también te guste el #3 de la serie de Bob Burke, BURKE'S REVENGE, #3 con Bob y los Merry Men enfrentándose a terroristas del ISIS dentro de Fort Bragg.

4,5 estrellas en 648 críticas en Amazon

COMPRUÉBELO AQUÍ.

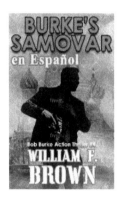

También puedes echar un vistazo a *BURKE'S SAMOVAR, nº 4,* con Bob y los Merry Men luchando contra "El Nuevo Zar" y la mafia rusa. Si intentas robarle su negocio y forzarle, habrá consecuencias, hasta Moscú es necesario.

4,6 estrellas en 596 críticas en US Amazon

ECHE UN VISTAZO AQUÍ

Y luego está BURKE'S MANDARIN #5 en la serie de acción y aventuras de Bok Burke, con espías chinos en DC, la marina china en el Mar del Sur de China, y alguien acaba de disparar a la camioneta de Bob. Hay algo más que té verde en el Mar de la China Meridional.

4,7 estrellas en 520 opiniones de Amazon

COMPRUÉBELO EN KINDLE AQUÍ

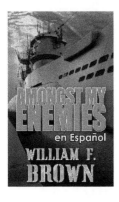

ENTRE MIS ENEMIGOS: En el interior de un oxidado submarino alemán hay millones en lingotes de oro, obras de arte robadas y un secreto. La KGB, la CIA, sicarios de las SS nazis, incluso el Mossad israelí. *¡Una gran lectura!*
4,4 estrellas en 873 críticas de lectores

AQUÍ ESTÁ EL ENLACE A LA PÁGINA DEL LIBRO EN US KINDLE

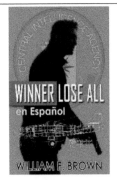

EL GANADOR LO PIERDE TODO: Los espías mienten y los espías mueren en este trepidante thriller de la Guerra Fría. Cuando la Segunda Guerra Mundial se detiene entre los escombros de la Alemania nazi, todas las miradas se vuelven hacia la próxima "guerra fría".

4,5 estrellas en 475 reseñas de lectores.

ECHE UN VISTAZO AQUÍ

JUEVES AL MEDIODÍA: La traición y el doble juego son la norma en este thriller de espías contra espías. Un agente del Mossad muerto, científicos de cohetes nazis, la Hermandad Musulmana, un embajador americano corrupto y dos regimientos de tanques egipcios desaparecidos: alguien está intentando iniciar otra guerra árabe-israelí.

4,3 estrellas en 380 críticas de lectores

COMPRUÉBELO AQUÍ O EN LA PÁGINA DEL KINDLE

SOBRE EL AUTOR
WILLIAM F BROWN

Con la adición de Burke's Machete, soy autor de diecisiete libros que ahora están disponibles exclusivamente en Kindle en libro electrónico, tapa blanda, tapa dura y audiolibros. Dos son cajas y cuatro son mi aclamada serie Our Vietnam Wars (Nuestras guerras de Vietnam), que contiene entrevistas y relatos con 240 veteranos de Vietnam sobre sus experiencias antes, durante y después de la guerra.

Natural de Chicago, me licencié en Historia y Estudios del Área Rusa por la Universidad de Illinois y obtuve un máster en Planificación Urbana. Fui comandante de compañía del ejército estadounidense en Vietnam y participé activamente en la política local y regional. Como Vicepresidente de la filial inmobiliaria de una empresa de la lista Fortune 500, he viajado mucho por Europa, Rusia, China y Oriente Próximo, lugares que han aparecido en mis escritos. Juego mal al golf, me he convertido en un corredor empedernido y pinto paisajes pasables al óleo y acrílico. Jubilados, mi mujer y yo vivimos en Florida.

Además de las novelas, he escrito cuatro guiones premiados. Han quedado primeros en la categoría de suspense de Final Draft, fueron finalistas en Fade In, primeros en Screenwriter's Utopia - Screenwriter's Showcase Awards, segundos en la American Screenwriter's Association, segundos en Breckenridge, y otros. Uno de ellos fue seleccionado para el cine.

La mejor manera de seguir mi trabajo y enterarse de las rebajas y los regalos es a través de mi sitio web http://www.billbrownthrillernovels.com.

DEDICACIÓN

En primer lugar, quiero dar las gracias al mejor grupo
de correctores que puede tener un escritor: mi esposa
Fern en Florida, Elisabeth Hallett en la lejana
Montana, Reg Thibodeaux, también en Montana,
John Brady, Steve Kirsch, Ann Keeran, Wayne
Burnop en Texas, Ron Braun también en Texas,
Paul Duke, Marti Panikkar en Arkansas, Susan
Bryson, Catherine Griffin en Carolina del Sur, Ken
Friedman en Orlando, Sheldon Levy también en
Orlando, y Craig Smedley en Melbourne, Australia.
Se necesita un número infinito de ojos para captar la
mayoría de esos pequeños fallos electrónicos. Nadie
los pilla todos.
También quiero dar las gracias a Todd Hebertson, de
My Personal Art, en Salt Lake City, por las
extraordinarias portadas que ha realizado para casi
todos mis libros. Hoy en día se necesita un pueblo
geográficamente diverso para producir un libro.

COPYRIGHT

BURKE'S MACHETE, en Español

novela de suspense nº 7 de Bob Burke

Milton Keynes UK
Ingram Content Group UK Ltd.
UKHW050009060224
437193UK00019B/98